Konstantinopel
THRAKIEN
MARMARA MEER
MAKEDONIEN
Thasos
Imbros
HELLESPONT
Troia
Skamandros
CHALKIDIKE
Olympos
Lemnos
Tenedos
Lesbos
Pergamon
THESSALIEN
Skyros
K. Artemision
EUBOIA
Chios
Delphoi
Theben
AITOLIEN
Samos
Andros
Ithaka
Korinth
ATTIKA
Tenos
Ikaros
Athen
Keos
Argos
K. Sunion
Delos
Kythnos
Paros
Naxos
Seriphos
Kos
Olympia
PELOPONNES
Sikinos
Sparta
Melos
Thera
Tainaron
Kythera
Karpathos
Kydonia
Chania
Berg Ida
Knossos
Höhle des Zeus
KRETA
E R

SAGEN
DER GRIECHEN
UND RÖMER

ENSSLIN & LAIBLIN VERLAG

REUTLINGEN

Schutzumschlag von Klaus Gelbhaar.
Vorsatz von Gottfried Wustmann.

97.–100. Tausend

Überarb. Neuauflage 1995 94 93 92 91 90 25 24 23 22 21 20

 Gesamtherstellung: Ebner Ulm. Printed in Germany. ISBN 3-7709-0127-4

GRIECHISCHE SAGEN

BEARBEITET

VON RICHARD CARSTENSEN

ENSSLIN & LAIBLIN VERLAG
REUTLINGEN

Das vorliegende Werk erschien vormals unter dem Titel:
»Die schönsten Sagen des klassischen Altertums« von Gustav Schwab.
Es wurde bearbeitet und ergänzt von Richard Carstensen.

248.–255. Tausend

Schutzumschlag von Anton Stankowski. Karten auf dem Vorsatz von Gottfried Wustmann. Kunstdrucktafeln nach Vorlagen des Archäologischen Instituts der Universität Tübingen, von Foto-Marburg und des Bärenreiter-Verlages, Kassel.

Überarb. Neuauflage: 1994 93 92 91 90 31 30 29 28

 Satz: Ensslin-Druck, Reutlingen. Schrift: Garamond-Antiqua. Gesamtherstellung: Ebner Ulm. Printed in Germany. ISBN 3-7709-0130-4

VON DER ENTSTEHUNG DER WELT

Zu Beginn aller Dinge war der grenzenlose Weltraum, den die Dichter des Altertums das Chaos nennen. Ohne Maß, ohne Anfang und ohne Ende war es; gähnend tat es sich ins Unermeßliche auf. Seine Urkluft war noch mit finsterem Nebel angefüllt. Trotzdem barg das Chaos schon die Grundbestandteile allen Wesens: Erde, Wasser, Luft und Feuer.

Aus der ungeformten Leere gingen Gaia, die Erde, und der dunkle Tartaros, der Abgrund unter der Erde, hervor; neben diesen beiden aber erwuchs Eros, die im ewigen Weltall wirkende Liebe.

Gaia, die Erde, erzeugte Meer und Himmel, welche die Alten Pontos und Uranos nennen. Auch die Titanen, die drei Kyklopen und die drei hundertarmigen Riesen sind Kinder der Urmutter Erde, denn Eros, die alles bezwingende Liebe, führte sie dazu, sich mit dem Meere und mit dem Himmel zu verbinden.

Uranos, der Himmel, machte sich jedoch bald zum Herrn. Er war der Vater der riesigen einäugigen Kyklopen, die die Erfinder der Blitze sind, und der zwölf gewaltigen Titanen. Sechs Söhne und sechs Töchter waren es; Okeanos, Japetos, Kronos und Hyperion sind unter den männlichen, Tethys, Themis, Rhea und Theia unter den Töchtern die berühmtesten.

Urgewaltig an Gestalt und Macht waren die Titanen, die zu Stammvätern und Stammüttern späterer Göttergeschlechter werden sollten: Okeanos ist der große Weltstrom, der Erde und Meer rings umfließt; alle Fluten des Meeres, Flüsse und Quellen entströmen ihm, und Sonne, Mond und Gestirne erheben sich aus seinen Wogen und senken sich wieder in ihn hinab. Seine Frau ist Tethys, die quellende, nährende Feuchtigkeit; viele Stromgötter entsprangen aus dieser Titanenehe. Themis pflegt in der Weltordnung seit Urzeiten Gerechtigkeit, Sitte und Naturgesetz, während aus der Ehe von Hyperion und Theia, den beiden Lichtgestalten, die Sonne, der Mond und die Morgenröte hervorgingen.

Kronos, den die Römer Saturnus nennen, ist der jüngste der Titanen, und mit Rhea sollte er Uranos und Gaia in der Weltherrschaft folgen.

Schreckliches wird aus jenen Urtagen berichtet. Uranos fühlte sich von seinen eigenen Söhnen, den riesigen Kyklopen, in seiner Herrschaft bedroht und verbannte sie in die Tiefe des finsteren Tartaros. Vergeblich suchte Gaia ihre Kinder vor dem Hasse des Vaters zu schützen. Da rief sie die Titanen zur Rettung der Brüder auf. Nur Kronos, der Jüngste, wagte es aber, für sie einzutreten.

„Ich werde dir eine Waffe geben!“ rief Gaia in ihrem Zorn, ließ im Schoße der Erde das Eisen wachsen und daraus eine Sense werden. Ein furchtbarer Kampf war es, in den Kronos sich stürzte; mit seiner scharfen Waffe verstümmelte er den eigenen Vater, entriß ihm die Herrschaft und machte sich zum König.

Mit dieser entsetzlichen Tat kam das Verbrechen auf die Welt. Aus den Blutstropfen aber, die von dem Getroffenen zur Erde hinabfielen, erwuchsen die furchtbaren Rachegöttinnen, die Erinnyen, und das Riesengeschlecht der Giganten. Gräßlich war schon die Rache, die die Worte des verstümmelten Uranos heraufbeschworen: „Einst wird auch einer deiner Söhne dich vom Throne stoßen, so wie du es mir angetan hast!“ rief er dem Sohne zu. In Angst mußte Kronos seither leben, und als seine Gemahlin Rhea bald darauf Kinder gebar, verschlang er sie jedesmal sogleich nach der Geburt: seine Töchter Hera, Hestia und Demeter und seine Söhne Hades und Poseidon.

In unsäglichem Mutterschmerze hatte Rhea ihre Kinder Kronos hingegeben. Als sie nun wieder einem Kinde das Leben schenken sollte, machte sie sich auf, ihre Eltern Uranos und Gaia um Rat zu fragen. „Geh auf die Insel Kreta“, sagten diese, „dort wirst du vor deinem gewalttätigen Manne sicher sein!“ Dieses Gebot befolgte Rhea; wieder brachte sie einen Knaben zur Welt, und in der einsamen, dunklen Höhle des Berges Ida, in der sie ihn versteckte, konnte sie sein Leben retten.

Der Neugeborene hieß Zeus. Zwar verlangte Kronos auch nach diesem Sohne, doch Rhea täuschte ihn listig, indem sie ihm einen in Windeln gewickelten Stein reichte. Der grausame Titan verschlang ihn gierig und ahnte nicht, daß der Sohn inzwischen, von den Bergnymphen wohlbehütet, heranwuchs. Eine göttliche Ziege reichte ihm ihr Euter, die Bienen des Berghanges brachten ihm Honig, und wenn er sich mit seinem kindlichen Geschrei in Gefahr brachte, so schlugen Rheas Priester lauten Lärm, damit Kronos das Versteck nicht entdecke.

Als Zeus herangewachsen war, trat er vor seinen Vater Kronos und zwang ihn, die unsterblichen Kinder, die er verschlungen hatte, wieder herauszugeben. Schrecklich sollten sich des sterbenden Uranos Racheworte weiter erfüllen, denn mit seinen Geschwistern begann Zeus nun vom thessalischen Olymp aus den Kampf gegen Kronos und dessen Brüder, die Titanen. Den Kyklopen und den hundertarmigen Riesen, die Kronos im Tartaros gefangen hielt, gab Zeus die Freiheit und machte sie damit zu seinen Helfern. Sogar einige der Titanen, vor allem Okeanos, Tethys und Themis, standen Zeus zur Seite. Furchtbar war der Streit der Urgewalten um die Weltherrschaft; sein Widerhall drang bis in die Tiefen des Tartaros. Die mächtigste Waffe des Zeus waren die Donnerkeile, die die Kyklopen ihm geschmiedet hatten; unaufhörlich schleuderte er sie von seiner Bergburg, dem Olympos, hinab, bis die Titanen unterlagen. So blieb Zeus der Sieg und damit die Herrschaft über die Welt.

Dankbar für die tapfere Hilfe, teilte Zeus nun die Weltherrschaft mit seinen Brüdern. Während Hades die Unterwelt bekam, gab er Poseidon die Gewalt über das Meer; er selber behielt als Herrschersitz den Himmelsthron. Die Titanen, die treu zu ihm gestanden hatten, beließ er in ihren Machtbereichen, während er die feindlichen im Tartaros gefangenhielt.

An Zeus' Seite lebte als seine Gemahlin seither die Göttin Hera, die als des Kronos älteste Tochter zur Welt gekommen war. Aus dem Schaume des Meeres entstieg seine Tochter Aphrodite, die Göttin der Liebe und der Schönheit, die alle anderen Göttinnen an Anmut und Liebreiz übertraf. Zwei Kinder wurden dem obersten Gotte von Leto, einer Tochter des Titanen Koios, geschenkt: Phoibos Apollon, der Gott des Heils und der Ordnung; er war Schirmer des Gesetzes, alles Guten und Schönen in der Natur und in der Menschenwelt. Artemis, seine Schwester, war ebenfalls die schützende, heilbringende Göttin, die Spenderin frischen, blühenden Naturlebens; wie ihr Bruder Apollon war sie unvermählt.

Zeus' Lieblingstochter aber war Pallas Athene, die aus seinem Haupte, dem Sitze der Klugheit, entsprang; so war sie die Göttin der Klugheit, eine mächtige und kluge Lenkerin und Schirmerin der Städte und Staaten in Krieg und Frieden.

Andere Gottheiten traten damals in den Kreis der Himmlischen wie Iris, die Götterbotin, die den Verkehr zwischen den Göttern und Menschen vermittelte. Aus Zeus' Ehe mit Hera erwuchs Hephaistos, der als kunstfertiger Gott der Schmiedeesse die Macht des Feuers bezähmte.

Doch noch war die neue Weltordnung nicht gesichert. Gaia nämlich, die Urmutter Erde, sah mit Zorn ihre Kinder in der Unterwelt schmachten; sie zu befreien, schickte sie den hundertköpfigen, feuerspeienden Typhon, und Zeus, der Sieger, hatte nun wiederum einen erderschütternden Kampf zu bestehen, bis er auch das Drachenungeheuer bezwungen hatte.

Gaia aber ließ nicht nach; sie stachelte die schrecklichen Giganten auf, den Göttersitz zu erstürmen. Furchtbar war der Kampf, den Zeus in der Schlacht mit dem Geschlecht der Riesen zu bestehen hatte. Sie brachen aus der Unterwelt hervor, daß die Gestirne aus Furcht erblaßten. „Geht hin und rächt mich an den Himmlischen!" mit diesen Worten trieb Gaia sie an, „gebrauchet meine eigenen Glieder, die Berge, zu Stufen, um den Olymp zu bezwingen!"

Die riesenhaften Ungeheuer waren schrecklich anzuschauen; statt der Füße hatten sie geschuppte Drachenschwänze. Sie jubelten bei den Worten ihrer Mutter auf und schwelgten in der Vorfreude des Sieges. „Ich will Aphrodite zu meinem Weibe machen!“ prahlte der eine der Riesen, „Artemis soll mein Weib werden!“ rief der andere, und ein dritter rühmte sich gar, er wolle die schöne Athene freien. So zogen sie den Bergen Thessaliens zu, um von dort aus den Göttersitz zu stürmen.

Indessen sammelten die bedrängten Götter alle verfügbaren Kräfte, um dem schweren Angriff der Riesen standhalten zu können. Iris, die Götterbotin, holte die Himmlischen zusammen; selbst die Geister der Verstorbenen rief sie zur Hilfe auf. Gehorsam folgten alle dem Rufe.

Und es war wirklich höchste Not. Alle Elemente waren in wildestem Aufruhr; vom Himmel ertönte die Wetterposaune, und das Land antwortete mit anhaltendem Erdbeben.

Die Götter nahmen alle tapfer am Entscheidungskampfe gegen die wütenden Riesen teil. Phoibos Apollon sandte seine immer treffenden Pfeile, Hephaistos schleuderte glühende Kohlen aus seiner Schmiedeesse, und Poseidon stieß mit seinem Dreizack; die Moiren, die Schicksalsgottheiten, schwangen ihre Keulen, und alles zermalmend fuhr Zeus' Donner nieder. Auch Herakles, Zeus' erdgeborener Sohn, den Athene auf sein Geheiß zur Hilfe holte, griff voll Ungestüm in den Kampf ein.

Aber ob die Riesen in ihrem Zorn auch einen Berg nach dem andern aus seinen Grundfesten rissen und neue Berge, den Ossa, den Pelion und den Oeta, aufeinander türmten, Zeus zeigte sich stärker. Er blieb Sieger in dem mörderischen Kampfe, und niemand wagte es künftig, ihm seine Herrschaft streitig zu machen.

Hoch auf dem Gipfel des Olymp thront Zeus seither als Oberster im Kreise der Götter. Nicht Schnee noch Regen fallen dort, kein Windhauch weht. Nektar und Ambrosia ist die Götterspeise, die allen Himmlischen ewige Jugend und Unsterblichkeit erhält.

KLEINERE SAGEN

PROMETHEUS

So war nun die Welt geschaffen. Himmel und Erde hatten darin ein festes Gefüge, und das Meer war in seine Ufer gewiesen. In fröhlichem Gewimmel bevölkerte allerlei Getier den Erdraum; in den Wellen tummelten sich die Fische, in den Lüften die Vögel, und über den Erdboden hin eilten leichtfüßige Tiere aller Art. Aber noch fehlte es an dem Geschöpfe, das berufen war, mit seinem Geiste die weite Welt zu beherrschen.

Da betrat Prometheus die Erde.

Er war ein Enkel des Uranos, des Himmelsgottes, und Sohn des Titanen Japetos, dessen Geschlecht einst durch Zeus entthront und in den Tartaros verbannt worden war. Prometheus, der seines Vaters erfindungsreiche Klugheit geerbt hatte, wußte von dem göttlichen Samen, der im Boden ruht. Er nahm Erdenton und formte aus ihm nach dem Ebenbilde der Götter eine Gestalt. In die Brust schloß er ihr gute wie böse Eigenschaften ein, die er den Seelen aller Lebewesen dieser Erde entnommen hatte, und formte daraus die menschliche Seele. Die Göttin Pallas Athene, seine himmlische Freundin, die sein Werk mit Bewunderung betrachtete, blies dem beseelten Erdenkloß ihren Atem ein und gab dem Menschen damit den Geist.

So entstanden die ersten Menschen.

Gar bald füllten sie in unendlicher Vielzahl das Erdenrund. Doch was nützte ihnen der herrliche Bau ihrer Glieder, was der göttliche Funke, wenn sie nicht die himmlischen Gaben wohl zu verwenden verstanden? Sie lebten wie im Traume dahin, denn nicht des Gehörs noch des Gesichts wußten sie sich zu bedienen. Ohne Plan war, was sie taten, denn was ahnten sie vom Lauf der Sterne, was von den Jahreszeiten, was von der Kunst des Häuserbauens? Und was wußten sie von der segensreichen Macht des Feuers!

Da wurde nun Prometheus zum Lehrmeister seiner Geschöpfe: er lehrte sie den rechten Gebrauch aller Gaben der Himmlischen, lehrte sie sehen und hören, nach dem Wandel der Gestirne den Tag einteilen und den Jahresablauf in der ewig wechselnden Schönheit seiner Zeiten erleben. Nun lernten sie, sich die Tiere zu dienstbaren Helfern zu machen und mit Schiffen das Meer zu befahren. Sie verstanden, Steine und Ziegel zu bereiten, das Holz zu behauen und feste Häuser zu errichten. Nur eines fehlte den Menschen: das Feuer.

Die Götter, voran der gewaltige Zeus, hatten von den Menschen Anerkennung ihrer Herrschaft und Verehrung für den Schutz verlangt, den sie den Erdensöhnen gewährten. Die Menschen waren zu solchem Dienste bereit, und Prometheus wurde von ihnen geschickt, mit den Göttern zu verhandeln. Aber in törichter Vermessenheit versuchte er, Zeus selber, den Allwissenden, zu täuschen, und so versagte der Weltenbeherrscher den Menschen die göttliche Gabe des Feuers.

Doch auch hier wußte der schlaue Titanensohn Abhilfe. Er näherte sich mit einem leicht entzündbaren Riesenhalm dem vorüberfahrenden Wagen des Sonnengottes Helios, entnahm ihm den Feuerbrand und eilte mit dieser Fackel zur Erde, den Menschen das Feuer zu bringen. Allüberall flammten die Holzstöße auf: Der Mensch besaß jetzt die wohltätige, segensreiche Kraft des Feuers.

Zeus aber, den Weltenbeherrscher, schmerzte es, das Menschengeschlecht nun mit solcher Gabe ausgestattet zu sehen. Sogleich sandte er ihnen ein schlimmes Übel, um die Macht der Menschen zu begrenzen. Er führte eine wunderschöne Jungfrau unter sie, die von Hephaistos, dem Gott des Feuers und der Schmiedekunst, geschaffen und von allen Göttern mit einer unheilbringenden Gabe beschenkt worden war:

Pandora, die Allbeschenkte, hieß sie, die nun unter die arglosen Menschen trat und sich von ihnen bewundern ließ. Nichts Böses ahnend, nahm Epimetheus trotz der Warnung seines Bruders Prometheus ihr Geschenk, eine schöne Büchse, an. Wie schwer sollte sich seine Gutgläubigkeit für alle Menschheit rächen! Denn kaum wurde der Deckel von Pandoras Büchse zurückgeschlagen, da entflogen dieser alle Krankheiten, Übel und Schmerzen und verbreiteten sich mit Blitzeseile über die Menschen im Erdenrund, die bisher frei von Beschwerden und Krankheiten gelebt hatten. So strafte Zeus des Prometheus Raub.

Ein einziges Gut war in der Büchse verborgen: die Hoffnung. Doch ehe sie entweichen konnte, schlug die böse Götterbotin den Deckel zu und verschloß sie für immer. Die Qualen der Krankheiten und des Elends aber traten sogleich in allen Gestalten vor die Menschen: Zeus hatte ihnen die Stimme versagt, und so näherten sie sich stets heimlich und schweigend. Fieberkrankheiten überfielen die wehrlosen Menschen, und der Tod hielt reiche Ernte.

Doch nicht genug mit solcher Strafe! Voller Zorn blickte Zeus auf Prometheus, und auch ihn selber sollte der Strahl seiner Rache treffen. Mitleidslos ließ er ihn von seinen Knechten in die wildeste Einöde des Kaukasus schleppen und von Hephaistos mit unlösbaren Ketten über einem schaurigen Felsgrund anschmieden. Dort hing nun der Götterenkel an der einsamen Klippe, aufrecht stehend, so daß er niemals das wankende Knie beugen konnte, und ohne Schlaf für die müden Augen. Speise und Trank waren dem Unglücklichen versagt; statt dessen fraß täglich ein Adler von seiner Leber, die sich unablässig erneuerte.

Viele Jahrhunderte dauerte die Qual des Verdammten. Vergeblich rief er Wind und Wolken, die Sonne und die Ströme zu Zeugen seiner Pein an – Zeus blieb erbarmungslos und unerbittlich. Erst als der Held Herakles des Weges kam, sollte die grausige Leidenszeit ein Ende finden: Den gewaltigen Helden, der auf der Fahrt nach den Äpfeln der Hesperiden war, ergriff unbändiges Mitleid mit dem Schicksal des Titanensohnes; er erlegte den Adler und befreite den Gequälten von der grausigen Haft.

DEMETER UND PERSEPHONE

Seit Demeter zusammen mit den Geschwistern ihrem gewalttätigen Vater Kronos entronnen war, thronte sie, einer verjüngten Gaia gleich, unter den Olympischen als die milde und mächtige, segenbringende Göttin der Fruchtbarkeit.

Aus ihrer Verbindung mit Zeus hatte sie eine Tochter, der sie mit innigster Mutterliebe zugetan war: Persephone, die wohlbehütet im Kreise ihrer Gespielinnen aufwuchs.

Als sie einst in ungetrübter Jugendlust auf den blühenden Fluren der Mutter Demeter spielte und Blumen zum Kranze pflückte, klaffte urplötzlich neben ihr der Erdboden. Hades, der Gott der Unterwelt, der wegen des Reichtums im Schoße der Erde auch Pluton genannt wird, sprengte mit rossebespanntem Wagen aus seinem Reiche hervor. Vergeblich schrie Persephone nach Rettung; der Gott entführte sie gewaltsam in die dunkle Unterwelt und machte sie dort zu seiner Gemahlin.

Verzweifelt und untröstlich irrte Demeter auf der ganzen Erde umher, ihre verschwundene Tochter zu suchen. Endlich verriet Helios, der alles sieht, ihr den Aufenthalt des Mädchens. Da verließ Demeter den Olymp und zog sich in ihrem Schmerze in die Einsamkeit zurück. Mißwuchs sandte sie zürnend über die Länder, alle Fruchtbarkeit ließ sie von der Erde verschwinden, so daß Hungersnot die Menschen bedrohte.

Vergeblich versuchte Zeus, die Göttin milde zu stimmen. Da sah er sich schließlich genötigt, dem Bruder die Rückgabe seines Raubes zu gebieten. Hades gehorchte dem Verlangen des Höchsten der Götter und entließ Persephone. Vorher aber hatte er sie vom Granatapfel kosten lassen, der geheimen Zauber barg: Wer von dieser Speise genoß, war der Liebe verfallen. Und so weilte Demeters Tochter nun nach dem Willen des Zeus zwei Drittel eines jeden Jahreslaufes, in der Zeit des Blühens und Reifens, bei ihrer Mutter auf der Oberwelt. Dann aber siegte in ihr die eheliche Liebe, und freiwillig ging sie wieder in die Unterwelt hinab, um die Winterzeit bei ihrem Gatten zu verbringen.

Dort thront Persephone ernst und streng wie ihr Gatte, mit dem sie die Herrschaft im Reiche der Schatten teilt; aber sie erscheint auch als gütige Versöhnerin, und manches Mal hat sie den harten, unbeugsamen Pluton zu milderem Sinne bewegt.

DEUKALION UND PYRRHA

Lange bevor unser Menschengeschlecht diese Welt bevölkerte, hauste auf Erden das Geschlecht der ehernen Menschen, die grausam und voll Gewalttätigkeit waren und stets nur auf Streit und Zank und Krieg sannen. Ihre Wohnung war aus Erz, mit Erz bestellten sie das Feld, und ihr Sinn war unbeugsam und hart wie das Erz.

Zeus, der Weltenbeherrscher, der von ihrem gottlosen Starrsinn gehört und sich in Menschengestalt unter sie begeben hatte, war voll Empörung zum olympischen Göttersitz zurückgekehrt. „Das Gerücht ist noch weit milder als die Wahrheit!“ rief er zornentbrannt im Rate der Götter; „ich bin entschlossen, das ruchlose Geschlecht von der Erde zu tilgen!“ Schon griff er nach den Donnerkeilen, um sie gegen die Gottlosen zu schleudern. Doch er mußte fürchten, die feurigen Blitze könnten den Äther in Flammen setzen und die Achse des Weltalls verbrennen, und so legte er sie wieder aus der Hand.

„Ich werde einen ungeheuren Regen vom Himmel senden und das eherne Geschlecht in Wolkengüssen ertränken“, schwur er ingrimmig. Sogleich wurde der Nordwind, der die Regenwolken zu verscheuchen pflegte, in die Höhlen des Windgottes Aiolos eingeschlossen; nur der Südwind wurde freigelassen. Mit triefenden Schwingen und regennassem Bart, das Antlitz in nachtschwarzes Dunkel gehüllt, so schwang sich der Südwind zur Erde hinab; Nebel lagerte auf seiner Stirn, und in den weißen Haupthaaren rann die Flut. Er packte die tief herunterhängenden Regenwolken, und unter Donnerrollen fing er an, sie auszupressen.

Da goß sich unendlicher Regen auf die Erde hinab. Auch der Meergott Poseidon kam dem Bruder bei dem Zerstörungswerk zu Hilfe. „Laßt euren Wassern alle Zügel schießen!" befahl er seinen Flüssen, „brecht in die Häuser der Sterblichen ein und zerstöret die Dämme, mit denen sie euch einengen!" Und während die entfesselten Ströme sich gegen alles Menschenwerk stürzten, durchstach der Flußgott selber mit seinem Dreizack das aufgedämmte Erdreich und ließ die wütenden Fluten eindringen.

So strömten die Wasser über die offene Flur, über Häuser und Tempel hin, überspülten die Saatfelder und rissen Bäume und Pflanzen nieder. Und wo ein Palast fest genug war, den Fluten zu trotzen, da deckten doch bald die Wellen seinen Giebel, daß auch die höchsten im Strudel verschwanden. Meer und Erde waren nicht mehr zu unterscheiden; alles versank in den weiten, uferlosen Wassern.

Die Menschen suchten sich zu retten, so gut sie konnten. In ihrer Verzweiflung strebten sie auf die höchsten Berge, doch die meisten packte das unbarmherzig vordringende Wasser, bevor sie Rettung fanden. Und wer einen der unwirtlichen Gipfel erreichte, der war dazu verdammt, in kurzer Zeit dem Hungertode zu erliegen.

Damals lebte Deukalion, des Prometheus Sohn, mit seiner Gattin Pyrrha. Niemand unter den Sterblichen war den beiden gleich an Rechtschaffenheit und Frömmigkeit. Prometheus selber hatte zu der Zeit, da er noch im Rate der Götter saß, das Paar gewarnt und ihnen ein Schiff gebaut. Und als nun auch über sie des Zeus Vernichtungsgebot fiel, da konnten beide sich in ihrem Fahrzeug über die wildbewegte Flut retten.

Als der Allvater vom Himmel hinabschaute und nur noch dieses einzige Menschenpaar erblickte, beide fromm und gottesfürchtig und ohne alle Schuld an dem furchtbaren Strafgericht, zu dem ihn sein göttlicher Zorn geführt hatte, da sandte er den Nordwind aus, ließ die schwarzen Wolken auseinandertreiben und den Nebel entführen. Er zeigte dem Himmel die Erde und der Erde den Himmel wieder. Auch Poseidon legte den Dreizack beiseite und besänftigte die Flut.

Da erhielt das Meer wieder Ufer, und die Ströme kehrten in ihr Bett zurück.

Tränen rollten dem frommen Deukalion über die Wangen, als er das Land so verwüstet und grabesstill liegen sah. „Nun sind wir beide allein das Volk der Erde", sagte er wehklagend zu seiner Frau; „alle anderen sind in der Wasserflut ertrunken! Ach, wenn mich doch mein göttlicher Vater die Kunst gelehrt hätte, menschliche Wesen aus Ton zu formen und ihnen menschlichen Geist einzuhauchen!"

Weinend traten die beiden vor den halbzerstörten Tempel der Themis, warfen sich auf die Knie nieder und flehten zu der Göttin: „Gib du uns Kunde, Himmlische, wie wir unser vernichtetes Geschlecht zu neuem Leben erwecken sollen! O hilf du unserer versunkenen Welt!"

„Verhüllt euer Haupt!" erklang da die Stimme der Göttin, „und werft die Gebeine eurer Mutter hinter euch!"

Lange rätselten die beiden an dem geheimnisvollen Götterspruch. „Verzeih mir, Himmlische", rief Pyrrha die unsichtbare Göttin an, „wenn ich vor deinem Gebote erschaudere! Aber wie kann ich dir gehorsam sein, wenn du mich das Andenken meiner Mutter kränken heißt!" Doch Deukalion fiel ihr ins Wort: „Ich erkenne den Sinn ihrer göttlichen Worte, denn niemals verlangt ein Gott Freveltat vom Menschen: Unsere Mutter, das ist die nahrungspendende Erde, und ihre Knochen sind die Steine; und diese, Pyrrha, sollen wir hinter uns werfen!"

Noch mißtrauten beide dieser Auslegung des göttlichen Spruches. Doch dann entfernten sie sich vom Altar der Göttin, umschleierten ihr Haupt und warfen Steine hinter sich.

Und da begab sich das Wunderbare: Das Gestein verlor seine Härte und Sprödigkeit, es wurde geschmeidig, es wuchs – es gewann Gestalt! Menschengestalt, zwar noch grob und unfertig zuerst, so wie ein Künstler die

Gott aus dem Meer (Zeus oder Poseidon)

Demeter, Triptolemos und Persephone

rohen Formen aus dem Marmor herausmeißelt, doch bereits erkennbar Was feucht und erdig war an den Steinen, wurde zu Fleisch, das Feste und Steinige zu Knochen. Und nicht lange dauerte es, so standen die fertigen Menschen vor Deukalion und Pyrrha. Die Steine, die Deukalion geworfen hatte, hatten männliche, die von Pyrrha geworfenen weibliche Gestalt angenommen.

Das ist nach der Sage der Ursprung unseres Menschengeschlechts, und in der Tat, es verleugnet seine Herkunft nicht einen Tag: ist es doch ein hartes, kraftvolles Geschlecht, das tauglich zu schwerer Arbeit und fähig ist, Mühe und Anstrengung auf sich zu nehmen.

IO UND ZEUS

Auf seinen Wanderungen, die Zeus in Menschengestalt durch alle Gegenden der bewohnten Erde zu machen pflegte, war ihm einst Io, des Pelasgerkönigs liebliche Tochter, begegnet. Selten hatte eine Jungfrau ihm so gefallen wie sie, und selten hatte sein Herz so voll Liebe geschlagen wie bei ihrem Anblick. Sie ahnte nicht, wer vor ihr stand, als der Gott um sie warb. Doch vergeblich suchte er sie zu gewinnen, und als er sich nun zu erkennen gab, da floh die Jungfrau erschrocken vor ihm. Angst beflügelte ihren Schritt, um ihm zu entkommen. Aber der Gott entfaltete seine überirdische Macht, er hüllte das ganze Land ringsum in undurchdringlichen Nebel und zwang so die Jungfrau in seine Gewalt.

Inzwischen blickte Hera argwöhnisch von der Himmelshöhe hinab, denn oft hatte Zeus Umgang mit irdischen Frauen gesucht. Voll Verwunderung gewahrte nun die Göttermutter, wie sich auf der Erde Nebel ausbreitete. Nebel am hellen Tage, das mußte ihren Verdacht erregen, denn nicht aus dem Flußbett oder aus sumpfiger Wiesenlandschaft stiegen die Dünste empor. „Muß ich dir wieder auf deine Schliche kommen, du Treuloser!“ rief sie voll Zorn und blickte suchend um sich. In der Weite des Himmels war der Gatte nirgends zu entdecken. So schwang sie sich zur Erde nieder und gebot dem Nebel zu weichen. Doch Zeus hatte geahnt, daß die Gattin ihm nachspüren werde, und schnell verwandelte er die Königstochter in eine liebliche, silberglänzende Kuh.

Die Göttin durchschaute sogleich die List, aber sie stellte sich, als ließe sie sich von ihm täuschen. Bewundernd trat sie deshalb vor das schöne Tier, denn auch in der verwandelten Gestalt bewahrte Io ihren Liebreiz. „Wem gehört dieses herrliche Rind, und woher kommt es?" fragte Hera den Gatten, und dieser, einmal zur Lüge gezwungen, mußte nun weiter zur Lüge seine Zuflucht nehmen. „Sie stammt von der Erde", erklärte er und dachte, so ihren neugierigen Fragen zu entgehen. Und wirklich, Hera schien sich nun zufriedenzugeben. „Schenk mir doch das schöne Tier!" wandte sie sich dann plötzlich dem Gatten zu, und Zeus konnte nicht wagen, ihr die Bitte abzuschlagen, wollte er nicht noch weiter das Mißtrauen der Eifersüchtigen wachhalten. Weigerte er sich, so würde Heras Zorn die Geliebte treffen. Schweren Herzens übergab er der Gattin das erbetene Geschenk, um sich und die Verwandelte nicht zu verraten. Immer noch ahnte er ja nicht, daß Hera längst seinen Betrug durchschaut hatte.

„Ich muß mich vor weiterer List schützen", sagte Hera zu sich selber, denn sie fürchtete, Zeus werde alles daransetzen, ihr die strahlendschöne Kuh wieder zu entführen. So legte sie dem Tier sogleich ein Halfterband um und führte es zu Argos, dem seltsamen Wesen mit den hundert Augen.

„Ich habe dich als Wächter über diese Kuh ausersehen", wandte sie sich in gebietendem Tone an ihn, „und vertraue sie deiner Obhut an." Schweigend gehorchte Argos der Göttermutter, und sicherlich hatte Hera ihre Wahl gut getroffen. Hundert Augen hatte Argos, von denen immer nur zwei in wechselnder Folge sich der Ruhe ergaben, während die andern alle Wache hielten. Wohin er auch blickte, immer blieb ihm Io vor Augen.

Wie grausam war das Los der Verwandelten! Am Tage war es ihr gestattet, auf der Weide zu sein. Wenn aber der Sonnenwagen unter dem Horizont verschwand, dann führte der hartherzige Wächter sie in ein Verlies und schloß sie in Ketten. Laub und bittere Kräuter waren ihre Nahrung, und statt des prächtigen Lagers im elterlichen Palaste hatte die Unglückliche jetzt den nackten Erdboden als Ruhestätte, und ihren Trank mußte sie in schlammigen Gewässern suchen.

Um Gnade und menschliches Mitleid flehend, wollte sie die Hände zu Argos erheben – die Hände? Verzweifelt mußte Io sich daran erinnern, daß sie ja ein Tier geworden war. Wollte sie ihr Leid klagen, so war es schreckliches Gebrüll, das sie ausstieß. Voll Entsetzen vernahm die Jungfrau die tierischen Laute – war das ihre eigene, war das Ios Stimme? Als Kuh zog sie unter Argos' Obhut durch das Land, sie weidete auf den Feldern in ihrer eigenen Heimat, am Strande des Flusses, wo sie sich einst im Spiel und Reigentanz gefreut hatte. Und als ihr gar im Wasser ihr Spiegelbild entgegenblickte, die Tiergestalt mit den Hörnern, da schauderte ihr im tiefsten Innern, und voll Entsetzen wollte sie vor sich selber fliehen. Wie grausam hatte doch Zeus an ihr gehandelt, als er ihr die menschliche Gestalt genommen hatte!

Voll Sehnsucht suchte sie die Nähe des geliebten Vaters und der Schwestern, aber wer sollte in der Tiergestalt die verschwundene Io erkennen? Zwar bewunderten alle das schöne Tier, streichelten es liebevoll und reichten ihm frisches Gras, aber niemand ahnte, wen die Kuh verbarg, als sie dem Vater die Hand leckte und ihre heißen Tränen rinnen ließ. Immer wieder versuchte sie, menschliche Worte zu bilden, um alles zu erklären, aber die unförmigen Lippen versagten sich allem Mühen.

Da plötzlich kam ihr die Erleuchtung: War ihr auch Gestalt und Sprache genommen, menschliches Denken hatte der Gott ihr nicht rauben können! Io zeichnete mit dem Fuße Schriftzeichen in den Sand, und voll Entsetzen erfuhr der Vater nun plötzlich das schreckliche Schicksal der Tochter. „Weh mir!" rief der Greis in fassungslosem Schmerze und hielt voll Verzweiflung die Tochter umfangen. „So soll ich dich wiederfinden, geliebte Io? Viel größer ist jetzt mein Schmerz als vorher, da ich in allen Ländern vergeblich nach dir forschte! Du schweigst, geliebte Tochter, und kannst nicht Antwort geben – nur tierisches Gebrüll ist deine Sprache!"

Voll Trauer blickte die Verwandelte den gebeugten Vater an. „Ich war so arglos“, fuhr er fort, „daß ich von Brautkranz und Hochzeitsfackeln für dich träumte und auf einen Eidam hoffte – nun gehörst du zur Herde. – Ach, würde doch ein schneller Tod mich von all dieser Qual befreien!“

Aber schon trat der vieläugige Argos dazwischen, drängte den jammernden Greis beiseite und riß das Rind mit sich fort. Er führte Io auf ferne, einsame Weiden, erklomm selber eine ragende Berghöhe und lugte wachsam nach allen Richtungen.

Nun endlich konnte Zeus, der Urheber von Ios schrecklicher Qual, sie nicht länger ohne Hilfe lassen. Er rief Hermes, seinen geflügelten Sohn, zu sich und befahl ihm, die unglückliche Gefangene zu befreien. „Wenn nicht anders“, gebot er dem Götterboten, „so scheue dich nicht, Gewalt anzuwenden!“

Sogleich nahm Hermes Hut und Flügelschuhe, ergriff den Zauberstab und schwang sich vom Sitz der Götter zur Erde hinab. Dort legte er ab, was ihn als Boten der Himmlischen kenntlich machte, behielt nur den Stab in der Hand und nahm die Gestalt eines Hirten an. Schnell sammelten sich Ziegen um den lockenden Ton seiner Syrinx, der Hirtenflöte, und unauffällig näherte sich der Götterbote den Feldern, wo Argos seine Gefangene bewachte. Wie Zauberklang ertönte die Flöte den Ohren des Wächters. „Wer du auch sein magst“, rief er zu Hermes hinüber, „komm her und nimm mir zur Seite auf dem Steine Platz! Denn für deine Tiere findest du nirgends fetteres Gras, und du selber hast hier erquickenden Schatten!“

Gern folgte der Angesprochene der Aufforderung, setzte sich zu Argos und wußte ihn so angenehm zu unterhalten, daß unter ihrem Plaudern die Zeit wie im Fluge verstrich. Sollte es dem listigen Götterboten nicht gelingen, den Vieläugigen einzuschläfern? Er griff zur Syrinx und entlockte ihr so wundersame Weisen, daß Heras Wächter sich nur mühsam gegen die bestrickende Wirkung zu wehren vermochte. Zwar fiel ein Teil seiner Augen in Schlaf, aber aus Furcht vor Heras Zorn zwang sich Argos, die übrigen wachzuhalten. Und als der Schlummer übermächtig werden wollte, raffte er sich auf, die Müdigkeit abzuschütteln: „Sag mir, du fremder Hirt“, wandte er sich an den Flötenspieler, „ist diese herrliche Rohrpfeife nicht erst aus unseren Tagen? Kannst du mir erzählen, was zu ihrer Erfindung geführt hat?"

„Gern will ich dir davon berichten", entgegnete Hermes sogleich. Im Herzen aber frohlockte er, seinem Ziele näherzukommen. „So höre: In Arkadiens Schneebergen lebte einst die schönste der Baumnymphen. Syrinx nannten sie ihre Gefährtinnen, die Dryaden. Vergeblich warben Waldgötter und Satyrn, die als des Weingottes Dionysos schalkhafte Begleiter den Wald durchstreiften, und Pan, der bocksfüßige Hirtengott, um ihre Liebe – Syrinx wußte allen Werbungen zu entschlüpfen, denn sie hatte sich ganz dem Dienste der Jagdgöttin geweiht, streifte wie Artemis im Jagdkleid durch die Wälder und wollte nichts von der Ehe wissen."

Vorsichtig blickte der listige Erzähler auf Argos, und wirklich, seine Worte erreichten, was er erstrebte; nur mit Mühe noch wußte Argos sich wachzuhalten, und schnell fuhr Hermes in seiner Erzählung fort, um den andern ganz in Schlaf zu wiegen. Er berichtete, wie die Nymphe Pans Werbung verlachte und vor seinem Drängen durch den unwegsamen Wald davoneilte, wie Pan ihr folgte und wie schließlich ein breiter Flußlauf ihre Flucht hemmte. „Da flehte Syrinx in ihrer Angst die Flußgötter um Schutz an", erzählte Hermes weiter, „damit sie nicht in die Hand des Verfolgers falle. Schon war Pan heran, griff nach der begehrten Beute und – hielt ein Schilfrohr in den Händen! Voll Betrübnis stand er vor der Verwandelten, doch seine Seufzer weckten einen so tiefen, klagenden Widerhall in dem Rohre, daß er, entzückt von dem zauberhaften Tone, sich getröstet fand. ‚Welch herrliche Erfindung!' rief er in weher Freude, ‚sie soll uns für immer verbinden!' Und nun schnitt der Waldgott Röhren verschiedener Größe, verband sie mit Wachs untereinander und nannte sie nach dem Namen der lieblichen Nymphe, deren Liebe ihm versagt geblieben war."

Vorsichtig blickte Hermes auf den Wächter, und wirklich: So einschmeichelnd hatte er seine Worte zu setzen gewußt, daß Argos in tiefem Schlummer lag; alle Wimpern hatten sich herabgesenkt. Da schwieg der Götterbote sogleich und strich mit dem Zauberstabe vorsichtig über alle hundert Lider, die Betäubung zu verstärken. Argos regte sich nicht. Nun war für Hermes die Stunde gekommen, seinen Auftrag zu erfüllen. Schnell nahm er das Schwert, das er heimlich unter dem Mantel führte, und erschlug das Ungeheuer, so daß es rücklings vom Felsen stürzte.

Aber Hera gönnte der verhaßten Nebenbuhlerin nicht die nahende Freiheit. Voll Zorn hatte sie vom Äther herab gesehen, wie Hermes den von ihr bestellten Wächter beseitigte, und nicht länger verschob sie ihre Rache: Schreckliche, namenlose Angst senkte sie der armen Io ins Herz, daß diese, wie von Erinnyen gepeinigt, davonstob. Dem Wahnsinn nahe, jagte sie durch alle Länder der Erde. In Ägypten endlich war sie am Ende ihrer Kräfte; dort sank sie am Ufer des Nilstromes in die Knie, von der unendlichen Qual besiegt. „Ihr Götter!" rief sie flehend, hob das schöne Haupt und richtete die Augen in hoffnungslosem Jammer zum Himmel empor, „Allvater", rief sie, „mach ein Ende mit meinem Leid!"

Da mußte Zeus Erbarmen haben mit ihrer namenlosen Qual, an der er doch die Schuld trug. Er ging zu Hera, umarmte sie zärtlich und bat um Milde für das unglückliche Menschenwesen. „Bei der Styx schwöre ich dir, geliebte Gemahlin", rief er, „niemals wieder wird Io unsere Ehe stören! Befreie sie, ich bitte dich, aus ihrer schrecklichen Not!"

Da ließ Hera sich zur Milde stimmen. Endlich durfte Io ihre Tiergestalt ablegen. Das Fell schwand von ihrem Leibe, das Gehörn schrumpfte ein, und Augen und Mund waren wieder die eines Menschen. Schultern und Hände wurden, wie Io sie einst gehabt, und die Klaue wandelte sich zurück zum zierlichen Menschenfuß. Nichts blieb mehr von der Kuh als die leuchtend weiße Farbe.

Glückstrahlend erhob sich Io – kaum wagte sie zu glauben, daß sie wieder menschliche Gestalt besaß, daß sie in aufrechtem Gang einherschritt, kaum wagte sie, einen Laut zu sprechen, so mächtig war die Erinnerung an das Gebrüll, das sie so lange ausgestoßen hatte.

Da näherte sich ihr eine Schar weißgekleideter Jungfrauen. „Der Götter Wille ist an dir sichtbar geworden, Io", sprach zu ihr die Wortführerin, „und als gottbegnadet sollst du künftig unter uns wohnen!“ Einen Tempel weihte man ihrem Dienste, und dort an heiliger Stätte lebte Io, geehrt vom ganzen Land, bis der Tod sie zum Hades führte.

EUROPA

Fern von Griechenland, in Phoinikien, wo König Agenor über die Städte Tyrus und Sidon herrschte, wuchs die wunderschöne Europa heran. Niemand, so sagten alle Leute, war der Jungfrau an Schönheit gleich, und im Lande ringsum rühmte man die liebreiche Art, mit der sie jedermann begegnete. Wenn sie mit den Gespielinnen am Strande einherwandelte oder blumenbekränzt den Reigentanz der Mädchen anführte – stets war sie die Schönste, der alle sich willig unterordneten.

Eines Tages schritt Europa mit den Gefährtinnen wieder zum Spiel aus dem Palast des Vaters. Sie suchte Freude und Geselligkeit; denn ein schrecklicher Traum bedrückte ihr fröhliches Gemüt. Asien, so hatte ihr geträumt, der mächtige Erdteil, in dem ihres Vaters Reich lag, stand vor ihr in der Gestalt einer schönen Frau und breitete die Arme über sie, um sie vor dem Griff einer Fremden zu schützen. Doch diese andere, ebenfalls ein Erdteil in Traumgestalt, drang heftig auf Frau Asia ein, ihr den zarten Schützling zu entreißen. „Laß mir mein Kind!“ rief Asia bittend, „denn ich bin es doch, die es zur Welt gebracht und aufgezogen hat! Laß mir meine geliebte Tochter!“ Doch die Fremde war unerbittlich. Sie entriß der Widerstrebenden die Jungfrau und führte sie davon. „Sei unbesorgt, du Schöne“, sagte die Fremde zu Europa und hieß sie ihre Tränen trocknen, „denn einer herrlichen Zukunft trage ich dich entgegen! Dem Weltenbeherrscher selber, so ist es vom Geschicke bestimmt, sollst du zu eigen sein!“

Nur schwer fand Europa ihre Unbekümmertheit wieder, so sehr lastete der unerklärliche Traum auf ihr.

Die Gefährtinnen zogen sie lachend in ihren Kreis, hießen sie fröhlich sein und halfen ihr, den lastenden Druck abzuschütteln. Nun tönten wieder die lieblichen Gesänge über den Strand, zum Klange der Leier tanzten die Jungfrauen den Reigen, und im Spiele tollten sie über die Wiesen dahin. Welch liebliches Bild bot die Schar der Jungfrauen in ihren blumengestickten Gewändern – doch die Krone trug wiederum die herrliche Europa, die in ihrer Schönheit alle überstrahlte. Inmitten der Blütenpracht schritten die Mädchen dann im Spiele über die Wiese, pflückten von den Blumen, was ihnen am besten gefiel, und knüpften sie zu duftigen Gewinden. Wie unter den Chariten, den Göttinnen der Anmut, die Liebesgöttin selber, so heißt es, stand Europa inmitten der Gefährtinnen.

Niemand wußte, daß Zeus in unstillbarer Liebe zu der schönen Jungfrau entbrannt war. Eros, der Liebesgott, der als einziger der Götter Macht über den Weltenbeherrscher besaß, hatte ihn mit seinen Pfeilen getroffen, so daß Zeus keinen anderen Wunsch kannte, als Europa zu gewinnen. Er selber wußte, daß hier nur List zum Ziele führen könne, denn Hera, die Göttermutter, verfolgte jeden Schritt ihres Gatten.

„Nur List kann helfen", sagte sich Zeus, und rief Hermes, seinen geflügelten Boten. „Schwing dich zur Erde hinab", gebot er ihm, „und geh nach Phoinikien, das der König Agenor beherrscht. Du findest dort auf den Bergwiesen seine Viehherden weiden, die sollst du zum Strand des Meeres hinabtreiben!"

Der Götterbote ahnte nicht den Grund des Befehles. Während er gehorsam zur Erde eilte, legte Zeus seine göttliche Gestalt ab und verwandelte sich in einen Stier.

Doch was für ein Stier! Noch niemals hatte sich wohl solch ein herrliches Tier auf der Erde gezeigt! Wie Gold schimmerte das glatte Fell, kraftvoll zeichneten sich die Muskeln am Hals und Rücken ab, und die Hörner schienen wie von Meisterhand gedrechselt, so fein standen sie auf der hohen Stirne, die als Schmuck eine silberglänzende, sichelförmige Blesse trug.

Ohne daß Hermes es bemerkte, mischte sich der göttliche Stier unter Agenors Vieh. Die Herde wurde von dem Götterboten, wie ihm befohlen war, zur Meeresküste hinabgetrieben, und mit funkelnden Augen blickte der verwandelte Zeus zu den Wiesen hinüber, wo Europa im Kreise der Gefährtinnen tanzte. Sie allein war ja sein Ziel und seine Sehnsucht. Die ganze Herde zog nun weidend über die Wiesen, und langsam näherte sich der schöne Götterstier den tanzenden Jungfrauen. Anfangs wollten sie ängstlich zurückweichen, aber das edle Tier schritt so friedlich daher und zeigte soviel Sanftmut, daß sie schnell alle Furcht vergaßen. „Wie herrlich ist er anzuschauen!“ rief Europa entzückt, „nie sah ich solch einen Stier!“

Voll Bewunderung umstanden die Jungfrauen das sanftmütige Tier und streichelten ihm das goldschimmernde Fell. Europa reichte ihm einen Strauß voll duftiger Blumen. Zum Dank leckte er ihr schmeichelnd die Hand und kauerte sich dann zutraulich zu ihren Füßen nieder. Voll Rührung sah sie auf das edle Tier, das sie so sehnsüchtig anblickte und ihr den Rücken zum Dienste anzubieten schien. „Ist es nicht, als möchte er sprechen wie ein Mensch!“ rief die Königstochter. „Er ladet dich ein, auf seinem Rücken zu reiten“, entgegneten die Gespielinnen drängend, „er ist ja so sanftmütig, daß man sich ihm ohne Gefahr anvertrauen kann!“

Der Stier stieß ein Brüllen aus, aber es klang nicht wie das Brüllen des Viehs, das auf der Weide geht. So freudig und so voll Zustimmung schien der Laut, daß die Mädchen ganz verwundert aufblickten. „Ist es nicht, als habe er unsere Worte verstanden!“ rief die schöne Europa entzückt. Sie ließ sich von den Gespielinnen die Blumengewinde reichen, bekränzte damit die Hörner des Stiers, der ihr das Haupt willig entgegenbeugte, und – schwang sich dann unter den fröhlichen Zurufen der Mädchen auf seinen Rücken.

Im gleichen Augenblick stand das Tier auf den Füßen, schüttelte sich wie in wohliger Freude und setzte sich in Bewegung. Zuerst langsam, doch immer schneller wurde sein Schritt, und schon fiel er in Trab, daß die Freundinnen nicht mehr folgen konnten. Unschlüssig und ganz verwirrt blieben sie zurück, vergeblich klangen Europas Rufe über die Felder, denn niemand war da, der ihr helfen konnte. Als der Stier nun seinen Schritt verdoppelte, klammerte sich die Jungfrau angstvoll an die beiden Hörner. Die Sinne wollten ihr vergehen in ihrer Angst; denn nun jagte sie auf dem Rücken ihres Reittieres wie im Fluge dahin. Schon lagen die Wiesen, auf denen sie im Spiele getanzt und Lieder gesungen hatte, weit hinter ihr; wie grausam war sie aus dem Kreise der Gefährtinnen gerissen worden! Lähmende Furcht beengte ihr Herz, schon lag der Strand vor ihr, und nun – nun stürzte sich der Stier in die Wellen und schwamm mit seiner Beute davon! Die Jungfrau hielt zitternd die Hörner umklammert. Da kam schmeichelnd die Stimme des schwimmenden Tieres, eine leibhaftige Menschenstimme: „Fürchte dich nicht, Geliebte, denn kein Leid soll dir geschehen! Ich führe dich dem höchsten Glück entgegen."

Schnell glitt das seltsame Paar durch die Wellen. Kein Tropfen berührte die Reiterin; gleichmäßig wie ein Schiff schwamm der Stier dahin. Längst war das heimatliche Ufer hinter der Jungfrau geblieben, längst war die Sonne am abendlichen Horizont verschwunden; vor ihr breitete sich das unendliche Meer aus. Eine seltsame Ruhe war über die Jungfrau gekommen. Mütterlich breitete das Nachtdunkel den Mantel um sie, als sie so sicher durch die Flut getragen wurde, immer weiter nach Westen. Und als Eos, die Morgenröte, mit rosigen Fingern über den Horizont tastete, um den strahlenden Helios, ihren Bruder, zu verkünden, da beleuchtete das aufkommende Tageslicht immer noch das ungleiche Paar in der unermeßlichen Weite des Meeres. Sollte der Ritt durch die Wellen kein Ende nehmen?

Den ganzen Tag hindurch glitt der Stier mit seiner schönen Reiterin unermüdlich dahin. Da endlich, als die Sonne wieder ihre Bahn vollendete, zeigte sich das Land. Rasch schwamm der Stier darauf zu und betrat den Strand. Ohne einen Laut ließ er sich auf die Erde nieder, so daß die Jungfrau leicht von seinem Rücken gleiten konnte, und – entschwand ihren Blicken.

Hilflos blickte Europa sich in dem fremden Lande um, als plötzlich ein Mann, anzusehen wie ein Gott, vor ihr stand. „Sei unbesorgt und ohne Furcht, du schöne Jungfrau!" redete er sie mit freundlicher Stimme an, „denn es wird dir kein Leid geschehen." Europa blickte den Fremden fragend an. „Ich bin der König dieser Lande; es ist die Insel Kreta, auf der du dich befindest“, fuhr er fort. „Ich will für dich sorgen und dich beschützen, wenn du meine Gemahlin werden willst; an meiner Seite sollst du herrschen.“

So seltsam einschmeichelnd klang die Stimme des göttergleichen Mannes, daß Europa überrascht aufhorchte. Da plötzlich durchfuhr es sie: Es war die Stimme des Stieres, der sie glich! Da vertraute sie sich dem Manne an, reichte ihm die Hand und willigte ein, seine Gemahlin zu werden.

Doch als Europa am anderen Morgen erwachte, fand sie sich wieder allein in dem fremden Lande. Entsetzt blickte sie sich um. War alles nur ein häßlicher Traum? Doch so sehr sie sich auch die Augen rieb, die fremde Umgebung blieb, unbekannt war die Landschaft um sie her, und das Gestade, das sie vor sich sah, war nicht das der geliebten Heimat. Da sank sie mit Schluchzen und bitteren Klagen zu Boden, in Selbstvorwürfen zerriß sie ihr Gewand, und nichts wünschte sie sehnlicher, als daß der Tod käme, sie aus ihrem jammervollen Leben zu befreien.

Doch niemand erhörte sie, keine Gottheit schien sich der Unglücklichen zu erbarmen. „Bin ich noch wert, daß mich die himmlische Sonne bescheint?“ stieß sie klagend hervor, „kann ich noch jemals wagen, meinen lieben Eltern unter die Augen zu treten, da ich so schwer gefehlt habe? Verlangt nicht die Ehre von mir, meinem schmachvollen Leben selber ein Ende zu bereiten?“

Plötzlich schrak sie auf, denn hinter ihrem Rücken vernahm sie geflüsterte Worte, die wie heimlicher Spott klangen. Als sie den Blick zurückwandte, stand vor ihr die Göttin Aphrodite; an der Hand hielt sie ihren Sohn Eros, den Liebesgott. Erschrocken fuhr Europa zurück, aber die Schaumgeborene begrüßte sie liebevoll. „Laß von deinem Kummer, schöne Europa!“ sagte sie tröstend, „denn alles, was sich ereignet hat, war nach dem Willen der Götter. Ich selbst war es, die dir dieses Geschick im Traum ankündigte, und Zeus, der Göttervater selber, hat dich zu seiner irdischen Gemahlin gemacht. Unsterblich sollst du hinfort sein, Europa, denn der Erdteil, der dich aufgenommen hat, soll für alle Zeiten deinen Namen tragen.“

Lange Jahre lebte Europa als Königin auf der Insel an der Seite ihres göttlichen Gatten, der sie oft in Menschengestalt besuchte. Aus der Ehe erwuchsen drei Söhne, von denen Minos, berühmt durch seine Macht und Weisheit, nach ihr die Herrschaft übernahm. Aphrodites Götterspruch aber ging in Erfüllung, denn für alle Zeit lebt Europas Name in der Menschheit fort.

KADMOS

König Agenor von Phoinikien war untröstlich über den Verlust der geliebten Tochter Europa. Niemand kannte die Spur der Verschwundenen, denn auch die Gespielinnen wußten nur zu melden, daß der göttergleiche Stier sie durch die Wellen entführt habe. Da rief der unglückliche Vater seinen Sohn Kadmos zu sich. „Du weißt“, sagte er, „daß dir, dem Bruder, wie uns gramgebeugten Eltern das Leben ohne unsere geliebte Tochter nichts gilt. So zieh hinaus, Kadmos, sie zu suchen und – bring Europa zurück! Wage aber nicht, mir vor die Augen zu treten“, rief Agenor in seinem Schmerze, „wenn du mir ohne Europa zurückkehrst!“

Aber wer sollte wohl die Spur finden, die Zeus selber verhüllt hatte? Vergeblich durchirrte der unglückliche Kadmos die weite Welt, die verlorene Schwester zu finden. Und schließlich mußte er einsehen: Niemals wieder würde er in die Heimat zurückkehren dürfen!

Da wandte er sich in seiner Not an das Orakel und fragte, welches Land er künftig bewohnen solle. Und Apollon selber gab ihm die Weisung: „Dir wird auf einsamem Felde ein Rind begegnen, das noch nie unter dem Joche vor dem Pfluge gegangen ist. Von ihm sollst du dich leiten lassen, und wo es sich im Grase lagert, dort gründe eine Stadt!“

Wie seltsam war der Orakelspruch! Doch Kadmos folgte ihm voll Vertrauen. Kaum hatte er die Höhle verlassen, die das Orakel barg, da sah er ein Rind daherwandeln, bedächtigen Schrittes; man sah ihm an, daß es noch nie einen Pflug gezogen hatte. „Dank dir, Apollon!" rief der Heimatlose aus und folgte mit seinen Gefährten dem voranschreitenden Tier. Er ließ sich von ihm führen, durch den Fluß und eine weite Strecke Weges. Da plötzlich blieb die göttliche Kuh stehen, erhob ihre Stirn mit dem hohen Gehörn zum Himmel und stieß ein lautes Gebrüll aus. Dann blickte sie auf die Schar der Männer, die ihr folgten, und ließ sich langsam in das üppige Gras gleiten.

Den Königssohn durchfuhr heiße Freude. „Hier erfüllt sich des Gottes Weissagung!" stieß er dankbar hervor und küßte den Boden, der ihm zur neuen Heimat werden sollte. „Ich grüße euch, ihr Felder und ihr Berge!" rief er und breitete die Arme aus, „ich ergreife Besitz von euch nach des Gottes Weisung!"

Strahlend stand die Sonne über der frohgestimmten Schar. „Auf, ihr Diener!" mahnte er seine Begleiter, „wir wollen Zeus ein Dankopfer bringen! Geht und holt Wasser aus dem Quell!"

Der Wald, in den die Diener eintraten, war voll von altem Baumbestand, an den noch kein Beil gerührt hatte. Mittendrin war eine steinerne Grotte, von Gestrüpp und Sträuchern umwachsen, und in ihr hörten sie den Quell rauschen, den sie suchten. Froh traten die Männer herzu und tauchten den Krug in das Wasser, doch da fuhren sie entsetzt zurück: Ein Drache schoß urplötzlich vor ihnen in die Höhe! Furchtbar war das Untier anzuschauen: Aus seinen Augen sprühten Flammen, in drei Reihen standen die Zähne, und drei Zungen zischten die Ahnungslosen an; der schreckliche Bauch war wie von Gift geschwollen.

Der Krug entfiel den Händen der Männer, alles Blut wich ihnen aus den Adern; fassungslos vor Schreck, an allen Gliedern bebend, standen sie da. Schon bäumte sich der Drache in jähem Sprunge zu gewaltigem Bogen und stand halb aufgerichtet, so daß er weit die Baumkronen überragte. Und ehe die überraschten Phoiniker an Flucht denken konnten, waren sie schon die Beute des Untieres: Seine schrecklichen Zähne, der Pesthauch seines Rachens, seine wütende Umschlingung ließen keinen entrinnen.

Ungeduldig wartete Kadmos indessen auf die Rückkehr der Diener. Die Mittagszeit war längst verstrichen, da machte er sich selber auf, nach ihnen zu forschen. Er warf sich das Löwenfell um, das er einst als Jagdbeute heimgebracht hatte, nahm Lanze und Wurfspieß mit sich – dazu sein mutiges Herz, das besser als jede Waffe war.

Schon nach wenigen Schritten stieß Kadmos auf das grausige Bild: Dort lagen die Leichen der toten Gefährten, und daneben der Sieger, das gräßliche Untier. „Meine armen Genossen!" rief Kadmos in seinem Schmerze, „ich werde euren Tod rächen – oder aber euer trauriges Los teilen!" Schon hatte er einen mächtigen Felsblock ergriffen und schleuderte ihn mit ungeheurer Wucht auf den Drachen. Mauern und Türme hätten unter dem Wurfe wohl gezittert – das Untier aber regte sich nicht; wie ein Panzer schützten es die Schuppen. Gegen den scharfen Speer aber zeigte es sich nicht unverwundbar, als Kadmos ihm die Waffe tief in den Rücken stieß. Schäumend vor Schmerz warf der Drache den ungefügen Kopf zurück, biß grimmig in den Wurfspeer hinein und zerbrach den Schaft; das Eisen aber blieb in seinem Körper stecken. Er brüllte in sinnloser Wut, daß ihm die Kehle schwoll. Schaum floß aus dem Maule, und sein Pesthauch vergiftete die Luft. Bald ringelte er sich zusammen, bald wieder schoß er in die Höhe, daß er aufrecht stand wie ein Baum. Kadmos wich allem Andrängen aus, schützte sich mit dem Löwenfell und stieß die Lanze abwehrend vor. Der Drachen aber biß in das Eisen hinein, daß das Blut aus dem giftigen Gaumen zu fließen begann und ringsum die Kräuter rötete. Da stieß der Held ihm die Lanze in den Hals, so tief, daß die Waffe den Nacken und zugleich den Stamm einer Eiche durchbohrte. „Die Gefährten sind gerächt!" rief der Sieger frohlockend aus.

Während er das grimmige Untier betrachtete, hatte sich plötzlich Pallas Athene, seine Beschützerin, vom Götterhimmel herabgelassen und stand leibhaftig vor ihm. „Nimm die Drachenzähne!" gebot sie dem Helden, „lockere mit dem Pfluge das Erdreich und säe sie in die Furchen! Aus ihnen soll ein neues Volk erwachsen!" Staunend hörte Kadmos die Worte der Göttin. Er gehorchte ihrem Gebote, zog mit dem Pfluge Furchen und streute die Drachenzähne als Saat hinein. Was mochte die seltsame Weisung Athenes bedeuten?

Da – kaum vermochte des Kadmos Verstand es zu fassen – hoben sich die Schollen, und in den Furchen zeigten sich Lanzenspitzen – Helme sodann, auf denen farbige Zier prangte – Schultern und Brust und gewaffnete Arme traten hervor; so wuchs die Saat der schildtragenden Männer aus den Furchen.

Schon rüstete sich Kadmos zur Abwehr, da rief ihn einer der Erdentsprossenen an: „Laß die Waffe und mische dich nicht in unseren Zwist!“ Dann wandte der Sprecher das Schwert gegen einen der anderen Eisenmänner und streckte ihn zu Boden. Im gleichen Augenblicke warf ihn selber ein Speerwurf nieder; doch auch der, der den Speer geschleudert, hauchte sogleich sein Leben aus. Ein wilder Kampf hub an unter den soeben Geborenen, ein wilder Bruderkampf aller gegen alle. Wütend stürzten sie aufeinander los, und nicht eher endete das schreckliche Morden, bis fast alle dahingerafft waren.

Fünf nur blieben verschont. Einer von ihnen – es war Echion – warf auf Athenes Geheiß die Waffen nieder und zeigte sich zum Frieden bereit. Da ließen auch die andern ab vom Streite.

Die fünf Erdentsprossenen wurden die Helden des Kadmos, als er, der Heimatlose, nun die neue Heimat fand. Nach Apollons Geheiß erbaute er eine neue Stadt, und er gab ihr, wie der Gott es geboten hatte, den Namen Theben.

AKTAION

Theben war erbaut, und unter des Kadmos weiser Regierung wuchs die junge Stadt und blühte auf, daß es scheinen mochte, die Götter hätten den Phoiniker für das traurige Los der Verbannung entschädigt. Aber kein Sterblicher darf vor seinem Tode glücklich genannt werden, und bevor Kadmos hochbetagt aus dem Leben schied, mußte er noch bitteres Leid durch das Schicksal seines Enkels erleben.

Aktaion, der aus der Ehe von Kadmos' Tochter mit dem jagdliebenden Aristaios entsprossen war, hatte vom Vater die Freude am edlen Weidwerk geerbt. Einst hatte er wieder mit den Gefährten seit früher Morgenstunde in den heimatlichen Wäldern gejagt und reiche Beute gemacht. Als nun die Sonne die Mittagshöhe erreichte, rief Aktaion die Jagdgenossen zusammen: „Laßt uns mit der Beute des Tages zufrieden sein, ihr Freunde", sagte er, „Garne und Waffen sind feucht vom Blute des Wildes, das wir erlegt haben – nun laßt uns an die wohlverdiente Ruhe denken! Wenn morgen in der Frühe wieder die rosige Eos am Himmel erscheint, dann wollen wir von neuem ans Werk gehen!"

Froh folgten die Gefährten seinem Geheiß und ruhten sich aus von den Mühen der Jagd. Aktaion selber schritt tiefer in den Wald hinein, einen kühlen Platz zu suchen, wo er die Mittagshitze verschlafen könnte. Der Kadmosenkel ahnte nicht, daß hier ein schreckliches Verhängnis auf ihn wartete.

In der Nähe lag ein schattiges Tal, ganz von Föhren und Zypressen lieblich eingefaßt, das der Artemis geweiht war. Es barg tief in seinem Grunde eine baumumwachsene Grotte, die die Natur ganz seltsam, als sei eine Künstlerhand am Werke gewesen, zu einem steinernen Bogen geformt hatte. Zur Rechten ließ ein Quell sein klares Wasser in einen Weiher rieseln, den ein Rasenrand lieblich einsäumte. Hier war die geweihte Stelle, wo die jungfräuliche Göttin nach den Mühen der Jagd Erfrischung zu suchen pflegte. Auch heute war sie, von den Nymphen gefolgt, in die Grotte getreten, hatte der Waffenträgerin Jagdspeer, Bogen und Köcher gereicht und von den Dienerinnen Gewand und Sandalen lösen lassen. Die geschickteste unter ihnen war gerade dabei, der Göttin herrliches Haar zu flechten, während die übrigen das Wasser schöpften, um es über sie strömen zu lassen.

Während Artemis sich im Bade erquickte, kam ahnungslos der Kadmosenkel dahergeschritten. Ein böses Schicksal führte ihn vor die geweihte Grotte. Entsetzt schrien die dienenden Nymphen beim Anblick des Mannes auf und drängten sich vor die Göttin, sie mit ihrem Leibe zu schützen. Doch um Haupteslänge überragte Artemis die Begleiterinnen. Glühendes

Rot brannte auf ihren Wangen. Unbeweglich stand Aktaion. Wie geblendet war er von dem göttlichen Bilde, daß Mund und Fuß ihm stockten – der Unglückliche vergaß zu fliehen! Die Göttin beugte sich zur Quelle nieder, schöpfte von dem Wasser und bespritzte dem Eindringling Haupt und Haar. Drohend klangen ihre Worte: „Nun geh und berichte den Menschen, daß du die Göttin Artemis unbekleidet hast schauen dürfen – wenn du es vermagst!" Zugleich aber gab sie dem Unseligen das Geweih eines Hirsches, streckte ihm Hals und Ohren, die menschlichen Hände wurden zu Hufen und die Arme zu Hirschbeinen, ein fleckiges Fell bedeckte Aktaions Leib! Er spürte die gräßliche Verwandlung nicht, denn mit der Tiergestalt hatte die Göttin ihm auch die Furchtsamkeit des Hirsches verliehen, so daß er in Angst davonstürzte.

Erst jetzt auf der Flucht spürte er mit Verwunderung, wie schnellfüßig er war. Da zeigte ihm der Spiegel eines Gewässers das Bild des Hirsches. Das sollte Aktaion, der tapfere Kadmosenkel, sein? Entsetzt rief er – wollte er rufen, doch keine menschliche Stimme entrang sich der Brust, nur gequältes Stöhnen des Tieres, dessen Gestalt ihm die erzürnte Göttin gegeben hatte. Tränen rannen ihm über das Antlitz, das nicht mehr sein eigenes war. Nur der menschliche Geist war dem unseligen Wesen verblieben, das einst Aktaion gewesen war.

Was sollte er nun tun? Zum Königspalast heimkehren? Sich im Walde verstecken? Furcht und Scham kämpften miteinander – da erspähten die Hunde den vermeintlichen Hirsch. Wütend, gierig vor Jagdlust, machte sich die Meute – wohl fünfzig an der Zahl – an die Verfolgung. Durch das Revier, wo er selbst so oft das Wild gejagt, mußte er jetzt selber als Verfolgter vor den eigenen Hunden fliehen, über Stock und Stein und durch unwegsames Gelände. Er möchte rufen, schreien möchte er: „Haltet doch ein, ich bin es, Aktaion, euer Herr!" Doch nur Hirschgebell drang klagend zum Himmel.

Da hatte ihn die Meute gestellt. Von allen Seiten umringten ihn die Hunde, fielen wütend über ihn her und packten ihn am Rücken, an der Brust. Stöhnend sank das edle Tier in die Knie. Aber dieses Stöhnen war nicht das Winseln eines weidwunden Hirsches! Doch auch nichts Menschliches hatte der Klagelaut. Nun waren auch schon die Jagdgefährten heran; ahnungslos hetzten sie die Meute. Und zugleich riefen sie den Herrn und bedauerten, daß er nicht das Jagdglück der Hunde miterlebte.

Bei dem Rufe seines eigenen Namens wandte der sterbende Hirsch noch einmal das Haupt, dann endete sein Leben unter den grimmigen Bissen der Hunde.

PHAËTHON

Phaëthon, so erzählten sich die Leute, war der Sohn des Sonnengottes Helios. Aber bitter mußte er darunter leiden, daß seine Mutter eine Erdgeborene war, denn die Menschen, unter denen er lebte, wollten nichts wissen von seiner überirdischen Abstammung. „Du prahlst mit einem himmlischen Vater", spotteten sie, „den du selber niemals gesehen hast! Wer weiß, ob du nicht von ganz dunkler Herkunft bist und besser daran tätest, gar nicht von deinem Vater zu reden!" Und als Klymene, die Mutter, für ihren Sohn und seine göttliche Geburt eintrat, da mußte sie zum Spott noch harte Beschimpfung erdulden.

Phaëthon wollte solche Schande nicht länger ertragen. „Ich will Klarheit!" rief er entschlossen und machte sich auf den Weg; er wollte Helios, seinen göttlichen Vater, selber um Antwort bitten!

Wie staunte der Jüngling, als er die Königsburg betrat! Auf herrlichen Säulen, schimmernd von gleißendem Golde und feurigem Karfunkel, ruhte der Palast; in glänzendes Elfenbein war der Giebel gefaßt, und die mächtigen Doppeltore leuchteten im Silberglanze. So sehr blendete die strahlende Lichterfülle Phaëthons Augen, daß er nicht nahezutreten wagte. Staunend starrte der Jüngling von ferne auf die Wunderpracht.

Der goldene Thron, auf dem Helios saß, war mit glänzenden Smaragden geziert. Zu beiden Seiten des Sonnengottes stand sein Gefolge, der Tag, der

Monat, das Jahr, die Jahrhunderte, die Horen; da stand der junge Frühling im Blütenschmucke, der Sommer mit dem Kranz aus Ähren, es standen da, rebenbekränzt, der Herbst und der eisige Winter in schneeweißem Haar.

Helios, dessen Augen nichts entgehen kann, hatte den Jüngling längst erspäht.

„Was führt dich zu mir?“ rief er, „was suchst du in der Burg deines Vaters, mein Sohn Phaëthon?“

„O du strahlendes Weltenlicht“, kam zögernd die Antwort, „Vater Phoibos, wenn du mir erlaubst, dich so anzusprechen, in schwerer Herzensnot nahe ich dir!“

„So sprich!“

„Ich muß in harten Zweifeln leben, ob du wirklich mein Vater bist, Phoibos, und Spott und Beschimpfung der Mitmenschen muß ich auf mich nehmen. Gib mir ein Zeichen als Unterpfand, göttlicher Vater, ich bitte dich, daß man mich als deinen echten Sohn gelten läßt und ich mich nicht länger mit Zweifeln zu quälen brauche!“

So sprach Phaëthon. Da legte sein himmlischer Vater die Strahlen ab, die rings sein Haupt umleuchteten, und hieß ihn nähertreten. Herzlich schloß er den Sohn in seine Arme: „Niemals werde ich dich als meinen Sproß verleugnen, denn es ist wahr, was Klymene gesagt hat. Damit dir aber jeder Zweifel schwinde, sprich einen Wunsch aus; er wird dir erfüllt werden! Bei der Styx, dem Flusse der Unterwelt, bei dem die Götter schwören, ich gelobe es dir!“

Der Vater hatte kaum seine Worte beendet, da bat Phaëthon um den Sonnenwagen: „Vertrau mir deinen Wagen an“, sagte er; „deinen Sonnenwagen und die geflügelten Pferde!“

Wie bereute Helios, solchen Schwur getan zu haben! Dreimal, viermal schüttelte er sein erlauchtes Haupt. „Mein Sohn“, rief er, „deine Bitte hat mich zur Torheit verleitet! O könnte ich doch mein Versprechen ungeschehen machen! Alles würde ich dir zugestehen, nur nicht diesen Wunsch! Laß dir abraten, Sohn; es kann nicht dein ernster Wille sein! Was du in deinem Unverstande verlangst, geht weit über Menschenkräfte! Und dabei bist du noch ein Knabe! Nicht einmal die anderen Götter, ja, selbst Zeus nicht, der Donnerer, der über alle Götter herrscht, vermag solche Aufgabe zu meistern! Denn niemand außer mir kann auf der feuersprühenden Achse stehen."

Helios redete voll Besorgnis auf den Sohn ein. „Laß dich doch belehren, Phaëthon! Steil beginnt der Weg, den mein Wagen machen muß, und nur mit Mühe zwingen ihn meine Pferde am frühen Morgen, obwohl sie doch noch ganz frisch sind. Hoch über die Himmelskuppel führt dann die Bahn. O Phaëthon, selbst mich packt oft schreckliche Furcht, und mein Herz zittert vor Angst und Grauen, wenn ich aus der schwindelnden Höhe auf das Meer und die Erde unter mir hinabblicke! Die letzte Wegstrecke ist abschüssig, da gilt es, Gewalt über die Zügel zu haben. Selbst Thetis, des Meergottes Nereus liebliche Tochter, die mich dann in ihre Fluten aufnimmt, ist immer wieder voll Furcht, ich könnte in den Abgrund stürzen. Du weißt, daß das Himmelsgewölbe mitsamt der Sternenwelt im ewigen Wechsel kreist – bedenkst du auch, daß ich dieser Bewegung entgegenfahren muß?

Wie wolltest du solcher Gewalten Herr werden, wenn ich dir den Wagen überließe? Unendlich Schweres würde dir außerdem entgegentreten. Vermöchtest du wohl meine wilden Rosse zu meistern, die glühendes Feuer aus ihren Nüstern stoßen? Kaum mir wollen sie gehorchen, wenn die hitzige Wut sie packt!"

Phaëthon wollte sich nicht überzeugen lassen. „Soll mein Geschenk dir denn den Tod bringen?" fuhr Helios in seiner Erregung fort; „Phaëthon, mein lieber Sohn, laß ab von deiner Forderung, solange es noch Zeit ist! Ein sicheres Unterpfand willst du, um wirklich als mein Sohn zu gelten? Ich gebe dir, was du auch willst – nur laß ab von deiner Bitte! Sieh mein Antlitz an, wie leiderfüllt es ist! Ach, könntest du mir ganz ins Herz sehen und alle Vatersorgen nehmen! Blick um dich, Phaëthon, blick über Meer und Land: Was sich deinen Augen bietet – du darfst es dir wünschen, keine Bitte soll dir versagt sein!"

Der Sohn stand immer noch reglos und sprach kein Wort.

„Phaëthon", begann der Vater von neuem, „laß dich doch überzeugen. Nicht eine Ehre ist es, was du forderst, sondern eine Strafe, die dir furchtbares Verderben bringen kann!"

Aber Phaëthon blieb unbelehrbar. Bittend hing er dem Vater am Halse.

„Es sei", sagte Helios entschlossen, „ich habe es ja bei der Styx geschworen."

Damit nahm er den Sohn bei der Hand und führte ihn zu dem Sonnenwagen, des Hephaistos unübertrefflicher Arbeit. Golden war die Achse, golden die Deichsel, golden die Radnabe; die Speichen waren aus Silber; mit herrlichen Edelsteinen war das Geschirr verziert.

Phaëthon trat vor das Wunderwerk und betrachtete es mit staunenden Blicken. In diesem Augenblick rötete sich der Himmel: Eos öffnete ihr Purpurtor und die rosenerfüllte Vorhalle. Langsam wichen die Sterne vom Himmelsrund, als letzter folgte ihnen der blinkende Morgenstern.

„Schirrt die Rosse!" befahl der Gott nun den geflügelten Horen. Wie schwer wurde ihm dieser Entschluß, aber es galt, jetzt keine Zeit mehr zu versäumen. Behende erfüllten die Horen des Gottes Befehl, führten die feuersprühenden Tiere von ihren Krippen weg, wo sie sich an der Götterspeise Ambrosia erquickt hatten, und legten ihnen die herrlichen Zäume an.

Helios nahm einen Krug mit heiliger Salbe und bestrich sorgsam das Antlitz des Sohnes: „So wirst du der glühenden Flamme widerstehen können", sagte er. Um das Haupthaar legte er ihm seinen Strahlenkranz. Bittere Seufzer rangen sich aus seiner Brust, als er den Sohn voll Besorgnis mahnte: „Willst du meinem väterlichen Rate folgen, Phaëthon, so nimm nicht die Stachelpeitsche! Um so mehr aber gib acht auf die Zügel, denn die Rosse rennen in solchem Ungestüm, daß es Mühe kostet, ihnen Einhalt zu tun. In weiter Krümmung zieht sich die Straße hin; du wirst deutlich die Wagenspuren erkennen. Weder Himmel noch Erde vermögen zuviel Sonnenhitze zu ertragen, darum laß den Wagen nicht zu tiefen Lauf nehmen oder zu hoch emporklimmen! Steigst du zu hoch, so verbrennst du das Himmelsgewölbe, kommst du der Erde zu nahe, so gerät sie in Brand: Halte dich auf dem goldenen Mittelweg! Doch nun genug der Worte: Ich muß einem gütigen Geschick überlassen, wie es dich führen will. Auf nun, die finstere Nacht entflieht, wir haben keine Zeit zu versäumen!"

Die beiden standen vor dem Sonnenwagen. „Nimm die Zügel zur Hand, Phaëthon!" befahl der Vater; „oder – wenn du noch umzustimmen bist: Tu es nicht, mein Sohn. Bleib auf dem festen Boden und steh ab von deinem törichten Wunsche! Überlaß mir die Aufgabe, der Welt das Licht zu schenken!"

Aber der Jüngling hatte sich in seinem Eifer schon behende auf den Wagen geschwungen. Nun stand er oben, und glückselig, die Zügel führen zu dürfen, winkte er dem Vater, der voller Unmut dastand, seinen Dank zu. Ungeduldig stießen die vier geflügelten Rosse an die Schranke und wieherten in den Morgen hinein, daß ihr feuersprühender Atem die Luft erfüllte.

Die Meeresgöttin Thetis, die Phaëthons Großmutter war, ahnte nichts vom Schicksal des Enkels, als sie die Tore öffnete. Unendlich breitete sich die Himmelsweite vor den Augen des Jünglings aus!

In wildem Fluge stürzten die Rosse dahin und zerteilten die Morgennebel, die vor ihnen auf dem Wege lagen. Da merkten sie schnell, daß das Gefährt nicht die gewohnte Schwere hatte und auch das Joch ungewohnt leicht war. Schon kündigte sich das Unglück an: Wie die Schiffe, die nicht die richtige Last führen, auf dem Meere schwankend hin und her geworfen werden, so schoß der Wagen, von der üblichen Last befreit, in wilden Sprüngen durch die Luft und schleuderte hin und her, als sei er führerlos. Die Rosse wurden schnell verwegener und verließen die ausgefahrenen Spuren ganz. Phaëthon zitterte in wilder Angst. Wie sollte er die Zügel führen? Welchen Weg sollte er einschlagen? Wie sollte er die Rosse bändigen? Er war ganz und gar ratlos. Schon begann die furchtbare Hitze Unheil zu bringen.

Phaëthon blickte vom Himmel hinunter auf die Erde, die sich tief, tief unter ihm ausbreitete; da ergriff ihn lähmender Schrecken. „Hätte ich doch niemals nach meines Vaters Rossen verlangt", so ging es ihm durch den Sinn. „Hätte ich doch niemals von meiner wahren Abstammung gewußt und niemals die verhängnisvolle Bitte ausgesprochen!"

Nun war es zu spät. Was sollte er tun? Er wandte den Blick zurück. Da lag eine unendliche Strecke der Himmelsbahn hinter ihm, aber mehr noch breitete sich vor ihm die Weite der Himmelskuppel aus.

Was sollte er nun beginnen? Phaëthon starrte nach vorn; er wagte nicht, die Zügel zu lockern, aber er hatte auch nicht die Kraft, sie anzuziehen. Wie sollte er die Pferde anrufen, da er nicht einmal ihre Namen wußte!

Entsetzen hielt den unglücklichen Phaëthon gefangen, als er so durch das Weltall an den Sternbildern vorbeigezerrt wurde. Da verließ ihn jegliche Überlegung: Von kaltem Grauen gepackt, ließ er die Zügel fahren!

Das war das Ende. Als die Zügel die Pferderücken berührten, verloren die Tiere jegliches Maß. Nun verließen sie ganz ihre Bahn, stürzten durch die Lüfte in unbekannte Gebiete und jagten, wohin ihre entfesselte Wut sie trieb. Jetzt stießen sie an die Fixsterne, dann wieder rissen sie den Wagen auf abschüssigen Pfaden in die Tiefe und brachten ihn in bedrohliche Nähe der Erde.

Und dann geschah der verhängnisvolle Zusammenprall: Das feurige Gespann jagte in eine Wolkenschicht hinein, daß sie sogleich in hellen Flammen aufloderte! Schon griff der glühende Strom auf die Berggipfel über und versengte sie. In tiefen Rissen klaffte die Erde auf, daß alle Säfte vertrockneten. Alles Grün war dahin, das Laub der Bäume schoß brennend in die Höhe, und das Holz der Stämme bot den rasenden Flammen willkommene Nahrung. Weithin loderten die Saatfelder.

Mit unermeßlicher Kraft wälzte sich die Feuerglut durch das Land. Da sanken blühende Städte in Schutt und Asche, ganze Länder mit allen Menschen, die dort wohnten, kamen ums Leben. Die Wälder, die Felder, die Berge, alles ertrank in dem wilden Flammenmeer.

Fassungslos starrte der unglückliche Phaëthon in das Wüten der entfesselten Elemente, die er gerufen hatte. Kein Platz auf der Erde schien von dem Feuerbrand verschont. Wie sollte er selber die Glut der höllischen Flammen ertragen? Wie aus dem Innern einer Feueresse stieg die Hitze zu ihm empor und raubte ihm den Atem. Glühende Asche wurde hochgewirbelt und erfüllte die Luft zum Ersticken. Schon fühlte er, wie der Wagen unter seinen Füßen zu glühen begann. Längst hatte er jede Richtung verloren; die geflügelten Rosse rissen ihn, ganz wie sie wollten, durch den unendlichen Raum.

Damals, so heißt es, wurden Afrikas Bewohner zu Negern, damals trocknete Libyen zur Wüstenlandschaft aus. Der Erdboden klaffte in wilden Rissen auf, daß das Licht bis in die Unterwelt drang und die Abgeschiedenen in wilden Schrecken versetzte. Das Meer trat so weit von den Ufern zurück, daß hohe Berge auf seinem Grunde auftauchten. Die Wasserbewohner, die Fische und die Delphine, suchten angstvoll die Tiefe, und des Pontos Sohn Nereus, so wird berichtet, verbarg sich mit seinen Töchtern, den lieblichen Nereïden, verstört in seinen Höhlen. Selbst Poseidon, der Beherrscher der Fluten, hob die Arme über die Wellen. Die furchtbare Glut zwang ihn, in die kühle Wassertiefe zurückzukehren.

Phaëthon wurde inzwischen von den erbarmungslosen Rossen weiter durch das Himmelsrund geschleift. Da sprang die Glut auf seine Haare über, und jäh stand er in lodernden Flammen. Noch hielt er sich einen Augenblick aufrecht – dann wurde er in rasendem Wirbel durch die Lüfte geschleudert. Wie ein Komet sauste der brennende Körper durch das Himmelsall.

Ohnmächtig hatte Helios das Schicksal des Sohnes miterleben müssen. In unermeßlicher Trauer verhüllte der Gott sein Haupt.

Fern der Heimat nahm ein mächtig breiter Strom den Toten in seinen Wellen auf und wusch ihm die glühende Asche vom Antlitz. Mitleidige Najaden, die Nymphen des Flusses, gruben ihm ein Grab und bestatteten Phaëthon, der seine Verwegenheit so grausam hatte büßen müssen.

PERSEUS

Dem König Akrisios, der im Lande Argos lebte, war einst ein warnender Orakelspruch geworden. „Hüte dich vor deinem Enkel", lautete Apollons Weissagung, „denn er wird dir Thron und Leben entreißen!" Da ließ der König seine noch unvermählte Tochter Danaë in ein unterirdisches Gemach sperren und durch Wächter streng von aller Welt fernhalten. Aber Zeus, der in Liebe zu der schönen Jungfrau entbrannt war, wußte auch hier einen Weg. In Gestalt eines goldenen Regens drang er zu ihr ein und gewann ihre Liebe.

Der Vater wütete in Angst und Zorn, als wider seinen Willen ein Enkel geboren wurde. Um den Orakelspruch unwirksam zu machen, beschloß er, die Tochter mit ihrem Sohne, dem sie den Namen Perseus gegeben hatte, auszusetzen. Er ließ beide in einen Kasten einschließen und ins Meer werfen.

Zeus aber erbarmte sich der Geliebten und des Sohnes; er schützte sie vor den Gefahren des Meeres und ließ sie bei der Insel Seriphos landen, die unter der Herrschaft von zwei Brüdern, Diktys und Polydektes, stand.

Freundlich nahmen die beiden Brüder die hilfsbedürftige Danae mit ihrem Kinde auf. Nicht lange dauerte es, so entflammte Polydektes in Liebe zu der schönen Frau und machte sie zu seiner Gemahlin.

Als Perseus, von seinem Stiefvater sorgfältig erzogen, herangewachsen war, spürte er die göttliche Kraft in sich und ließ sich von Polydektes gern überreden, auf große Taten auszuziehen. Zuerst wollte er die schreckliche Medusa im Kampfe bestehen und dem König ihr Haupt bringen; sie war eine furchterregende, geflügelte Jungfrau, die mit ihren zwei Schwestern am Ende der Erde hauste.

Unter der Führung der Götter gelangte Perseus in die ferne Gegend, wo Phorkys, der Vater vieler entsetzlicher Ungeheuer, hauste. Perseus zwang dessen greisenhafte Töchter, ihm den Weg zu den Nymphen zu zeigen, und von diesen wundertätigen Geschöpfen gewann er, was er benötigte: Flügelschuhe, einen Reisesack und einen Helm aus Hundefell, der die Macht einer Tarnkappe besaß. Hermes, der Götterbote, reichte ihm als Waffe eine eherne Sichel. So ausgerüstet, flog der Zeussohn in das Land, wo des Phorkys drei Töchter, die schrecklichen Gorgonen, hausten. Nur Medusa, die dritte unter ihnen, war sterblich.

Die Ungeheuer lagen im Schlafe, als Perseus eintraf; ihre Häupter waren mit Drachenschuppen übersät und mit Schlangen statt Haaren bedeckt; sie besaßen mächtige Hauer wie Wildschweine, eherne Hände und goldene Flügel. Wer sie ansah, wurde durch ihren Blick in Stein verwandelt.

Perseus wußte das. Mit abgewandtem Gesicht stellte er sich deshalb vor die Schlafenden und fing nur mit seinem ehernen, glänzenden Schilde ihr dreifaches Bild auf. So fand er die Gorgo Medusa heraus. Athene führte ihm die Hand, als er entschlossen dem schlafenden Ungeheuer das furchtbare Haupt vom Rumpfe trennte. Ein Blutstrahl fuhr zischend in die Höhe, und aus dem Rumpfe entsprang ein geflügeltes Roß; es war der Pegasos.

Das Haupt der Medusa in seiner Reisetasche, machte Perseus sich davon. Zwar verfolgten ihn die beiden Gorgonen, aber der Helm der Nymphen entzog den davonfliegenden Helden ihren Blicken. Mächtige Winde faßten ihn sodann, schleuderten ihn wie eine Regenwolke hin und her und führten ihn bis zum Reiche des Königs Atlas. Vergeblich bat der junge Held um Obdach für die Nacht. Atlas, der einen Hain voll goldner Früchte hütete, dachte an eine alte Weissagung; er fürchtete für seinen Besitz und wies den Helden unter Drohungen fort.

„Auch wenn du mir keine Gastfreundschaft erweist", rief Perseus in seinem Zorne, „so sollst du doch ein Geschenk von mir empfangen!" Das Antlitz abgewendet, hielt er dem Lieblosen das Haupt der Medusa entgegen!

So mächtig an Gestalt Atlas auch war, er wurde im selben Augenblick zu Stein und in einen Berg verwandelt; Bart und Haupthaar wurden zu Wäldern, seine Glieder zu Berg und Tal, und sein Haupt wuchs als hoher Gipfel in die Wolken.

Weiter flog Perseus durch die Lüfte, bis er an die Küste Aithiopiens kam. Da sah er an einer Klippe das herrliche Bild einer Jungfrau. War es aus Marmor? Doch nein, ein Lüftchen bewegte ihr Haar, und in ihren Augen zitterten Tränen: Sie lebte! Fast hätte Perseus vergessen, seine Schwingen zu bewegen, so bezaubert war er von der unvergleichlichen Schönheit. Er sprach sie an, fragte nach ihrem Namen und ihrem Schicksal, doch die Scham hielt die schöne Jungfrau zurück, ihm Antwort zu geben. Endlich, damit Perseus nicht glaube, sie habe eigene Schuld vor ihm zu verbergen, berichtete sie ihr Geschick.

„Ich heiße Andromeda", sagte sie, „und bin die Tochter des Aithiopierkönigs Kepheus. Meine Mutter Kassiopeia hatte den Töchtern des Nereus gegenüber geprahlt, schöner zu sein als sie alle. Darüber wurden die Nereïden zornig, und ihr Freund, der Meeresgott, strafte das Land mit Überschwemmung und schrecklichen Ungeheuern. Zur Sühne, so verlangte er, sollte ich einem der Untiere zum Fraße vorgeworfen werden."

Kaum hatte die Unglückliche diese Worte gesprochen, da rauschten die Wogen auf; aus der Tiefe tauchte das Untier empor. Andromeda jammerte laut auf. Die Eltern eilten zur Hilfe herbei, aber sie waren machtlos gegen das Ungeheuer.

„Die Zeit drängt!" rief der junge Held entschlossen, „so höret denn meine Worte: Ich bin Perseus, Sproß des Zeus und der Danae. Ich bin Sieger über die schreckliche Gorgo. Freiwillig erbiete ich mich, Andromeda zu erretten; gebt Ihr sie mir dann zur Frau?" Freudig stimmten die Eltern zu. „Und mein Königreich soll deine Mitgift sein", versprach der Vater dankbar.

Schon kam das Untier herangeschwommen, kaum noch einen Steinwurf vom Felsen entfernt. Perseus stieß sich vom Boden ab, schwang sich hoch in die Lüfte, und während das Ungeheuer wütend auf den Schatten losfuhr, stürzte der junge Held wie ein Adler hinab, traf das Tier in den Rücken und stieß sein Schwert bis an den Knauf hinein. Verzweifelt wehrte sich der wütende Drache; Perseus ließ nicht ab, bis das Ungeheuer tot in den Fluten versank. – Dank und Liebe strahlten aus Andromedas Blicken, als der Held sie dann von ihren Fesseln befreite. Die Eltern waren überglücklich, als sie den Bräutigam in ihrem goldenen Palaste begrüßten.

Schrecklich aber sollte die Hochzeitsfeier enden. Noch dampfte das Mahl, zu dem man sich in Fröhlichkeit vereint hatte, als plötzlich Phineus, des Königs Kepheus' Bruder, mit seinen Kriegern in die Vorhalle stürmte. Er hatte einst um Andromeda geworben; doch als sie dem Drachen preisgegeben wurde, hatte er sich nicht getraut, um sie zu kämpfen.

„Meine Braut ist mir entrissen!" schrie er und schwang drohend den Speer; „ich bin gekommen, Rache zu nehmen!" Ein furchtbarer Kampf entspann sich. In blinder Wut schleuderte Phineus seinen Speer, Perseus warf zurück, Krieger und Gäste stürzten sich ins Kampfgewühl. Die Eingedrungenen aber waren in der Überzahl. Perseus stand an einem Pfeiler, der seinen Rücken deckte, und wehrte den Ansturm der Feinde ab. Erst als er sah, daß er mit den Seinen der Übermacht erliegen müsse, griff er zum letzten Mittel, das ihm zu Gebote stand. „Wer noch mein Freund ist", rief er durch das Kampfgetümmel, „der wende sich ab!"

Nach diesen Worten zog Perseus aus seiner Reisetasche das schreckliche Medusenhaupt, und wer es anblickte, erstarrte zu Stein. Auch Phineus, der den ungerechten Krieg entfesselt hatte, entging seinem Schicksal nicht.

Perseus konnte nun die geliebte Frau ungehindert heimführen; ein langes, glückliches Leben war ihnen beschert. Auch seine Mutter Danae fand Perseus wieder. Aber sein Großvater Akrisios sollte seinem Verhängnis nicht entgehen, wie der Orakelspruch es einst verkündet hatte. Um der Erfüllung der göttlichen Voraussage zu entgehen, war der König ins Pelasgerland geflohen. Perseus, der auf der Fahrt nach Argos war, nahm dort an den Kampfspielen teil, denen sein Großvater zuschaute. Ohne von der Gegenwart des Großvaters etwas zu ahnen, traf ihn Perseus ganz ohne Absicht mit seinem Diskus. So fand Akrisios durch seinen Enkel den Tod.

Perseus selber erkannte erst jetzt, was er getan hatte; in tiefer Trauer bestattete er den Großvater und kehrte in sein Reich zurück. Von nun an verfolgte ihn der Neid des Geschickes nicht länger. Andromeda schenkte ihm viele herrliche Söhne, in denen des Vaters Ruhm fortlebte.

PHILEMON UND BAUKIS

In jenen Zeiten, da die Götter noch auf Erden wandelten, geschah es einst, daß Vater Zeus in menschlicher Gestalt die Häuser der Irdischen besuchte. Er war in Begleitung seines Sohnes Hermes, des Götterboten, und wollte die Gastfreundschaft unter den Menschen kennenlernen.

Aber wo die beiden schlichten Wanderer auch anklopften und um Speise und Obdach baten, keine Tür öffnete sich ihren Bitten. War das Herz der Menschen so verhärtet, daß sie nicht den Bedürftigen Einlaß geben wollten?

„Machen wir noch einen letzten Versuch!" stieß Zeus ingrimmig hervor, als sie sich dem Ende des Dorfes näherten, denn längst war seine göttliche Geduld erschöpft. Und wirklich – kaum pochten die Himmlischen an die ärmliche Behausung, da wurde die Türe sogleich gastfreundlich geöffnet. Es war nur eine bescheidene Hütte, ärmlich und mit Schilf gedeckt, aber welch frommer Sinn herrschte hier!

In dieser Hütte wohnten Philemon und Baukis. Schon in ihrer Jugend hatte das Schicksal sie in ehelicher Liebe zusammengeführt; in Liebe und Treue waren sie alt geworden und lebten nun gemeinsam ihren Lebensabend. Die beiden spürten nicht Not und Armut, weil ihre Liebe ihnen über ihr karges Los hinweghalf und alle Dürftigkeit leicht machte. Kinder besaßen sie nicht, und war ihr Häuschen auch klein und bescheiden, so war es doch ihr eigenes, und sie schafften und wirkten darin als Diener und Herren zugleich.

Die Götter mußten ihr Haupt recht tief beugen, als sie durch die niedrige Tür schritten. Sogleich traten ihnen die weißhaarigen Alten mit freundlichem Gruß entgegen; Philemon zog eifrig die Sessel herbei und hieß die wandermüden Gäste sich ausruhen, während Baukis ihnen eine weiche Decke bereitlegte. Dann kniete sie vor dem Herde, schichtete trockene

Rinde und Reisig auf die noch warme Asche, hauchte vorsichtig die Glut an und blies mit schwacher Kraft in die Flamme. Baukis holte gespaltenes Holz herbei und stellte den Kessel aufs Feuer, während Philemon ihr, wie er es gewohnt war, hilfreich zur Hand ging und in den Garten eilte, um Kohl zu holen, den er mit geschickten Händen entblätterte.

„Heute wollen wir uns zu Ehren unserer Gäste etwas Besonderes erlauben", sagte er lächelnd zu seiner Frau; sie stimmte ihm eifrig bei. Er holte von der rußigen Zimmerdecke einen geräucherten Schweinsrücken herunter, den die beiden Alten sich für einen festlichen Anlaß aufgespart hatten, schnitt ein tüchtiges Stück ab und warf es ins kochende Wasser.

Die Götter schauten wohlgefällig zu, wie die beiden Alten sich mit rührendem Eifer mühten, es ihren Gästen bequem zu machen. Philemon suchte sie durch ein freundliches Gespräch zu unterhalten, Baukis schleppte eine Holzwanne herbei, um den wegmüden Füßen der Gäste ein Bad zu bereiten. Und während die Götter behaglich die Füße ins warme Wasser streckten, machten die Gastgeber das Ruhelager fertig. Die Liegestatt, auf der man in jenen Zeiten die Mahlzeiten einzunehmen pflegte, stand mitten im Zimmer und war mit Schilf aus dem nahen Teiche gepolstert. Philemon schleppte noch Decken herbei, die sie sonst nur an Festtagen hervorholte; sie waren zwar einfach und abgenutzt, aber die Götter hatten soviel Freude an dem Bemühen der freundlichen Alten, daß sie dankbar alles annahmen.

Inzwischen war das Essen fertig geworden. Baukis rückte mit ihren zittrigen Händen den Tisch vor das Liegesofa. Er hatte zwar nur drei Beine und stand nach der einen Seite ganz schief; aber das eifrige Mütterchen wußte schnell Rat. Die göttlichen Gäste lächelten in sich hinein, als sie rasch eine Scherbe unter das eine Tischbein schob; der Schaden war behoben. Es war etwas so Rührendes in all ihrem geschäftigen Tun, daß die Götter die Augen nicht von ihr wenden konnten, wie sie nun den Tisch abrieb und die Speisen auftrug, die sie trotz aller Armut herbeigezaubert hatte. Da waren frische Oliven und herrliche, eingemachte Kirschen, Rettich und Endiviensalat, Käse und gesottene Eier – wer wollte da noch von Armut reden! Philemon holte inzwischen den bunten Tonkrug herbei, stellte die geschnitzten Becher vor die Gäste und schenkte von dem selbstbereiteten Wein ein. Es wurde ein Festmahl, wie es der hohen Gäste wert war. Und dabei ahnten die beiden Alten nicht im geringsten, wen sie in ihrem Hause beherbergten!

Zum Nachtisch reichte Baukis Nüsse, Feigen und Datteln; alles war aus eigener Ernte. Auch Weintrauben fehlten nicht, und zuletzt gab es eine Scheibe goldgelben Honig. Die Götter waren wieder versöhnt nach der schlechten Behandlung, die sie vorher von hartherzigen Menschen erfahren hatten. Was ihnen aber am besten gefiel, das war die strahlende Miene der beiden Alten und die Freundlichkeit, mit der sie die Gäste immer wieder zuzulangen baten.

Die Götter hatten sich nicht nötigen lassen und dem Mahle alle Ehre angetan; auch dem Weine sprachen sie wacker zu. Der Hausherr schenkte von neuem die Becher voll, einmal, noch einmal und ein drittes Mal – ungläubig blickte er in seinen Krug: Er wollte nicht leer werden – nein: immer wieder füllte er sich mit Wein bis zum Rande hin! Philemons Augen weiteten sich in fassungslosem Staunen; sie glitten von dem Krug auf die Gäste – da erkannte er, wen er aufgenommen hatte! Auch der frommen Baukis öffneten sich die Augen.

„O zürnet uns nicht!" riefen beide ängstlich aus und hoben die Hände zu den Göttern empor. „O zürnet uns nicht, daß wir euch nur solch kärgliches Mahl vorsetzten!" Ehe die göttlichen Gäste Einspruch erheben konnten, eilten sie in den Stall hinaus, um ihre Gans, ihren letzten Besitz, den Himmlischen zu opfern.

Aber das verängstigte Tier war schneller als die beiden eifrigen Alten. Schnatternd und flügelschlagend entwischte es ihnen, flatterte ins Haus hinein und – suchte hinter dem Rücken der Gäste Schutz.

„Wer schutzflehend zu den Göttern kommt, bittet niemals vergeblich", sprach Zeus und lächelte sein göttliches Lächeln. „Ja, wir sind Götter! Wir sind zur Erde hinabgestiegen, um den Menschen ins Herz zu schauen und ihre Gastfreundschaft kennenzulernen. Aber alle, die wir besuchten, zeigten sich hartherzig. Keiner von denen, die die Probe nicht bestanden haben, soll der verdienten Strafe entgehen!"

Die beiden Alten blickten betroffen auf den zornigen Göttervater. Sie wollten um Nachsicht für die verblendeten Mitmenschen bitten, doch Zeus Entschluß war unabänderlich.

„Verlaßt sofort eure Behausung und folgt uns auf den Bergesgipfel!" befahl er, „ich will nicht, daß ihr unschuldig mit den Schuldigen leidet."

Die beiden Alten griffen sogleich gehorsam nach ihren Stöcken und klommen den Berg hinan. Noch hatten sie den Gipfel nicht erreicht, als sie den Blick ängstlich zurückwandten – die ganze weite Landschaft war in einen See verwandelt! Alles war von den rauschenden Wellen bedeckt, die Wälder, die Felder, die Dörfer – nur ihr Häuschen ragte verloren aus der Flut heraus!

Fassungslos starrte das fromme Paar auf das furchtbare Gericht, und in innigem Mitleid beweinten sie das Schicksal der Menschen. Während ihr Blick über die weite Wasserwüste glitt, war Zeus hinter sie getreten. Und – siehe da – was für ein göttliches Wunder vollzog sich vor ihren Augen: Die armselige Hütte, die dem schrecklichen Strafgericht entgangen war, verwandelte sich plötzlich in einen herrlichen Tempel. Das Dach schimmerte in strahlendem Gold und ruhte auf ragenden Säulen, die Mauern wie der Boden waren von schneeweißem Marmor.

Philemon und Baukis hielten sich an den Händen und schauten in andächtigem Schweigen ins Tal hinab. Da richtete Zeus den Blick auf sie: „Philemon und Baukis", sprach er voll göttlicher Milde, „ich gebe euch einen Wunsch frei!"

Nur wenige Worte wechselten die beiden miteinander, dann gab Philemon die Antwort: „Allvater", sagte er demütig, „da du uns in deiner Güte einen Wunsch freigibst, so höre unsere Bitte: Laß uns deine Priester sein in jenem Tempel dort unten! Und wenn du uns den Schmerz ersparen willst", fuhr Philemon fort, „einst am Ende unseres Daseins das Grab des Ehegefährten zu sehen, so laß uns beide in der gleichen Stunde aus dem Leben scheiden!"

Wohlgefällig blickte Zeus auf den Alten. „Solche Bitte ehrt euch beide wie all euer Handeln! Sie ist euch gewährt!"

Europa auf dem Stier

Artemis und Apollon töten die Niobiden

So lebten Philemon und Baukis als Hüter des Zeustempels. In Treue übten sie ihr Priesteramt, solange der Allvater ihnen ihr Erdendasein bestimmte.

Viele Jahre später, als das Alter ihnen endlich die Lebenskraft nehmen wollte, standen sie zusammen auf den Stufen des heiligen Tempels. „Wie wunderbar ist doch das Geschick, das uns die Götter vorbestimmt haben", sagte Philemon zu Baukis. Da sah er sie plötzlich im grünen Laube verschwinden – im gleichen Augenblick entschwand auch er den Blicken der Gattin! Schon schmiegten sich dichte Blätter um das Antlitz der beiden. „Lebe wohl – lebe wohl!" und „Hab Dank für alle Liebe!" das waren ihre Abschiedsworte; dann wuchsen sie zu zwei dichten Baumkronen empor.

Noch nach mehr als tausend Jahren zeigte man im Lande Phrygien die uralten Bäume, die Eiche und die Linde, die treu vereint zusammenstanden, wie einst im Leben Philemon und Baukis unzertrennlich treu zusammengehalten hatten.

DAPHNE

Nicht immer hatte Apollon sich den Göttern und Menschen im Schmucke des Lorbeers gezeigt, mit dem er sein goldenes Haar, seinen Bogen, seine Leier zu bekränzen liebte. Eros, der listige Liebesgott, dem alle Olympischen, selbst Zeus, sich beugen mußten, pflanzte ihm einst die Vorliebe für das leuchtende Grün dieses Baumes ins Herz:

Apollon, der strahlende Gott der schönen Künste und des Wissens um Zukünftiges, hatte sich des Eros Zorn zugezogen. Nie hatte er von Liebe wissen wollen, und voll Verachtung blickte er auf den knabenhaften Gott, der, mit seinem Bogen bewaffnet, daherkam. „Was soll denn diese Waffe, du kecker Knabe?" so rief er in lächelndem Spott, „meinst du nicht, daß sie besser auf meine Schultern paßt? Sieh mich an, Eros", und dabei blickte er überlegen und stolz auf Aphrodites kindlichen Sohn, „hast du nicht gehört von meinem Siege über den mächtigen Drachen? Tot liegt das Untier hingestreckt von meinen unfehlbaren Pfeilen! Willst du es wagen, dich mit solchen Taten zu messen?"

Eros würdigte den streitbaren Gott keiner Antwort. „Willst du nicht", fuhr Apollon in seinem Spott fort, „dich mit der Fackel begnügen, die seltsames Liebesverlangen entflammen läßt, und aufhören, dir fremden Ruhm anzumaßen?"

„Apollon", kam nun warnend die Stimme des kleinen Gottes, „so weit die Götter die Menschenwesen überragen, so weit überstrahlt auch meine Macht die deine. Magst du treffen mit deinem Bogen, was du kannst – meine Pfeile aber werden dich selbst noch ereilen!"

Ungesäumt hob sich der Liebesgott in die Lüfte und schwang sich auf die schattige Höhe des Parnassos. Aus seinem Köcher entnahm er zwei Pfeile, beide von ganz verschiedener Wirkung: Der eine, der die Liebe wecken sollte, trug eine scharfe Spitze aus lauterem Golde; der andere aber war plump und schwer wie Blei – er sollte sie verscheuchen.

Sorgsam legte der Liebesgott zuerst das bleischwere Geschoß auf die Sehne, spannte, ließ sie zurückschnellen und traf Daphne, die liebreiche Nymphe. Der andere aber fuhr Apollon, dem delphischen Gotte, tief ins Herz.

Wie seltsam war die Kraft der beiden ungleichen Pfeile! Während Apollon in heißer Liebe entbrannte, denn keiner der Olympischen kann sich gegen die Pfeile des Eros wehren, kehrte sich Daphnes Herz voll Widerwillen von aller Liebe ab. Apollons Namen hörte sie nur mit Abscheu nennen. Tief im Walde hielt sie sich versteckt und erfreute sich am freien Weidwerk wie die Jagdgöttin Artemis. Wie lieblich war die Jungfrau anzuschauen, wenn sie, das Haar schlicht geknotet, die Wälder jagend durchstreifte. Viele Männer warben um ihre Liebe.

Aber vergeblich war alles Mühen der Freier, und vergeblich waren auch ihres Vaters Bitten: „Meine Tochter", mahnte er sie zärtlich, „ich warte auf den Eidam! – Meine Tochter, du schuldest mir Enkel!"

„Ach, lieber Vater", kam schmeichelnd ihre Antwort, und mit lieblichem Erröten schlang sie ihm die Arme um den Nacken, „laß mich frei bleiben mein Leben lang! Laß mich so bleiben, wie es auch Artemis selber vom höchsten Gotte erlaubt ist!"

Der Vater gab zwar nach; aber wie sollten ihr Liebreiz und ihre Schönheit es zulassen, daß ihr Wunsch sich erfüllte? Apollon erblickte sie – und war ihr in Liebe verfallen! Sein Herz war voll Hoffnung und Sehnsucht. In seinem Liebesverlangen betrog er sich selbst, der delphische Gott, mit günstigen Orakeln. Wie der dürre Holzstoß in jäher Flamme auflodert, wenn man ihn in Brand setzt, so war der Gott ganz zur Flamme entfacht, und mit falscher Hoffnung nährte er seine Liebe, die doch – er wußte es wohl – vergeblich war!

Voll Verlangen sah er die Jungfrau und dachte bei sich: Wie gern würde ich ihr schlichtes Haar schmücken!

Aber schneller als der Windhauch entschwebte ihm die Jungfrau und achtete nicht auf seine bittenden Worte: „So bleib doch, liebliche Nymphe, und höre mich an! Warum fliehst du vor mir wie das Lamm vor dem Wolfe? Nicht als Feind folge ich dir – meine brennende Liebe ist es, die mich treibt, Daphne! Nur Liebe ist es, und ich bange um dich, du könntest durch meine Schuld dich verletzen. Dein Fuß könnte straucheln, ein Dorn deine Sohle verwunden. Halte doch ein, ich bitte dich!"

Doch vergeblich bat der Gott. Daphne hatte keine anderen Gedanken, als dem Verfolger zu entfliehen. „So höre mich doch", rief Apollon, „vernimm doch erst, vor wem du fliehst und wer sich voll Liebe dir zuwendet! Ich bin ja nicht ein einfacher Knecht oder ein Bauer des Landes, nein, du weißt nicht, vor wem du fliehst, du törichte Jungfrau: Die delphische Landschaft huldigt mir, mein Vater ist der allmächtige Zeus selber. Was die Zukunft birgt, ich weiß es zu künden, und die Kunst des Liedes gab ich den Menschen. Wer ist Meister des Bogens wie ich? Und niemals doch traf einer meiner Pfeile wie der, der mich selber im Herzen verwundete! Mir danken die Menschen, daß ich ihnen die Heilkunst brachte, aber keines meiner heilenden Kräuter nützt mir selber, und hilflos bin ich, der Meister der Kunst!"

Mehr noch wollte der Gott ihr sagen, aber scheu entwich die Nymphe. Noch schöner erschien ihm ihre Gestalt, wie sie so dahineilte.

Nicht länger wollte Apollon ihr vergeblich schmeicheln, und da der Liebesgott selber ihn antrieb, so folgte er ihr mit beflügelten Schritten. Ihm gab die Liebe Kraft, sie im Laufe zu übertreffen, er gönnte ihr keine Rast, und schon spürte sie seinen Atem im Nacken.

Da versagte der Jungfrau alle Kraft; totenbleich wankte sie vor Erschöpfung und rief die Götter an: „Helft mir!“ bat sie in tödlicher Angst, „helft mir und verwandelt meine Gestalt, die mir so viel Leid und Unglück gebracht hat!“

Eine hilfreiche Gottheit war ihr nahe, und noch waren ihre Worte nicht verklungen, da spürte sie, wie die Glieder erstarrten, wie sich Rinde um ihren blühenden Körper schlang, wie das Haar sich in grünendes Laub verwandelte und die Arme in Äste. Der Fuß, der eben noch leicht über die Erde geglitten war, schlug Wurzel im Erdreich, und lichtes Grün bedeckte das Haupt.

Doch auch als Baum blieb der Verwandelten die leuchtende Schönheit, und es blieb ihr Apollons Liebe, Behutsam legte er die Hände auf den Stamm, und noch durch die Rinde hindurch spürte er das Herz der Geliebten schlagen. Da umfing er mit den Armen die Äste und küßte innig den Baum.

„Als Gattin warst du mir nicht beschieden“, sagte Apollon traurig, „doch ich lasse dich nicht; als Baum sollst du mir zu eigen sein, und stets will ich im Haar, am Bogen, an der Leier deine Zweige, den Lorbeer tragen!“

TANTALOS

Tantalos lebte als König von Lydien in Macht und Reichtum. Er war ein Sohn des Göttervaters Zeus selber und erntete alle Ehren, die die Olympischen je einem Menschenkinde schenkten. Sie würdigten ihn ihrer göttlichen Freundschaft und machten ihn zuletzt gar zum Tischgenossen an ihrer himmlischen Tafel. Dort am Tische des Zeus durfte Tantalos täglich Zeuge der Gespräche der Götter sein!

Aber der Geist des Erdgeborenen zeigte sich solchen Glückes nicht wert. Eitelkeit und niedrige Ruhmsucht packten ihn, daß er sich nicht scheute, frevlerisch gegen die Überirdischen zu handeln. Er verriet den Menschen die göttlichen Geheimnisse; er entwendete von der Tafel der Götter Trank und Speise, Nektar und Ambrosia, und brachte beides den Menschen. Ja, sein Übermut verleitete ihn, die göttliche Allwissenheit auf die Probe zu stellen; in seiner Verblendung lud er die Götter in sein Haus, schlachtete seinen eigenen Sohn Pelops und setzte ihn als Speise den Gästen vor!

Nur Demeter, die sich in der Sehnsucht nach ihrer geraubten Tochter quälte, hatte damals gedankenverloren von dem gräßlichen Mahle gekostet. Den übrigen Göttern aber konnte die grauenhafte Tat nicht verborgen bleiben; sogleich erweckten sie den zerstückelten Körper des Knaben zu neuem Leben, und anstatt des Schulterblattes, von dem die Göttin arglos gegessen hatte, gaben sie ihm ein künstliches aus Elfenbein.

Dann aber wandte sich die ganze Entrüstung der Götter gegen Tantalos, der es gewagt hatte, mit ihnen so schimpflichen Spott zu treiben. „Das Maß seiner Untaten ist voll!" rief Zeus in seinem göttlichen Zorne und stieß den Frevler in den Tartaros hinab. Schrecklich war die Qual, die ihn zur Strafe und Abschreckung traf: Er mußte mitten in einem Teiche stehen, dessen Wellen ihm leicht um das Kinn spielten. Trotzdem mußte er den gräßlichsten Durst erleiden, denn niemals konnte er den lockend nahen Trank erreichen; sooft er sich nämlich niederbeugte, um von dem Wasser zu trinken, trat die Flut zurück. Urplötzlich versickerte sie und ließ den dunklen Boden zu seinen Füßen sichtbar werden; es war, als habe ein böser Geist den See ausgetrocknet. Zum Durst kam quälender Hunger, daß es ihm fast den Verstand rauben wollte. Und dabei schwangen herrliche Fruchtbäume ihre Zweige über seinen Kopf hin und her – beladen mit den köstlichsten Früchten! Da lockten Birnen und Äpfel, Feigen und Oliven in reicher Pracht, doch wenn der Arme, vom rasenden Hunger gequält, die Hand ausstreckte, sie zu fassen, entführte plötzlich ein Sturmwind die Zweige und trieb sie hoch in die Himmelshöhe!

Brennender Durst, quälender Hunger – hinzu kam die ständige Angst um das armselige Leben: Gerade über seinem Haupte hing ein mächtiger Felsbrocken in der Luft, der unablässig auf ihn herabzustürzen und ihn zu zermalmen drohte! – So strafte der Zorn der Götter den ruchlosen Tantalos, der es gewagt hatte, ihnen die schuldige Ehrfurcht zu versagen und sie verächtlich zu machen, mit dreifacher, unendlicher Qual in der Unterwelt.

ARACHNE

Vorzeiten lebte im Lande Lydien eine Jungfrau, die hieß Arachne; sie war einfacher Leute Kind, denn ihr Vater war nur ein Purpurfärber. Trotzdem hatte Arachnes Name in den Städten Lydiens einen guten Klang, denn sie war als kunstfertige Weberin hochberühmt. Selbst des Zeus liebliche Töchter, die Nymphen, die an den rebenbewachsenen Berghängen und auf dem Grunde der Flüsse wohnten, kehrten oft in der einfachen Behausung der Jungfrau ein, um sie bei ihrer Arbeit zu bewundern. Wo sah man aber auch noch, so wie bei ihr, Kunstfertigkeit und Anmut vereinigt? Es war wirklich, als sei Pallas Athene selber, die Schirmherrin aller schönen Künste, ihre Lehrmeisterin gewesen.

Aber als einst eine der Nymphen ihr solches Lob aussprach, da zeigte sich Arachne dadurch keineswegs geehrt. Nein, sie, die Sterbliche, war so stolz auf ihre Kunstfertigkeit, daß sie beleidigt auffuhr: „Nicht der Gottheit verdanke ich meine Kunst! Was ich vollbringe, das ist mein eigenes Verdienst!“ In ihrer Vermessenheit spottete sie der Göttin: „Wie soll Pallas Athene mir wohl Lehrmeisterin gewesen sein, da doch meine Kunst viel höher steht als die ihre? Wenn die Göttin es wagen sollte, so mag sie kommen und ihre Kunst mit mir messen!“

Erschreckt blickten die Nymphen auf die verwegene Sterbliche. Aber Arachne blieb bei ihrer Hoffart: „Ja, sie mag sich mit mir im Wettkampfe messen! Dann wird sich zeigen, wer größere Kunstfertigkeit besitzt, sie oder ich! Und wenn sie mich je besiegen sollte, so will ich gern jede Strafe auf mich nehmen!"

Die Nymphen verließen entsetzt das Haus der Weberin, in dem sie so oft zu Gaste gewesen waren. Wie konnten sie mit einer Sterblichen Umgang pflegen, die so vermessen alle menschlichen Grenzen überschritt! Trotzig setzte Arachne sich wieder an ihren Webstuhl.

Da klopfte es an die Türe, und herein trat ein altes Weiblein im grauen Haar, den Rücken gebeugt und in den welken Händen einen Stab als Stütze. Aber aus ihren Augen leuchtete mütterliche Güte und warmes Verstehen für das verblendete Menschenkind; denn das alte Weiblein war niemand anders als die Göttin Athene selber, die in solcher Verwandlung die Hochfahrende zu bekehren gedachte: „Verachte meinen Rat nicht, junges Menschenkind!" mahnte sie mütterlich. „Groß ist dein Ruhm, daß du alle Sterblichen an Kunstfertigkeit übertriffst. Aber vor den Göttern weiche in Demut!"

Doch Arachne blieb unbelehrbar. „Die Jahre haben dir den Sinn geschwächt, Alte", entgegnete sie in hartem Spott. „Ich bedarf nicht deines Rates und verschmähe deine Ermahnung. Warum wagt die Göttin nicht, selber zu mir zu kommen und sich mit mir im Wettstreite zu messen?"

Da war Athenes Langmut zu Ende. „Sie ist schon da!" rief sie zornig und stand plötzlich als Himmelsgöttin vor der Irdischen. Die lydischen Frauen, die im Raume waren, schrien gellend auf und warfen sich der Göttin zu Füßen.

„Beharrst du auch jetzt noch auf deiner Herausforderung?"

Aber Arachne ließ nicht von ihrem verwegenen Trotz.

„So schlägst du Verblendete meine Warnung in den Wind?" sprach zürnend die Göttin. „Der Wettkampf soll entscheiden!"

Getrennt stellten nun beide ihren Webstuhl auf und begannen die Arbeit. Kunstvoll mischten sie die vielfachen Farben und verwoben die goldenen Fäden, eilfertig flog das Weberschiffchen hin und zurück.

Unter Athenes kunstreichen Händen erwuchs das Bild der Felsenburg Athens, die nach ihr den Namen trägt. Zeus selber thronte dort in erhabenem Ernste inmitten von zwölf Göttern, daneben der Meeresfürst Poseidon, der mit seinem gewaltigen Dreizack aus dem Felsen den Wasserquell sprudeln ließ. Und dort war sie selbst, die göttliche Künstlerin, in kriegerischer Rüstung; vor die Brust hielt sie schützend die schreckliche Aigis, den Wunderschild mit dem Haupte der Gorgo in der Mitte; staunend blickten die Götter auf Athenes wunderbares Schöpfungswerk, den blühenden Ölbaum, den ihr Speer aus dürrem Erdreich hervortreiben ließ.

Zur Warnung für ihre verwegene Nebenbuhlerin aber fügte die Göttin in die Ecken des Kunstwerkes vier Bilder, vier Beispiele menschlichen Hochmuts, dem die Rache der Götter ein trauriges Ende gesetzt hatte: Da sah man den König und die Königin von Thrakien, die sich in ihrem Aberwitz den Göttern gleichgestellt hatten. Des Göttervaters Strafe hatte sie in lebloses Gestein verwandelt. Da war das Schicksal der Mutter abgebildet, die wegen ihrer Vermessenheit in einen Kranich verwandelt worden war. Dort war das Schicksal der Jungfrau dargestellt, die sich an Schönheit mit der Göttermutter zu messen gewagt hatte und als Storch weiterleben mußte. In der vierten Ecke zeigte das kunstvolle Gebilde das Los des unglückseligen Königs Kinyras, der die entschwundenen Töchter beweinte; hochfahrend und verblendet hatten sie durch ihren Stolz den Zorn der Hera gereizt und waren von ihr in die Marmorstufen ihres Tempels verwandelt worden. – Staunend standen die Zuschauer vor dem prächtigen Kunstwerk, das nur eine göttliche Hand vollbringen konnte.

Arachne zeigte sich in der Tat der hohen Kunst der Göttin ebenbürtig. Doch voll frevlerischer Leichtfertigkeit wählte sie Bilder für ihre Gewebe, die alle des Menschen schuldige Ehrfurcht vermissen ließen. Da sah man Zeus in Bildern, wie er den Sterblichen verächtlich erscheinen mußte, mit menschlichen Schwächen und ohne jede göttliche Hoheit. Wie konnte eine Erdgeborene es wagen, ihrem Bilde vom Vater der Götter solch einen Sinn zu geben? Was würde die Göttin zu solchem Werke sagen?

Zornbebend stand Pallas Athene vor Arachnes Webstuhl. „Daß du eine Meisterin der Webkunst und selbst mir vergleichbar bist, will ich dir gerne zugestehen!“ rief sie; „das Gebilde aus deiner Hand zeugt von deiner hohen Kunstfertigkeit, die alles Lob verdient. Und doch bist du nicht würdig, eine Meisterin zu heißen. Denn was dir mangelt, ist die Ehrfurcht. Schmach über jeden, der die Ehre seines Standes so gröblich mißachtet und die Kunst, die die Gottheit ihm eingab, so häßlich mißbraucht!“

Die Göttin zerriß in ihrem Zorne das schändliche Werk; Arachne wollte dazwischenfahren, doch da schlug Athene sie dreimal mit dem Weberschiffchen vor die Stirn. Die göttliche Strafe hatte sie getroffen, Wahnsinn packte die Unglückliche. Sie sprang vom Sitze auf, ihrem Leben ein Ende zu machen, doch da half ihr noch einmal das Mitleid der Göttin. „So magst du leben, du Hoffärtige, und weiter deiner Kunst dienen! Aber für alle Zeiten treffe dich die Strafe!“

Dabei ließ sie der Jungfrau einige Tropfen ihres göttlichen Zauberwassers ins Antlitz sprühen. Sogleich schwanden die Haare; Nase, Ohren, und die ganze Gestalt schrumpften zusammen – ein winziges, häßliches Tierchen blieb zurück, als die Göttin den Raum verließ.

Als Spinne lebt Arachne fort und übt noch heute ihre Webkunst.

NIOBE

Hätte die schöne Königin Niobe von Theben sich nicht durch Arachnes Schicksal warnen lassen sollen, den Göttern voll Verblendung zu trotzen? Doch die Fülle des Glückes, das das Leben ihr so überreichlich schenkte, hatte sie hoffärtig gemacht, daß sie alle schuldige Ehrfurcht vergaß. Hatte doch ihr Gatte Amphion, der Götterliebling, einst von den Musen die herrliche Leier zum Geschenk erhalten, die mit wundersamem Klange die mächtigen Quadersteine von Thebens Stadtmauern zusammenfügte! War sie nicht die Gebieterin eines gewaltigen Reiches? Und wer unter den Sterblichen durfte wohl wagen, sich an Klugheit, Macht des Geistes und an königlicher Schönheit mit ihr zu messen?

So sehr aber all diese Vorzüge Niobes Hochmut stärkten, nichts schmeichelte ihrem Stolze mehr als die stattliche Zahl ihrer Nachkommen: Vierzehn blühende Kinder, sieben Söhne und sieben Töchter, erfüllten ihr Herz täglich von neuem mit Mutterfreude; mit Recht hätte man Niobe die glücklichste aller Mütter nennen dürfen. Und sie wäre es auch gewesen, wenn – sie nicht ihr Glück als ihr eigenes Verdienst beansprucht hätte! So mußte ihr hochfahrender Stolz, mit dem sie gar göttliche Ehren für sich verlangte, sie ins Verderben stürzen.

In Theben lebte damals die Seherin Manto, des Teiresias Tochter, im frommen Tempeldienst der Leto. Eines Tages, so wird berichtet, fühlte sich die Jungfrau plötzlich von göttlicher Eingebung ergriffen, zur Ehre der Göttin ihre Landsleute aufzurufen. Das Haar umkränzt, im festlichen Priestergewand, so eilte sie durch die Straßen der Stadt: „Thebanerinnen", rief sie in ihrer wilden Erregung, „ihr Frauen Thebens, kommt alle zu Ehren unserer Gottheit, zu Ehren Letos und ihrer Zwillingskinder! Kommt und bekränzt euch mit Lorbeer das Haar und bringt Leto und ihren beiden Kindern, bringt Apollon und Artemis euer Weihrauchopfer dar!"

Die Frauen strömten in Scharen zusammen. Willig folgten sie dem Geheiß und rüsteten der Gottheit die schuldigen Opfer.

Da – plötzlich weichen alle Frauen angsterfüllt beiseite. Niobe, gefolgt von ihrem Hofstaat, im Schmucke ihrer golddurchwirkten Gewänder, tritt unter die Menge! Sie erstrahlt in königlicher Schönheit. Hoheitsvoll gleiten ihre Blicke im Kreise umher. Aber Zorn erfüllt ihr Antlitz.

Wie Eiseskälte hat es sich auf die festlich gestimmte Menge gelegt. Scheu blicken die Frauen auf die zornige Königin, die sie nun anfährt: „Treibt euch denn der Wahnsinn, ihr Thebanerinnen, Götter anzubeten, die ihr nur vom Hörensagen kennt? Und göttliche Wesen, die euch sichtbar vor Augen stehen, die laßt ihr unbeachtet? Wie könnt ihr für Leto Altäre errichten und meinem göttlichen Namen den Weihrauch versagen?"

Betroffen vor soviel Vermessenheit blicken die Frauen zu Boden. Doch Niobe fährt in ihrer Verblendung fort: „Ihr wißt doch, daß Tantalos mein Vater ist, der einzige Erdgeborene, dem am Tische der Himmlischen zu sitzen erlaubt war! Ist meine Mutter nicht die Schwester der Plejaden, die als herrliches Gestirn am Himmel leuchten? Zähle ich unter meinen Ahnen nicht den gewaltigen Atlas, der das Himmelsgewölbe auf seinem Nacken trägt? Und ist nicht Zeus selber, der Herr aller Götter, mein Großvater?"

Triumphierend gehen Niobes Blicke im Kreise umher. „Mir gehorchen Phrygiens Völker", fährt sie fort und wirft voll Stolz den Kopf in den Nacken, daß das prächtige Haar um die Schultern wallt. Sie stammte ja wie Arachne aus jener Provinz Kleinasiens. Hätte sie sich nicht durch deren Schicksal warnen lassen sollen?

„Mir und meinem Gatten ist das herrliche Theben, des Kadmos Stadt, untertan, deren Mauern sich einst willig seinem Saitenspiele fügten! Und in meinem Palaste häufen sich, wohin ich blicke, unermeßliche Schätze! Und soll ich von meinem Äußeren sprechen? Ist mein Antlitz nicht dem einer Göttin ebenbürtig? Und dazu die stolze Kinderschar, wie wohl keine Mutter sie aufweisen kann: sieben blühende Söhne, sieben blühende Töchter und bald ebenso viele Eidame und Schwiegertöchter! Und da soll ich nicht Grund haben, stolz zu sein?"

Herrisch, hochaufgerichtet blickt Niobe über die Thebanerinnen hin, die ganz verschüchtert zurückgewichen sind. „Wagt ihr es noch immer", ruft sie drohend, „mir Leto, jene unbekannte Titanentochter, vorzuziehen? Soll ich euch daran erinnern, wie einst die weite Erde ihr nicht einmal einen Platz gönnen wollte, wo sie ihre Kinder zur Welt bringen konnte? Heimatlos irrte sie umher, bis endlich die schwimmende Insel Delos Mitleid mit ihr hatte und sie aufnahm! Dort wurde die bedauernswerte Leto Mutter ihrer Zwillinge! Zwei Kinder – das ist der siebente Teil meiner Mutterfreude! Ich bin so mächtig in meinem Reichtum, daß die Schicksalsgöttin mir niemals Schaden bringen könnte! Und wollte sie nach meinen Kindern greifen, selbst dann würde ich niemals mit meiner stolzen Schar zu der ärmlichen Zwillingszahl Letos herabsinken!" Herrisch spricht ihr befehlsgewohnter Mund: „Darum macht jetzt Schluß mit euren Opfern, ihr törichten Frauen, und geht in eure Häuser zurück!"

Gehorsam ducken sich die Frauen unter den Befehl, nehmen die festlichen Kränze aus dem Haar und schleichen von den erkalteten Altären in die Häuser. Nur mit schweigendem Gebete wagen sie noch, die beleidigte Gottheit zu verehren.

Ja, die Gottheit war tief gekränkt! Hoch auf dem Bergesgipfel des Kynthos stand sie mit ihren Zwillingen und schaute auf Niobes frevlerisches Tun hinab. „Meine Kinder", rief Leto in ihrem Schmerze, „ihr wißt, wie stolz ich auf euch bin und daß ich keiner Göttin wiche, es sei denn Hera selbst! Und nun müßt ihr erleben, wie ich von einer frechen Erdgeborenen geschmäht, wie ich von den altehrwürdigen Altären verdrängt werde, wenn ihr mir nicht beisteht, meine Kinder! Aber damit nicht genug: Auch euch hat sie mit ihren Schmähungen verletzt; voll Verachtung hat sie euch mit ihren Kindern verglichen!"

Leto wollte ihren Klagen noch Bitten hinzufügen, aber Phoibos Apollon unterbrach sie. „Hör auf, Mutter", rief er unwillig, „und laß dein Klagen; sie bedeuten nur Aufschub für die Strafe!"

Artemis stimmte ihm ungeduldig zu. Schnell hüllte sich das Geschwisterpaar in eine Wolkendecke, und in raschem Flug erreichten beide die Stadt Theben. Hoch auf den Zinnen der Burg des Kadmos ließen sie sich nieder.

Vor den Stadtmauern breitete sich eine weite Ebene aus, auf der Thebens Jünglinge ihre Körperkräfte zu üben pflegten. Dort belustigten sich eben Amphions und Niobes sieben Söhne in fröhlichem Wettkampf, im Wagenrennen, im Ringkampf und im Speerwurf. Gerade jagte Ismenos, der Älteste, sein Pferd rund um die Bahn; mit Mühe zügelte er das feurige Tier, als er plötzlich einen furchtbaren Schmerzensschrei ausstieß. „Wehe mir!" rief er entsetzt und ließ den Zaum aus den erschlaffenden Händen fahren. Ein Pfeil hatte ihn mitten ins Herz getroffen!

Sipylos, der ihm zur Seite sein Roß tummelte, sah voll Entsetzen den Bruder vom Pferde sinken; er hörte den Köcher in den Lüften rasseln und versuchte zu fliehen. Wie der Steuermann vor dem Sturme den Hafen sucht, so hetzte er den Renner über das Blachfeld. Aber da schwirrte es wieder durch die Lüfte, und unerbittlich traf ihn der Pfeil im Nacken, daß das Eisen zum Halse herausragte. Zu Tode getroffen sank auch er über des Rosses Mähne zu Boden.

Noch hatten die anderen Brüder nicht die drohende Gefahr bemerkt. Zwei von ihnen, Tantalos, der des Großvaters Namen trug, und Phaidimos, erprobten Brust an Brust im Ringkampf ihre Kräfte. Wieder erklang das grausige Schwirren durch die Luft, und beide durchbohrte der gleiche Pfeil. Beide hauchten im gleichen Atemzug ihr Leben aus.

Sollte das schreckliche Strafgericht solchen Fortgang nehmen? Der fünfte von Niobes Söhnen sah die Brüder fallen. In fassungslosem Schmerze stürzte er herzu, die Brüder in seinen Armen wieder zu beleben, aber bei dieser frommen Arbeit traf auch ihn der erbarmungslose Pfeil. Apollons Geschoß fuhr ihm mitten ins Herz, ebenso wie Damasichthon, der vergeblich der grausigen Waffe zu entfliehen suchte.

Nun war nur der jüngste Sohn übrig. Ilioneus hatte das furchtbare Strafgericht mit ansehen müssen. Außer sich vor Entsetzen, warf sich der Junge auf die Knie und hob flehend die Arme: „Ihr Götter alle", stammelte er, denn er wußte ja nicht, wer die grausigen Geschosse gegen die Brüder gerichtet hatte, „o habt Erbarmen und schonet mich!" Apollon war gerührt von seinem kindlichen Flehen, aber sein Pfeil war nicht mehr zurückzuhalten. Ins Herz getroffen, stürzte auch er zu Boden, Niobes jüngster und letzter Sohn!

Die Kunde von dem entsetzlichen Geschehen drang schnell in die Stadt und zur Königsburg. Den Vater Amphion übermannte so sehr die Verzweiflung, daß er sich das Schwert in die Brust stieß, um im Tode mit seinen Söhnen vereint zu sein. Und Niobe? Lange vermochte sie das Schreckliche nicht zu fassen. Aber dann packte sie der grimmige Zorn. Sollten die Götter es wirklich wagen, ihre Vorrechte so grausam zu zeigen?

Die unglückliche Mutter fühlte, wie alle Kraft ihr schwand. Wie anders war diese Niobe als jene hochfahrende Königin, die eben erst das Volk von Letos Altären vertrieben hatte und voll Hochmut durch die Straßen geschritten war! Hätte man sie vorher beneiden mögen – jetzt mußte ihr ärgster Feind wohl Mitleid mit ihr haben! Sie stürzte vor die Stadtmauern, wo die toten Söhne lagen. In ihrem sinnlosen Schmerze warf sie sich auf die erkalteten Körper und küßte sie, immer wieder küßte sie die toten Söhne.

Plötzlich sprang Niobe auf. „Weide dich nun an meinem unendlichen Leide, du grausame Leto! Sieben Söhne habe ich zu beklagen. Ja, du bist Siegerin! Nun triumphiere!"

Niobe war wieder in sich zusammengesunken. Doch dann fiel ihr Blick auf die stattliche Reihe der Töchter, die an die Leichen herangetreten waren. „Siegerin?" ging es ihr wild durch den Sinn, „Leto soll über mich triumphieren? Nein, du Grausame, auch in meinem schweren Unglück bleiben mir mehr, als das Glück dir schenken konnte! Meinen toten Söhnen zum Trotz – ich bin die Siegerin!"

Noch hatte die Unbelehrbare ihre verwegenen Hohnworte nicht ausgesprochen, da klang es wie von einer straffgezogenen Sehne. Die Schwestern, die in ihren schwarzen Trauerkleidern die Brüder umstanden, erbebten, nur Niobe stand unbeweglich; das Unglück hatte sie zu blinder Verwegenheit getrieben. War es wieder der Schicksalsbogen?

Da plötzlich zuckte eine der Schwestern zusammen; in ihrem Herzen stak ein Pfeil! Bewußtlos sank sie über ihre toten Brüder. Die zweite sah die Mutter in verzweifeltem Schmerze zusammenbrechen und wollte zu ihr eilen, um sie zu trösten. Da raffte auch sie das geheimnisvolle Geschoß dahin. Die dritte floh entsetzt bei dem grausigen Anblick, aber auch sie sank zu Boden; drei andere fielen, über die sterbenden Schwestern gebeugt.

Nur die letzte war noch übrig. Die Seele ganz zerrissen von grenzenloser Qual, umschlang die Mutter ihre Jüngste und barg sie in ihrem weiten Gewande. „Nur diese eine laß mir!" schrie sie in ihrem Mutterschmerz, „nur meine Jüngste laß mir von so vielen!" Aber während sie noch ihre Bitte in die Lüfte hinausschrie, stürzte auch die siebente Tochter tot nieder.

Einsam, all ihrer Kinder beraubt, saß Niobe inmitten der Leichen ihrer Söhne, ihrer Töchter, ihres Gatten. Da machte das Übermaß des Schmerzes sie zu Stein; kein Windhauch bewegte mehr ihr wallendes Haupthaar, alles Blut war ihr aus den Wangen entwichen; unbeweglich standen die Augen in dem erstarrten Antlitz. Es stockte die Zunge, das Herz stockte mitten in der Bewegung; nicht der Nacken, nicht der Arm, nicht der Fuß zeigten noch menschliches Leben.

Doch ihre Tränen rannen; Niobe weinte. Unaufhörlich strömten Tränen aus den felsigen Augenhöhlen.

Nun endlich zeigte die gekränkte Gottheit sich versöhnlich. Ein mächtiger Wirbelwind packte den Felsblock und trug ihn nach Asien. Niobe kehrte in ihr Vaterland zurück; die lydische Heimat nahm sie auf.

Als Marmorfelsen lebt sie dort fort, und unaufhörlich fließen ihre Tränen in das Gebirgstal hinab.

SISYPHOS

Wie Arachne und Niobe schwere Götterstrafe für ihre frevelhafte Hoffart traf, so mußte auch Sisyphos für seine Vermessenheit büßen, als er den Himmlischen zu trotzen wagte.

Er war der Gründer und Erbauer von Korinth und herrschte als König in der herrlichen Stadt. Da wagte er in seinem Übermut, den Unwillen des Zeus auf sich zu ziehen: Er verriet den Göttervater, als dieser des Flußgottes Asopos Tochter, die liebliche Nymphe Aigina, entführt hatte, an den tiefbetrübten Vater.

Zeus beschloß, den Fürwitzigen zu bestrafen, und schickte Thanatos, den Tod. Aber der listige Sisyphos zeigte sich stärker als der Allüberwinder Tod. Er zwang ihn in seine Gewalt und legte ihn in so starke Fesseln, daß seine Macht gebrochen war. Auf Erden entstand nun große Verwirrung, weil niemand mehr sterben konnte, und erst als der starke Ares, der Gott des

Krieges, den Tod aus der Gewalt des Listigen befreit hatte, konnte Thanatos wieder seines Amtes walten. Sisyphos aber wurde vom Kriegsgott ins Schattenreich geführt.

Doch der Korintherkönig hatte sich eine neue List ersonnen, um seine Erdenfreiheit wieder zu gewinnen. Ehe er zum Hades geführt wurde, hatte er seiner Gemahlin verboten, Totenopfer für ihn zu halten. Wie aber sollte Hades eine Seele in der Unterwelt dulden, der die schuldigen Opfer auf Erden versagt blieben? So ließen er und seine Gemahlin Persephone sich von Sisyphos bereden, ihn freizulassen: Er wolle zur Menschenwelt zurückkehren, um die Gattin an ihre Pflicht zu erinnern.

Natürlich dachte der Arglistige nicht daran, wieder in die Unterwelt zurückzukehren. Unbekümmert genoß er an der Seite seiner Gattin die Freuden der Oberwelt, die ihn mit Trinkgelagen und üppigen Gastmählern festhielt. Wie lachte er über den Gott der Unterwelt, den er so listig betrogen hatte!

Doch inmitten der Festesfreuden stand plötzlich wieder Thanatos vor ihm. „Diesmal wirst du mich nicht überlisten", sagte er grollend und zerrte den hilflosen Sisyphos, der plötzlich ganz schwach und klein geworden war, erbarmungslos in die Unterwelt.

Schrecklich war die Strafe, die Zeus dem Frevler bestimmt hatte. Ihm wurde die Aufgabe gestellt, einen mächtigen Marmorstein einen Hügel hinaufzuwälzen. Unter unsäglicher Mühe ging der Verurteilte ans Werk, stemmte sich mit aller Kraft seiner Hände und Füße dagegen und zwang den ungefügen Stein auch wirklich bis zur Höhe. Schon glaubte er, ihn auf den Gipfel gewälzt zu haben, da – im allerletzten Augenblick entrollte der tückische Felsblock seinen Händen und stürzte in die Tiefe! Von neuem mußte der Arme sich ans Werk machen, wieder zwang er den Stein bis zur Höhe, und wieder entwich der Marmorblock gerade in dem Augenblick, als der geplagte Sisyphos glaubte, die Höhe erneut erreicht zu haben.

Immer wieder, Jahrhundert um Jahrhundert mußte Sisyphos den Stein die Anhöhe hinaufwälzen, doch niemals sollte es ihm gelingen, seine Aufgabe zu erfüllen.

DIE DIOSKUREN

Leda, die Mutter der schönen Helena, hatte zwei Söhne, Kastor und Polydeukes. Jener war der Sohn des Königs Tyndareos von Sparta, aber Zeus selbst galt als Vater des Polydeukes. Dieser war daher unsterblich, Kastor dagegen sterblich.

Die Zwillingsbrüder waren sich an Gestalt und in ihrem Wesen so völlig gleich und in so herzlicher Bruderliebe zugetan und stets unzertrennlich, daß man sie beide auch Dioskuren, die Zeussöhne, nannte. Jedermann liebte die schönen und anmutigen, stets frohgemuten und hilfsbereiten Jünglinge; Kastor war vor allem erfahren in der Kunst, unbändige Rosse zu lenken, während Polydeukes der berühmteste Faustkämpfer wurde.

Schon in früher Jugend konnten sie ihren unwiderstehlichen Heldenmut bewähren. Als Theseus ihre geliebte Schwester Helena entführte, jagten sie dem Räuber nach und befreiten sie aus seiner Gewalt. An der Jagd des kalydonischen Ebers und vor allem an der Argonautenfahrt nahmen sie teil: Polydeukes bestand damals den berühmten Faustkampf mit dem riesigen Bebrykenkönig. Unsterblichen Ruhm erwarben sich die Brüder durch ihre Heldentaten, so daß der große Herakles sie zu Leitern der Olympischen Spiele einsetzte, die er erneuert hatte.

Mit ihren Vettern Lynkeus und Idas waren die beiden Dioskuren innig befreundet. Lynkeus, dessen Name „Luchsauge“ bedeutet, hatte die Kraft, durch Bäume und selbst durch die Erde zu sehen; sein Bruder Idas besaß so ungeheure Kraft und so verwegenen Mut, daß er es einst sogar mit dem erhabenen Apollon aufzunehmen wagte. Nur das Dazwischentreten des Göttervaters Zeus verhütete den drohenden Kampf.

Einst waren die beiden Brüderpaare auf Beute ausgegangen. In Arkadien raubten sie eine herrliche Rinderherde; sie beschlossen, sie untereinander zu teilen, und übertrugen Idas das Amt der Teilung. Jener aber wählte sich dafür einen seltsamen Weg: Einen Stier aus der Beute teilte er in vier gleiche Stücke und bestimmte sodann, daß der, welcher seinen Anteil zuerst verzehrt hätte, die Hälfte des Raubes haben sollte; dem zweiten sollte der Rest zufallen.

Es war ein ungewöhnlicher Wettstreit, der nun begann. Kaum aber hatten die vier Genossen sich ans Essen gemacht, da war Idas mit seinem Teil schon fertig; nun half er dem Bruder, dessen Stück zu verspeisen, und entschied damit schnell die Wette. Lachend führten beide die ganze Beute fort, während die Dioskuren leer ausgingen. In ihrem Zorne brachen sie in Messenien ein, entführten des Leukippos schöne Töchter, die mit Lynkeus und Idas verlobt waren, und vermählten sich mit ihnen.

Natürlich wollten die beiden Brüder diesen Schimpf nicht ruhig ertragen. Lynkeus stieg auf einen hohen Berg, erkannte mit seinen scharfen Augen bald das Versteck, in dem Kastor und Polydeukes sich verborgen hielten, und rief seinen Bruder Idas herbei. Beide überfielen das Dioskurenpaar, und von Idas' schwerem Wurfspeer getroffen, sank Kastor zu Boden. Wütend sprang Polydeukes auf, den Gefallenen zu rächen, und verfolgte die fliehenden Brüder, bis sie sich an ihres Vaters Grabe zum Kampfe stellten. Idas schmetterte den mächtigen Grabstein gegen des Verfolgers Brust, doch Polydeukes, der Unsterbliche, stand unerschüttert. Nun stürmte er auf Lynkeus ein und streckte ihn mit seiner Lanze zu Boden. Ein furchtbarer Kampf begann zwischen Polydeukes und Idas; jeder brannte vor Begierde, den toten Bruder zu rächen. Gerade hob Idas einen mächtigen Feldstein, ihn gegen des Gegners Haupt zu schleudern, da nahm Zeus sich seines Sohnes an; er sandte seinen feurigen Blitzstrahl, und von der himmlischen Flamme verzehrt, endete Idas.

Dankbar blickte Polydeukes zum Himmel empor, dann eilte er zu seinem Bruder zurück. Laut weinend warf er sich über den Sterbenden: „O Vater Zeus!“ rief er, „wie soll mein Jammer enden? Sende mich mit ihm, mit meinem liebsten Freunde, zusammen ins Schattenreich hinab!“

Da senkte sich der Oberste der Götter zu ihm hinab. „Du bist unsterblich“, sagte er. „Doch ich lasse dir freie Wahl: Willst du unsterblich und in ewiger Jugend im Olymp bei den ewigen Göttern – doch ohne Kastor – wohnen, so sei die Bitte dir gewährt. Willst du aber alles mit deinem lieben Bruder teilen, so magst du mit ihm die Hälfte der Zeit in der finsteren Unterwelt, die andere Hälfte im goldenen Himmelssaal weilen."

So sprach der göttliche Vater, und für Polydeukes gab es nicht einen Augenblick lang Zweifel. „Ich will des Bruders Schicksal teilen!" rief er freudig und ohne Zaudern. Da gewährte Zeus dem Sohne die Bitte, und unzertrennlich wie im irdischen Leben bringen die Zwillinge einen Tag gemeinsam beim Vater Zeus und den übrigen Göttern, den andern im dunklen Hades zu. Die Menschen aber beten zu ihnen in allen Nöten des Lebens, denn sie verehren die Dioskuren als Retter in Gefahr.

ORPHEUS UND EURYDIKE

Im Lande ringsum erscholl das Lob des herrlichen Sängers Orpheus. Er war der Sohn des Königs von Thrakien und hatte von seiner Mutter Kalliope, der Muse der Dichtkunst, die Sangeskunst geerbt, mit der er alle Menschen entzückte. Apollon selber schenkte ihm ein Saitenspiel, und wenn Orpheus seinen Gesang erhob, so konnte niemand der göttlichen Macht widerstehen. Alles Getier der Natur, die Vögel wie die Fische, folgten ihm willig, ja auch die Bäume, selbst die gefühllosen Steine bewegte der unvergleichliche Sänger mit der Zaubergewalt seiner Stimme und seines Saitenspiels. Ohne Grenzen schien sein Glück, als er Eurydike, die schönste der Najaden, als Gattin heimführte.

Und doch, wie kurz war dieses Glück, das ihnen vergönnt war! Als die holdselige Nymphe mit den Gespielinnen auf grüner Aue zum Tanze schritt, wurde sie von einer giftigen Natter gebissen. Eine winzige Wunde an der Ferse nur war es, doch sie brachte Eurydike den Tod.

Fassungslos stand der Sänger an der Leiche der geliebten Gattin. Ein Leben ohne Eurydike, wie sollte er solchen Gedanken ertragen können? Da griff er zur Leier, die erst vor wenigen Tagen zu frohen Hochzeitsliedern geklungen hatte, er schlug sie und ließ seinen namenlosen Schmerz zum Himmel dringen. Es war, als stünde die Natur still, seine Wehklage nicht zu stören. Zahm und fügsam umdrängten die wilden Tiere des Waldes den klagenden Sänger, und die Bäume hörten auf zu rauschen.

Doch weder Klage noch Bitte brachten die Tote zurück. Unerbittlich hielt sie der Hades in der unzugänglichen Unterwelt. Orpheus wagte einen Gedanken, wie ihn noch kein Mensch vor ihm gefaßt hatte: In die Unterwelt wollte er hinabsteigen und den Beherrscher der Schatten bitten, ihm die Gattin zurückzugeben! „Er kann meine Bitte nicht abschlagen“, murmelte er bei sich, „wenn er sieht, wie groß unsere Liebe ist!“

Bei dem Orte Tainaron war die Pforte, die zur Unterwelt führte; dort stieg Orpheus hinab. Unbehindert von Kerberos, dem gräßlichen Höllenhund, der den Eingang bewacht, schritt er durch die Reihen der körperlosen Schatten, die den Weg umlagerten, achtete nicht auf die grausigen Gestalten, die ihn abzuschrecken suchten, und trat vor den Thron, auf dem Hades an der Seite seiner Gattin Persephone über die Toten regierte.

Wie sollte Orpheus wohl das strenge Herz der Gottheiten rühren? Da griff er zur Leier, schlug die Saiten und sang zu ihrem göttlichen Klange: „O ihr Herrscher der Unterwelt, der wir sterblichen Menschen alle verfallen sind, laßt mich vor euch treten, und laßt mich vor euch die Wahrheit sagen: Nicht müßige Neugier führt mich hierher, das Dunkel zu schauen, nicht komme ich, den dreiköpfigen Höllenhund Kerberos zu fesseln. Die Liebe treibt mich vor euren Thron, die Liebe zu meiner Gattin Eurydike, die mir so grausam geraubt wurde! Eine giftige Schlange hat sie in der Blüte ihrer Jugend dahingerafft. Wie habe ich mit mir gerungen, den unermeßlichen Schmerz wie ein Mann zu tragen! Aber die Liebe ist stärker, ich kann mich gegen sie nicht wehren. Hat nicht der Gott der Liebe auch über das Totenreich Macht? Sagt man nicht, daß er auch dich, Hades, mit Persephone vereint hat? Darum flehe ich zu euch, ihr Götter der Unterwelt, hier bei den Stätten des Grauens flehe ich euch an: Gebt, gebt mir Eurydike zurück für ein Leben im Lichte der Menschenwelt! Wir alle gehören ja euch, und schon nach kurzem Erdenleben müssen wir hierher in die letzte Behausung, zum gemeinsamen Wohnsitz aller Menschenkinder. Könnt ihr mir aber die Bitte nicht erfüllen, so bin ich entschlossen, euer Reich nie zu verlassen! Nehmet dann auch mich in euer Reich auf!"

Seltsames, wie das Schattenreich es noch nie gesehen hatte, geschah bei des Orpheus klagender Bitte: Die wesenlosen Schatten lauschten den lieblichen Klängen und – weinten! Tantalos, zu schrecklicher Strafe verdammt, vergaß, nach der stets weichenden Welle zu haschen, die Danaïden ließen von ihrer nie endenden Arbeit, das durchlöcherte Faß zu füllen, und Sisyphos saß auf seinem Steine, den er nach dem Willen der Götter in vergeblichem Mühen den Berg hinaufzuwälzen hatte. Ja, selbst die unerbittlichen Eumeniden, die keines Menschen Leid je bewegt hatte, vergossen heiße Tränen der Rührung.

Nicht minder gerührt war das Königspaar selber, denn es war das erste Mal, daß ein Mensch aus der Oberwelt, ein Mensch von Fleisch und Blut vor ihnen stand – wie sollten sie sich der göttlichen Macht des Liedes entziehen können? Persephone blickte fragend den Gemahl an, Hades nickte Gewährung, und sogleich schickte die Königin einen der schemenhaften Boten, Eurydike zu holen.

Mit langsamem Schritte kam sie herbei, es hinderte sie ja die Wunde am Fuße. Orpheus starrte sie an in liebendem Verlangen, Eurydike wußte sich nicht zu fassen in namenloser Überraschung und wollte dem Geliebten in die Arme stürzen – doch ein Wink des Hades hielt sie zurück. „Noch nie sahen wir hier soviel Liebe", sagte der Gott, „so höret unseren Entschluß: Führe deine Gemahlin zur Welt der Lebenden zurück, Orpheus, und lebe in ehelicher Liebe mit ihr. Doch höre: Hüte dich, den Blick zurückzuwenden, bis du die Unterwelt verlassen und das Tor durchschritten hast – folgst du diesem Gebote nicht, so hast du Eurydike für immer verloren!"

Aufwärts stiegen jetzt die beiden durch die schweigende Öde der Unterwelt. Schon waren sie dem Ziele nicht mehr fern, und schroff führte der Weg empor; es war, als starre das gräßliche Dunkel ihnen von allen Seiten entgegen. Orpheus verhielt den Schritt, um nach rückwärts zu lauschen. War die Gattin ihm nicht gefolgt? Fehlte ihr die Kraft, den steilen Pfad zu erklimmen? Vergeblich horchte er auf ihren Schritt, doch kein Laut, kein Atemzug, kein Rascheln ihres Gewandes war vernehmbar – Totenstille ringsum.

Da konnte der Sänger nicht mehr an sich halten, Sehnsucht und liebende Sorge wurden so übermächtig, daß er den Blick zurückwarf – dort stand sie vor ihm, schwebte – und entschwand in die grauenvolle Unterwelt! Da packte ihn wilde Verzweiflung, voll Sehnsucht streckte er die Arme aus und griff ins Leere. Zum zweiten Male mußte sie sterben und ging doch ohne Klage von dannen, sie, die so innig geliebt wurde. Wie ein zarter Hauch nur klang von ferne ihr Abschiedswort: „Leb wohl, geliebter Orpheus", dann nahm sie der Abgrund auf.

Orpheus stand starr und von Entsetzen gepackt. So war ihm die Geliebte erneut entrissen? Er stürzte den Weg zurück und trat an das stygische Gewässer. „Setz über, Fährmann!" rief er fordernd. „Zum zweiten Male ist meine Gattin mir genommen!"

Aber Charon hob abwehrend die Hand. „Kein Lebender überschreitet die Styx, Orpheus", kam grollend seine Stimme, „nur wer für das Schattenreich bestimmt ist, betritt meinen Kahn!" Vergeblich war des Orpheus Flehen, vergeblich waren seine Tränen; Charon blieb unerbittlich.

Sieben Tage lang saß der Unglückliche am Ufer des Flusses, ohne Speise und ohne Trank. Unaufhörlich rannen seine Tränen, flehende Gebete sprach er zu den Olympischen und zornige Scheltworte – die Götter ließen sich nicht erweichen. Gramgebeugt kehrte Orpheus in die heimatlichen Bergwälder zurück. —

Dreimal schon hatte sich der Jahreslauf gerundet. Einsam lebte der Sänger. Menschlichen Umgang mied er. Nur der geliebten Eurydike galten seine Gedanken, ihr die lieblichen Klänge, die seinem Saitenspiel entströmten.

So saß er einst auf einer sanften Anhöhe, die göttliche Leier im Arme. Ringsum breitete sich üppiges Feld, und nicht Baum noch Strauch spendete

Schatten. Doch als dann Orpheus die Saiten rührte, da war es, als ob die Landschaft zu klingen anhebe. Da bewegte sich der Wald ringsum, die Bäume alle rückten näher und stellten sich um den gottentsprossenen Sänger, als wollten sie ihm Schatten spenden zum Dank für seinen Sang. Auch die scheuen Tiere des Waldes wurden durch die wundersamen Töne angesteckt; sie drängten sich um Orpheus herum, das Wild und die bunten Schwärme der Waldvögel, und lauschten den Zauberlauten seines Saitenspiels.

Es war um die Zeit, da die thrakischen Frauen des weinliebenden Bakchos Fest in wilder Begeisterung feierten. Rebenkränze im aufgelösten Haare, den epheugeschmückten Thyrsosstab schwingend, so stürzten sie in bakchantischer Wut durch die Wälder. Solch eine Schar Weiber stieß auf den Sänger, der inmitten der Waldbewohner seine Leier schlug. Niemanden haßten die Bakchantinnen mehr als ihn, der seit Eurydikes Tode nichts von Frauenliebe wissen wollte. „Dort, seht ihn dort, den Verächter der Frauen!“ schrie gellend die erste, und schon schleuderte sie wild den Thyrsosstab auf den verhaßten Mann. In entfesselter Wut folgten die anderen dem Beispiele, Steine flogen auf den Hügel, auf dem Orpheus saß, doch – o Wunder! – keiner erreichte das Opfer! Demütig legte sich alles im Wurfe Geschleuderte dem Sänger zu Füßen, demütig, als wollte es um Verzeihung bitten; so übermächtig war die Gewalt von Orpheus' Gesang, so übermächtig die Wunderkraft der schützenden Gottheit. Und doch, die wahnsinnige Verzückung hatte in den tobenden Weibern jede fromme Scheu erstickt: Schreiend, heulend, mit gellenden bakchantischen Flötenlauten übertönten sie das göttliche Saitenspiel. Die Tiere von Wald und Feld stellten sich schützend vor den Sänger, doch gar bald büßten sie ihre Treue mit dem Tode, als das Wutgeheul der Weiber über den bezwingenden Gesang gesiegt hatte. Von allen Seiten drangen sie nun auf den Sänger ein, und was sich ihren Händen bot, schleuderten sie auf den Unglücklichen. Vergeblich streckte er die Hände zur Abwehr vor, da traf ein Stein den Wehrlosen.

Hingemordet lag der herrliche Orpheus, der mit dem Wohllaut seiner Stimme die Tiere und Bäume und Steine gerührt hatte, für immer geschlossen war der liederreiche Mund. Da kamen mit traurigem Wehlaut Vögel und

Wild aus dem Walde herbei, lebloses Gestein näherte sich – die ganze Natur klagte um den Götterliebling. Nymphen der Quellen und Bäume, die Najaden und Dryaden, eilten herbei, in Trauergewänder gehüllt. Sie sammelten die verstümmelten Glieder, um sie zu bestatten; das Haupt aber und die Leier nahm die Flut des Hebrosstromes auf, und da – welch ein Wunder! – plötzlich erbebte die Leier wie im süßen Wehlaut, Lieder klangen über die Wellen hin, daß die Ufer in leisem Widerhall die Klage zurückgaben.

So trug der Strom das Haupt und die Leier hinaus aufs Meer, und die Wellen trugen sie weiter bis an den Strand von Lesbos. Dort endlich wurde auch das Haupt zur Ruhe gebettet. Orpheus' Seele aber schwebte hinab ins Reich der Schatten. Er erkannte die Stätten wieder, die er einst auf der Suche nach der Geliebten zu betreten gewagt hatte. Nun durfte er sie wiedersehen; mit inniger Liebe umfing er Eurydike! - „Niemals wieder soll unser Weg sich scheiden", sagte er, und Eurydike sprach die gleichen Worte. Selig umschlungen schritten sie durch die Gefilde der Unterwelt, und wenn Orpheus je auf engem Pfade voranging, so durfte er sich ungestraft nach der Geliebten umsehen, die von nun an auf ewig mit ihm verbunden blieb.

MELEAGROS

Vorzeiten geschah es, daß dem König Oineus, der im Lande Kalydon herrschte, der sehnlichst erwartete Erbe geboren wurde. Meleagros, so nannten die glücklichen Eltern den Neugeborenen, war nur wenige Stunden alt, da bemerkte seine Mutter Althaia, die in liebender Sorge an der Wiege wachte, plötzlich voller Schrecken die Moiren, die als überirdische Mächte den Faden des Menschenschicksals spinnen:

Klotho setzt den Rocken an,
Lachesis muß spinnen,
wenn Atropos es haben will,
so muß der Mensch von hinnen.

Die drei unerbittlichen Schwestern traten vor die Lagerstatt des Kindes. „Zu einem strahlenden Helden wird er heranwachsen“, begann die erste. „Alle Welt wird seine Großmut preisen“, verkündete die zweite. „Sieh dieses Holzscheit, das im Herde glüht“, wandte sich Atropos, ‚die Unabwendbare‘, an die zitternde Mutter: „Solange das Feuer es nicht verzehrt hat, wird dein Sohn leben!“

In bebender Angst vernahm Althaia die Weissagung. Kaum aber hatten die Moiren das Schlafgemach verlassen, da griff sie mitten hinein in die Glut packte das Holzscheit mit ihren bloßen Händen und warf es ins Wasser, daß es hochaufzischend erlosch. Aufatmend blieb die Königin dann stehen. „Mein Sohn wird leben“, murmelte sie vor sich hin, und barg das Holz an geheimer Stelle in ihrem Frauengemach.

Meleagros aber, der von dem geheimnisvollen Besuch der Moiren nichts ahnte, wuchs zu einem herrlichen Jüngling heran; Vater und Mutter durften voll Stolz auf ihn blicken. Da begab es sich, daß König Oineus den Zorn der Artemis auf sich lud. Nach reichgesegneter Ernte brachte er den Göttern seine Dankesgaben dar. Der Demeter die Früchte des Feldes, dem Bakchos die Weinreben, der Athene vom Öl des Olivenbaumes und jeder Gottheit, was er ihr dankte. Nur der Jagdgöttin Artemis, die die Herden und das jagdbare Wild beschützte, vergaß er, seinen Dank zu erweisen, und voll zorniger Eifersucht blickte die Göttin auf die lodernden Opfer, während ihr eigener Altar ohne Weihrauch blieb.

„Wer mir die schuldige Ehrfurcht versagt, den trifft meine Rache!“ rief sie ingrimmig und sandte einen furchtbaren Eber, der schrecklich im kalydonischen Lande wütete. Zornschnaubend zerstampfte das Untier die Saatfelder und die blühenden Fluren, schonte nicht Weinberge noch Olivenwälder und vernichtete, was dem Menschen zur Nahrung diente. Niemand wagte, dem grausigen Wesen entgegenzutreten, so gräßlich war es anzuschauen mit seinen feuersprühenden Augen, dem stachligen Borstenfell und dem gräßlichen Rachen, aus dem es wie Feuerbrand hervorschoß.

In dieser höchsten Not trat Meleagros auf den Plan und sammelte die berühmtesten Helden, um die Heimat von dem Untier zu befreien. Auch

Atalante, die herrliche Jungfrau, die Jagd und Abenteuer über alles liebte, folgte seinem Rufe.

In einem uralten Walde stellten die Jäger endlich das gesuchte Wild und zogen vorsichtig den Ring enger und enger. Dort breitete sich in der Tiefe eines alten Flußbettes ein undurchdringliches Gewirr von wildwucherndem Schilf, von Weidengestrüpp und Binsengras aus. Noch zögerten die Jäger, ob sie es wagen dürften, in das Dickicht einzudringen, das das Tier zu seinem Versteck erwählt hatte, hetzten die Hunde hinein und standen beratschlagend umher – da stürzte plötzlich, wie der Blitz aus der Wolke fährt, der Eber heraus! Blindwütig raste er mitten unter seine Feinde.

Ein schrecklicher Kampf begann. Vergeblich mühten sich die jungen Jäger, das wütende Tier abzuwehren, vergeblich schleuderten sie ihre Jagdspieße. Auch die berühmtesten Helden mußten vor dem Untier flüchten, bis endlich Atalante entschlossen den Bogen anlegte und es mit ihrem Pfeile unterhalb des Ohres traf. „Herrliche Jungfrau!" jubelte Meleagros, als er das Tier bluten sah. „Dir allein gebührt das Lob der Tapferkeit!" Da griffen auch die Männer zu den Waffen, gingen tapfer den Eber an, aber niemand vermochte ihn zu Boden zu strecken. Erst als Meleagros selber seinen Speer schleuderte, kam das wütende Ungeheuer zu Fall. Der Held traf es zum zweiten Male, und sterbend wälzte sich der Eber in seinem Blute.

Voller Freude umstanden alle das besiegte Tier. „Die Heimat ist erlöst von dem wütenden Eber", scholl es von allen Seiten, und immer neuer Jubelruf wurde laut zu Ehren des tapferen Siegers, der stolz den Fuß auf den Kopf des Ebers gesetzt hatte. Dann streifte Meleagros nach Jägerart das struppige Borstenfell vom Leibe des erlegten Tieres, trennte das Haupt vom mächtigen Rumpf und – reichte beides der schönen Jagdgefährtin! „Du hast als erste mit deinem Pfeile das Untier getroffen, Atalante!" rief er, „so sollst du auch Anteil an dem Ruhm haben, den man mir zollt."

Die Jäger schämten sich wohl, von der Jungfrau an Tapferkeit übertroffen worden zu sein. Alle mißgönnten ihr den Jagdruhm, und ringsumher vernahm man Unwillen und drohende Worte. Am lautesten aber gebärdeten sich des Meleagros beide Oheime, seiner Mutter Brüder. „Unrecht tust du", riefen sie zornig dem Neffen zu, „deine Geliebte den Jägern vorzuziehen!" Und mit gleich heftigen Beschimpfungen drangen sie in die Jungfrau, von der Jagdbeute, die sie unrechtmäßig nannten, zu lassen. Als die beiden der erschrockenen Atalante gar des Meleagros Geschenk entreißen wollten, da hielt der Jüngling nicht länger an sich. „Wer erlaubt euch, eine Würdige ihres Verdienstes zu berauben!" schrie er in wildem Grimm und – stieß beide nieder.

Voll Stolz hatte Althaia inzwischen von dem herrlichen Siege des Sohnes erfahren. Gerade wollte sie zum Tempel schreiten, den Göttern ihr Dankopfer darzubringen, da bewegte sich ein Trauerzug zum Königspalast: Zu Füßen der entsetzten Königin wurden die Leichen ihrer toten Brüder niedergelegt! Althaia stand fassungslos in ihrem Schmerz.

„Wer diese Untat beging", fuhr sie dann plötzlich auf, „wer es auch sein mag – er soll sterben!"

„Sprich nicht solches Wort aus, Herrin!" rief voll Entsetzen die alte Amme. „Sprich es nicht aus, denn der Mörder ist – dein eigener Sohn!"

„Meleagros, mein Sohn?" stammelte die Königin. „Meinem eigenen Sohn habe ich den Tod androhen müssen?"

Wie von Sinnen starrte sie vor sich hin.

Da plötzlich durchzuckte es sie wild. „Das Holzscheit!" stieß sie hervor; „das Holzscheit der Moiren!" Rasend in ihrer Erregung, stürzte sie in ihr Schlafgemach, wo sie das Holz einst verborgen hatte, holte es hervor und trat vor den Altar. Mit zitternder Stimme gebot sie den Dienerinnen, das Feuer zu schüren, und hieß dann alle sich entfernen. Die Hand, die das Holz ins Feuer werfen wollte, zuckte zurück, so stark war die Mutterliebe; aber wieder standen vor ihr die Geister der toten Brüder – sie streckte die Hand aus und schreckte erneut zurück. Viermal raffte sie sich auf, das Holz ins Feuer zu werfen, viermal wich die Hand vor dem grausigen Tun zurück. Endlich besiegte der Zorn über den Tod der Brüder das Mutterherz. „Ihr Rachegöttinnen", rief sie bebend, „seht das Opfer, das ich euch bringe! Euch zu genügen, bringe ich das härteste Opfer, dessen eine Mutter fähig ist. Ich weiß, daß nur mein eigener Tod es sühnen wird!" Ihr Auge ertrug nicht den schauerlichen Anblick, als sie das Holzscheit in das auflodernde Feuer warf – ohnmächtig sank Althaia zu Boden.

Inzwischen war Meleagros in die Vaterstadt eingezogen, sein Herz voller Widerstreit. Er jubelte über den herrlichen Sieg, der die Heimat endlich von der Not befreit hatte, und war erfüllt von seiner Liebe zu Atalante – und er stöhnte unter der lähmenden Schuld, daß er sich in seiner Erregung zu der furchtbaren Mordtat hatte hinreißen lassen. Da plötzlich – was war das? – fühlte er sich durchschauert wie von Fieberglut; wilde Schmerzen überfielen ihn. Kein Klagelaut kam ihm über seine Lippen. Schweigend streckte er sich aufs Lager und blickte traurig auf den Vater und die Geschwister, die ihn hilflos umstanden.

„So ist es mir beschieden, ruhmlos zu sterben“, stieß er hervor. „Wo bist du, Mutter?“ kam dann leise seine Stimme, doch bevor Althaia geholt werden konnte, schwand die letzte Lebenskraft. Wie das Holzscheit im Feuer zu Asche verglühte, so verging des Helden Geist ins All, und mit dem letzten Funken, der auf dem Altar zersprühte, hauchte auch Meleagros seinen Atem aus.

In fassungslosem Schmerz standen der Vater und die Geschwister vor dem Totenlager. „Daß die Mutter zu spät kommt!“ stieß eine der Schwestern betrübt hervor. Da kam der Bote, der sie herbeiholen sollte, schreckensbleich zurück. „Althaia weilt nicht mehr unter den Lebenden“, schrie er wild. „Ich fand sie tot am Altar hingestreckt!“

ATALANTE

Seltsames erzählt man von der Jungfrau Atalante, die fern den Ihren im Walde aufgewachsen war. Sie stammte aus der Landschaft Arkadien und war des Königs Iasos Tochter. Aber voll Enttäuschung darüber, daß ihm der männliche Erbe versagt geblieben war, hatte sie der Vater bald nach der

Geburt aussetzen lassen. Eine Bärin hatte das Kind in ihrer Höhle genährt, Jäger hatten es dann gefunden und sich seiner angenommen.

Atalante wuchs zu einer blühenden Jungfrau heran. Nichts Schöneres kannte sie, als durch die Einsamkeit der Bergwälder zu streifen, dem Wilde nachzustellen und sich im Wettlauf zu üben. An der Jagd, zu der Meleagros aufrief, seine kalydonische Heimat von dem furchtbaren Eber zu befreien, nahm Atalante ehrenvollen Anteil. Denn kein Wild war ihr gleich an Schnelligkeit – und doch wußte niemand zu sagen, ob nicht ihre Schönheit größer sei als ihre Behendigkeit. Sie glich Artemis, der Jagdgöttin, an Wuchs und Erscheinung, Freier um Freier stellte sich ein, sie zu gewinnen.

Doch die Jungfrau wies alle Bewerber hartherzig zurück, die ihr von Liebe zu sprechen wagten; vor Jahren nämlich hatte ein dunkler Orakelspruch ihr die seltsame Weisung gegeben: „Geh ehelicher Bindung aus dem Wege, Atalante – und doch wirst du ihr nicht entgehen!"

Nein, alle Freier wies die Jungfrau zurück, und als sie ihrem Drängen nicht mehr zu wehren wußte, da suchte sie jeden durch harte Forderungen abzuschrecken: „Wer mich gewinnen will", rief sie, „der mag sich mit mir im Kampfe messen! Nur dem werde ich als Gattin folgen, der mich im Laufe besiegt! Unterliegt er aber – so soll er sein Wagnis, Atalante zu begehren, mit dem Tode büßen!"

Wie konnte die Jungfrau eine so harte Bedingung stellen? Und doch fanden sich Scharen von verwegenen Freiern ein, so groß war ihre Schönheit.

Unter den Zuschauern bei dem seltsamen Wettkampf war auch Hippomenes, ein edler Jüngling, der ein Urenkel des Meeresgottes war. „Ist ein Weib es wert, daß Männer um sie solch unwürdige Behandlung auf sich nehmen?" rief er den Bewerbern zu. „Seid ihr denn so verblendet, daß ihr –" Da verstummte er plötzlich, denn Atalante trat in die abgesteckte Rennbahn. Sie hatte ihr Kleid abgelegt und stand leichtgeschürzt im Jagdrock da. „Verzeiht mir", konnte er nur noch stammeln, „daß ich schmähende Worte sprach. Mir war ja der Kampfpreis nicht bekannt, der die Freier lockt. Wahrlich, solch ein Lohn ist wohl wert, das Leben einzusetzen!"

Voll Sorge und Spannung blickte der Jüngling auf den Wettkampf. Wenn nun einer der Bewerber im Laufe siegte und die Jungfrau gewänne? „Warum soll nicht auch ich mein Glück versuchen?" stieß er dann erregt hervor, „die Götter werden meinem Wagnis gnädig sein! Und wenn die herrliche Jungfrau mir zufiele –" Während er solche Gedanken bei sich erwog, hatte der Kampf begonnen. Wie von der Sehne geschossen, flogen die Läufer dahin. Aber mehr noch als ihre Schnellfüßigkeit mußte der Zuschauer die strahlende Schönheit Atalantes bewundern. Da stand sie auch schon jauchzend am Ziel.

Erbarmungslos traf die Besiegten die schreckliche Strafe.

Aber auch dieser furchterregende Ausgang konnte Hippomenes nicht abschrecken. Entschlossen trat er vor die Jungfrau: „Warum, Atalante, suchst du nur im ungefährlichen Streite mit Schwächlingen Ruhm zu gewinnen? Willst du nicht mit mir die Entscheidung wagen? Und wenn die Glücksgöttin mir zum Siege verhilft, so darfst du wissen, daß du keinem Unwürdigen unterliegst: Megareus ist mein Vater und der Meergott Poseidon selber mein Urahn! Ja, besiegt mich dein Können, so darfst du um so höher dich deines Triumphes über Hippomenes rühmen, der von göttlicher Abstammung ist!"

Atalante blickte den Jüngling an; nicht höhnisch und abweisend, wie sie gewohnt war, sondern sanft und voll Ruhe. Unbekannt war ihr jede Liebesregung, so daß sie ihr wahres Gefühl selbst nicht zu deuten wußte: Eros selber hatte sie ins Herz getroffen!

„Hippomenes", begann sie bittend, „laß ab von deinem törichten Vorsatz! Mitleid habe ich mit deiner blühenden Jugend. Wie glücklich wäre jedes Mädchen, dich zum Gemahl zu wählen; was willst du da ein gefährliches Ehebündnis mit mir wagen?"

Atalantes Herz war zerrissen vom Widerstreit ihrer Gefühle: Sollte sie Sieg oder Niederlage für sich wünschen? „Keinen andern", flüsterte sie bei sich, „würde ich mir zum Gatten wünschen als ihn!"

Schon drängte die ringsumher lagernde Menge der Zuschauer, der Wettkampf solle beginnen, da rief Hippomenes die Liebesgöttin an: „Aphrodite, hilf mir in dieser großen Entscheidung – erhalte du das Feuer, das du selber in meinem Herzen entzündet hast!“

Ein sanfter Windhauch trug die flehenden Worte des Jünglings der Göttin zu. Sie war sogleich bereit, ihrem Schützling zu helfen, und schwebte zur Insel Zypern hernieder. Dort stand ein herrlicher Baum auf dem Felde, golden das Laub und die Äste und voll goldener Früchte. Aphrodite pflückte drei Äpfel, trat in schnellem Fluge vor Hippomenes und reichte ihm die helfende Gabe. Niemand hatte bemerkt, wie die Göttin ihn den rechten Gebrauch der Äpfel lehrte.

Wieder gab die Trompete das Zeichen zum Wettlauf, und pfeilgeschwind schossen die beiden aus den Schranken. Alle Kräfte angespannt, den Körper vornübergeneigt, flogen sie dahin, daß der Fuß kaum den Boden zu berühren schien; selbst über die Halme eines Ährenfeldes würden sie hineilen können, schien es, so leichtfüßig waren sie beide. Begeistert drängte sich die Menge um die Rennbahn: „Lauf, Hippomenes“, scholl es von allen Seiten, „laß nicht nach, und der Sieg ist dein!“ Atalante hörte den Beifall – wer freute sich mehr darüber, sie selber oder Hippomenes, dem die anfeuernden Rufe galten? Hielt sich die sieggewohnte Jungfrau mit Absicht zurück, den Nebenbuhler nicht zu überflügeln?

Hippomenes gab alle seine Kräfte her. Stoßweise ging sein Atem, keuchend setzte er Schritt vor Schritt, aber wie ferne war noch das Ziel! Da, wiederum unsichtbar den Zuschauern, zeigte sich Aphrodite: „Wirf einen Apfel!“ rief sie ihm zu, und eilig ließ der Jüngling eine der goldenen Früchte fallen. Wirklich: Atalante stutzte, ließ sich von dem leuchtenden Golde locken und hielt inne, den Apfel aufzuheben. Schnell nutzte Hippomenes den Vorsprung, während die Menge ihm begeistert Beifall klatschte. Aber mit göttergleicher Kunst wußte Atalante ihn wieder einzuholen. Schon spürte der hastende Jüngling sie abermals hinter sich, da warf er den zweiten Apfel in die Bahn. Wieder bückte sich Atalante, die lockende Frucht aufzuheben, wieder nutzte Hippomenes den Vorsprung – immer näher dem ersehnten Ziele! Doch auch jetzt war sie ihm sogleich auf den Fersen, wollte ihn überholen, da fiel ihr der dritte Apfel vor die Füße. Fast schien es, als besänne sich die Jungfrau. Aber dem goldenen Leuchten des Wunderapfels konnte sie nicht widerstehen, sie hob ihn vom Erdboden, sie flog dem Vorauseilenden nach – da hatte Hippomenes die Zielsäule erreicht! „Mein ist der Sieg – mein ist der Siegespreis!“ rief er jauchzend, während die Menge begeistert Beifall zollte.

Und Atalante? Nicht ungern, wird berichtet, bekannte sie sich als besiegt, und glücklich folgte sie als Gattin dem Manne, der sie überwunden und ihre Liebe zu gewinnen gewußt hatte.

KËYX UND ALKYONE

Was treue Gattenliebe ist, berichtet die Sage von Këyx, des Abendsternes Sohn, und Alkyone, die eine Tochter des Windgottes war. Beide verband die innigste Liebe, und schwer lastend fiel es deshalb der Gattin aufs Herz, als Këyx von bevorstehender Trennung sprach. „Mich beunruhigt meines Bruders Schicksal“, hielt er ihr entgegen, „und ich bin entschlossen, Apollons Orakel aufzusuchen. Nach Klaros muß ich ziehen, denn den Weg nach Delphoi versperren Räuberbanden.“

„Nach Asien, übers Meer“, rief die Gattin erregt aus, „oh, tu mir diesen Schmerz nicht an! Laß ab von solch verwegenem Vorhaben, Geliebter!“ Bleich wie Wachs stand Alkyone vor ihrem Gatten, und ihre Tränen rannen.

„Was habe ich denn für eine Schuld auf mich geladen“, sprach sie dann unter Schluchzen, „daß du dich so grausam von mir abwendest, mein Këyx? Willst du mich allein lassen in der furchtbaren Sorge, dich auf dem wilden Meere zu wissen? Erst jüngst sah ich am Strande zertrümmerte Planken, und wie schrecklich ist der Anblick von leeren Gräbern, wie sie den Schiffbrüchigen errichtet werden! Laß ab von deinem gefährlichen Vorhaben, ich bitte dich, mein teurer Gatte!“

Sisyphos in der Unterwelt, zwischen Persephone und Hades

Hermes, Eurydike und Orpheus

Flehentlich blickte sie ihn an, aber sein Gesicht zeigte ihr, daß er auf seinem Entschluß beharrte. „Willst du dich nicht bewegen lassen", fuhr Alkyone fort, „so laß mich doch mit dir ziehen, laß mich teilhaben an allen Gefahren! Dann tragen wir sie gemeinsam, und nicht ängstigen mich Bilder voller Schrecken, die sich mein Geist sorgend in der Heimat ausmalt!"

Ihre tränenreichen Bitten rührten Këyx im tiefsten Herzen, aber er ließ nicht von seinem Vorsatze. „Unmöglich ist es", sagte er, „daß du dich in die Schrecken einer Meerfahrt begibst. Aber beruhige dich, Geliebte", setzte er dann tröstend hinzu, „zwar wird uns die Trennung schwer sein, doch beim Lichtglanz meines Vaters, des Abendsternes, schwöre ich dir: Wenn mir ein gnädiges Schicksal die Heimkehr schenkt, so komme ich zu dir zurück, ehe der Mond sich zweimal erneut hat!"

Da mußte Alkyone sich bescheiden, und sie tat es in der Hoffnung, sein Versprechen werde sich erfüllen.

Këyx aber ließ sofort zur Abreise rüsten. Die Gattin sah in bebender Angst das zur Ausfahrt bereite Schiff. Ahnte sie das Schicksal, das dem Ausfahrenden bevorstand? Unter bitteren Tränen hielt sie ihn umfangen, und als sie ihr letztes Lebewohl gesprochen hatte, sank sie ohnmächtig am Ufer zusammen. Gern hätte der sorgende Këyx die Abfahrt noch hinausgeschoben, aber die Ruderer saßen schon an den Riemen. Da durfte er nicht länger verweilen und eilte an Bord der Barke. Als Alkyone aus der Ohnmacht erwachte und die tränenfeuchten Augen hob, da sah sie den geliebten Gatten schon weit draußen auf dem Meere; er stand am Heck und winkte ihr die letzten Grüße zu. In inniger Liebe erwiderte sie sein Winken, schon schwanden Antlitz und Gestalt des Geliebten, aber ihre Augen folgten dem Schiff, bis das weiße Segel am Horizont verschwunden war. Wie leer und einsam war ihr das Haus, in das sie nun allein zurückkehren mußte! Weinend warf sie sich auf das Lager.

Inzwischen segelte er, dem ihre Gedanken galten, mit den Gefährten auf dem unendlichen Meere. Die Vorzeichen schienen glückverheißend, denn ein günstiger Wind ließ die Segel schwellen, daß sie die Riemen einziehen und vor dem Winde dahinfahren konnten. Schon hatten sie die Hälfte der

Fahrt hinter sich, da jagte gegen Abend eine gefährliche See von Süden heran und wühlte die Wogenkämme auf. Sorgenvoll blickte Këyx über die Meeresfläche. Ehe sie sich's versahen, war der Sturm da. „Segel bergen!" schrie der Steuermann. Doch seine Worte gingen unter im Heulen des Sturmes. Die Fahrtgenossen griffen nach Gutdünken zu, jeder dort, wo die Not es zu fordern schien, sie rissen die Segel aus dem Winde, zogen die Riemen ein, verstopften die Ruderlöcher und schöpften das eindringende Wasser. Doch längst war der Sturm zum Orkan gewachsen und das Meer bis auf den Grund aufgewühlt.

Der Steuermann hatte alle Gewalt über das Schiff verloren und starrte ratlos in das Toben der Elemente; hier schien alle Menschenkunst vergeblich.

War das der Untergang?

Furchtbare Verwirrung herrschte ringsum; in das Knattern der losgerissenen Segel und Taue mischten sich der brausende Anprall der Wogen und die Donnerschläge des Himmels. Haushoch türmten sich die Wellenkämme. Immer mächtiger überschütteten sie das hilflose Schiff und warfen es hin und her, daß der Rumpf in allen Fugen bebte und die Planken sich lösten.

Und dann drang das Wasser in den Schiffsraum ein. Es war, als hätten Himmel und Meer sich vereinigt, so tief hingen die Wolken, so hoch schlugen die Wellen. Nacht lag über der Flut, manchmal durchleuchtet von zuckenden Blitzen.

Verzweiflung packte die Seefahrer im Angesicht des Todes. Der eine weinte, der andere stand wie erstarrt, dieser wünschte sich ein Grab auf dem festen Lande, jener dachte an die Lieben, die er daheim gelassen, an die alten Eltern, die liebende Gattin, die Kinder.

Këyx' Gedanken galten seiner Alkyone. Nur ihr Name war auf seinen Lippen, nur ihr Bild stand ihm vor Augen. Und so sehr sein Herz voll Sehnsucht war nach der geliebten Gattin, so sehr war sein Herz beruhigt, sie auf dem festen Lande zu wissen. Vergebens richtete er die Blicke zum heimatlichen Strand. Wie sollte er Richtung und Weg wissen inmitten der entfesselten Elemente?

Da brach der Mast, und das Steuerruder wurde weggerissen. Wie ein Sieger hob sich der Wasserberg, als sei er seiner Beute sicher. Er hob sich zu gewaltiger Höhe, stürzte von oben auf das schwache Schiff – und drückte es auf den Grund des Meeres! Der Strudel zog die Schiffer mit in die Tiefe.

Nur Këyx war dem Strudel entgangen. Verzweifelt hielt die Hand, die einst das Königszepter getragen, eine armselige Planke umklammert. Vergeblich rief er den himmlischen Vater an, vergeblich die helfenden Götter. An Alkyone dachte er, während er mit den Wellen kämpfte. „Laß meinen Leib zu ihr treiben", betete er zum Gott der Wellen, „daß liebende Hände mich bestatten!" Und „Alkyone" war sein letzter Seufzer, ehe die Wasser über ihm zusammenschlugen. Sein himmlischer Vater, der Abendstern, war untröstlich, daß er dem Ertrinkenden nicht hatte beistehen können. Tiefbekümmert verhüllte er sein Antlitz mit dunklem Gewölk, um den Todeskampf des geliebten Sohnes nicht mitanschauen zu müssen.

Unterdessen saß Alkyone daheim in der Königsburg. Voll Sehnsucht zählte sie die Tage, die noch bis zum zweiten Mondwechsel fehlten, rüstete schon die Festgewänder, die sie zur Feier der Rückkehr tragen würde – und ahnte nichts von dem jammervollen Tode des geliebten Gatten. „Laß ihn gesund zu mir zurückkehren!" so flehte sie zur Göttermutter, und Hera, die Beschützerin der Ehe, hatte tiefes Mitleid mit ihr. Um ihr die lastende Ungewißheit zu nehmen, hieß sie Iris zur Felsenwohnung des Schlafgottes Hypnos eilen. Gehorsam legte die Götterbotin ihr vielfarbiges Gewand an und schwebte auf dem schillernden Himmelsbogen hinab, dem Schlafgotte Heras Befehl auszurichten.

Wie seltsam war es dort im Dämmern der unterirdischen Grotte! Nie leuchtete hier ein Sonnenstrahl, alles war in Nebel gehüllt, der unablässig dem Boden entströmte. Kein Hahnenschrei kündete den kommenden Morgen, kein Tierlaut drang durch die ewige Stille. Ein Bach rann um den Berg herum, und man sagte, daß er Wasser aus dem Lethestrom führe, denn wie das Wasser des Vergessens, so wiegte er mit seinem Murmeln alle in Schlaf. Kein Klang, kein Laut.

Dort ruhte tief im Innern auf üppiger Lagerstatt der Gott des Schlafes; vielgestaltige Träume, seine Söhne, lagerten rings im Kreise um ihn her.

An der Pforte mußte die Götterbotin die Traumgestalten, die ihr den Zugang verwehren wollten, verscheuchen. Müde hob der Schlafgott die Augen, versuchte sich aufzurichten, sank schwerfällig wieder zurück und raffte sich schließlich mit Mühe auf. Da richtete Iris schnell ihre Botschaft aus, denn schon fürchtete sie, selber vom betäubenden Hauche umfangen zu werden, der alle Bewohner dort in der Grotte in den Schlaf zwang. „Du sollst, du sanfter Gott, der du allen Wesen Seelenfrieden bringst, nach Heras Gebot der wartenden Alkyone Trost bringen!“ rief sie. „Laß einen Traum in des toten Këyx Gestalt vor sie treten, laß sie sein Unglück auf dem Meere im Traumbilde sehen!“

Sogleich rüttelte der Schlafgott aus der Schar seiner tausend Kinder den Morpheus auf. Denn keiner war wie er geschickt, Gang und Gebärde, Gestalt und Stimme der Menschen nachzuahmen. Während der Gott in die weichen Kissen zurücksank, schwebte Morpheus durch die Nacht davon, nahm des Këyx Gestalt an und zeigte sich der harrenden Alkyone im Traume. Totenbleich, nackt, mit triefendem Haare, so stand er als der ertrunkene Këyx vor der unglücklichen Gattin. „Kennst du deinen Këyx wieder, geliebtes Weib“, so redete er sie leise an, „oder hat der grimme Tod mir das Antlitz entstellt? Schau mich nur an, du kennst mich! Und doch bin ich nicht Këyx – ich bin nur sein Schatten: Fasse dich, Geliebte, ich weile nicht mehr unter den Lebenden! Ich bin selber gekommen, dir meinen Tod in der stürmischen Meeresflut zu künden. Leg Trauerkleider an, Alkyone, und weine um deinen toten Gatten, daß deine Tränen mich ins Reich der Schatten geleiten!“

Schluchzend reckte die Schlafende die Arme. „Këyx!“ rief sie voll Sehnsucht und wollte ihn liebend umfangen, doch die Gestalt entschwand. Entsetzt fuhr Alkyone aus dem Schlafe. Nur der Hall ihrer eigenen Stimme hing noch im Raume. „Këyx“, schrie sie auf, „so bleib doch bei mir! Laß mich mit dir gehen!“

Nun erst erkannte die Unglückliche, daß es nur ein Traumbild gewesen war. „Er hat wahr gesprochen, der schreckliche Traum!" rief sie verzweifelt, „mein Këyx ist tot, das grausame Meer hat ihn verschlungen!" Ganz von Sinnen in ihrem Schmerz, zerriß sie das Gewand und zerraufte ihr goldenes Haar. „Warum", seufzte die Unglückliche in ihrer Qual, „war es mir nicht beschieden, an seiner Seite in den Tod zu gehen?"

Schlaflos erwartete Alkyone den Morgen. Dann ging sie hinaus an den Strand, von wo aus sie dem scheidenden Gatten den letzten Gruß zugewinkt hatte. Das Herz wollte ihr brechen beim Gedanken an den Abschied. „Gefühlloser als das kalte Meer müßte ich sein", murmelte sie, „wenn mir das Leben noch etwas wert wäre ohne ihn." Sehnsuchtsvoll glitten die Blicke in die Ferne. Da sah sie auf den Wellen etwas, das ihr wie ein menschlicher Leib erschien. Näher trieb ihn die Flut, und Alkyone erkannte einen Leichnam. „Wer du auch sein magst", - begann sie in frommer Scheu, da schwamm der Körper heran – es war Këyx, der tote Gatte! Deutlich sah sie ihn unweit des Ufers auf einer kleinen Sandbank liegen. „Er ist's", schrie sie erregt, „mein Këyx, soll ich dich so wiedersehen!"

Sie springt auf, sie will zu ihm eilen, da – wie leicht wird ihr, so schwebend leicht: Fliegend zerteilt sie die Luft und schwingt sich auf die Brust des toten Gemahls. Alkyone ist in einen Eisvogel verwandelt!

Innig schmiegte sich das Tierchen mit dem schönen bunten Gefieder an die Brust des Toten. Spürte er die Nähe der Geliebten? Die Götter rührte das Bild solch inniger Gattenliebe. Und da – regte sich der Tote? Wirklich - auch er trug plötzlich Flügel und Federgewand, auch er wurde wie Alkyone in einen Eisvogel verwandelt!

Als Vogelpaar verbindet beide innige Gattenliebe, und niemals löst sich der Ehebund. Nach Vogelart paaren sie sich, und alljährlich sitzt Alkyone brütend in ihrem Nest. Und ob es auch Winter ist, kein Unwetter trübt diese sieben Tage, denn ihr Vater Aiolos selber läßt seine Winde in der Brutzeit nicht aus der Haft, um seinen Enkeln schützende Ruhe zu schenken.

MIDAS

Der König von Phrygien hatte sich einst Bakchos, den Gott des Weines, zu Dank verpflichtet. „Zur Belohnung gebe ich dir einen Wunsch frei“, sagte der Gott, „sprich aus, was du begehrst! Deine Bitte soll dir erfüllt werden!“

Als habe der König auf solche Gunst gewartet, hielt er sogleich seinen Wunsch bereit: „So laß alles, was ich berühre, erhabener Gott, zu Gold werden!“

Ungern nur stimmte Bakchos solcher Bitte zu, denn er wußte ja, wie töricht der habgierige König gewählt hatte. Doch dann winkte er Gewährung.

Mit welcher Freude machte Midas sich davon! Er konnte es nicht abwarten, das Geschenk zu erproben – und siehe, der Zweig, den er von der Eiche abbrach, verwandelte sich sogleich in schimmerndes Gold! Er hob einen Stein vom Boden auf: Der Stein war zu Gold geworden! Nicht anders war es mit der Erdscholle, die seine Hand berührte. Die Ähren, die er vom Halme pflückte, ließen Demeters Gabe in seiner Hand zu Gold werden; der Apfel, den er pflückte, verwandelte sich in gleißendes Gold, als sei er aus der Hand der Hesperiden!

Midas wußte sich nicht zu fassen in seinem Glück, als er seinen Palast betrat. Wer könnte sich jetzt wohl an Reichtum mit ihm messen? Kaum berührten seine Finger die Türpfosten, so erglänzten diese in goldenem Widerschein. Ja selbst das Wasser, das ihm zum Waschen gereicht wurde, verwandelte sich in flüssiges Gold, sobald der König die Hände eintauchte.

In überquellender Freude ließ König Midas sich von seinen Dienern die Mahlzeit richten. Die Tafel bog sich unter der Fülle von kostbaren Speisen, wie es sich bei solch festlichem Anlaß geziemte. Midas griff nach dem Brote, das Demeter, die Göttin der Feldfrüchte, gespendet hatte – da wurde die göttliche Gabe zu Gold. Er kostete von der herrlichen Fleischspeise – seine Zähne bissen auf das harte Metall. Er schenkte edlen Wein in sein Glas: Bakchos, dem er seine verhängnisvolle Kraft verdankte, ließ auch das Getränk zu Gold werden.

Fassungslos blickte Midas auf das unselige Wunder der Verwandlung; zu spät mußte der arme Reiche jetzt erkennen, welch törichten Wunsch er ausgesprochen hatte. Vergeblich verwünschte er die verderbliche Gabe, die der Gott ihm verliehen hatte. Nichts vermochte den quälenden Hunger zu stillen, und rasender Durst dörrte ihm die Kehle aus.

Voll Verzweiflung hob Midas die Arme zum Himmel. „Hab Nachsicht mit mir, Bakchos, erhabener Gott", kamen flehend seine Worte, „verzeih mir – hab Mitleid mit mir und befrei mich aus diesem glänzenden Elend!"

Bakchos blickte in göttlicher Milde auf den reuigen Toren. „So will ich deine Bitte erhören", sagte er gnädig. „Geh zum Flusse, der das mächtige Reich der Lyder berührt, und folge seinem Laufe, bis du die Quelle findest. Dort, wo sie aus dem Boden springt, tauche deine Hand hinein, bade dich in der schäumenden Flut und reinige dich damit von dem Unglück, in das deine Habgier dich gestürzt hat!"

Midas folgte der göttlichen Weisung und stieg den Flußlauf empor, bis er auf die Quelle stieß. Da wich der unselige Zauber von ihm; aber die Wunderkraft ging auf den Fluß über, so daß er seit jener Zeit Gold in seinen Wellen führt.

Wie atmete der Phrygierkönig auf, als er von der verhängnisvollen Gabe befreit war! Voll Abscheu ließ er von seiner Gier nach Reichtum, zog sich in die Waldeseinsamkeit zurück und verehrte fortan Pan, den bocksfüßigen Gott; oft war Midas bei ihm in seinen schattigen Felsengrotten zu Gast. –

Doch die Lehre, die Bakchos einst seiner Habgier erteilt hatte, hielt Midas nicht von neuer Torheit ab, und von der göttlichen Strafe, die ihn dafür traf, sollte es keine Befreiung geben.

Pan, der Meister auf der Rohrpfeife, der täglich die Nymphen mit seinen Hirtenliedern erfreute, wagte einst aus Übermut, sich über Apollons göttliches Leierspiel zu erheben – ja, er wagte es, den Gott zum Wettkampfe herauszufordern. Tmolos, der Gott des Berges, auf dem Pan seine Wohnstatt hatte, sollte als Richter den Streit entscheiden.

Das Haupt mit Eichenlaub bekränzt, saß der greise Berggott auf einem Felsen und hieß Pan mit seinem Spiel beginnen. Pan griff zu seiner Syrinx, der Hirtenflöte, und entlockte dem Rohre Töne, die jedem Menschenohre barbarisch klingen mußten. Seinen Günstling Midas hatte der Hirtengott als Zuhörer eingeladen; voll Entzücken lauschte der König den schaurigen Tönen.

Dann bat Tmolos den Gegner, seine Kunst zu zeigen. Apollon trat auf den Plan, die elfenbeinerne Leier in der Hand. Welch göttliche Hoheit sprach aus seiner Haltung! Das Haupthaar war mit Lorbeer umkränzt; bis auf den Boden reichte sein Purpurmantel. Atemlose Stille herrschte, als der Gott die Saiten schlug. Himmlische Klänge entströmten ihnen, so daß alle Zuhörer im tiefsten Herzen ergriffen waren.

Für Tmolos wurde das Richteramt gar leicht. „Beuge dich unter die göttliche Überlegenheit!“ sagte er zu Pan, und alle Zuhörer zollten seiner Entscheidung Beifall – bis auf Midas. Er wagte es, des Tmolos Spruch anzuzweifeln.

„Dein Urteil ist falsch“, fuhr er den Berggott an, „niemand anderem als Pan kommt der Preis zu!“

Da faßte Apollon den Vermessenen bei beiden Ohren und zog sie leicht in die Höhe. „Solch törichte Ohren sind menschlicher Gestalt nicht mehr würdig“, sagte er dabei spottend – und siehe, da wuchs ihnen zottiges Grauhaar, sie wurden spitz und gelenkig – Midas' Kopf verunstalteten zwei lange Eselsohren!

Wie schämte sich der König des schimpflichen Schmuckes! Um seine Schande geheimzuhalten, trug er fortan einen mächtigen purpurnen Turban. Aber vor dem Diener, der ihm das Haupthaar zu scheren hatte, konnte er es nicht verbergen. Der junge Mensch wagte nicht das unerhörte Geheimnis auszuplaudern, und doch hatte er auch nicht die Kraft, es bei sich zu behalten. So wußte der Diener sich nicht anders zu helfen: Er ging an einen einsamen Platz, hob eine Grube aus und flüsterte das Geheimnis hinein: „König Midas hat Eselsohren! König Midas hat Eselsohren! König Midas hat Eselsohren!“ Dann schüttete er das Loch wieder zu und ging, das Herz erleichtert, von dannen.

Nicht lange aber dauerte es, da wuchs an jener Stelle ein dichter Hain empor, und wenn das Schilfrohr im Winde rauschte, dann flüsterten die Halme leise die Worte, die der geschwätzige Diener ihren Wurzeln anvertraut hatte.

So wurde das Geheimnis von König Midas' Eselsohren verraten.

DAIDALOS UND IKAROS

Niemand konnte sich wohl mit dem kunstreichen Daidalos messen, der als der größte Baumeister und Bildhauer seiner Zeit galt. Aber Eitelkeit und Neid führten ihn auf den Weg des Verbrechens. Er hatte einen jungen Schüler, der ihn zu überflügeln drohte. Da trieb die Eifersucht den Lehrmeister dazu, den Knaben zu töten!

Daidalos mußte nun heimlich aus seiner Vaterstadt Atnen flüchten. Unstet irrte er im Lande umher, bis er schließlich mit seinem Sohne Ikaros auf Kreta eine neue Heimstatt fand. Minos, der König der Insel, wußte die künstlerischen Fähigkeiten seines Gastes zu schätzen und stellte ihm die Aufgabe, für den Minotauros, das gräßliche Ungeheuer, das halb Mensch, halb Stier war, eine Unterkunft zu schaffen.

Daidalos war es, der damals das kunstreiche Labyrinth, den Irrgarten mit der verwirrenden Vielzahl von Gängen und Kammern, errichtete.

Aber trotz aller Ehren, mit denen Minos die Arbeit des Künstlers zu lohnen wußte, quälte Daidalos der Gedanke an das verlorene Vaterland. Bitteres Heimweh hielt ihn gefangen, und als Minos, der den kunstfertigen Mann nicht gehen lassen wollte, von seiner Sehnsucht vernahm, wurde die

Freistatt für Daidalos zu strenger Gefangenschaft. Wo er ging und stand, umgaben ihn auf des Königs Geheiß mißtrauische Wachen. Unmöglich war es, zu Schiff die Insel zu verlassen.

Der kunstreiche Daidalos aber wußte einen Ausweg, der ihm Rettung verhieß. „Mag Minos mir Land und Wasser versperren", rief er entschlossen, „mir bleibt die freie Himmelsluft! Dort werde ich unseren Weg finden! Mag Minos überall seine Macht ausüben, in der Luft versagt seine Herrschergewalt!"

Daidalos' Erfindergeist bezwang die Kräfte der Natur: Er nahm Vogelfedern, legte sie der Größe nach in eine genaue Reihenfolge, daß man glauben mochte, sie seien in solcher Ordnung gewachsen. Er verband die Federn in der Mitte mit Fäden und fügte sie an den Kielen mit Wachs zusammen. Nun bog er sie leicht zurück, daß sie ganz die Form von Flügeln annahmen.

Voll Eifer hielt Ikaros sich an des Vaters Seite und beobachtete, wie das Werk unter den kunstfertigen Händen wuchs. Bald war die letzte Hand an das Wunderwerk gelegt. Daidalos band sich selbst die Flügel an, fand schnell das richtige Gleichgewicht und hob sich leicht in die Lüfte. Zur Erde zurückgekehrt, schnürte er dem Sohn das Flügelpaar, das er für ihn angefertigt hatte, an die Schultern. Dann mahnte er ihn mit väterlicher Sorge: „Ikaros, halte dich immer in der Mitte, ich bitte dich! Denn wenn du zu tief fliegst, so werden die Wellen dir die Flügel beschweren und dich hinabziehen! Steigst du aber zu hoch empor, dann kommst du der Sonne zu nahe, deine Federn fangen Feuer, und das Wachs schmilzt in der Hitze. Zwischen den Wellen und der Sonne halte deinen Flug, folge stets nur meiner Führung!"

Tränen rannen dem Greis die Wangen hinab, als er noch einmal sein Werk überprüfte. Innig umarmte er den Jungen, und dann erhoben sich beide in die Luft. Der Vater flog voran, das Herz voll Sorge, so wie eine Vogelmutter, die ihre zarte Brut aus dem Neste zum ersten Mal in die freie Luft führt. „Folge mir getrost!" rief er zurück, und dabei bewegte er selber voll Sorgfalt die Schwingen, um den Sohn die schwere Kunst zu lehren. Doch der Vater durfte sich schnell beruhigen, als er sah, wie sicher der Knabe seinen Weisungen folgte. In schnellem Fluge überquerten sie das blitzende Meer; schon lagen die ersten Inseln des heimatlichen Griechenlands hinter ihnen, als den jungen Ikaros der Übermut trieb, des Vaters Gebot zu mißachten. Der glückliche Verlauf seines ersten Fluges ließ ihn so sehr auf seine eigene Kraft vertrauen, daß er des Vaters Spur verließ und sich auf seinen Flügeln in höhere Regionen erhob. Voll Angst wollte Daidalos seinen Sohn zurückrufen, aber es war schon zu spät.

Kaum war der Knabe der Sonne nähergekommen, da erweichte unter der Gewalt ihrer Strahlen das Wachs, das die Fittiche zusammenhielt, und ehe Ikaros es recht gewahr wurde, waren die Federn aus ihrem Gefüge gelöst und flatterten durch die Lüfte davon. Nur noch einen Augenblick konnte der Junge sich in der Luft halten, dann griffen seine bloßen Arme ins Leere – sie fanden keine Stütze mehr, und haltlos stürzte Ikaros in die gähnende Tiefe.

So schnell war das Unglück gekommen, daß er nicht einmal mehr Zeit fand, einen Schrei auszustoßen. Als Daidalos wieder die Blicke zurückwandte, konnte er zu seinem Entsetzen nichts mehr von seinem Sohne erblicken. Die Flut hatte ihn schon verschlungen.

„Ikaros, Ikaros!“ schrie der unglückliche Vater in seiner Verzweiflung, „wo nur, wo soll ich dich suchen?“

Da endlich, als er in die Tiefe schaute, erkannte er einige Federn, die einsam auf dem Wasser trieben.

Das Herz voll Trauer, flog Daidalos an Land; er legte die Flügel ab und irrte am Ufer der kleinen Insel umher, bis die Wellen den Leichnam ans Gestade spülten. Dort begrub er den geliebten Sohn und gab dem Eiland für alle Zeiten den Namen Ikaria.

Es wird berichtet, daß der kunstfertige Daidalos später auf der Insel Sizilien zu großen Ehren kam. Aber nach dem Tode seines Sohnes hat er seinen Seelenfrieden niemals wieder gefunden. Die Schuld, die er einst durch die Ermordung seines Schülers auf sich geladen und für die er nun eine so harte Strafe erlitten hatte, sollte ihn bis an sein Lebensende nicht mehr zur Ruhe kommen lassen.

ION

In jenen Zeiten, da die Götter noch in Menschengestalt auf der Erde wandelten, hatte Apollon sich in Krëusa, die schöne Tochter des Königs von Athen, verliebt. Ohne daß der Vater etwas ahnte, vermählte sich der Gott mit der Erdgeborenen und traf sich heimlich mit ihr in einer Felsengrotte nahe der Stadt. Bald brachte die Königstochter ein Knäblein zur Welt, und voll Sorge mußte sie nun darauf sinnen, sich vor des Vaters Zorn zu schützen. Sie fertigte ein Körbchen an und legte den Neugeborenen hinein, fügte auch einige Schmuckstücke aus ihrem eigenen Besitz hinzu und setzte ihn in der Felsengrotte aus. Bittere Tränen weinte Krëusa in ihrem Mutterschmerze, als sie von dem Kinde schied. „Apollon wird sich seines erdgeborenen Kindes annehmen", seufzte sie und sandte ihr Gebet zu dem Gotte, der sich längst von seiner irdischen Gattin abgewandt hatte.

Apollon erbarmte sich des hilflosen Wesens. Sogleich gab er Hermes, dem Götterboten, Befehl, sich des Kindchens anzunehmen. „Bring es aus der Grotte nach Delphoi und leg es auf die Schwelle meines Tempels!" gebot er ihm. „Ich selber werde dann für das Kind sorgen – denn es ist mein Kind!"

Hermes tat nach des Bruders Weisung; zu nächtlicher Stunde legte er das Neugeborene heimlich vor Apollons Orakel nieder.

Als am anderen Morgen die delphische Priesterin zum Heiligtume schritt, erblickte sie das seltsame Körbchen. Apollon selber hatte ihr Herz mit Mitleid erfüllt, daß sie sich sogleich entschloß, das Kind bei sich zu behalten. Elternlos wuchs der kleine Findling im Tempel auf – unwissend, daß er im Hause seines Vaters lebte!

Die Erziehung durch die mütterliche Beschützerin, der heilige Boden, auf dem er lebte, die göttliche Herkunft, alles trug dazu bei, den Knaben zu hoher Gesinnung reifen zu lassen. Ohne Fehl und Tadel in seiner Erscheinung war er, einfach und ehrbar und voll Dankbarkeit gegen Apollon.

Längst konnte die Prophetin nicht mehr ohne ihn sein, und auch die Bewohner von Delphoi wußten außer ihm niemand, der ihres Vertrauens würdig gewesen wäre, als Schatzmeister des Gottes Geschenke zu überwachen, die die Ratsuchenden in Fülle dem Orakel spendeten.

Krëusa selber ahnte nichts von dem Schicksal ihres Kindes, das zu einem herrlichen Jüngling heranwuchs. Apollon wird mich vergessen haben, dachte sie in tiefer Betrübnis – und mußte dabei ihren Kummer vor dem Vater und vor aller Welt verbergen. Niemand durfte ja von ihrer Verbindung mit dem Gotte wissen. Aber seltsam mußte es erscheinen, daß die schöne Königstochter stets einsam blieb und alle Freier abwies. Um jene Zeit nun hatte Xuthos, ein Achaier und aus dem Zeusgeschlechte des Aiolos, den Athenern im Kampfe gegen die Nachbarinsel Euboia so tapfer beigestanden, daß man ihm die Rettung aus aller Kriegsnot verdankte. Nun konnte die Königstochter sich nicht länger weigern, als der Fremde sie zum Lohne für seine Hilfe begehrte; stolz auf solch herrlichen Eidam, der das attische Fürstenhaus zu neuer Blüte führen sollte, gab ihm der König seine Tochter zur Frau.

Sicherlich hätte Krëusa keine bessere Wahl unter den Freiern treffen können – und doch wanderten ihre heimlichsten Gedanken oft voll Sehnsucht zu dem Gotte, der sie so grausam verlassen hatte. Und Apollon? Mißgönnte er ihr das irdische Eheglück? Versagte er ihr den Kindersegen aus Zorn, daß sie dem herrlichen Helden die Hand gereicht hatte?

„Wir wollen den delphischen Gott um Rat fragen", sagte Xuthos zu seiner Gemahlin; er ahnte nicht, welche Gefühle dieser Name in ihr wachrufen mußte; er ahnte aber ebensowenig wie Krëusa, daß Apollon selber es war, der ihm diesen Gedanken eingab, um den Schicksalsweg seines Sohnes nach seinem göttlichen Willen zu lenken.

Krëusa nahm nur wenige Begleiterinnen auf ihrer Wallfahrt mit. Während ihr Gatte vorher noch das Nachbarorakel des Trophonios aufsuchte, standen die Frauen in frommer Scheu vor dem Heiligtum des Gottes;

bewundernd blickten sie auf die Säulenpracht des Tempels, während die Ratsuchende bittere Tränen über ihr Schicksal vergoß. In diesem Augenblicke kam der junge Tempeldiener mit Lorbeerzweigen herbei, die Türe des Gotteshauses zu bekränzen.

„Was ist es denn, was dich zu Tränen zwingt, edle Frau?" fragte er mit bescheidenem Anstand. Die würdige Erscheinung der Fürstin mußte seine Aufmerksamkeit erregen, da doch alle, die sonst in Apollons Tempelhalle kamen, mit Erstaunen seine Pracht bewunderten. „Kann ich dir nicht helfen in deinem Kummer?"

„Die Götter lassen die Menschen oft allzusehr ihre Macht spüren", entfuhr es der unglücklichen Frau, aber dann hielt sie an sich, nichts mehr von ihrem schweren Schicksal zu offenbaren.

„So laß mich wissen, wer du bist, edle Frau, und woher du kommst!" fuhr er teilnehmend fort.

„Ich bin Krëusa, des Athenerkönigs Tochter", entgegnete sie ihm willig, weil ihr der bescheidene Jüngling gefiel. Fast mußte sie lächeln über seine schnelle Frage: „So bist du aus Attikas erlauchtem Königshause! Oh, sage mir, ist es Wahrheit, daß dein Urahn der Erde entsprossen ist?"

Krëusa bejahte es. „Aber die hohe Abkunft brachte mir wenig Gutes", murmelte sie leise. Der Jüngling ahnte nichts von ihren bitteren Gefühlen und fragte unbefangen weiter nach dem Schicksal der königlichen Familie, wie er es von berühmten Gemälden kannte: Wie die Göttin Athene den Knaben damals in ein Kistchen eingeschlossen und den Töchtern des Kekrops zur Aufbewahrung übergeben habe; wie die Jungfrauen trotz des Verbotes der Göttin das Kistchen öffneten und ihre Neugierde mit dem Tode büßen mußten.

Krëusa stimmte ihm voll Betrübnis zu, denn das Schicksal des Urahns weckte wieder traurige Gedanken an ihren eigenen Sohn.

„Dort in der Nähe von deines Vaters Grab", fuhr der Jüngling fort, „soll eine Grotte liegen, die unser Herr, der delphische Apollon, so lieb hat".

„O schweige mir von dieser Grotte!" fuhr Krëusa entsetzt auf, „eine häßliche Treulosigkeit ist in ihr begangen."

Der Jüngling hielt bestürzt inne. Doch dann begann Krëusa von ihrem Gatten, dem heldenhaften Xuthos, zu erzählen, der Athen vor dem Untergang gerettet hatte und nun mit ihr demütig vor Apollon trete, den Gott um Kindersegen zu bitten. „Apollon weiß es, daß ich ohne Kinder bin", sagte sie ausweichend, als der Jüngling weiterfragte.

„Ich bin ohne Eltern", sagte er betrübt, „und habe nie im Mutterarme geruht. Apollons Priesterin hat sich meiner erbarmt, als ich auf dieser Schwelle niedergelegt wurde; im Tempel bin ich aufgewachsen – Apollons Tempel ist meine Heimat."

Das seltsame Schicksal, das dem ihren so ähnlich war, begann Krëusa die Zunge zu lösen. Vielleicht mochte es ihr das Herz erleichtern, wenn sie nun von dem sprach, das sie so viele Jahre hindurch tief im Innern hatte verschließen müssen. Aber die Scham verbot ihr, den eigenen Namen zu nennen. „Wie beklagenswert ist deine Mutter", sagte sie mitleidig, „und doch kenne ich eine Frau, die ebenso unglücklich ist wie sie!"

„Wer ist es?" fragte der Jüngling gespannt, und Krëusa tat nun, als komme sie im Auftrag ihrer Freundin. „Die Unglückliche wurde von Apollon zur Frau gewählt", sagte sie, „aber gar bald hat der Gott sie verlassen." Sie berichtete dem jungen Tempelhüter, wie jene das Knäblein, dessen Vater Apollon war, in ihrer Not ausgesetzt habe. „Wilde Tiere", seufzte sie, „werden es umgebracht haben. Nun quält sich die beklagenswerte Mutter – und für sie stehe ich hier, Apollon nach dem Schicksal ihres ausgesetzten Sohnes zu befragen."

„Die Bedauernswerte!" rief der Jüngling voll Mitleid. „Und wie lange ist es her, seit das Kindchen umkam?"

„Er stünde in deinem Alter, der Knabe, wenn er noch leben würde", seufzte Krëusa.

„Wie ähnlich ist dieses Schicksal meinem eigenen!" rief der Jüngling voll innerer Bewegung. „Sie sucht ihren Sohn, und ich suche vergeblich meine Mutter!"

Weder Krëusa noch Ion ahnten, daß sie beide vor der Lösung des Rätsels standen, nach der sie so sehr verlangten.

In diesem Augenblicke traf Xuthos ein, der vorher das Orakel des Trophonios in Boiotien befragt hatte. „Höre, Krëusa", rief er ihr voll Freude entgegen, „welches Glück mir das Orakel dort verheißen hat! Nicht ohne Kindersegen soll ich in die Heimat zurückkehren!"

In inniger Freude hielt Xuthos die Gattin umfangen. „Das boiotische Orakel wollte Apollons Spruch nicht vorgreifen, doch die verheißungsvolle Nachricht hat es mir kundgetan", wiederholte er in seinem Glücke, „der Gott wird unsere Ehe segnen."

Während Krëusa sich nun mit frischem Grün schmückte, um an Apollons Altar ihr Opfer darzubringen, betrat Xuthos das heilige Orakel. Der junge Tempeldiener machte sich wieder an seine Arbeit und schlang Blumengewinde um die Säulen.

Da wurden plötzlich dröhnend die Türen im Innern des Tempels geöffnet, und heraus stürzte Xuthos. Freude und Überraschung malten sich auf seinen Zügen, als er den jungen Tempeldiener vor sich sah. Er streckte ihm beide Hände entgegen und rief: „Sei mir von Herzen gegrüßt, mein lieber Sohn! Komm und umarme mich!"

Bestürzt fühlte der Jüngling sich umfangen – er wußte sich den seltsamen Vorgang nicht zu deuten. Ob der fürstliche Besucher etwa den Verstand verloren hatte?

„Was wendest du dich von mir ab?" rief Xuthos, als der Jüngling sich seinen Küssen zu entziehen suchte. „Was wendest du dich ab von deinem – Vater?"

„Mein Vater?" kam betroffen die Antwort. „Mein Vater?"

„So ist es, mein Sohn, dein Vater bin ich! So höre denn des Gottes Spruch: Der erste, der mir vor dem Tempel begegnen werde, sei mein Sohn! Mein Sohn, den die Götter mir schenken!"

Staunend hörte der Jüngling Apollons Offenbarung. Des Xuthos Sohn sei er! Und wo sollte er die Mutter suchen?

„Die Weisheit Apollons, der dich mir zugeführt hat, wird es uns offenbaren", sagte der Fürst. Nun mußte auch der Jüngling überzeugt sein, doch inmitten der Freude befielen ihn wieder bittere Zweifel: Wie würde die stolze

Stadt Athen ihn als Xuthos' Erben aufnehmen, und was würde die Stiefmutter zu solchem Sohne sagen, der ihr so unerwartet geschenkt wurde?

„Laß ab von solchen Reden, mein lieber Sohn", rief Xuthos fröhlich, „und begreife dein Glück! Hier vor dem Tempel, der uns zusammenführte, begrüße ich dich, und nun komm, wir wollen das Willkommensfest mit frohen Opfern feiern. Und einen Namen will ich dir geben: ‚Ion' sollst du heißen, der ‚Kommende', weil du ja der erste warst, der mir nach Apollons Gebot auf der Tempelschwelle entgegenkam!"

Xuthos hatte gedacht, der Gattin die seltsame Gottesgabe vorerst zu verheimlichen. „Mein Glück", sagte er voll Mitgefühl, „soll sie nicht allzusehr an ihr trauriges Los der Kinderlosigkeit erinnern. Du sollst mich in Athen wie ein Fremder besuchen, und sicherlich wird das Zusammensein uns die Stunde bescheren, wo ich dich, Ion, ihr dann als meinen Sohn zuführen kann!"

Indessen kehrte Krëusa an der Seite eines treuen Dieners zum Tempel zurück. Ihr Gatte war mit Ion zum Berge Parnassos gegangen, um im Hain des Bakchos zu beten. Streng hatte er den Dienerinnen geboten, Schweigen über die seltsame Begegnung zu wahren.

Die Dienerinnen aber waren der Herrin zu treu ergeben, als daß sie das Geheimnis vor ihr hätten verschweigen können. Unter Wehklagen traten sie vor Krëusa, und voll Bestürzung mußte die Unglückliche erfahren, daß sie nie eigene Mutterfreude erleben dürfe. „Deinem Gatten Xuthos hat Apollon einen Sohn zugeführt", berichteten die Dienerinnen, „doch hast du an seinem Vaterglück nicht Anteil!"

Ungläubig hörte Krëusa die seltsame Kunde, daß Xuthos aus vergangener Zeit einen erwachsenen Sohn besitze, und staunte über die Wundermär von der Erfüllung des göttlichen Orakelspruches. „Du sahst den Jüngling, Herrin, der den Tempel schmückte!" riefen die Dienerinnen. „Er ist des Xuthos Sohn!"

In dumpfem Schweigen starrte die unglückliche Frau vor sich hin. Sie vermochte es nicht zu fassen, daß der göttliche Spruch so lauten solle, der ihr den ersehnten Kindersegen hätte bringen sollen. So blind war sie, daß sie die Lösung des Geheimnisses nicht ahnte, so naheliegend sie auch schien.

Aus diesen düsteren Gedanken rissen sie die Worte des Dieners. „Verraten hat dich dein Gatte, teure Herrin", rief er bebend, „ja, grausamen Spott treibt er mit dir!" Für den Alten war es ausgemacht, daß alles ein abgekartetes Spiel sei, das Xuthos hier trieb, um seinen Sohn zu sich zu holen!

Krëusa war so niedergeschlagen, daß sie allmählich den Anschuldigungen des Dieners Glauben schenkte: Mit kluger Berechnung habe Xuthos sie zum Bittgang nach Delphoi bewogen, wohin er den Sohn aus der unrechtmäßigen Ehe einst zur Erziehung habe bringen lassen. „Nicht der Gott hat gelogen, sondern Xuthos war es, der die Lüge sprach!" rief der Alte. „Aber bevor der fremde Jüngling sich deines väterlichen Thrones mit Gewalt bemächtigt, Herrin, will ich es unternehmen, ihn aus dem Wege zu räumen", stieß er dann grimmig hervor. Die verzweifelte Krëusa fand nicht die Kraft, sein frevelhaftes Anerbieten zurückzuweisen: Ion sollte sterben, ehe er Athens Mauern betreten würde!

Xuthos und der Jüngling ahnten nichts von dem furchtbaren Anschlag, der gegen sie geplant wurde. Vor dem Heiligtum des Bakchos, der nahe der Stadt auf dem Berge Parnassos verehrt wurde, verrichtete der Athenerfürst sein Opfer zum Danke für den gefundenen Sohn. Inzwischen hieß er Ion in der Nähe von Apollons Tempel ein riesiges Festzelt, hundert Fuß im Geviert, errichten und prächtig mit Teppichen aus dem Tempelschatz schmücken. Der Herold des Fürsten eilte in die Stadt, alle Einwohner von Delphoi zum Festmahl zu entbieten.

Schnell füllte sich das Zelt mit der festlich bekränzten Menge, denn alle folgten gern der Einladung, und an den reichbesetzten Tischen hub ein fröhlicher Schmaus an. Als die Teller beiseite geräumt waren, stieg die Festesfreude auf den Gipfel, denn plötzlich trat Krëusas Diener mitten in den festlichen Kreis. „Her mit den Bechern!" rief er in den Jubel hinein, belud sich selber wie ein Mundschenk mit Trinkgefäßen und wußte sich im gespielten Übereifer so zu gebärden, daß alle Beifall klatschten. „Freude soll regieren!" schrie der Greis begeistert, füllte die Becher und überreichte den schönsten, ein feingearbeitetes goldenes Prunkstück, dem jungen Ion, dem ja alle Festesfreude galt. „Meinem jungen Herrn zur Huldigung!" sagte der Greis und verneigte sich tief. Niemand hatte bemerkt, wie er heimlich tödliches Gift beigemischt hatte.

Ion hielt den dargereichten Pokal noch in der Hand, als plötzlich durch die lautlose Stille ein Fluch erscholl. Einer von Xuthos' Dienern hatte ihn ausgestoßen. Ion, der unter den heiligen Tempelgebräuchen aufgewachsen war, mußte darin ein böses Vorzeichen erkennen. Wollten die Götter ihn warnen?

„Füllet mir einen neuen Becher!" gebot er dem Diener, während er sein Gemäß ausschüttete. Alle Gäste folgten seinem Beispiel.

Man schenkte neu ein, und feierlich spendete Ion den Göttern sein Trankopfer, ehe er den Becher an die Lippen setzte. In diesem Augenblicke flatterte ein Schwarm heiliger Tauben, die man im Tempel zu Ehren des Gottes hielt, in das Festzelt herein. Eifrig stürzten sie sich sogleich auf den Wein, der auf den Boden gegossen war. Und da, wie seltsam: Die Taube, die von Ions Wein gekostet hatte, schüttelte plötzlich in wildem Schmerze den zierlichen Körper, flatterte wie rasend umher und stieß leise Wimmerlaute aus. Die Gäste sahen es mit Verwunderung. Da überfiel das arme Täubchen noch einmal ein krampfhaftes Zucken, ergeben legte es dann das Köpfchen zur Seite und – war verendet. Allen übrigen Tauben hatte der Wein nicht geschadet.

Entsetzt blickten alle auf die tote Taube. Ion aber sprang von seinem Sitze auf, warf den Mantel ab und schrie zornig: „Wer ist der Elende, der meinen Tod wollte? Rede, Alter, denn deine Hand war es, die mir den Becher reichte!"

Der alte Diener verlor alle Fassung, als Ion ihn hart am Arme packte, und gestand die ganze gräßliche Tat, die er in Krëusas Auftrag unternommen hatte.

In Krëusas Auftrage!

Der Jüngling stürzte in wilder Erregung aus dem Zelte, hieß alle Leute ihm folgen und trat vor die Richter: „Die Tochter des Athenerkönigs, die hier als fromme Pilgerin weilt, klage ich an! Ich klage Krëusa an, die mich durch einen Gifttrunk hat ermorden wollen!" Wie aus einem Munde kam das Urteil. „Steiniget sie, steiniget sie!" rief die erregte Menge, und die ganze Stadt folgte Ion, die Verbrecherin zu suchen.

Ganz anders hatte sich alles gewendet, als Krëusa erwartet hatte. Einer ihrer Diener, der ihr treu ergeben war, war vorausgeeilt, um ihr alles zu offenbaren und sie zu warnen. Verzweifelt suchte die Unglückliche an Apollons Altar Schutz, als die wütende Menge nahte. „Sie werden des Gottes Heiligtum achten!" riefen die Dienerinnen. „Schwere Blutschuld würden sie auf sich laden, wenn sie dich hier am Brandaltar töten wollten!"

Da kam auch schon der tobende Haufen herangestürmt, und Ion, der ihn anführte, trat zornbebend vor die zitternde Frau. Voll Verachtung blickte er sie an, als er ihr seine Anklage entgegenschleuderte: „Wie eine Giftschlange erscheinst du mir, du schreckliche Frau, schlimmer als die versteinerte Gorgo selbst! Ein wohlgesinnter Schutzgeist hat mich davor bewahrt, daß sie meine Stiefmutter würde! Los, Freunde, packt sie und stoßt sie vom höchsten Felsen in den Abgrund hinab!"

„Du darfst dich nicht an mir vergreifen!" schrie Krëusa gellend; „mich schützt Apollons Heiligtum!"

„Reißt sie vom Altar fort!" gebot Ion den Umstehenden. „Reißt sie vom Herde des Gottes fort, an dem sie jetzt voll Arglist Schutz sucht! Solcher verruchten Verbrecherin verweigert auch Apollons Weihestätte jeglichen Schutz! Nur wer reinen Herzens ist, darf sich der Gottheit nahen!"

„So töte mich hier an Apollons Altar, wenn du es vermagst!" entgegnete Krëusa entschlossen und beugte ergeben das Haupt, als erwarte sie den Todesstreich.

Sollte Ion des Mordes an der eigenen Mutter schuldig werden?

Da wich plötzlich die erregte Menge ehrfurchtsvoll beiseite, denn gemessenen, würdigen Schrittes nahte Pythia, die Priesterin Apollons.

„Halt ein, Jüngling!" gebot sie. „Denn unrecht ist dein Tun! Der Gott selber hat mir geboten, den Dreifuß zu verlassen, um euren Streit zu schlichten. Ja, unrecht ist dein Tun!"

„Unrecht?“ rief Ion bebend. „Verdient nicht den Tod, wer mich zu ermorden trachtet? Gib mir Antwort, hohe Seherin, in der ich ja meine Mutter verehre!“

„So vernimm meinen Spruch: Halte dich vom Unrecht frei und zieh unter günstigen Vorzeichen nach Athen!“

„Du schützest eine Mörderin?“ rief Ion betroffen.

„Höre, Jüngling, was ich dir zu sagen habe: Sieh dieses Körbchen, das ich im Arme trage! Ist es dir bekannt?“

Verständnislos blickte Ion auf das alte Körbchen, das Pythia ihm reichte. „Darin lagst du einst als Neugeborener, als ich dich fand“, fuhr sie fort; „ich habe es vor dir verborgen bis auf den heutigen Tag, weil Apollon selber dich zu seinem Tempeldiener bestimmte. Nun, da du deinen Vater fandest, entläßt er dich nach Athen.“

„Und wozu soll mir das Körbchen nützlich sein?“ fragte Ion weiter.

„Es enthält die Kleidung, in der du einst ausgesetzt wurdest!“

„Meine Windeln!“ rief Ion überrascht. „So habe ich ja nun die Mittel, die Spur meiner Mutter zu finden! Oh, welch Wunder offenbart mir dieser Tag!“

Voll inniger Rührung ergriff Ion das Körbchen, das die Seherin ihm reichte, ehe sie auf ihren Dreifuß zurückkehrte. Tränen in den Augen, hielt er es in den zitternden Händen, so sehr übermannten ihn Gefühle. Vor seinem inneren Auge stand die unbekannte Mutter, die ihr Kindlein ausgesetzt hatte – welch furchtbare Kämpfe mußte die Frau überstanden haben, ehe sie sich zu solcher Tat entschloß!

Welche Spur würde das Körbchen ihm weisen? „Was es auch bergen mag“, rief Ion entschlossen, „und wenn es mir die ärmste Magd als meine Mutter offenbaren wird – ich will die Wahrheit wissen!“

Voll Verwunderung hatte Krëusa den Vorgang verfolgt. Wie verwandelt verließ sie den Altar, der ihr Asylrecht gewähren sollte, und stürzte auf Ion zu. „Ein Wunder!“ rief sie zitternd, „dieses Körbchen – o, mein Sohn! Mein lieber Sohn!“

Wie sollte Ion sie verstehen? Unwillig stieß er die Frau von sich fort. Sann sie auf neue Arglist? „So höre, mein Sohn, wie wunderbar der Gott alles fügt!“ rief Krëusa, vor Erregung bebend; „denn dies Körbchen – es ist das gleiche, in dem ich dich als unmündiges Kindchen einst aussetzte!“

Noch war Ion nicht überzeugt; zu sehr war er über Krëusas Mordanschlag entsetzt gewesen.

„So laß die Windeln Zeugnis ablegen, mein Sohn!“ fuhr sie fort. „Ich fertigte sie als Jungfrau mit eigener Hand. In der Mitte wirst du das Haupt der Gorgo erblicken, umringt von Schlangen. Ich webte es nach dem Bilde auf Athenes Aigispanzer!“

Ion zog das Tuch hervor – wirklich, sie hatte wahr gesprochen! „Liegt in dem Korbe noch mehr?“ forschte er begierig, um die Frau zu prüfen, die sich seine Mutter nannte.

„Ein Halsband, besetzt mit einem goldenen Drachenpaar, wirst du finden“, entgegnete Krëusa sogleich; „es ist ein Geschenk aus Pallas Athenes Hand für den Neugeborenen!“

„Wirklich, es ist so!“ rief Ion beglückt. „Krëusa spricht die Wahrheit! Weißt du noch ein Beweisstück?“

„Einen Kranz aus immergrünen Oliven, den ich von Athenes erstgepflanztem Ölbaum pflückte!“

Hastig griff der Jüngling in das Körbchen und zog den unverwelklichen Kranz hervor. „Mutter, liebe Mutter!“ rief er. „So ist es kein Traum, daß ich dich gefunden habe – daß ich dich umfangen darf!“ Innig hielt Ion seine Mutter umschlungen. „Mein Sohn“, stammelte Krëusa in überströmendem Glücke, „mein Sohn, den ich längst im dunklen Reiche des Hades wähnte! Nicht Xuthos war dein Vater, nein – von Phoibos Apollon stammst du ab!“

Erschauernd hörte Ion diese Offenbarung. Er war Apollons Sohn, dem er so lange voll Ehrfurcht gedient hatte! So wunderbar löste des Gottes Weisheit alle Verwicklung. Xuthos nahm den Jüngling frohen Herzens als Stiefsohn an. So war dem Herrscherhaus Athens, dem der männliche Nachfolger fehlte, ein Erbe geschenkt – der ersehnte Erbe aus eigenem Stamme! Ein mächtiges Geschlecht erwuchs aus Ions Nachkommen: Die Ionier, die beitragen sollten, Griechenland zu machtvoller Blüte zu führen.

DIE SAGE VON HERAKLES

DIE KINDHEIT

Herakles, den die Römer Herkules nannten, war der Sohn des Zeus, doch einem irdischen Weibe, der schönen Alkmene in Theben, in die Wiege gelegt, so wie die Unsterblichen in alten Zeiten auch den Menschen Kinder göttlicher Herkunft schenkten. Der Olympier selber hatte den Göttern Großes über Herakles' Zukunft vorausgesagt.

Am thebanischen Königshofe wuchs er als Stiefsohn Amphitryons auf, der einst König von Tiryns gewesen war und nun das Gastrecht König Kreons genoß. Schon als Neugeborener gab der Göttersohn eine Probe der überirdischen Heldenkraft, mit der er begabt war. Hera nämlich, die Gemahlin des Zeus, war eifersüchtig und schickte zwei furchtbare Schlangen aus, das Neugeborene in der Wiege zu töten. Ohne daß die Wärterinnen, die im Schlafgemach wachten, oder die schlummernde Mutter selbst es bemerkten, ringelten sich die Untiere an der Wiege empor und legten sich um des Knaben Hals, ihn zu erwürgen. Herakles schrie auf und griff nach ihnen. Dabei zeigte er die ungeheure Körperkraft, die seine göttliche Abstammung ihm verliehen hatte: mit jeder seiner kleinen Hände ergriff er eine Schlange und drückte beiden zugleich so mächtig den Hals zusammen, daß sie ersticken mußten.

Die Dienerinnen, die herbeigestürzt kamen, standen starr und furchtsam da und wagten nicht näherzutreten. Alkmene, die Mutter, war bei dem Schrei des Kindes erwacht und sprang mit bloßen Füßen an die Wiege. Auch die thebanischen Wächter, vom Hilferuf erschreckt, eilten herbei. Und der König Amphitryon selbst stürzte, das bloße Schwert in der Faust, ins Schlafgemach.

Aber das Kind hatte sich bereits selbst geholfen; die Schlangen lagen, von seinen Händen erwürgt, tot am Boden. Ungläubig stand die Mutter vor der erstaunlichen Tat. Der Vater aber blickte beglückt und entsetzt zugleich auf die ungeheuerliche Kraft des neugeborenen Sohnes. Hier konnte nur ein Wunder vorliegen. Der Seher Teiresias, den er kommen ließ, weissagte dem Königspaare die ungewöhnliche Zukunft des Knaben: wie viele Ungeheuer er besiegen, wie viele Meeresungetüme er beseitigen, wie er im siegreichen Kampfe gegen die Giganten bestehen werde und wie ihn am Ende seines tatenreichen Erdendaseins das ewige Leben bei den Göttern erwarte.

DIE JUGEND

Amphitryon beschloß, dem Sohn eine würdige Erziehung zu geben. Als er herangewachsen war, unterwies der Vater selber ihn in der Kunst des Wagenlenkens, in der er als unübertroffener Meister galt; im Bogenschießen und Fechten, im Faustkampf und Ringen gab er ihm tüchtige Lehrer, wie auch im Gesang und im Schlagen der Leier. Die Wissenschaften wurden nicht vernachlässigt, und der berühmte Linos, Apollons greiser Sohn, lehrte ihn die Buchstabenschrift.

Herakles zeigte sich bei jedem Unterricht sehr gelehrig und folgsam; aber harte Behandlung ließ ihn sogleich in heftige Erregung geraten. Als der alte Linos, der von grämlicher Natur war, ihn einst mit ungerechten Schlägen züchtigte, da packte der Junge seine Leier und schleuderte sie dem Lehrer an den Kopf, daß der Alte tot zu Boden stürzte.

Aber Herakles, der ein gutes Gemüt hatte, bereute sogleich tief die unbedachte Tat; der Richter, der den Königssohn vor das Tribunal fordern mußte, sah in dem Totschlag eine Handlung der Selbstverteidigung des Jungen und sprach ihn frei.

König Amphitryon aber fürchtete, sein starker Sohn könne sich wieder zu ähnlicher Gewalttat hinreißen lassen; er schickte ihn deshalb aufs Land zu seinen Rinderherden. Hier in der freien Natur wuchs der Königssohn nun unter den Hirten zum Jüngling heran und tat sich bald durch seine gewaltige Körperkraft hervor. Er überragte sie alle um Haupteslänge, er war ein Meister im Schießen mit dem Bogen und im Speerwerfen. Als er achtzehn Jahre alt war, war er der schönste und stärkste Mann ringsum. Nun sollte es sich entscheiden, ob er seine Götterstärke zum Guten oder zum Bösen gebrauchen werde.

HERAKLES AM SCHEIDEWEG

Er verließ in jener Zeit die Gefährten und die Herden, um mit sich allein zu sein und nachzudenken, was für ein Leben er künftig führen wolle. Als er so tief in Gedanken versunken dasaß, sah er plötzlich zwei Frauen auf sich zukommen. Sie waren beide von hoher Gestalt – doch verschieden in ihrer Haltung! Die eine zeigte in ihrem ganzen Ausdruck Anstand und sittsames Wesen; ihr Blick war bescheiden, ihr Gewand schlicht und rein. Die andere war von hoffärtiger Haltung, voll und wohlgenährt; künstliche Schminke bedeckte ihre Wangen, und ihre Kleidung war bunt und auffällig.

Als die beiden näherkamen, drängte sich die zweite plötzlich ungebührlich vor und sprach hastig auf den Jüngling ein. „Ich sehe, Herakles, daß du dich noch nicht entschieden hast, welchen Lebensweg du wählen sollst. Willst du mich zu deiner Gefährtin und Führerin nehmen, so verspreche ich dir das angenehmste und schönste Leben. Keine Lust soll dir versagt bleiben, alles Widrige wird dich meiden. Nicht Not noch Kampf soll dich kümmern – nein, du darfst dich an den köstlichsten Speisen und Getränken laben, auf weichem Lager ruhen und dir jeglichen Genuß ohne alle Mühe verschaffen."

Verwundert blickte der Jüngling auf die Frau, die ihm solch verführerische Versprechungen machte, und fragte sie nach ihrem Namen. „Wer mich liebt, nennt mich die Glückseligkeit!" rief sie selbstbewußt aus. „Meine Feinde aber", sie wendete den Blick beiseite, „die mich herabsetzen und schmähen wollen, sie heißen mich das Laster und die Liederlichkeit."

Nun wandte sich die andere Frau an den jungen Helden. „Auch ich, Herakles, bitte dich um Gehör", begann sie sanft. „Ich kenne deine Herkunft und deine Erziehung, und ich habe deshalb die Hoffnung, du werdest mir folgen, dich in allem Guten und Edlen zu vervollkommnen. Ich will dir deshalb nicht falschen Genuß und Wohlleben vorgaukeln, sondern dir alles so darstellen, wie es gottgewollt erscheint. Der Mensch muß wissen, daß die Götter ihm nichts ohne Mühe und Schweiß gewähren. Wer von den Göttern geliebt werden will, muß sich diese Liebe durch Frömmigkeit und Verehrung verdienen; wer Freundesliebe will, muß seinen Freunden nützen; wer im Staate geehrt sein will, muß im Gemeinwesen mitarbeiten.

Ja, Herakles, wer ernten will, der muß auch säen. Wer seinen Körper in der Gewalt haben will, der muß ihn zuvor hart machen durch Schweiß und Übung."

Mit höhnischem Blick war die andere den Worten gefolgt. „Wenn du die beiden Wege, den langen, mühseligen, mit meinem kurzen und bequemen vergleichst, so wird dir die Entscheidung nicht schwerfallen!" rief sie in frechem Tone dazwischen. „Ja", entgegnete hart die andere, die die Ehrbarkeit und Tugend war, „wer dort nehmen will, wo er nicht gearbeitet hat, wer den besten Teil des Tages verschläft und in der Jugend nicht sparsam fürs Alter sorgen will, der mag so denken. Vergiß doch nicht zu sagen, daß du von den Göttern verstoßen und von den ehrbaren Menschen verachtet bist! Was das Auge des guten Menschen mehr als alles andere erfreut, eine eigene Guttat, das hast du niemals erlebt! – Ich hingegen bin bei allen Göttern geachtet und hochangesehen bei allen guten Menschen. Mich liebt der Vater im Hause, mir folgt das Gesinde in Treue; ohne mich gibt es keine Freundschaft. Wenn du, Herakles, dich entschließt, mir zu folgen, so erwarten dich Mühe und Last, aber das seligste Himmelslos wird dein Erdenleben krönen."

Nach diesen Worten der Tugend waren beide Gestalten plötzlich verschwunden.

Herakles aber war entschlossen, die Tugend und Ehrbarkeit zur Führerin zu wählen und ihrem Pfade zu folgen.

DIE HELDENTATEN DES HERAKLES

Der junge Held fand gar bald Gelegenheit, sich seinen Mitbürgern nützlich zu machen. Als er ins Vaterhaus zurückkehrte, hörte er, daß Amphitryons Herden schwer unter einem grimmigen Löwen zu leiden hatten. Herakles zauderte nicht lange. Er nahm seine guten Waffen zur Hand, stieg ins wilde Waldgebirge und erschlug den Löwen, vor dessen Gewalttätigkeit die ganze Gegend rundum gezittert hatte. Dann zog er ihm die Haut ab.

Geschmückt mit seiner Jagdtrophäe, kehrte der junge Held zurück.

Da begegneten ihm die Sendboten des Nachbarkönigs Erginos, die von den Thebanern einen schimpflichen Jahrestribut abholen sollten. Herakles machte mit den Boten, die sich außerdem mancherlei Übergriffe gegen die Landbewohner hatten zuschulden kommen lassen, kurzen Prozeß. Er schnitt ihnen die Ohren ab und schickte sie, Stricke um den Nacken, zu ihrem König zurück.

Erginos verlangte, man solle den Schuldigen an ihn ausliefern, und Kreon, der König der Thebaner, wollte in seiner Furcht ihm zu Willen sein. Doch da rief der starke Jüngling eine Menge mutiger Gefährten zusammen, um dem Feind entgegenzutreten. Als man in der Stadt keine Waffen fand, da der siegreiche Feind alle entführt hatte, ging Herakles in Athenes Heiligtum und bat die Göttin um ihren Beistand. Dort im Tempel rüstete sie ihn mit den Waffen aus, die als Weihgaben aufgehängt waren, und die Kampfgefährten waffneten sich mit alten Beutestücken. So führte Herakles die kleine Schar gegen die Feinde. Um die eigene Schwäche auszugleichen, stellte er die Seinen in einem Engpaß, wo den Feinden die Übermacht nichts helfen konnte, zur Schlacht. Das ganze feindliche Heer wurde aufgerieben. Erginos selbst fiel im Kampf. Doch auch Amphitryon, der wacker mitgekämpft hatte, fand dort den Tod. Herakles aber wußte den Sieg zu nutzen, drang in die feindliche Hauptstadt ein und steckte die Königsburg in Brand.

Ganz Griechenland blickte bewundernd auf den Helden, der Theben von der Feindherrschaft befreit hatte. Der König Kreon gab ihm seine Tochter zur Frau, und die Götter selbst beschenkten den siegreichen Halbgott: Hermes mit einem Schwert, Apollon mit nieversagenden Pfeilen, Hephaistos mit einem goldenen Köcher und Athene mit einem Waffenrock.

Herakles lebte nun mit seiner Gattin in Theben in glücklicher Ehe und freute sich an den drei Kindern, die sie ihm schenkte.

IM KAMPF MIT DEN GIGANTEN

Um diese Zeit tobte der furchtbare Streit zwischen den olympischen Göttern und den Giganten.

Den Göttern war einst geweissagt worden, daß sie den Sieg über die Riesen nur erringen könnten, wenn ein Sterblicher auf ihrer Seite kämpfe. Athene selber kam als die Botin des Zeus zu dessen Sohn Herakles und bat ihn, den Göttern in ihrer schweren Bedrängnis zu helfen.

Der Streit um den Göttersitz war inzwischen mit aller Heftigkeit entbrannt. Entschlossen kämpfte Ares, der Kriegsgott, auf seinem Streitwagen allen voran. Aber mochte er auch mit göttlicher Heldenkraft seine Feinde zu Boden werfen, erst die Ankunft des irdischen Herakles brachte die entscheidende Wendung des Kampfes, wie es geweissagt war. Der Held wählte sich als Ziel seines Bogens einen Riesen und streckte ihn nieder; doch sobald der in die Tiefe Stürzende den Erdboden berührt hatte, stand er mit neuer Lebenskraft wieder auf. Da stieg Herakles auf Athenes Rat vom Olymp hinab und schleppte den Riesen über die Grenze seines Geburtslandes hinaus; hier auf fremder Erde, wo die göttliche Kraft nicht mehr wirkte, mußte ihm das Leben entweichen.

So errang Zeus mit seinen Helfern in gewaltigem Kampf den Sieg über die wütenden Angreifer. Zeus selbst ehrte alle, die tapfer mitgestritten hatten, mit dem Ehrennamen „die Olympischen", und mit dieser Auszeichnung erhob er auch den sterblichen Herakles zu göttlichem Ruhm.

HERAKLES UND EURYSTHEUS

Vor der Geburt des Herakles hatte Zeus einst im Rate der Götter erklärt, der erstgeborene Perseusenkel solle Beherrscher der übrigen Nachkommen des Perseus sein; er hatte diese Ehre seinem eigenen Sohne, den Alkmene ihm schenken würde, zugedacht. Doch Hera gönnte dem Sohne ihrer Nebenbuhlerin solches Glück nicht und kam ihm zuvor; sie ließ Eurystheus, der später hätte geboren werden müssen, vor Herakles zur Welt kommen. So wurde Eurystheus König zu Mykene, und Herakles, der später geborene, ihm untertan.

Eurystheus bestand auf seinen Herrscherrechten und forderte von seinen Untertanen schwere Dienstleistungen, auch von Herakles. Das Orakel in Delphoi selbst erklärte dem Helden, er müsse zwölf Arbeiten, die der König ihm auferlege, vollbringen; wenn er diese mutig und geduldig auf sich nehme, so würden die Götter ihm mit ihrer Hilfe zur Seite stehen, und Unsterblichkeit in ihrem Kreise werde ihm beschieden sein.

Herakles kämpfte mit sich einen schweren Kampf. Sein Stolz wollte es nicht zulassen, einem Geringeren zu dienen, der die Herrschaft über ihn, zudem nur durch Heras List, erlangt hatte. Sein Zorn wurde immer heftiger, so daß er schließlich in wilde Raserei geriet; in dem Wahne, er bekämpfe die Giganten, richtete er den Bogen gegen die eigenen Kinder und streckte sie nieder. Doch als der furchtbare Wahn von ihm wich, da ging er in tiefster Bekümmernis in sich. Er riegelte sich in seinem Hause ein und hielt sich lange von allen Menschen fern.

Er entschloß sich dann, als Sühne die Aufträge des Eurystheus getreulich durchzuführen.

DER KAMPF MIT DEM LÖWEN

Als erste Arbeit befahl ihm der König, das Fell des nemeischen Löwen herbeizubringen, der in den Wäldern des Peloponnes hauste. Man sagte dem Untier nach, es sei menschlichen Waffen gegenüber unverwundbar. Herakles suchte es in den Waldgebirgen auf und stellte es zum Kampf. Doch die Pfeile, die er gegen den Löwen richtete, fielen kraftlos zu Boden; es war, als schösse er gegen eine steinerne Wand. Da wickelte der mächtige Held den Mantel um den linken Arm, schwang seine gewaltige Keule gegen das Tier und traf es im Sprunge, daß es zu Boden stürzte. Ehe es sich erheben konnte, war der Starke über dem Löwen, packte ihn von hinten und drückte ihm mit seinen gewaltigen Fäusten die Kehle zu und erwürgte ihn.

Lange mühte sich der siegreiche Held vergeblich, das Fell des besiegten Tieres abzuziehen, bis er schließlich auf den Gedanken kam, es mit den scharfen Klauen selbst aufzuschneiden und abzuweiden. Das herrliche Fell trug er von nun an als Mantel. Den Rachen setzte er sich wie einen Helm aufs Haupt.

Als der hinterhältige Eurystheus, der nicht mit Herakles' Rückkehr gerechnet hatte, ihn, mit der Löwenhaut angetan, siegreich heimkommen sah, packte ihn eine solche Angst vor der Götterkraft des Helden, daß er sich in den hintersten Winkel seines Palastes verkroch.

DIE HYDRA

Als der König wieder hervorgekommen war, übertrug er Herakles als zwei te Arbeit, die furchtbare Hydra zu erlegen, die in der Landschaft Argolis den Viehherden schweren Schaden zufügte und die Felder der Bauern verwüstete. Sie war ein gewaltiges Schlangentier mit neun Köpfen, von denen acht sterblich, der in der Mitte aber unsterblich war.

Herakles ging sogleich ans Werk. Er wickelte Werg, getränkt mit Pech und Schwefel, um seine Pfeile, und richtete sie brennend auf das Untier, das sich in der Nähe seiner Höhle in einer Quellgrotte sonnte. So zwang er es, aus seinem Schlupfwinkel herauszukommen. Die fürchterlichen Köpfe drohend emporgerichtet, fuhr es auf den Helden los. Doch Herakles schwang unerschrocken seine Keule und zerschlug ihm ein Haupt nach dem anderen. Trotzdem schien alle Mühe vergeblich: Wo er ein Haupt zerschmettert hatte, da sproßten zwei neue an dessen Stelle. Zugleich kroch ein gewaltiger Krebs aus der Höhle hervor, um der Hydra zu helfen.

Aber auch in dieser Bedrängnis verließ den Helden der Mut nicht. Durch einen wuchtigen Keulenhieb zerschlug er der kriechenden Hydra das Rückgrat. Dann ließ er sich von seinem Gefährten, der ihn im Wagen zum Kampfplatz geführt hatte, eine Fackel reichen. Er steckte den nahen Wald in Brand, riß einen brennenden Baum nach dem anderen heraus und stieß damit sogleich in die neu hervorsprießenden Häupter des Ungeheuers, daß sie nicht wieder nachwachsen konnten. So gewann der Held Gewalt über die Vielzahl der Schlangenhäupter und konnte dem Untier nun auch das unsterbliche Haupt vom Rumpfe schlagen. Er verscharrte es am Wegrand und wälzte einen gewaltigen Stein darüber. In das giftige Blut der Schlange tauchte er die Spitzen seiner Pfeile und machte sie dadurch zu einer unwiderstehlichen Waffe. Wer von dem Pfeil, sei es Mensch oder Tier, auch nur geritzt wurde, der war dem Tode verfallen.

Froh, das Land von der Plage befreit zu haben, kehrte der Held dann zum König zurück. Doch hier erwartete ihn schon ein neuer Auftrag.

DIE HIRSCHKUH

Auf einem Hügel Arkadiens weidete eine herrliche Hindin mit goldenem Geweih. Als Artemis, die Göttin des edlen Weidwerkes, einst ihre Jagdprobe hatte ablegen müssen, war die Hindin eine der fünf Hirschkühe gewesen, die Zeus ausgewählt hatte.

Diese lebendig zu fangen, war nun die Aufgabe des Helden. Ein ganzes Jahr lang verfolgte er das flüchtige Wild durch alle Lande; aber es war seinen Menschenfüßen zu geschwind. Als er das schöne Tier einst wieder nahe dem Heiligtum der Artemis stellte, wußte er es nicht anders in seine Gewalt zu bekommen, als daß er es durch einen Pfeilschuß an einem Bein verwundete.

So konnte er es endlich einfangen und auf seinen Schultern davontragen. Zwar wollte Artemis ihm das Tier, das ihr geheiligt war, wieder entreißen, aber er wußte ihren göttlichen Zorn zu besänftigen.

Er brachte das edle Wild lebendig zu Eurystheus und hatte damit auch die dritte Aufgabe erfüllt.

Der Kampf des Herakles mit dem Löwen

Atlas bringt Herakles die Äpfel der Hesperiden; links Pallas Athene

BEI DEN KENTAUREN

Darauf übertrug König Eurystheus dem Helden eine vierte Arbeit: Es galt, einen mächtigen Eber, der der Landschaft um den Berg Erymanthos herum schweren Schaden zufügte, lebendig einzubringen. Viele friedliche Bauern waren schon unter seinen Hauern gefallen. Herakles machte sich sogleich auf. Unterwegs kehrte er bei dem Kentauren Pholos ein, einem der seltsamen Wesen, die halb Mensch, halb Pferd sind. Der nahm ihn sehr gastfrei auf und setzte ihm köstlichen Braten vor. Als Herakles aber einen ebenso köstlichen Trunk zum Mahle verlangte, da kam der Gastgeber in arge Verlegenheit: „Wir haben zwar ein Faß köstlichen Weines im Keller, doch darüber verfüge nicht ich allein; es gehört allen Kentauren gemeinsam. Und ich muß dir sagen, daß meine Genossen das Gastrecht gar wenig achten!“ Aber Herakles war unbesorgt. „Öffne das Faß nur getrost“, sagte er, „denn ich habe Durst; ich werde dich schon gegen alle Angriffe schützen.“

Kaum war das Faß aber angestochen, da rochen die Kentauren sogleich den scharfen Duft und bedrängten zornig die Höhle des Pholos. Herakles scheuchte die ersten mit Feuerbränden fort und verfolgte sie dann weiter mit seinen Pfeilschüssen. Als er aber zur Höhle zurückkehrte, fand er den freundlichen Gastgeber tot. Pholos hatte einem der Genossen, den ein Pfeil des Herakles niedergeworfen hatte, das vergiftete Geschoß aus der Wunde gezogen; dabei war es ihm aus der Hand geglitten und in seinen Fuß gefahren.

Trauernd stand der Held vor der Leiche des Gastfreundes; er bestattete ihn ehrenvoll unter dem Berge und machte sich dann daran, die aufgetragene Arbeit zu verrichten.

Der furchtbare Eber, vor dessen Gewalttaten die ganze Landschaft erzitterte, war wie die Hindin der Göttin Artemis geweiht. Als er die Ankunft des Helden witterte, zog er sich in das Waldesdickicht zurück. Herakles jedoch ging ihn tapfer an und trieb ihn mit ungeheurem Geschrei auf das weite Schneefeld hinaus, das sich vor dem Walde ausbreitete. Es wäre ihm ein leichtes gewesen, den wilden Eber mit seinem Bogen zu erlegen, doch galt es ja, ihn lebend einzubringen. So trieb der leichtfüßige Held das Raubtier mit seinem Spieß durch den hohen Schnee, bis es vor Erschöpfung zusammenbrach; nun ließ es sich leicht einfangen. Gefesselt trug Herakles den wilden Eber zu Eurystheus und hatte damit seine vierte Arbeit vollbracht.

DER AUGIASSTALL

Doch der König gönnte dem Helden keine Rast und schickte ihn sogleich aufs neue aus. Diese Arbeit war eines Helden wenig würdig. Eurystheus dachte, ihn durch einen schmählichen Dienst zu demütigen, als er ihm auftrug, den Viehstall des Königs Augias vom Miste zu reinigen. Augias, der König von Elis, hatte gewaltige Viehherden, die jahrelang in einer großen Umzäunung gestanden hatten. Nun sollte Herakles die ungeheure Menge Mist, die sich dort aufgehäuft hatte, an einem einzigen Tage beseitigen.

König Augias blickte voll Verwunderung auf den herrlichen Helden, der, angetan mit der Löwenhaut, vor ihn trat und sich erbot, seinen Viehhof auszumisten. Wie kann ein so edler Krieger sich zu solch gemeinem Dienst erniedrigen? dachte er bei sich; denn Herakles hatte nichts davon erwähnt, daß er in Eurystheu's Auftrag komme. Daß aber der Held die Arbeit an einem Tage schaffen werde, konnte der König sich nicht vorstellen. Er versprach ihm den zehnten Teil seines ganzen Viehbestandes als Lohn, wenn er seine Aufgabe erfüllen werde.

Herakles hatte nicht im Sinne, sich durch die Knechtsarbeit zu demütigen und den Mist herauszukarren. Mit mächtigen Griffen riß er die zwei Seiten des Viehhofes auf, leitete den nahen Fluß Alpheios, der mit mächtigem Schwunge von den Bergen strömte, in einem Kanal herzu und ließ die ungeheuren Mistberge durch die Fluten fortspülen. Überrascht blickte Augias auf dieses Tun.

Eurystheus, der den Helden zu erniedrigen gedacht hatte, war über diesen Erfolg noch mehr enttäuscht, und er gab sogleich Herakles einen neuen Auftrag.

SECHSTE ARBEIT

Es galt nun, die Vögel aus dem Sumpfe Stymphalos zu verjagen. Das waren mächtige Raubvögel mit eisernen Schnäbeln und Klauen, mit denen sie Mensch und Tier angriffen. Ungeheuer waren die Schäden, die sie in der arkadischen Landschaft anrichteten. Als Herakles sich dorthin begab, um die Vögel zu bekämpfen, hatten sie sich alle in einem Walde nahe dem sumpfigen See versammelt. Niemals wäre der Held ihrer gewaltigen Zahl Herr geworden, hätte nicht der Gott Hephaistos ihm zwei mächtige Klappern aus Erz geschenkt. Mit ihnen vollführte der Held einen so schrecklichen Lärm, daß die Vögel voller Furcht aufflogen. Schnell griff er zu Pfeil und Bogen und tötete eine Menge von ihnen im Fluge. Die übrigen waren durch seinen Angriff so erschreckt, daß sie das Land verließen und niemals zurückkehrten.

DER STIER VON KRETA

Auf Kreta hauste damals, von Poseidon geschickt, ein wilder Stier, der auf der Insel furchtbare Verwüstungen anrichtete; niemand war bisher seiner Kraft gewachsen.

Nun befahl Eurystheus dem Herakles, dieses Untier zu bändigen und nach Argos zu bringen. Herakles begab sich sogleich zu Schiff nach Kreta und bat den König Minos um seine Erlaubnis. Der war über das Angebot erfreut und half dem Helden sogar, das Untier einzufangen. Herakles bändigte es mit seiner göttlichen Heldenkraft so vollständig, daß aus dem Ungeheuer ein folgsames Reittier wurde, das ihn gefügig über Berg und Tal und sogar über das Wasser hinweg von Kreta zum König Eurystheus trug.

Damit hatte er die siebente Arbeit vollbracht.

DIE WILDEN STUTEN

Nun verlangte Eurystheus, Herakles solle die Pferde des Thrakerkönigs Diomedes nach Mykene bringen. Dieser König, ein Sohn des Kriegsgottes Ares, besaß Stuten von solch ungestümer Wildheit, daß sie mit eisernen Ketten an eherne Krippen gebunden werden mußten. Als Futter wurden ihnen die Fremdlinge, die das Unglück hatten, an den Königshof verschlagen zu werden, zum Fraße vorgeworfen.

Ohne Zaudern ging der Held auch an diese Arbeit. Als König Diomedes sich weigerte, die wilden Stuten freiwillig herauszugeben, warf Herakles den unmenschlichen König selber den Untieren vor. Da legten die Stuten plötzlich alle Wildheit ab und ließen sich zahm und gefügig zum Gestade treiben. Glücklich gelangte er mit ihnen zu Schiff nach Argos und überbrachte sie dem Eurystheus.

Dies war die achte Arbeit des Herakles.

DER GÜRTEL DER AMAZONENKÖNIGIN

Fern am Schwarzen Meere wohnten die Amazonen, ein wildes, tapferes Frauenvolk, das nur Männerhandwerk, Kriegführen, Reiten und Jagen, betrieb.

Der habgierige Eurystheus nun hatte von dem goldenen, mit Edelsteinen besetzten Gürtel gehört, den die Königin Hippolyte als Geschenk des Kriegsgottes Ares trug, und begehrte ihn für seine eigene Tochter. Er ließ Herakles zu sich kommen und trug ihm als neunte Arbeit auf, den kostbaren Gürtel herbeizuschaffen.

Unverdrossen ging der Held wieder ans Werk. Er wußte, daß es für ihn unmöglich sei, das mannhafte Frauenvolk allein zu bestehen, und ließ deshalb in Griechenland von Königsburg zu Königsburg zu einem Feldzug gegen die Amazonen aufrufen. Von allen Seiten strömten ihm Freiwillige zu. Herakles sammelte sie auf einem Schiffe und fuhr zum fernen Pontos.

Die schöne Königin blickte mit Achtung und Wohlgefallen auf den Helden und war gern bereit, ihm den geforderten Gürtel zum Geschenk zu machen. Aber Hera, die Gemahlin des Zeus, zürnte Herakles noch immer. Sie mischte sich in der Gestalt einer Amazone unter die Menge und verbreitete das Gerücht, der Fremde wolle die Königin gewaltsam entführen.

Da schwangen sich die wehrhaften Frauen auf ihre Pferde und drangen auf Herakles und seine Gefährten ein. Es war eine ungleiche Schlacht, die sich nun entspann, denn die Griechen mußten zu Fuß kämpfen. Wäre nicht Herakles mit seiner überlegenen Götterkraft gewesen, hätten die Männer sicherlich unterliegen müssen. Die vornehmsten und tapfersten Amazonen suchten den Helden im Kampfe, aber sie konnten seiner

Kraft nicht widerstehen und sanken in den Staub. Schließlich wandten sich alle zur Flucht, und die Königin gab den Gürtel als Lösegeld heraus.

Nachsichtig schonte der edle Held die Besiegten und fuhr mit dem erbeuteten Gürtel zu Eurystheus zurück.

DIE RINDER DES GERYONES

Für Eurystheus, der dem verhaßten Herakles so sehr den Tod wünschte, wurde es immer beängstigender, daß der Held alle Aufträge ausführte, ohne den drohenden Gefahren zu erliegen. Als er nun aus dem Amazonenkampf unversehrt heimkehrte, trug der König ihm eine noch schwerere Aufgabe auf, die, so dachte er, ihm sicherlich nicht gelingen werde. Er schickte ihn sogleich aus, die Rinder des Riesen Geryones herbeizuschaffen.

Geryones, ein urgewaltiges Ungeheuer, wohnte auf einer Insel nahe Hispanien, besaß drei Köpfe, drei Leiber und je sechs Arme und Beine. Seine Rinder galten als die allerschönsten und wurden von einem anderen Riesen und einem zweiköpfigen Hirtenhund bewacht.

Herakles landete in Libyen und mußte hier mit dem Riesen Antaios ringen, einem Sohne der Erde, der immer neue Kräfte aus der Berührung mit seiner Mutter erhielt. Herakles aber packte ihn mit seinen gewaltigen Fäusten, hielt ihn in die Höhe, daß er der Erde fern war, und drückte ihn zu Tode.

Nach langer Wanderung durch die wasserlose Wüste gelangte er an den Atlantischen Ozean. Hier errichtete er die beiden berühmten Säulen des Herakles. Nach mancherlei Gefahren gelangte er schließlich zu der Insel, wo die Rinder des Geryones weideten. Sofort ging der doppelköpfige Hund auf ihn los; doch Herakles empfing ihn mit erhobener Keule und schlug ihn nieder, bevor er zupacken konnte. Auch der Riesenhirt, der seinen Rindern Menschen zum Fraße vorzuwerfen pflegte, erlag den Keulenhieben des Helden.

Doch ehe Herakles die Rinder forttreiben konnte, eilte Geryones selbst herbei und stellte ihn zum Kampfe; Hera, die unversöhnliche Feindin des Herakles, stand dem Riesen bei. Aber den fürchterlichen Pfeilen konnte er nicht widerstehen, und trotz seiner dreifachen Leibeskräfte erlag er dem Helden.

Nun machte Herakles sich auf den Heimweg. Er trieb die Rinder durch Spanien und das südliche Frankreich, überquerte die Alpen und kam durch Italien. In Ligurien mußte er sich der Angriffe der Einwohner erwehren, die ihn heftig bedrängten, um ihm die prächtigen Rinder zu rauben. Zeus selber half seinem Sohne, indem er einen Steinregen sandte. Herakles schleuderte die Steine auf die Angreifer, daß sie erschreckt den Weg freigaben. Noch mancherlei Abenteuer hatte er zu bestehen, bis er die Rinder dem Eurystheus übergeben konnte und damit die zehnte Aufgabe erfüllt hatte.

DIE ÄPFEL DER HESPERIDEN

Als nächste Arbeit trug Eurystheus dem Helden auf, die goldenen Äpfel der Hesperiden herbeizuschaffen, die am Westgestade des Weltmeeres in einem heiligen Garten wuchsen. Vier Jungfrauen, die Hesperiden genannt, bewachten sie, unterstützt von einem hundertköpfigen Drachen.

Wie sollte Herakles ohne Wegweisung überhaupt zu den Hesperiden finden? Wieder lauerten viele Abenteuer am Wege; mit gefährlichen Riesen galt es zu kämpfen und sogar den Kriegsgott selber im Kampfe zu bestehen. Endlich erzwang er sich vom Flußgotte Nereus Auskunft über den Weg. Er zog durch Libyen und Ägypten und gelangte schließlich in das Land, wo Atlas die Last des Himmels trug. Er war der Oheim der Hesperiden, und Herakles bat ihn, die Jungfrauen zu überreden, sie möchten ihm doch die Äpfel schenken. Er selber erbot sich, in der Zwischenzeit das Himmelsgewölbe auf seine Schultern zu nehmen. Atlas erklärte sich bereit, und der

Halbgott stemmte an seiner Statt die mächtigen Schultern unter das Himmelsgewölbe. Atlas begab sich indessen zum Garten, schläferte den Drachen ein, nahm den Jungfrauen die goldenen Äpfel und brachte sie Herakles. Aber nachdem Atlas nun einmal empfunden hatte, wie angenehm es sei, vom Tragen des Himmelsgewölbes frei zu sein, weigerte er sich, die Last wieder auf seine Schultern zu nehmen. Doch Herakles war schlauer als er. „So laß mich nur einen Augenblick ausruhen", bat er, und Atlas willigte ein, ihn abzulösen. Da nahm der Halbgott die goldenen Äpfel auf und machte sich grußlos davon.

HERAKLES IN DER UNTERWELT

Mit Schrecken sah der arglistige Eurystheus, der nichts als Schande und Bedrängnis auf den Helden zu häufen wünschte, daß Herakles aus jedem Abenteuer nur stärker hervorging. Nicht Schmach und Schande hatten ihn getroffen, sondern jede der Arbeiten hatte zu seinem Ruhme beigetragen. Man pries ihn als den Wohltäter der Bedrängten, der dem Unrecht wehre und die Unmenschlichkeit bekämpfe.

Aber der tückische Eurystheus wollte seine Macht noch einmal voll auskosten: Der letzte Auftrag, den er Herakles erteilte, lautete, den Höllenhund Kerberos aus dem Hades heraufzubringen. Dort in der Unterwelt, so hoffte Eurystheus, werde dem Helden die göttliche Abstammung nichts helfen.

Der Höllenhund war groß wie ein Elefant und hatte drei Hundsköpfe mit scheußlichen Rachen, aus denen unaufhörlich Gift und Geifer flossen. Jeder der Köpfe trug eine Mähne aus gräßlich geringelten Schlangen, und sein Schweif selbst war ein Drache.

Hermes, der Begleiter der Seelen, führte den Helden selber auf seinem gefährlichen Wege. Am Vorgebirge Tainaron stiegen sie durch mächtige Felsspalten und Höhlengänge in den Hades hinab bis an den Fluß Styx, der die ganze Unterwelt umfließt. Keine Brücke wölbt sich von Ufer zu Ufer, nur der Fährmann Charon führt in seinem Kahne die Seelen der Gestorbenen hinüber.

Charon weigerte sich erst, die schwere Last des Herakles in seinem leichten Kahne überzusetzen; doch der Held zwang ihn zum Gehorsam. Hermes wies ihm dann den Weg bis vor König Plutons Stadt. Von Schrecken gepackt, ergriffen die Schatten der Verstorbenen die Flucht, als sie einen lebenden Menschen aus Fleisch und Blut erblickten. Da erschien dem Helden das Haupt der Medusa, die jeden, der vor ihr Schrecken zeigte, in Stein verwandelte; Herakles aber fürchtete sich nicht vor ihr, sondern vertrieb sie mit seinem Schwerte.

Pluton selber stand am Tor der Totenstadt und verwehrte dem Lebenden den Zugang. Auch ihn vertrieb der Held mit seinem Bogen und stellte nun den Höllenhund zum Kampfe. Herakles trug seinen Brustharnisch, den Hephaistos ihm geschenkt hatte, und wickelte die Löwenhaut fest um sich. So gewappnet, ging er das Ungeheuer an, packte es am Halse und würgte es mit übermenschlicher Gewalt, obwohl der Schweif des Tieres, der ein lebendiger Drache war, wütend auf ihn einbiß. So überwältigte Herakles das grimmige Untier, hob es auf seine Schultern und trug es zur Oberwelt empor. Eurystheus traute seinen Augen nicht, als er den Helden auch von diesem Abenteuer unversehrt zurückkehren sah. Entsetzt verkroch er sich im hintersten Gewölbe seines Palastes, als Herakles ihm das gefesselte Ungeheuer entgegentrug und damit auch die letzte Arbeit vollendet hatte. Wider seinen Willen mußte er dem verhaßten Zeussohn zugestehen, daß er gehorsam und geduldig die gottgebotene Arbeit auf sich genommen und treu ausgeführt hatte.

DIE LETZTEN ABENTEUER DES HERAKLES

Zwar war der Held nach göttlichem Beschluß aus der Dienstbarkeit des Eurystheus befreit, aber noch war ihm nicht bestimmt, ein glückliches Leben zu führen. Als er einst das Unglück hatte, in zorniger Aufwallung seinen Freund Iphitos, den Sohn des Königs von Oichalia, zu töten, da strafte Zeus ihn mit einem hitzigen Fieber, das ihn in Wahnsinn versetzte. In diesem Zustande vollführte er manche unselige Tat und scheute sich nicht, die Götter gröblich zu beleidigen.

Da verkündete ihm das Orakel, er werde nur dann von Krankheit und Raserei genesen, wenn er sich abermals drei Jahre als Sklave verdinge. Bestrebt, wieder auf den rechten Pfad zu gelangen, folgte er der göttlichen Weisung und trat in die Dienste der Königin Omphale von Lydien. Doch die trieb nur Spott mit ihm, ließ ihn Frauenkleider anziehen und spinnend unter den Mägden sitzen, während sie sich selber seine Löwenhaut umhängte.

Als diese neue Zeit der Prüfung vorüber war, erwachte Herakles wie aus langem Schlafe. Er spürte, wie die alte Heldenkraft sich wieder in seinem Herzen regte, und es trieb ihn, auf neue Abenteuer auszuziehen.

Mancherlei wunderbare Taten hatte der Held schon vollbracht, als er nach Kalydon in Aitolien zum König Oineus kam. Herakles bekämpfte Laomedon, den Erbauer Trojas, und nahm ihm das Leben. Auch an König Augias, der ihm einst den versprochenen Lohn vorenthalten hatte, übte er tödliche Rache. Nach diesem Siege setzte der Held die Olympischen Spiele ein und weihte Pelops, ihrem ersten Stifter, einen Altar.

König Oineus hatte eine wunderschöne Tochter mit Namen Dëianeira. Um sie freite der Flußgott Acheloos, doch der Vater sagte sie dem zu, der im Wettkampf den Sieg davontragen würde.

Bald darauf begann der Kampf der beiden Brautwerber. In übermenschlichem Ringen gelang es Herakles endlich, den Gegner niederzuwerfen. Doch der verwandelte sich sogleich in eine Schlange. Herakles aber, der schon so viele Schlangenungeheuer vernichtet hatte, zögerte nicht, sie am Genick zu packen. Und sicherlich hätte er sie erwürgt, wenn der Feind ihm nicht entschlüpft und darauf als gewaltiger Stier entgegengetreten wäre. Auch diesen überwand Herakles und brach ihm ein Horn ab.

Nun endlich gab der Flußgott sich bezwungen und überließ die Braut dem siegreichen Nebenbuhler. Dëianeira reichte ihm die Hand zum Ehebund.

DER KENTAUR NESSOS

Aber noch war der Leidensweg des vielgeplagten Herakles nicht zu Ende. Als er sich mit seinem Weibe einst auf der Wanderung nach Theben befand, mußten sie einen Fluß überqueren, der hoch angeschwollen war. Dort waltete der Kentaur Nessos als Ferge seines Amtes, indem er die Reisenden auf seinem starken Rücken hinübertrug. Herakles bedurfte dessen Hilfe nicht, aber er überließ seine Gattin dem Kentauren, der sie rüstig durch die Furt trug. In der Mitte des Flusses aber, als Herakles schon das Ufer erreicht hatte, wagte der ungefüge Gesell, die Hand nach der schönen Frau auszustrecken. Herakles hörte ihren Hilferuf und griff schnell entschlossen zum Bogen. Ehe der rohe Kentaur der Gattin Gewalt antun konnte, traf ihn der unfehlbare Pfeil. Nessos aber sann noch im Sterben auf Rache. Er hieß die leichtgläubige Dëianeira sein Blut auffangen, das ihm aus der Wunde quoll. „Wenn du damit das Gewand deines Gatten tränkst“, redete er ihr zu, „so darfst du für alle Zeiten seiner Liebe sicher sein. Niemals wird er dann ein anderes Weib mehr lieben als dich!“ Gutgläubig vertraute Dëianeira der Weisung des Sterbenden. – Gar bald hatte sie Grund, von dem Geschenk des Nessos Gebrauch zu machen. Im Kampfe gegen den König von Oichalia, mit dem er in altem Zwiste lebte, hatte Herakles den König mit seinen drei Söhnen erschlagen und die Tochter Iole als Gefangene mit sich geführt.

Dëianeira aber sah in der schönen Jungfrau die gefährliche Nebenbuhlerin und gedachte, sich die Liebe ihres Gatten zu sichern. Sie bereitete für ihn, als er Zeus ein Dankopfer darbringen wollte, ein neues Gewand und tränkte es mit einer Salbe aus dem Blute des getöteten Kentauren.

Ahnungslos legte Herakles das Festgewand der Gattin an und begann die Opferung der stattlichen Stiere. Kaum jedoch erwärmte sich das Hemd auf seinem Körper, als er einen brennenden Schmerz fühlte. Es war, als fräße eine giftige Natter an seinem Leibe.

Der Held brüllte auf und versuchte in rasendem Zorn, sich das unselige Gewand vom Leibe zu reißen, aber es hielt wie angewachsen fest. Niemand durfte es wagen, sich dem wütenden Helden zu nähern, der sich bald am Boden wälzte, bald heulend aufsprang, daß rings die Berge und das waldige Gestade widerhallten.

Dëianeira, seine unglückselige Gemahlin, hörte die schaurige Nachricht und stürzte sich in ihrer grenzenlosen Verzweiflung in den Tod, ehe der todgeweihte Herakles, von treuen Dienern geleitet, den Palast erreichte. Voll Wehmut mußte er erkennen, daß er ihr mit seinen Schmähungen Unrecht getan; sie hatte ja nur aus reiner Liebe zu ihm gehandelt.

Dann ließ sich der Sterbende, allen Qualen zum Trotz, auf den Gipfel des Oetaberges führen. Auf einem mächtigen Scheiterhaufen, den er zu errichten gebot, ließ er sich ruhig nieder. Noch einmal blickte der gewaltige Held, der die furchtbarsten Kämpfe mutig und unversehrt bestanden hatte und nun so elend den Ränken eines Heimtückischen zum Opfer fiel, über die Schar seiner treuen Freunde; doch niemand wollte seinem Gebote, den Holzstoß zu entzünden, gehorchen. Plötzlich aber schlugen die Blitze des Zeus in den Scheiterhaufen und ließen ihn in feuriger Lohe hell aufflammen, daß sogleich alles Sterbliche an Herakles verzehrt wurde. Da senkte Zeus eine Wolke herab und trug den Unsterblichen unter Donnergrollen zum Olymp empor.

DIE ARGONAUTEN

PHRIXOS UND HELLE

Im Lande Thessalien lebte mit Nephele, seiner Gattin, und seinen Zwillingskindern Phrixos und Helle der König Athamas. Aber er war von grimmer Sinnesart und verstieß seine Gattin, um eine andere Frau, Ino, zu heiraten. Die Stiefmutter behandelte die unschuldigen Kinder, und besonders den jungen Phrixos, sehr schlecht, bis schließlich Nephele, die Mutter, mit Hilfe des Gottes Hermes für ihre Kinder eintrat. Sie schenkte ihnen einen Widder von göttlicher Herkunft, der auf den Wolken laufen konnte; sein Fell, das man auch Vlies nannte, war von purem Golde. Sie sollten auf ihm durch die Lüfte nach Kolchis reiten, so lautete die göttliche Weisung an das Geschwisterpaar.

Der Widder kannte den Weg und führte die beiden schnurstracks davon. Als die Jungfrau, die angstvoll den Arm um den Bruder geschlungen hielt, unterwegs in die grausige Tiefe blickte, ergriff sie jäh der Schwindel, so daß sie hinabstürzte; sie fand den Tod in dem Meere, das nach ihr seither den Namen Hellespont, das heißt Meer der Helle, trägt. Phrixos war untröstlich in seinem Schmerz, aber er mußte den Wolkenritt fortsetzen. Unversehrt langte er in Kolchis an, wurde gastfreundlich aufgenommen und opferte den Widder zum Danke den Göttern. Das goldene Vlies nagelte er an einen Eichbaum, den König Aietes, der zauberkundige Sohn des Gottes Helios, durch einen ungeheuren Drachen bewachen ließ. Das Orakel nämlich hatte dem König einst geweissagt, sein Leben werde nur dauern, solange er im Besitze des Widderfelles bleibe. Phrixos fand bald darauf den Tod im fremden Lande.

PELIAS UND IASON

In späterer Zeit nun herrschte in Thessalien der König Pelias. Er hatte sich vor Jahren mit Gewalt des Thrones bemächtigt, der seinem älteren Bruder Aison als rechtmäßigem König gehörte. Aisons Sohn, der junge Iason, war rechtzeitig von treuen Dienern außer Landes gebracht worden, wo er bei dem Kentauren Cheiron, dem Erzieher vieler großer Helden, sicher aufwuchs.

Pelias, der inzwischen alt geworden war, wußte nicht, daß der Sohn seines Bruders damals gerettet worden war. Nun ängstigte ihn ein dunkler Orakelspruch, der ihn vor einem „Mono-Sandalos", einem „Einsandaler", warnte: „Hüte dich vor einem Mann, der in nur einem Schuh vor dich tritt, denn er wird dir dein Königreich nehmen." Vergeblich grübelte Pelias über den unerklärlichen Sinn des Götterspruches. Als er nun eines Tages inmitten des Volkes den Göttern sein Opfer darbrachte, trat ein wandernder Held vor ihn hin. Alle Leute staunten über seinen majestätischen Wuchs und seine königliche Schönheit. Pelias aber bemerkte mit Schrecken, daß an dem einen Fuße des Ankömmlings der Schuh fehlte!

Es war Iason, des Königs Neffe, der, zum Manne erwachsen, sich aufgemacht hatte, sein Recht auf den väterlichen Thron zu verlangen; auf der Wanderung war ihm der Schuh im Schlamm eines Baches steckengeblieben.

Pelias war klug genug, ihn freundlich aufzunehmen. Und als Iason sein Erbe verlangte, da stimmte er ihm sogleich zu: „Gern, Neffe, willfahre ich deinem Wunsche", sagte er heuchlerisch; „doch zuvor bitte auch ich dich um einen Gefallen. Es wird dir nicht schwer sein, ihn mir zu erweisen. Schon lange drängt es mich, das goldene Vlies zu besitzen, dessen hohen

Wert man überall rühmt. Geh du für mich, da ich schon zu alt für solche Männertat bin, und hol mir das Kleinod! Wenn du mit der Beute heimkehrst, so sollst du den Thron an meiner Stelle besteigen!" Im Herzen aber dachte der heimtückische König, der Neffe werde bei der gefährlichen Unternehmung sein Leben einbüßen.

DIE ARGOSCHIFFER

Iason ahnte nicht die bösen Absichten des Oheims. Zwar wußte er von den gefährlichen Abenteuern, die drohend am Wege zum goldenen Vlies lauerten, doch es reizte den jugendlichen Helden, sie tapfer zu bestehen.

So sagte Iason sogleich zu und rüstete ungesäumt zur Fahrt. Er rief die kühnsten Helden Griechenlands zu dem Unternehmen auf. Am Fuße des Berges Pelion ließ er ein Schiff bauen. Athene selber half ihm dabei, und die „Argo", die nach den Weisungen der Göttin entstand, wurde ein Wunderschiff, wie man es bisher noch nicht geschaut hatte; es war leicht und pfeilschnell, dazu mit dem schönsten Schmuck versehen. Die Helden, die unter Iasons Führung auszogen, nannten sich nach dem herrlichen Schiffe Argonauten, die Argoschiffer. Berühmte Namen waren unter ihnen, Zetes und Kalaïs, des Windgottes geflügelte Söhne, der gewaltige Herakles und Peleus, der Vater des Achilleus, der scharfblickende Lynkeus und Telamon, der Vater des Aias. Auf der anderen Seite des Schiffes hatte sich Orpheus, der berühmte Sänger, niedergelassen, dazu der junge Theseus und viele andere berühmte Helden – wer will sie alle nennen, die der erhoffte Ruhm zu Fahrtgenossen Iasons machte!

DURCH ABENTEUER UND GEFAHREN

Die Argonauten hatten vielerlei Kämpfe und Abenteuer auf ihrer Fahrt zu bestehen. Auf der Insel Lemnos hatten die Einwohnerinnen ihre Männer erschlagen, um selber die Regierung zu führen; da sie jedoch bald die Grenzen ihrer Frauenkraft einsehen mußten, versuchten sie die Argonauten zu bewegen, auf der Insel zu bleiben. Aber Herakles bewog die Freunde, freilich mit großer Mühe, Lemnos wieder zu verlassen.

Als die Helden auf einer kleinen Insel an der phrygischen Küste haltmachten, sollte sie ein großes Mißgeschick treffen. Dort wohnten wilde, sechsarmige Riesen zusammen mit dem friedlichen Volke der Dolionen, die im Schutze ihres Stammvaters, des Meergottes, lebten. Kyzikos, dem König der Dolionen, war durch Orakelspruch aufgetragen, die göttliche Schar der Heroen liebreich aufzunehmen; so schritt er den Argonauten freundlich entgegen und hieß sie in seinem Hafen ankern. Gastfrei spendete der junge König den Seefahrern alles, was sie bedurften, Wein und Brot und Schlachtvieh, hieß sie von den Mühen der Reise ausruhen und wies ihnen den Weg für die Weiterfahrt.

Doch die Riesen der Insel, die von der Ankunft der Fremdlinge gehört hatten, brachen in das Gebiet der Dolionen ein und versuchten, den Hafen, in dem die Argo vor Anker lag, durch mächtige Felsblöcke zu sperren. Ein wilder Kampf entspann sich. Herakles' Pfeile wüteten schrecklich unter den Angreifern, und alle Helden stritten so tapfer für ihre Freiheit, daß die Riesen weichen mußten.

Iason drängte sogleich zur Weiterfahrt und löste bei günstigem Winde die Ankertaue; doch bald erhob sich ein furchtbarer Sturm und brachte die Helden in Seenot. Der Strand, auf den sie geworfen wurden, erschien ihnen unbekannt – sie ahnten nicht, daß es das Gebiet der Dolionen war, das sie wieder betraten. Auch die Bewohner, deren Gastrecht die Argonauten soeben erst genossen hatten, erkannten im nächtlichen Dunkel die Eindringlinge nicht, griffen zu den Waffen und suchten sie aus ihrem Lande zu treiben. Nur mit Mühe konnten Iason und seine Gefährten sich der Feinde erwehren; doch dann drängten sie die Verteidiger vom Strand bis in ihre feste Stadt zurück.

Als der Morgen das Kampffeld erhellte, erkannten beide Parteien den furchtbaren Irrtum. Das Geschick hatte es gefügt, daß Iason selbst seinen lieben Gastfreund, den jungen König der Dolionen, im Kampfe erschlagen hatte.

In tiefer Trauer erwiesen sie, Argonauten und Dolionen, den Gefallenen die letzte Ehre, bestatteten sie am Gestade des Meeres und veranstalteten feierliche Kampfspiele zum Gedächtnis der Toten.

Nach dem Willen der unsterblichen Götter war für Herakles eine neue Aufgabe vorgesehen. Als die Argo bei der Stadt Kios gelandet war, kehrte Hylas, sein junger Freund und Diener, von einem Gange in den Wald nicht zurück; die Quellnymphe hatte den Jüngling, von seiner Schönheit bezwungen, zu sich in die Tiefe hinabgezogen. Auf der Suche nach dem Freunde versäumte Herakles die Abfahrt des Schiffes, und als der Meergott Glaukos den Argoschiffern verkündete, Herakles sei nach dem Willen der Götter für ein anderes Schicksal bestimmt, mußten sie ohne den bewährten Freund die Fahrt fortsetzen.

Das Schiff trug die Argonauten weiter übers Meer und führte sie an die Küste Bithyniens, wo der König Phineus herrschte. Er hatte einst Zeus erzürnt und war deshalb von schwerer Strafe getroffen worden: Er war erblindet und hatte als schreckliche Gefährten die Harpyien, abscheuliche Wundervögel. Wenn er sich zu Tische setzte, so erschienen die gräßlichen Tiere, raubten die Speise und beschmutzten, was sie nicht fortschleppen konnten. Ihre Eisenhaut aber, die sie wie ein Panzer umschloß, schützte sie vor den Waffen der königlichen Wächter, welche die Harpyien von ihrem blinden Herrn abzuwehren suchten.

Phineus hörte mit größter Freude von der Ankunft der Argoschiffer, denn ihm war geweissagt, die Söhne des Windgottes würden einst seiner Qual ein

Ende machen. Soweit seine schwachen Kräfte es noch zuließen, schritt er den landenden Argonauten entgegen und bat sie flehentlich um Hilfe. Er war wie sie ein Grieche, und des Boreas Söhne, die der Orakelspruch ihm als Retter verheißen hatte, waren seine leibhaftigen Schwäger. Froh umarmten ihn Zetes und Kalaïs und machten sich sogleich daran, seine Qual zu beenden. Sie bereiteten ihm sein Mahl, und kaum hatte Phineus sich zu Tische gesetzt, da stürzten sich auch schon die gierigen Vögel herab, ihm das Essen zu rauben. Die geflügelten Boreassöhne aber drangen sogleich auf die ungeheuren Wundervögel ein, verfolgten die Flüchtigen durch die Luft und übers weite Meer und bedrängten sie so hart, bis Zeus die Götterbotin Iris sandte und durch sie versprach, daß die schrecklichen Tiere den blinden Phineus künftig in Ruhe lassen sollten.

Da war die Aufgabe der beiden geflügelten Kämpfer gelöst, und schnell kehrten sie zu den Gefährten zurück.

Der blinde König war voll Sorge um das weitere Geschick seiner Retter, denn seine Sehergabe hatte ihnen gefährliche Abenteuer verkündet. Auf dem unendlichen Meer, das sie durchqueren mußten, schwammen die Symplegaden. Es waren zwei mächtige Felsen, die mit ungeheurer Gewalt zusammenschlugen und dann wieder auseinanderfuhren. Zeus selber hatte sie dorthin gesetzt, um jedes Schiff zu hindern, nach Kolchis zu gelangen. Sobald ein Fisch hindurchschwamm, ein Vogel hindurchflog oder gar ein Schiff hindurchfuhr, prallten die schwimmenden Felseninseln mit ungeheurer Gewalt zusammen. „Als Dank für eure Hilfe", sagte Phineus zum Abschied, „nehmet diesen Rat: Schickt eine Taube voraus, die die Felsen zusammenschlagen läßt, und nutzt sodann das Zurückprallen der Steinwände aus, euer Schiff hindurchzusteuern!"

Bei günstigem Winde setzte Iason mit den Gefährten die Seereise fort. Schon von weitem klang über die Wellen das erschreckende Tosen und Krachen, mit dem das felsige Inselpaar zusammenstieß. Als die Helden in die Nähe gelangt waren, ließ einer von ihnen auf Geheiß Iasons eine Taube fliegen. Furchtlos schoß das Tier auf den Engpaß zu. Doch schon näherten sich mit rasender Geschwindigkeit die Felsen, stießen zusammen und rissen der Taube die Schwanzfedern ab. Da, als die Steinwände auseinanderfuhren, legten sich alle Männer mächtig in die Riemen und ließen sich vom Strudel mitreißen. Eine ungeheure Meereswoge hob das Schiff in die Höhe, doch ehe es die Enge ganz durchquert hatte, näherten sich schon wieder die drohenden Felswände. Da half die Göttin Athene ihren bedrängten Schützlingen in der höchsten Not; sie gab der Argo einen Stoß, daß das Schiff glücklich der Gefahr entkam. Nur die äußersten Planken des Hecks wurden von den Felswänden getroffen.

Wie atmeten die Helden auf, als die freie See wieder vor ihnen lag! „Laßt uns der Schutzgöttin danken!" rief Iason den Gefährten zu, „nun wissen wir, daß Athene weiterhin unsere Fahrt gnädig lenken wird!"

Die Argo war das erste Schiff, dem es gelungen war, glücklich die Felswände zu durchqueren. Seit jener Zeit ist die Zauberkraft der Symplegaden erloschen – ungehindert kann jedes Schiff hindurchfahren.

Alle anderen Abenteuer würden gering sein gegenüber der Gefahr, die die Symplegaden für die Helden bedeutet hatten, so hatte Phineus, der königliche Seher, vorausgesagt, und wirklich hatten sie nun nichts mehr zu fürchten. Der König der wilden Bebryken, der von jedem Fremden verlangte, sich mit ihm im Faustkampfe zu messen, wurde vom starken Polydeukes, dem Sohn der Leda, besiegt.

Auf Iasons Rat hüteten sich die kühnen Seefahrer, an der Küste des Amazonenreiches vor Anker zu gehen, denn es gelüstete sie nicht, mit dem kriegerischen Weibervolk feindlich zusammenzustoßen. Seltsame Völkerstämme erlebten sie auf ihrer Weiterfahrt. Da waren die Chalyben, die nicht wie andere Menschen den Acker pflügten und bebauten oder Herdenvieh auf den Weiden hielten; sie lebten unter Tage, gruben Erz und Eisen aus der Tiefe der Erde und sahen weder Sonne noch Pflanzen ihr ganzes Leben lang.

Als die Helden später an einer Insel vor Anker gehen wollten, wurden sie von den Stymphaliden angefallen. Nur mit Mühe erwehrten sich die Argonauten der schrecklichen Vögel, die ihre stählernen Stachelfedern aus der Luft herabschleuderten. Mit den Schilden schützten die Männer Haupt und

Glieder vor den herabsausenden Geschossen, bis sie glücklich an der Insel vorbei waren.

Weiter ging die Fahrt dem Ziele entgegen. Schon sahen die Helden in der Ferne die Gipfel des Kaukasus aus den Wellen herauswachsen. Dort begegneten sie auch dem Adler, der auf dem Fluge zu Prometheus war, um nach Zeus' Geheiß an der Leber des Angeschmiedeten zu fressen. Von ferne hallte schaurig das gräßliche Stöhnen des Titanensohnes über die weite Meeresfläche.

DIE ARGONAUTEN IN KOLCHIS

Endlich ankerte die Argo im Flusse Phasis, der Kolchis durchfließt. Froh blickten die Helden auf das Ziel ihrer Fahrt, den heiligen Hain des Ares, in dem der Drache das goldene Vlies bewachte, und dankbar spendeten sie den Göttern ihr Trankopfer.

Den Friedensstab des Hermes in der Hand, schritt Iason mit einigen Gefährten in die Stadt. Wie sollte er vor den König Aietes treten? Sollte er als Fordernder kommen, sollte er es mit Bitten versuchen? Niemand wußte, wie der Kolcherkönig ihn aufnehmen werde.

Hera, die Göttermutter selber, trat dem Unterhändler schützend zur Seite. Sie legte dichten Nebel über die Stadt, damit keiner der Einwohner den Fremden feindlich begegne, und ließ Iason mit den Gefährten ungesehen den Königspalast betreten. Staunend standen sie vor dem mächtigen Königshause, dessen kunstreicher Schmuck aus der Hand des Hephaistos selber stammte.

Da fügte es Hera, daß Medeia, des Aietes Tochter, den Fremdling erblickte, und die Königstochter entbrannte sofort in inniger Liebe zu Iason. Eros, der Liebesgott, hatte sein Geschoß vom gespannten Bogen auf sie schnellen lassen!

Die Argonauten traten vor den Kolcherkönig und gaben sich zu erkennen. „Pelias von Thessalien schickt mich, das goldene Vlies von dir zu fordern“, sagte Iason dann kühn. Den Aietes packte ein furchtbarer Schrecken. Aber er konnte nicht widersprechen, denn ein Orakelspruch hatte einst bestimmt, daß er das kostbare Kleinod nicht verweigern könne, wenn Männer aus Griechenland kämen und es forderten. „Ich werde euch eure Bitte nicht versagen", erklärte er entschlossen, „doch eine Forderung stelle ich zuvor: Ich habe zwei flammenspeiende Stiere, die Hephaistos selber aus Erz geformt hat. Die sollst du vor den Pflug spannen und mit ihnen, so wie ich es zu tun gewohnt bin, das Feld des Ares beackern. Und in die Furchen sollst du die Saat hineinbringen, die ich dir gebe: Drachenzähne sollst du säen, aus denen eiserne, lanzenbewehrte Männer wachsen werden!"

Iason blickte den König furchtlos an. Mochte Aietes hoffen, daß die schrecklichen Stiere oder die Eisenmänner ihn verderben würden, er wagte es, auf die Bedingung einzugehen. Er gedachte der Weissagung des alten Phineus, der den Argonauten glückhafte Rückkehr verkündet hatte.

DIE KRAFTPROBE

Die schöne Königstochter fühlte sich von einem seltsam zwingenden, süßen Weh zerrissen, gegen das sie sich nicht zu wehren wußte. All ihr Sinnen folgte dem herrlichen Griechen, und in der Stille ihrer Kammer suchte sie Linderung in heißen Tränen, denn niemand durfte ja von ihrer Liebe zu dem Fremdling erfahren.

Als sie endlich erlösenden Schlaf gefunden hatte, weilten auch im Traume all ihre Gedanken bei dem Fremden. Sie sah sich selber im Kampf um das goldene Vlies, hörte Iasons Stimme, der sie als Gattin heimzuführen versprach, und zitterte vor der Weigerung der Eltern, dem griechischen Fremdling seinen Kampfpreis zu geben. In bitterem Schmerze schrien die Eltern auf, als sie die geliebte Tochter davongehen sahen – bei diesem Schrei fuhr Medeia verstört aus dem Schlafe.

Doch ihr Entschluß war gefaßt, Iason im Kampfe beizustehen. Sie reichte ihm einen Saft, der ihn für einen Tag unverwundbar machte und ihm so große Kräfte verlieh, daß er jeden Gegner überwinden würde. Dazu gab sie ihm Ratschläge für den Kampf mit den Eisenmännern.

Der folgende Tag war für den Wettstreit bestimmt. Iason erhob sich in der Frühe, brachte den Göttern seine Opfer und rieb sich mit dem Zaubersaft der Königstochter Gesicht und Gliedmaßen wie auch Rüstung und Waffen ein. Dann ließ er sich getrost von den Dienern des Königs den Stall aufschließen, in dem die schrecklichen Stiere hausten. Aietes hatte seine Waffenrüstung angelegt und war mit seinem ganzen Hofstaate zu dem erregenden Schauspiele erschienen: nur schwer konnte der heuchlerische König seine Schadenfreude verbergen, wenn er an den Ausgang der Kraftprobe dachte, denn er konnte sich ja nichts anderes denken, als daß sein Widersacher von den furchtbaren Stieren elend zermalmt werden würde.

Iason dagegen war voll Zuversicht, denn er spürte, welch übermenschliche Kraft ihn durchströmte. War es die Liebe, die ihm Herz und Arm von bisher unbekannter Stärke schwellen ließ, oder war es Medeias geheimnisvolles Zaubermittel? Herrlich anzuschauen wie der Kriegsgott selber, so wird berichtet, schritt der Held daher. Als die streitbaren Tiere dann mit wütender Gewalt aus dem steinernen Gewölbe hervorbrachen, packte er sie unbekümmert an den Hörnern und zwang sie beide unter das Joch des ehernen Pfluges.

Mit Schrecken sah Aietes, wie der Feueratem, der den Stieren in heftigen Flammenstößen aus dem Maule fuhr, den kühnen Mann ganz unversehrt ließ. Welch geheimnisvolle Kraft mußte der Fremdling besitzen!

Die Freunde reichten ihm den Pflug und sprangen eilig zur Seite, um nicht vom glühenden Atem der Stiere getroffen zu werden. Iason aber trieb das Gespann mit Lanzenstichen rund um den Acker. Mit Kraft drückte er den Pflug in die Erde, so daß die starken Tiere eine tiefe Furche rissen. Als die Sonne auf der Mittagshöhe stand, hatte Iason das ganze Feld umgepflügt. Da löste er die erschöpften Stiere aus dem Joche, ließ sie frei und ergriff den Helm mit den Drachenzähnen, den Aietes ihm gereicht hatte. Er schritt die Ackerfurchen entlang, säte die Zähne nach allen Seiten und ebnete die Schollen mit seinem Spieße.

Mit Jubel begrüßten die Fahrtgenossen Iasons tapfere Tat. Doch er wußte, welch schwere Aufgabe ihm noch bevorstand. Denn als er gegen Sonnenuntergang wieder aufs Feld zurückkehrte, waren schon aus allen Furchen Eisenmänner emporgekeimt. Der ganze Acker glänzte von Waffen – welch seltsames Bild! Einige waren bis an die Füße herausgewachsen, andere bis an die Knie oder die Hüften oder bis zur Höhe der Schultern, von einigen erblickte man nur den Helm oder einen Teil des Kopfes, der übrige Körper steckte noch in der Erde. Wer schon die Arme oberhalb des Erdbodens hatte, schüttelte zornig die Waffen und hieb mit dem Schwerte drein; die aber schon die Füße frei hatten, machten sich daran, auf Iason loszustürzen.

Da tat der Held, wie die schlaue Medeia ihm geraten hatte: Er packte einen riesigen Feldstein und schleuderte ihn mit gewaltigem Schwunge mitten unter die Eisenmänner. Voll Verwunderung starrten alle auf das Schauspiel, das sich nun den Augen bot: Unter den Erdgeborenen erhob sich ein wilder Streit um den Stein. Sie fielen einander mit wütenden Streichen an, auch die zuletzt Entsprossenen stürzten sogleich ins Kampfgetümmel, und im Nu war das weite Feld von Erschlagenen übersät. Mit leichter Mühe wurde Iason Herr der übrigen, die ihre Füße noch nicht aus der Erde gelöst hatten.

König Aietes wußte sich nicht zu fassen in seiner Wut; ihn bewegte nur der Gedanke, wie er den verhaßten Fremdling beseitigen könne. Die Fahrtgenossen aber jubelten dem siegreichen Helden zu, und auch Medeia freute sich im tiefsten Herzen über den Sieg des Geliebten. Aber sie verbarg ihre Freude sorgsam vor den Ihren, denn niemand durfte von ihrer Liebe wissen.

IASON RAUBT DAS GOLDENE VLIES

Voller Zorn sann Aietes auf einen Ausweg, den starken Iason um den versprochenen Kampfpreis zu betrügen. Daß seine eigene Tochter dem verhaßten Fremdling zur Seite gestanden hatte, konnte ihm nicht verborgen bleiben, und dieser Gedanke erfüllte ihn mit besonderem Grimm. Doch Medeia ließ nicht von dem Geliebten. Heimlich entwich sie des Nachts aus des Vaters Palast, schlich zum Schiffslager der Griechen und warnte sie vor der drohenden Gefahr. „Ich will dir helfen, das goldene Vlies zu gewinnen", rief sie Iason zu, „denn nur, wenn du es dem König mit Gewalt zu entreißen wagst, wird es in deinen Besitz gelangen!"

Sogleich brach der Held zu dem gefährlichen Unternehmen auf, denn nur im Schutze der Nacht würde es möglich sein, in den Hain einzudringen. „Wenn du mir dazu verhilfst, das kostbare Kleinod zu gewinnen", sagte Iason und legte den Arm um die Geliebte, „so werde ich dich als mein rechtmäßiges Weib mit in meine griechische Heimat führen!"

Das Vlies war an den Stamm einer Eiche genagelt und wurde von einem mächtigen Drachen bewacht, der keinen Schlaf kannte; das Ungeheuer war unsterblich und schien deshalb unüberwindlich. Wie sollte es Iason je gelingen, ihm das Widderfell zu entreißen?

Hand in Hand mit dem Geliebten schritt Medeia furchtlos auf das Untier zu. Wütend zischte es den beiden entgegen und wälzte zornig den schuppenbewehrten Leib. Die zauberkundige Medeia aber warf ihm zwei süße Kuchen vor, die sie mit einem starken Schlaftrunk getränkt hatte, rief mit schmeichelnder Stimme den Schlaf zur Hilfe und betete zur Göttermutter, sie möge ihr auch bei dieser schweren Arbeit Hilfe spenden. Staunend blickte Iason auf Medeias Zauberkraft; denn schon fiel der schreckliche Kopf auf die Brust herab – der Drache schlief ein! Medeia träufelte zur Vorsicht noch einige Tropfen ihres Zaubertrankes auf ihn und hieß dann Iason unbesorgt über den Schuppenleib hinwegsteigen.

Freudig ging der Held ans Werk. So stand er nun vor der Vollendung seiner Aufgabe, die ihm den angestammten Königsthron geben und die Geliebte bescheren sollte! In aller Eile löste er die Nägel, mit denen das Vlies an den Stamm geheftet war, schlug den Mantel über das Kleinod und floh mit Medeia aufs Schiff zurück. Mit welchem Jubel begrüßten die Argonauten ihren Führer, und mit welcher Freude bestaunten sie das kostbare Vlies, das in der Morgensonne leuchtete!

„Den ruhmvollen Sieg aber", rief Iason den Gefährten zu, „verdanke ich nur dieser herrlichen Jungfrau, die ich als mein liebes Eheweib mit in die Heimat nehmen werde!" Froh umringten alle die schöne Medeia und begrüßten sie als Iasons Gemahlin.

Unter Jubelrufen lösten die Argoschiffer dann sogleich die Taue und wendeten den Bug zum heimatlichen Griechenland. Aietes setzte seine ganze Flotte zur Verfolgung der Flüchtigen an, als ihm der kühne Raub gemeldet wurde. Doch mit Medeias Hilfe wußten die Griechen ihren wütenden Verfolgern zu entgehen. Hera selber war es, die die Heimfahrt der Argonauten schützte. Auf ihr Geheiß senkte sich Iris, die Götterbotin, auf dem bunten Regenbogenpfade bis ins Meer herab und wies den Flüchtigen den Weg durch Abenteuer und Gefahren, bis die Argo unversehrt in den Heimathafen einlief. Dankbar weihte Iason das wunderbare Schiff, das ihn mit den Fahrtgenossen so sicher über die Wellen getragen hatte, dem Meeresgotte Poseidon.

Pelias konnte sich jetzt nicht weigern, sein Wort einzulösen, als Iason ihm das Vlies aushändigte. Er hatte nicht erwartet, den Helden heimkehren zu sehen, und sich nicht gescheut, den alten Aison in der Zwischenzeit aus dem Wege zu räumen; Iasons Mutter hatte sich nach dem gewaltsamen Tode ihres Gatten selbst das Leben genommen.

Für diese Greuel nahm Iason durch Medeias Hand grausige Rache. Sie schlachtete einen alten Widder, kochte die zerstückelten Glieder mit allerlei geheimen Kräutern und ließ durch ihre Zauberkunst plötzlich ein junges

Lämmchen aus dem Kessel springen. Als des Pelias Töchter das Wunder sahen, baten sie Medeia, auch ihren Vater zu verjüngen. Die zauberkundige Kolcherin versprach es, doch als die Töchter den Alten gemordet und in den Kessel geworfen hatten, löste sie ihr Versprechen nicht ein.

Iason jedoch gelangte nicht in den Besitz des väterlichen Thrones, den er sich so tapfer erkämpft hatte. Akastos, der Sohn des Pelias, vertrieb ihn aus dem Lande, so daß er mit Medeia nach Korinth flüchten mußte. Dort lebten die beiden Liebenden viele glückliche Jahre; Medeia schenkte ihrem Gatten zwei Kinder.

Später jedoch geschah es, daß Medeia an der Treue ihres Gatten zweifeln mußte, denn Iason wandte sich Glauke, der Tochter des Korintherkönigs, zu. In ihrem Zorn ließ Medeia die verhaßte Nebenbuhlerin durch ein mit Zaubertränken vergiftetes Gewand, das sie ihr nach erheuchelter Versöhnung zum Geschenk gemacht hatte, einen schrecklichen Tod finden. Ganz zur rasenden Furie geworden, wollte sie Iason die beiden Söhne, die ihrer Ehe entsprossen waren, nicht lassen und tötete sie mit eigener Hand! Iason, der in den Palast stürzte, um die Mörderin zu suchen, fand nur die beiden Söhne in ihrem Blute. Nach Medeia aber spähte er vergeblich aus. Als er voll Verzweiflung das Haus verließ, vernahm er ein seltsames Geräusch über seinem Haupte. Er blickte in die Höhe und sah die fürchterliche Mörderin, wie sie auf einem mit Drachen bespannten Wagen, den ihre Kunst herbeigezaubert hatte, durch die Lüfte davonfuhr.

Da wußte Iason sich in seiner Verzweiflung keinen anderen Ausweg: auf der Schwelle seines Hauses stürzte sich der Held in sein eigenes Schwert.

THESEUS

DIE JUGEND DES HELDEN

Zu der Zeit, da Herakles mit seinen Taten zum Wohltäter der Bedrängten wurde, regierte in Athen der König Aigeus. Seine Stammväter gehörten zu den berühmtesten des Landes und waren nach der Sage dem Boden selbst entsprossen. Darum schmerzte es den König besonders, daß er ohne Erben blieb. Auch vom delphischen Orakel, das er um Rat fragte, wurde ihm keine tröstliche Antwort: „Besser ist es für dich, wenn du keine Söhne hast, König Aigeus; denn der Nachkomme, der dir beschert wird, wird dir dereinst den Tod bringen."

Da gedachte Aigeus, sich heimlich zu vermählen, und als er auf einer Reise bei seinem Gastfreunde Pittheus, einem Nachfahren des mächtigen Pelops, einkehrte, gewann er die Liebe Aithras, der Tochter des Freundes, und nahm sie zur Frau. Nur kurze Zeit blieb er bei ihr in Troizen. Als er wieder nach Athen zurückkehren und Abschied von der jungen Gattin nehmen mußte, barg er Schwert und Sandalen unter einem Felsblock am Ufer. „Wenn die Götter uns einen Sohn schenken", gebot er ihr, „so zieh ihn meiner würdig auf; doch sollst du ihm seine Abkunft nicht verraten. Erst wenn er herangewachsen und selber stark genug ist, diesen Felsen beiseitezuwälzen, soll er meinen Namen erfahren und mich in Athen aufsuchen."

Bald erblickte Aithras Sohn das Licht der Welt. Sie nannte ihn Theseus und ließ ihn unter der Aufsicht des königlichen Großvaters erziehen. –

Theseus entwickelte sich zu einem herrlichen Jüngling, der alle Altersgenossen an Schönheit, Kraft und Klugheit übertraf. Als er herangewachsen war, führte die Mutter ihn zu dem mächtigen Stein am Gestade; mit leichter Mühe hob der starke Sohn ihn auf. Da offenbarte die Mutter ihm seine wahre Abkunft, hieß ihn die Reiseschuhe unter die Füße binden und reichte ihm das Schwert. Doch er weigerte sich, den Seeweg nach Athen zu wählen, wie seine Mutter ihn bat. Der junge Held wollte zu Lande vom Peloponnes über die Meerenge ziehen, denn ihn reizten die Gefahren, die allenthalben drohten, und es trieb ihn, nach dem Vorbilde des Herakles das Land von Räubern und Unholden zu befreien.

DIE WANDERUNG NACH ATHEN

Damals wimmelte das griechische Land von Räubern und Wegelagerern. Sie machten die Straßen unsicher und mißhandelten die Reisenden grausam, die in ihre Gewalt gerieten.

Schon auf dem Wege nach Korinth stieß Theseus sogleich auf einen gefürchteten Straßenräuber, der als der Keulenschwinger berüchtigt war; seine Waffe war eine eisenbeschlagene Keule, mit der er die Wanderer niederschlug. Er wagte sich auch an Theseus heran, der friedlich seines Weges zog, aber der Jüngling erschlug ihn nach kurzem Kampfe. Fortan trug er die Keule des Besiegten als unüberwindliche Waffe.

Den Übergang über den Isthmos von Korinth beherrschte ein nicht weniger gefährlicher Wegelagerer; er wurde der Fichtenbeuger genannt, denn er pflegte die Fremden zwischen die Wipfel zweier mächtiger Fichten zu binden, die er mit seiner gewaltigen Kraft heruntergebeugt hatte. Mit grausamer Lust genoß er dann das Schauspiel, wenn die Armen von den zurückschnellenden Bäumen zerrissen wurden. In diesem Streite kam dem Theseus die erbeutete Keule sehr zustatten; er schlug den Riesen, der grimmig auf ihn losging, mit einem wuchtigen Streiche nieder und ließ ihn seine Untaten in der gleichen Weise büßen, wie er so viele unschuldige Opfer grausam umgebracht hatte.

Die Bewohner der Länder, durch die Theseus zog, priesen seine Heldenkraft, denn überall setzte er sein Leben ein, den Bedrängten zu helfen. So bekämpfte er kühn ein Ungeheuer, das den Bauern furchtbaren Schaden zufügte; es war ein gewaltiges Wildschwein, das übernatürliche Kraft besaß und Äcker und Pflanzungen verwüstete.

Der Held gelangte an die Grenzen von Megara und Attika, wo wieder ein gewaltiger Riese das Land bedrängte. Der saß auf einem steilen Felsen am Meer und zwang die vorüberziehenden Wanderer, ihm die Füße zu waschen; wenn sie diesem Gebote willig nachkamen, stieß er sie ins Meer hinab. Auch ihn überwand Theseus ohne Mühe; und auch ihm widerfuhr nach seiner eigenen frevlerischen Weise sein Recht: Er stürzte von dem steilen Felsen zu Tode.

Unter solchen Abenteuern gelangte der Held in die Nähe von Athen, seinem Reiseziel. Doch ehe er die Stadt betreten konnte, hatte er ein letztes Abenteuer zu bestehen. Dort hauste ein fürchterlicher Riese, den man wegen seines rohen Handwerks nur Prokrustes, den Gliederausrenker, nannte. Dieser Unhold ließ seine Riesenkraft in besonders grausamer Weise an den Reisenden aus. Er besaß zwei Bettstellen, eine lange und eine sehr kurze. Wer nun in seine Gewalt kam, den lud er in sein Haus ein und bewirtete ihn mit heuchlerischer Freundlichkeit. Kam dann die Zeit der Nachtruhe, führte er den Gast in eine seiner beiden Schlafkammern; war der Gast von hohem Körperwuchs, so zeigte er ihm das kurze Bett. „Leider ist die Lagerstatt für dich zu klein, lieber Gastfreund“, sagte er mit Hohn; „aber ich werde schnell Abhilfe schaffen!“ Und er hieb dem Unglücklichen die Beine ab, soweit sie über das Bett hinausragten. Die Kurzgewachsenen aber führte Prokrustes vor das große Bett und heuchelte nun ebenfalls Bedauern, daß das Bett nicht die rechte Größe habe. „Aber ich werde es dir anpassen“, erklärte er höhnisch und reckte dem Wehrlosen die Glieder so sehr in die Länge, daß dieser den Geist aufgeben mußte.

Bei Theseus kam der Unhold an den Unrechten. Als er auch an ihm seine Grausamkeit üben wollte, vertauschte der Held die Rollen. Er packte den Riesen und paßte seine Körperlänge gewaltsam dem kleineren Bette an, so daß Prokrustes elend umkam.

Schnell wurden diese Taten bekannt. Die Bewohner des Landes segneten den Weg ihres Wohltäters, wo er vorüberzog. Ihn selbst aber bedrückte es, daß er durch soviel Blut hatte schreiten müssen. Darum atmete er auf, als er am Kephissosflusse bei den frommen Phytaliden gastfreie Aufnahme fand. Sie reinigten ihn nach ihren ehrwürdigen Bräuchen von allem vergossenen Menschenblut und bewirteten ihn freundlich, ehe er sich nun der Heimatstadt seines Vaters zuwandte.

Der König Aigeus erkannte den Sohn sogleich an Schwert und Sandalen und umarmte ihn voller Freude, daß das Schicksal ihm als Stütze seines Alters und als Nachfolger einen solchen Helden beschert habe. Froh führte er ihn mit auf den Markt und stellte ihn der Volksversammlung als seinen Sohn und Erben vor. Mit Jauchzen begrüßte das Volk den bewährten Jüngling, dessen Ruhm bereits durch den Mund der dankbaren Landbewohner auch in die Stadt gedrungen war.

DIE RETTUNGSFAHRT NACH KRETA

Um jene Zeit lastete schwere Bedrückung auf den Bewohnern Athens. Denn wieder war der Zeitpunkt gekommen, da die Abgesandten des Königs von Kreta in der Stadt eintrafen, den üblichen Tribut zu holen. Dies war schon die dritte Tributgabe, die der König Minos forderte. Vor Jahren hatte er die Stadt in einem schweren Krieg niedergeworfen, da sein Sohn auf der Jagd in Attika getötet worden war. Als Lösegeld hatten die Athener nun alle neun Jahre sieben Jünglinge und sieben Jungfrauen nach Kreta zu schicken, wo diese dem furchtbaren Minotauros zum Fraße vorgeworfen wurden. Es war ein gräßliches Geschöpf, halb Mensch und halb Stier, das in dem berühmten von Daidalos erbauten Irrgarten, dem kretischen Labyrinth, sein Unwesen trieb.

Nun also war die Zeit des dritten Tributes gekommen, und schwere Sorge lag auf den Bürgern, die für ihre Söhne und Töchter fürchteten. Theseus selber war nicht vom Todeslos getroffen worden, aber der Königssohn erklärte sich freiwillig bereit, die Fahrt nach Kreta mit anzutreten. Doch nicht als hilfloses Opfer wollte er dem Ungeheuer vorgeworfen werden – der Held gedachte, es im Kampfe zu bestehen und die Vaterstadt für immer von der schweren Last zu befreien. „Sei unbesorgt", beruhigte er den bekümmerten Vater voller Zuversicht, „ich werde das Untier erlegen!"

Vor der Abreise begab sich Theseus zum delphischen Orakel und gelobte Apollon, ihm jährlich ein Schiff mit Opfern und Weihgeschenken zu schicken, wenn er dem gefährlichen Wagnis zum Erfolg verhelfe. Die Antwort des Gottes schien günstig: „Glücklicher Ausgang wird deinem Unternehmen beschieden sein", verhieß er dem Helden, „wenn du die Liebe zur Führerin wählst."

Vor der Abfahrt verabredete der kühne Jüngling mit seinem Vater, er werde bei erfolgreicher Beendigung seines Zuges die schwarzen Trauersegel mit Freude verkündenden weißen vertauschen.

Theseus führte nun die ausgelosten Opfer nach Kreta. Eingedenk der Weisung des Orakels, die Liebe zum Geleit zu wählen, opferte er der Liebesgöttin Aphrodite.. Der Erfolg schien die Weissagung zu erfüllen, denn, als Theseus den Königshof des Minos betrat, zog ihn dessen schöne Tochter Ariadne, die den Jüngling auf den ersten Blick liebgewann, sogleich in ihren Bann. Sie erklärte ihm die Irrwege des Labyrinths und händigte ihm ein Knäuel Wolle aus, das er am Eingang festbinden und durch alle Irrgänge ablaufen lassen solle, bis er auf den Minotauros stoße. Zugleich gab sie ihm ein geweihtes Schwert, das allen Zauber des Untieres abhalten würde.

Getrosten Mutes ließ sich der Held nun mit den todgeweihten jungen Menschen von Minos in die unterirdischen Gewölbe weisen. Mit der Zauberwaffe der Königstochter überwand er das furchtbare Untier und fand dann mit Hilfe des abgespulten Fadens den Weg wieder in die Freiheit zurück. Auf Ariadnes Rat zerhieb er sodann den Boden der kretischen Schiffe und hinderte so den König Minos, ihn, Ariadne und die befreiten Geiseln auf ihrer Flucht zu verfolgen. Doch auf der Insel Naxos, auf der sie landeten, gebot Gott Bakchos dem Helden im Traume, ihm die schöne Ariadne zur Gemahlin zu überlassen. Voll Trauer gehorchte Theseus der göttlichen Weisung und ließ die wehklagende Königstochter auf der einsamen Insel zurück.

In seinem Schmerze um den Verlust der Geliebten verging dem Befreier alle Freude an der Rettung der athenischen Landsleute; tiefbekümmert saß Theseus am Heck des Schiffes und achtete nicht darauf, daß man unterlassen hatte, die weißen Segel aufzuziehen.

Mit Spannung wartete indessen der alte König Aigeus auf die Rückkehr des Sohnes. Sollte es diesem gelungen sein, das gefährliche Unternehmen zu glücklichem Ende zu führen und die Vaterstadt von der furchtbaren Bedrückung zu befreien? In seiner Besorgtheit erstieg der Greis Tag für Tag selber das Vorgebirge, das den Blick über die offene See freigab. Da endlich tauchten am Horizont die Masten des langersehnten Schiffes auf, und – es führte schwarze Segel! Schwarze Segel als Zeichen der Trauer!

In seinem grenzenlosen Schmerze über den vermeintlichen Tod des Sohnes stürzte sich der verzweifelte König vom Felsen ins Meer, das seit jener Zeit nach ihm das Aegaeische heißt.

Als Theseus dann im Hafen landete und seinen Herold mit der Botschaft von dem glücklichen Ausgang der Fahrt zur Königsburg schickte, fand dieser alles in tiefer Trauer. Betrübt kehrte er zu dem Helden zurück, der am Hafen den Göttern sein Dankopfer darbrachte. Theseus wollte die Nachricht, daß er den Tod des geliebten Vaters verschuldet habe, in seinem großen Schmerze kaum glauben; wie vom Blitze getroffen, stürzte er zu Boden.

So hatte der Orakelspruch sich erfüllt: Die Liebe, die er nach der Götter Geheiß zur Füherin gewählt hatte, brachte ihm den Erfolg – aber welchen Preis hatte er zahlen müssen!

Die Athener empfingen mit lautem Jubel den jungen Helden, dem sie die Rettung der Vaterstadt und die Befreiung vom Tribut verdankten.

Abschied des Hippolytos von Phaidra

Theseus und Amphitrite

Oidipus und die Sphinx

Orest und Elektra

DER KAMPF DER LAPITHEN UND KENTAUREN

Lange Jahre verwaltete Theseus nun sein väterliches Erbe mit weiser Tatkraft. Er war es, der die Vielzahl der verstreuten Gemeinden zum athenischen Stadtstaat vereinte und ihm Gesetze und Verfassung gab. Mit seiner Gemahlin Hippolyte, die ihm einen Sohn, Hippolytos, schenkte, lebte er in glücklicher Ehe.

Unzertrennliche Freundschaft verband ihn mit Peirithoos, einem thessalischen Fürsten, der über das wilde Bergvolk der Lapithen herrschte. Er war nach Herakles und Theseus einer der berühmtesten Helden jener Zeit und hatte einst, eifersüchtig auf den Ruhm des Athenerkönigs, eine Begegnung mit ihm gesucht. Als die beiden Helden sich aber zum Kampfe gegenüberstanden, da fühlten sie sich von gegenseitiger Bewunderung und Achtung so sehr ergriffen, daß sie wie auf ein Zeichen plötzlich die Waffen ablegten und Freundschaft schlossen. Sie lebten seither als unzertrennliche Freunde.

Bald darauf heiratete Peirithoos die thessalische Fürstentochter Hippodameia und lud den Freund und Waffenbruder zur Hochzeitsfeier ein. Die Braut, aus dem Stamme der Lapithen, war von lieblicher Schönheit, die nichts von dem rohen Wesen ihrer Landsleute an sich hatte. Die Hochzeitsfeier wurde zu einem großen Freudenfest. Alle thessalischen Fürsten waren geladen, die Lapithen als Verwandte der schönen Braut, und auch die wilden Kentauren fanden sich ein. Sie lagen zwar sonst in ständigem Kampf gegeneinander, doch hatte ihre Verwandtschaft mit dem Bräutigam sie allen Groll vergessen lassen.

Als jedoch der Wein die Stimmung auf den Höhepunkt gebracht hatte, ließ einer der wildesten unter den Kentauren, durch den Anblick der schönen Braut verführt, sich dazu hinreißen, sie dem Bräutigam zu rauben. Und als der Rasende die hilflose Jungfrau an den Haaren aus dem Saale zu schleifen versuchte, wollte auch jeder seiner Gefährten eine der thessalischen Jungfrauen entführen.

Peirithoos stürzte sich mit den Verwandten der Braut auf die Störenfriede, und allen voran stand Theseus dem Freunde zur Seite. Er packte den Entführer, und als der Kentaur sich zur Wehr setzte, schlug er ihn, da er keine Waffe zur Hand hatte, mit einem schweren Trinkgefäß zu Boden.

Die weite Festhalle, aus der eben noch das Freudengeschrei der Feiernden geklungen hatte, war von wildem Kampfgetümmel erfüllt. Das Freundespaar stritt allen Lapithen voran und vertrieb die wütenden Kentauren. Peirithoos aber durfte sich des unbestrittenen Besitzes der Geliebten freuen und entließ den hilfreichen Freund mit Dank und Segenswünschen. Der gemeinsame Kampf hatte die Freundschaft für immer unlösbar geknüpft.

PHAIDRA

Das Alter des Theseus sollte nicht unter dem Glücksstern stehen, der seinem jugendlichen Heldenleben geleuchtet hatte. Als seine Gemahlin Hippolyte gestorben war, suchte der Vereinsamte neues Lebensglück in der Ehe mit der schönen Phaidra, einer jüngeren Schwester der Ariadne. Doch die schöne Frau, die an Gestalt und Klugheit der ersten Geliebten glich, war ihr nicht gleich an Treue und Edelmut. Sie warf bald die Augen begehrlich auf den jungen Hippolytos; zwar war sie sich des Unrechtes, das sie beging, bewußt und suchte die Neigung zu bekämpfen; doch die Leidenschaft war stärker als ihr Wille. Auch fand sie Unterstützung bei ihrer alten Amme, die sie in ihrer Liebe zu dem schönen Jüngling bestärkte. Ja, die Amme ging in Theseus' Abwesenheit soweit, den Jüngling in Phaidras Namen aufzufordern, den eigenen Vater vom Thron zu stoßen und die Herrschaft mit ihr zu teilen. Der unschuldige Hippolytos war über diese

Aufforderung so entsetzt, daß er mit seiner Stiefmutter nicht mehr unter einem Dache weilen wollte. Er eilte zum Haine der Göttin Artemis, der er sein Leben geweiht hatte, und beschloß, dort die Rückkehr des Vaters abzuwarten.

Die harte Zurückweisung durch Hippolytos, die Scham vor sich selbst, die Furcht vor dem Zorn des Königs Theseus und ihre in leidenschaftlichen Haß umgeschlagene Liebe trieben Phaidra in den Tod.

Aber rächen wollte sie sich noch als Tote an Hippolytos. Theseus fand in ihren Händen einen Brief, in dem sie den Jüngling bezichtigte, sie gegen ihren Gemahl aufgehetzt und in den Tod getrieben zu haben.

Voll Entsetzen ob dieses unfaßbaren Schicksalsschlages stand Theseus vor der Leiche des geliebten Weibes. Doch dann flehte er in maßlosem Abscheu die Rache Poseidons, seines Schutzgottes, auf den verworfenen Sohn herab: „Laß ihn, ich bitte dich, an diesem Tage die Sonne nicht mehr untergehen sehen." In diesem Augenblicke kehrte Hippolytos, der von Theseus' Rückkehr erfahren hatte, von der Jagd heim, um dem Vater alle Schändlichkeit der Stiefmutter zu offenbaren. Auf Theseus' Fluchworte antwortete er mit der Ruhe des guten Gewissens. Doch der Vater zeigte ihm die letzten Zeilen der Toten. Von einer Rechtfertigung wollte er nichts wissen; er verwies den Sohn aus dem Lande und wiederholte dabei seine entsetzliche Bitte an Poseidon.

Am Abend des gleichen Tages, ehe die Sonne unterging, erfüllte sich der Fluch des Vaters. Als der unschuldige Hippolytos, dem Verbannungsbefehl gehorchend, die Stadt verließ und die Straße am Meeresufer entlangfuhr, spie die See ein furchtbares Ungeheuer aus, das die Pferde scheuen ließ. In ihrer Angst vor dem Untier, das ihnen bald den Weg versperrte, bald ihnen zur Seite glitt, scheuten die Rosse, der Wagen stürzte um, und der unglückliche Hippolytos, der doch ein Meister im Wagenlenken war, wurde auf den Felsen zu Tode geschleift.

Während Theseus die Nachricht vom Tode des Hippolytos, den er für eine gerechte Strafe seiner Freveltat ansah, ungerührt hinnahm, stürzte wehklagend die frevlerische Amme zu ihm herein. Schreckliche Gewissensbisse zwangen sie, die Schuld der Stiefmutter zu offenbaren. So hatte Theseus an einem Tag sein Weib und seinen Sohn verloren.

Die Athener zeigten ihm, den sie einst als ihren Schutzgott verehrt hatten, nicht mehr die schuldige Dankbarkeit, wandten sich später sogar einem Gegenkönig zu und ließen den Helden, der dem Lande und seiner Vaterstadt so viele Wohltaten erwiesen hatte, in die Verbannung ziehen und dort einen einsamen Tod finden.

OIDIPUS UND SEIN GESCHLECHT

GEBURT UND JUGEND

Vorzeiten herrschte in Theben der König Laïos, ein Nachkomme des Kadmos, des Gründers der Stadt. Lange lebte er mit seiner Gemahlin Iokaste in kinderloser Ehe. Schließlich bat er das delphische Orakel um Rat. Doch dessen Spruch erfüllte ihn mit Schrecken. Wohl verhieß es ihm einen Sohn. „Aber du sollst wissen“, setzte der Orakelspruch hinzu, „daß es dir bestimmt ist, durch die Hand deines eigenen Kindes das Leben zu verlieren.“ Hier sollte sich der Fluch des Königs auf dem Peloponnes erfüllen, dem Laïos in seiner Jugend einst den Sohn entführt hatte.

Als daher dem Königspaar bald darauf ein Sohn geboren wurde, fürchteten sie den drohenden Götterspruch und ließen den Knaben mit durchstochenen Sehnen und gefesselten Füßen im wilden Gebirge aussetzen. Doch der Hirte, dem dieser Auftrag erteilt war, brachte es nicht übers Herz, das unschuldige Kind seinem grausamen Schicksal zu überlassen; er übergab es einem befreundeten Hirten an der Grenze, der die Herden des Polybos, des Königs von Korinth, weidete. Laïos und seine Gemahlin beruhigten sich nach der Aussetzung des Knaben; denn sie konnten nicht anders glauben, als daß das Kind von wilden Tieren zerrissen oder vor Hunger und Durst umgekommen sei. So waren sie von der Furcht, die ihnen der Orakelspruch bereitet hatte, erlöst und wußten sich doch frei von der Schuld des Kindesmordes. „Es ist besser, unser Kind ist auf diese Weise unschuldig gestorben, als daß es herangewachsen zum Vatermörder geworden wäre.“ So beschwichtigten die königlichen Eltern ihr Gewissen.

Der Hirt des Königs Polybos nahm indessen das Kind voll Mitleid mit zu seiner Frau, löste ihm die gebundenen Füße und verband die durchbohrten Sehnen. Nach seinen gräßlichen Wunden nannte er es Oidipus, den Schwellfuß. Zu arm, um das fremde Kind selbst aufzuziehen, brachte er es dann an den Königshof. Polybos und Merope, die kinderlos waren, fanden solchen Gefallen an dem schöngewachsenen Findling, daß sie ihn als eigen annahmen und aufzogen. Nur wenige im Lande wußten von dem wirklichen Sachverhalt; Oidipus galt als rechtmäßiger Sohn und Erbe des Königspaares und wuchs auch selber in diesem Glauben auf.

DER SPRUCH DES ORAKELS

Doch das Glück, das seiner Jugend zu leuchten schien, wurde durch das neidvolle Wort eines Mißgünstigen jäh zerbrochen. Ein korinthischer Fürstensohn, der das Verhältnis des Oidipus zu seinen Pflegeeltern kannte, warf ihm einst beim Festmahle, vom Wein erhitzt, seine dunkle Abkunft vor. „Wir wissen, daß du dich zu Unrecht königlichen Geblütes rühmst – dabei kennt niemand deinen Vater! Du bist des Polybos rechter Sohn nicht!“

Oidipus wollte sich voll Zorn auf den Beleidiger stürzen, doch er hielt ihn für betrunken und zwang sich, auf die Schmähung nicht zu achten. Aber es ließ ihm keine Ruhe, bis er vor das Königspaar trat und Aufklärung über seine Herkunft verlangte.

Der König und die Königin waren über die Frage des Oidipus zutiefst erschrocken. Sie wollten ihm aber nicht die volle Wahrheit sagen, um ihn nicht zu verlieren. Oidipus ließ sich jedoch nicht beruhigen und ging, ohne Abschied zu nehmen, nach Delphoi, um das Orakel zu befragen. Aber Phoibos Apollon gab ihm keine Antwort auf seine Frage nach Vater und Mutter, sondern stürzte den Unglückseligen in noch schwerere Seelenqualen, als er ihm die grausige Voraussage verkündete: „Du wirst deines Vaters Mörder werden, du wirst deine leibliche Mutter heiraten und verabscheuungswürdige Nachkommen haben."

Entsetzt wich Oidipus vom Heiligtum zurück, das Herz voll unaussprechlicher Angst. Solch verruchtes Tun zu vollführen sei ihm von den Göttern bestimmt?!

Diesem fürchterlichen Schicksal wollte er entgehen. Nie wieder würde er an den elterlichen Königshof nach Korinth zurückkehren, denn niemals, so schwur er sich, dürfe der Götterspruch in Erfüllung gehen! Da das Orakel die Frage nach seiner Herkunft unbeantwortet gelassen hatte, dachte er nicht anders, als daß Polybos und Merope seine wirklichen Eltern seien.

Heimatlos zog der Jüngling von dannen. Er gedachte, sich nach Boiotien zu wenden.

Noch in der Nähe des Orakels begegnete ihm am Ufer des Pleistos in einem tief eingeschnittenen Kreuzweg ein Reisewagen, dessen Lenker den schlichten Wanderer hochfahrend an den Wegrand trieb. Der Jüngling, von Natur jähzornig und durch den schrecklichen Orakelspruch im tiefsten erregt, versetzte dem Manne einen heftigen Stoß. Da schlug der vornehme Greis, der mit seinem Lenker und zwei Bedienten in dem Wagen saß, den Jüngling mit seinem schweren Reisestab.

Der gekränkte Oidipus verlor nun alle Beherrschung. Zum ersten Male gebrauchte er die Riesenkraft, die die Götter ihm verliehen, und hieb auf den Alten ein, daß er rücklings vom Wagensitz taumelte. Auch dessen drei Begleiter griff Oidipus an. Nur einer konnte entrinnen, die andern fielen unter den Schlägen des erregten Jünglings.

Ungerührt setzte er dann seine Reise fort. Die göttliche Drohung lastete so schwer auf seiner Seele, daß er den Zwischenfall schnell vergaß. Was kümmerte ihn der anmaßende Boiotier, gegen den er sich in der Notwehr verteidigt hatte?

Der Unglückliche hatte nicht die geringste Ahnung, daß der Greis, der keinerlei Zeichen einer königlichen Würde getragen hatte, der König Laïos von

Theben gewesen war, er ahnte nicht, daß er seinen leiblichen Vater erschlagen hatte, der sich ebenfalls auf dem Wege zum delphischen Apollon befand.

So hatte sich die furchtbare Weissagung, die Apollon dem König Laïos wie auch dem jungen Oidipus gegeben hatte und der beide entgehen wollten, an ihnen bereits erfüllt.

DIE WEITERE ERFÜLLUNG DES ORAKELSPRUCHES

Um jene Zeit wurde Theben von einem furchtbaren Untier heimgesucht. Es war die geflügelte Sphinx, die des Höllenhundes Schwester und halb Jungfrau, halb Löwin war. Auf einem Felsen vor den Stadttoren hatte sie sich niedergelassen und bedrängte die Menschen mit allerlei Rätseln, die sie von den Musen gelernt hatte. Wer nicht die richtige Lösung zu geben wußte, wurde von dem Untier unbarmherzig zerfleischt.

Zu der Bedrückung durch die Sphinx kam die traurige Kunde, daß der greise König Laïos auf seiner Reise zum delphischen Orakel von unbekannten Tätern erschlagen worden war.

Die Königin Iokaste teilte sich nun mit ihrem Bruder Kreon in den Thron von Theben. Als auch Kreons Sohn von der Sphinx getötet worden war, ließ Kreon öffentlich verkünden, daß der, der die Stadt von der Sphinx befreie, die Königskrone tragen und Gemahl der verwitweten Königin werden solle.

Damals zog gerade der heimatlose Oidipus in die Stadt ein. Weil ihm sein Leben wertlos schien, ließ er sich von dem königlichen Aufruf bestimmen, die Sphinx zu bestehen. Sogleich begab er sich zu ihrem Felsensitz und erklärte sich zum Wettkampf bereit. Das Untier blickte den schönen Jüngling höhnisch an und stellte ihm ein besonders schweres Rätsel: „Am Morgen ist es vierfüßig, am Mittag ist es zweifüßig, am Abend ist es dreifüßig; doch gerade wenn es sich auf den meisten Füßen bewegt, sind seine Glieder am wenigsten kräftig und behende.“

Oidipus konnte das Rätsel ohne Schwierigkeit lösen. „Das Rätsel bezeichnet den Menschen, der sich am Morgen seines Lebens, in der ersten Kindheit, auf allen vieren bewegt. In der Lebenszeit, da seine Kräfte erstarkt sind, bewegt er sich auf zwei Füßen, während der Greis am Abend seines Lebens wiederum eines dritten Fußes, eines Stabes, als Stütze bedarf."

Voller Scham und Wut erklärte die Sphinx sich für besiegt und stürzte sich vom Felsen in den steilen Abgrund. Da strömte aus der Stadt die Menge der Bürger. Sie priesen Oidipus als ihren Befreier und führten ihn in jubelndem Festzuge zur Königsburg. Iokaste reichte dem Retter der Stadt als Lohn ihre Hand zum Ehebund, ohne zu ahnen, daß es ihr eigener Sohn war, und Kreon, ihr Bruder, trat Krone und Macht an den neuen König ab.

EIN GÖTTLICHES STRAFGERICHT?

Lange Jahre lebte Oidipus glücklich an der Seite Iokastes, die ihm vier Kinder schenkte. Die Brüder Eteokles und Polyneikes waren Zwillinge, dann folgten zwei Töchter, Antigone und Ismene.

Niemand, am wenigsten der König selber, ahnte das grausige Geheimnis, das ihn zum fluchbeladenen Frevler hatte werden lassen. Er regierte die Geschicke des thebanischen Staates mit kluger Tatkraft und wurde wegen seiner milden und gerechten Art von allen Untertanen geliebt und geachtet.

Da wurde die friedliche Entwicklung Thebens durch ein schreckliches Unheil jäh unterbrochen. Eine entsetzliche Seuche, die Pest, begann unter dem Volke zu wüten. Alle Versuche der Ärzte und Priester, die Pest mit ihren Mitteln zu bannen, blieben vergeblich.

In ihrer Verzweiflung suchten die Einwohner bei ihrem Könige Schutz. Würde Oidipus, der einst die Stadt von dem Schrecken der Sphinx befreit hatte, nicht auch gegen dieses Unheil Rat und Hilfe wissen?

Ein mächtiger Volkshaufe, Ölzweige der Flehenden in den Händen, wälzte sich unter Klagegebeten zum Königspalast, den Herrscher um seine Hilfe zu bitten. „Wir wissen, daß die Götter dir günstig gesinnt sind", redete ihn als Wortführer ein Priester an, „denn als du damals die verderbliche Sphinx vernichtetest, ist dies sicherlich nicht ohne die Hilfe der Himmlischen geschehen. Darum vertrauen wir auf dich, König Oidipus, daß du dein Volk auch aus dieser Not befreien wirst!"

Das Herz voll innigen Mitleids, hatte der König diese Worte angehört. Wie sehr schmerzte ihn die Not seines Volkes! Seinen Schwager Kreon hatte er bereits zum delphischen Orakel gesandt, den pythischen Apollon nach dem Grunde des Unheils zu befragen.

Noch während er den Klagenden in freundlicher Milde zusprach, kehrte Kreon von seiner Reise nach Delphoi zurück. Vor dem Angesicht des versammelten Volkes überbrachte er dem König Apollons Antwort: „Willst du das Land von der Gottesstrafe befreien – denn eine Gottesstrafe ist es, die auf uns lastet – so säume nicht, den ruchlosen Frevler, der in unserer Mitte weilt, außer Landes zu jagen; noch ist der Tod des Königs Laïos ungesühnt."

Oidipus selber ahnte nichts von den wahren Zusammenhängen. Auch als man ihm von der Ermordung des Königs berichtete, der auf der Reise nach Delphoi am Kreuzweg in Boiotien getötet worden sei, blieb sein Geist noch mit Blindheit geschlagen. „Ich werde die Nachforschungen nach dem ruchlosen Täter selber betreiben", erklärte er dem Volke und entließ es; „und ich werde nicht rasten, bis ich ihn aus unserer Mitte gestoßen und damit das Unheil von uns allen genommen habe."

Sogleich ließ Oidipus im ganzen Lande und weit über die Grenzen hinaus öffentlich ausrufen, wer von dem Mörder des Königs Laïos irgendeine Kunde habe, der solle es am Königshofe bei hohem Lohn und Dank des Vaterlandes ansagen. „Auf ewig verflucht soll jeder Mitwisser sein, der seine Kenntnis nicht zum Nutzen der Stadtgemeinde ausspricht, doch auf das Haupt des Mörders selbst mögen die Götter alle Not und alles Verderben bringen! Wo er sich auch aufhalten mag, und suche er Schutz am Königshofe selbst", rief König Oidipus, „da soll der göttliche Zorn ihn treffen!"

DIE ENTHÜLLUNG DES GEHEIMNISSES

In Theben lebte, geachtet von hoch und gering, der blinde Teiresias. Man ehrte ihn wegen seiner göttlichen Sehergabe und stellte seine Weissagungen so hoch wie die des delphischen Orakels.

Der blinde Seher erschien an der Hand eines Knaben, der ihn zu führen pflegte, vor dem König. Oidipus begrüßte ihn ehrfürchtig und bat ihn in seinem und im Namen des ganzen Volkes, den Mord am König Laïos aufdecken zu helfen. „Laß deine Seherkunst walten, edler Teiresias", rief er, „und zeige uns den Weg, der unser so schwer bedrängtes Volk aus der Not herausführen mag!"

Mit undurchdringlichem Gesicht hörte der Seher die Bitte des Königs an. Dann streckte er abwehrend die Hände aus: „Wie furchtbar ist das Wissen, das die Götter dem Kundigen auferlegen! Nur Unheil bringt ihm solches Wissen! Ja, warum geben sie ihm zu schauen, was er doch nicht wenden kann?!"

Der Seher wollte heimgehen; aber Oidipus bat ihn so dringlich, und das Volk flehte ihn auf den Knien an, zu bleiben und sein Wissen zu offenbaren. Doch er blieb bei seiner Weigerung: „Laß mich gehen, König Oidipus; laß mich mit meinem Schicksal allein, wie du das deine tragen mußt!"

Da war des Königs Geduld zu Ende, und jäh entbrannte sein Zorn: „So gebe ich dir jetzt den Befehl, auszusprechen, was du weißt, und ich werde dich, sofern du weiterschweigst, als Mitwisser in Ketten legen und bestrafen!" Ja, er zieh ihn sogar der Beihilfe und erklärte in seinem Zorn, er traue ihm wohl selber die Täterschaft zu, wenn er nur das Augenlicht noch besäße.

Diese schweren Beschimpfungen lösten endlich dem Blinden die Zunge. „So will ich dir die göttliche Wahrheit verkünden, nach der du verlangst:

Du selber, Oidipus, bist der verruchte Frevler, den die Götter dich suchen heißen! Du selber bist der Ruchlose, der den König Laïos erschlug! Du selber bist der Gottvergessene, der wider alles menschliche Sittengebot gefrevelt hat!"

Aber immer noch blieb Oidipus mit Blindheit geschlagen, daß er die Wahrheit nicht erkannte noch verstand. Er setzte seine Beschimpfungen fort und warf dem blinden Seher vor, einen hochverräterischen Anschlag gegen ihn, den Erretter der Stadt, zu betreiben. Teiresias wiederholte seine furchtbare Aussage und ließ sich dann von der Hand des Jungen in sein Haus zurückführen. Als nun Kreon hinzutrat, beschuldigte der aufgebrachte Oidipus auch ihn hochverräterischer Zusammenarbeit mit Teiresias und ließ sich nur durch Iokastes Dazwischentreten von Tätlichkeiten zurückhalten. In heftigem Zorn schied Kreon von seinem Schwager.

Iokaste, die ja des Oidipus Gattin und seine Mutter zugleich war, hatten die Götter mit gleicher Verblendung geschlagen wie den unglücklichen Oidipus selber. Mit lauten Vorwürfen stimmte sie in seine Verwünschungen gegen Teiresias ein. „Was kümmert uns der Seher, mein Gemahl!" rief sie, „wir wissen doch, wie begrenzt seine Weisheit ist. Laß mich doch nur das Beispiel des Laïos, meines ersten Gatten, nennen! Ihm hatte das delphische Orakel einst vorausgesagt, er werde durch die Hand seines eigenen Sohnes sterben. Und dabei hat er, wie du ja weißt, den Tod durch freche Straßenräuber gefunden, die ihn am Kreuzweg erschlugen. Damit unser eigener Sohn niemals solcher Untat fähig werde, haben wir damals selber vorgesorgt; so schwer es uns im Herzen wurde, wir ließen ihn mit durchstochenen Füßen im wüsten Gebirge umkommen, um ihn vor frevlerischem Vatermord zu bewahren. – Da erkennst du die Seherkunst des göttlichen Apollon!"

Mit Hohnlachen hatte Iokaste die Worte ausgesprochen; doch Oidipus befiel namenloses Entsetzen. „Am Kreuzweg, sagst du, ist Laïos, dein erster Gatte, erschlagen worden? O laß mich hören, wie sein Aussehen war, wie seine Gestalt, wie sein Lebensalter?"

Die Königin verstand nicht seine Erregung. „Oft habe ich gedacht, daß du selbst ihm gleichest an Wuchs und Haltung", sagte sie leichthin; „weiß war sein Haar, denn er hatte die Blüte seiner Mannesjahre hinter sich."

Oidipus stand wie vom Donner gerührt. „Oh, ewig ist die Weisheit der Götter!" rief er voll Entsetzen. Die Blindheit, mit der sein Geist bisher geschlagen schien, wich tagheller Klarheit. Nun war ihm alles Gräßliche offenbar. Die Einzelheiten des Todes von Laïos ließen keinerlei Zweifel offen, daß er selber der Mörder des greisen Königs war. Der einzig Überlebende der Erschlagenen, der damals den Tod gemeldet hatte, war ein Diener, der, seit Oidipus im Lande war, gebeten hatte, möglichst weit von der Hauptstadt entfernt zu den Viehherden des Königs geschickt zu werden.

Oidipus ließ ihn holen. Doch ehe er am Königshofe erschien, traf ein Bote aus Korinth ein und brachte dem Oidipus die Meldung vom Tode seines Vaters Polybos, als dessen Thronerbe er ausersehen sei.

Wieder frohlockte Iokaste, deren Geist immer noch verblendet war, mit höhnischen Worten: „Das soll die Erfüllung eurer Weissagung sein, ihr Götter? Nun hört ihr es ja, daß der Vater, den Oidipus hat umbringen sollen, an Altersschwäche den friedlichen Strohtod gestorben ist!" Aber ihre und Oidipus' letzte Zweifel an der völligen Erfüllung der furchtbaren Voraussagen wurden gar bald durch den Diener zerstreut, der von den entlegenen Viehherden eintraf. Er berichtete vom Tode des Laïos durch niemanden anderen als Oidipus selbst. Und es war derselbe Mann, der vor vielen Jahren von den königlichen Eltern, von Laïos und Iokaste, den Auftrag erhalten hatte, den Neugeborenen im wilden Gebirge Kithairon auszusetzen. Jetzt gestand er der Iokaste, sein mitleidiges Herz habe ihn damals getrieben, das unschuldige Kind am Leben zu erhalten und einem befreundeten Hirten des korinthischen Königs zu übergeben. Und – o göttliche Fügung – dieser Hirte, der das Findelkind mit den durchbohrten Fersen dem König Polybos und seiner Frau Merope als Pflegesohn zugeführt hatte, er stand gerade jetzt als Bote vor Oidipus, ihn auf den verwaisten Thron seines Pflegevaters zu rufen.

So schloß sich der Ring in schrecklicher Weise, und die furchtbare Wahrheit wurde in ihrem ganzen Ausmaß offenbar.

FLUCHBELADEN

Oidipus glaubte, vom Wahnsinn befallen zu sein. Mit einem unmenschlichen Schrei irrte er verstörten Sinnes davon und stürzte mit dem blanken Schwert in der Faust durch den Palast, um die Frau, die ihm Mutter und Gattin zugleich gewesen, zu töten. Im Schlafzimmer, dessen verschlossene Tür er in rasender Wut erbrach, fand er die unglückselige Frau erhängt; sie hatte an sich selber das Gericht vollzogen. Lange starrte der von den Göttern so schwer Getroffene gedankenverloren auf die Leiche, dann riß er ihr plötzlich die goldenen Spangen aus dem königlichen Gewande, verfluchte in gräßlichen Worten seine Augen, die so viel verruchte Untaten geschaut hätten, und – bohrte sich die goldenen Nadeln in beide Augen, daß das Blut aus den Höhlen sprang und das Augenlicht erlosch! Aber noch war er in seinem rasenden Wahnsinn nicht beruhigt; er stürzte tastend auf die Freitreppe des Palastes, damit das ganze Thebanervolk ihn als den Mörder seines leiblichen Vaters, als den Gatten seiner leiblichen Mutter, als den von den Göttern verfluchten und verworfensten der Sterblichen anschaue.

Schweigend blickte das Volk auf den Herrscher, dem einst alle Liebe und Verehrung gegolten hatte. War er schuldig an diesem unmenschlichen Verhängnis? Nicht mit Verachtung oder Abscheu, sondern mit innigem Mitleid schauten sie auf ihn.

Voll Mitgefühl entzog Kreon den gebrochenen König dem Anblick der Menge. Oidipus, der den Schwager erst vor wenigen Stunden mit kränkenden Worten verdächtigt hatte, tat schmerzgebeugt Abbitte und bat ihn, die Königskrone zu übernehmen und sie seinen beiden Söhnen zu erhalten. Für seine unselige Mutter erbat er ein ehrliches Begräbnis, und die beiden unmündigen Töchter, Antigone und Ismene, empfahl er Kreons königlichem Schutze. „Mir selbst aber“, schloß er, „verbleibt nur, fluchbeladen aus dem

Lande ausgestoßen zu werden, das ich mit unmenschlichem Frevel belastet habe. Ich werde in die Verbannung ziehen und den Göttern die weitere Entscheidung über mein Leben überlassen.“

Er ließ seine Kinder zu sich kommen und legte ihnen segnend die Hände aufs Haupt. „Bewährt euch in Einigkeit und Frieden als treue Brüder, wenn ihr dereinst Krone und Reich übernehmt“, mahnte er die beiden Söhne, „damit Fluch und Verhängnis von dem thebanischen Königshause weichen mögen! Und euch, meine Töchter, mögen die Götter die gläubige Unschuld erhalten, die euer Wesen schmückt.“ Er dankte Kreon für alle Liebe und Treue, die er ihm erwiesen hatte, und wünschte auch auf ihn und seine Regierung den Segen der Götter herab.

Dann wandte er sich zum Gehen. Doch Antigone, die ältere der Töchter, beharrte in kindlicher Liebe darauf, den blinden Vater in die Verbannung zu geleiten.

VATER UND TOCHTER

An der Hand der treuen Tochter, die gewillt war, Not und Elend mit dem geliebten Vater zu teilen, ging Oidipus außer Landes. Niemand war Zeuge, als er, der einst als Retter der Stadt gefeiert und verehrt worden war, im Morgengrauen, einem Bettler gleich, in die Fremde zog. „Ich werde auf den Berg Kithairon in die Verbannung gehen, auf dem nach meiner Eltern Willen schon damals meine Grabstätte hätte sein sollen“, sprach er zu sich selbst. Dort sollten die Götter über sein Schicksal bestimmen. Er wandte deshalb zuerst seine Schritte nach Delphoi zum Orakel des Apollon; der Gott sollte die Entscheidung treffen.

Der Spruch des Pythiers war milde und hatte nichts von dem lastenden Fluch, der das Leben des Oidipus bisher bestimmt hatte. Die olympischen Götter mochten erkannt haben, daß der Unglückselige ohne seine Schuld gegen die heiligsten Gesetze der Menschheit verstoßen hatte. So barg die

Strafe, die sie ihm auferlegen mußten, doch die Aussicht, einmal von aller Schuldenlast befreit zu werden: „Wenn du in das dir bestimmte Land gekommen bist, wirst du bei den Eumeniden eine Zufluchtsstätte und ewiges Ausruhen finden."

Getröstet durch diesen Orakelspruch machte er sich mit Antigone auf den Weg, denn der Gott hatte die Rachegöttinnen die Eumeniden, die Wohlwollenden, genannt. So durfte Oidipus den Orakelspruch wohl als Verheißung auslegen. Zwar wußte er nicht, wo er die Rachegöttinnen, die Erinnyen, finden würde, doch er vertraute der weiteren Weglenkung durch die allwissenden Götter.

So zog er, von der frommen Tochter geleitet und gepflegt, durch die Landschaften Griechenlands. Er, der einst als mächtiger König über Tausende von Untertanen regiert hatte, bat um Almosen und nahm sie als Bettler aus mildtätiger Hand entgegen.

OIDIPUS AUF KOLONOS

Auf ihrer Wanderung gelangten Vater und Tochter in die Nähe der Stadt Athen, als der Blinde sich plötzlich getrieben fühlte, in einem schattigen Haine zu rasten. Ein Dorfbewohner, der herbeitrat, wollte ihm den Aufenthalt verwehren. „Der Boden hier ist geheiligt und duldet keinen Fuß eines Sterblichen." So erfuhr Oidipus, daß der Hain den Rachegöttinnen, den Eumeniden, geweiht sei, und er erkannte, daß er hier auf Kolonos am Ziel seiner Wanderung und am Ziel seiner Lebensreise angelangt sei.

Theseus selber, der damals in Athen als König herrschte, kam auf die Kunde von dem Eintreffen des blinden Fremdlings, der sich weigerte, den heiligen Hain zu verlassen, nach Kolonos. Ehrfurcht erfüllte ihn vor dem blinden Mann, der auch am Bettelstab noch gewaltig erschien; der Athenerkönig erkannte die ihm von den Göttern zugewiesene Aufgabe, dem so schwergeprüften Oidipus den letzten Teil seines Erdenweges leichtzumachen, und erlaubte ihm, auf dem geweihten Boden zu bleiben.

So hatte sich nach dem Willen der olympischen Götter das Geschick des Oidipus vollendet. Unter göttlichen Himmelszeichen, die die Landschaft am hellen Mittage in Finsternis senkten, ließ der Entsühnte sich von der frommen Antigone und von Theseus in den heiligen Hain geleiten. Tief im Waldesschatten an geweihter Stelle, die keines Menschen Fuß je betreten hatte, war die Erde geborsten: Nach uralter Sage war hier einer der Eingänge in die Unterwelt. Oidipus reinigte sich an der Quelle der Eumeniden, legte frische Opferkleidung an und nahm dann Abschied von der treuen Antigone und dem königlichen Gastfreund. Innig schlang er den Arm um die geliebte Tochter, küßte sie und legte ihr dann segnend die Hände aufs Haupt. Mit herzlichem Danke schied er von Theseus. Er hieß die beiden Begleiter sich umwenden und ging, kräftig ausschreitend wie ein Seher, über die offene Schwelle den Schlund hinab. Die Götter bezeugten ihre Teilnahme durch Blitz und Donner.

Als Theseus und Antigone sich nach einer Weile umschauten, hatten die Elemente sich beruhigt. Nicht Blitz, noch Donner, noch Wettersturm waren zu spüren; tiefe Stille umgab die beiden. Und – welch ein Wunder war geschehen? – der Erdspalt, durch den Oidipus zum Hades geschritten war, hatte sich lautlos geschlossen und den von seiner Erdenschuld Gereinigten aufgenommen.

Demütig warfen die beiden sich zu Boden und baten die Himmlischen, die im Olymp regieren, und die Unterirdischen um Frieden für den so unmenschlich vom Schicksal verfolgten Oidipus.

DER RACHEFELDZUG DES POLYNEIKES

Sollte der Götterfluch, der auf dem Leben des Oidipus so schwer gelastet hatte, auch seine Nachkommen treffen? War es das unheilvolle Hochzeitsgeschenk der Göttin Aphrodite an Thebens Gründer Kadmos, das Halsband aus kostbaren Steinen, das den Nachfahren weiterhin Verderben bringen sollte? Konnte denn das schreckliche Unglück, das Iokaste und Oidipus getroffen hatte, überhaupt noch überboten werden?

Als die beiden Zwillingsbrüder, Eteokles und Polyneikes, herangewachsen waren, hatte sie der Streit um das Thronerbe schnell in wilden Bruderzwist gestürzt. Eteokles riß Krone und Macht an sich und stieß den Bruder aus dem Lande.

Heimatlos, nur das Halsband der Vorfahrin in seinem Besitz, irrte der Vertriebene durch die griechische Landschaft, bis er bei Adrastos, dem Könige von Argos, Zuflucht fand. Bald liebte er dessen schöne Tochter Argeia, und gern nahm ihn der König als Eidam auf; dachte er doch, dem Polyneikes seinen väterlichen Königsbesitz zurückgewinnen zu helfen und die Tochter als Königin des mächtigen Theben sehen zu können.

Sogleich nach der Hochzeit ging deshalb König Adrastos daran, den Kriegszug vorzubereiten. Er rief die Helden seines Königshofes, mit ihm und dem Schwiegersohn sieben an der Zahl, zu den Waffen und rüstete sieben gewaltige Heerhaufen. Doch des Königs Schwager Amphiaraos, einer der sieben Helden, der die Gabe der Seherkunst besaß, weissagte einen schlechten Ausgang des Feldzuges. Er weigerte sich, am Zuge gegen Theben teilzunehmen, und verbarg sich mit Hilfe seiner Gattin Eriphyle, die des Königs Schwester war, in einer entlegenen Grotte. So schien alle Hoffnung des thebanischen Königssohnes auf Zurückgewinnung seines väterlichen Erbes vergeblich; denn Adrastos wollte auf keinen Fall ohne den Schwager, den er das Auge des Heeres nannte, den Feldzug wagen. Da griff Polyneikes zum letzten Mittel: Er versprach der Eriphyle das kostbare Halsband seiner Vorfahrin, wenn sie ihm das Versteck des Amphiaraos sage. Da sie schon lange nach dem funkelnden Geschmeide Verlangen getragen hatte, ließ sie sich zum Verrat an ihrem eigenen Gatten bestimmen. Sie führte den Polyneikes zu der Zufluchtstätte des Amphiaraos und nahm das Halsband als Lohn entgegen. Wider Willen mußte sich der Seher nun bereit erklären; doch beharrte er auf seiner Weissagung, die dem Heereszuge Niederlage und Untergang verkündete; seinem Sohne nahm er den heiligen Eid ab, ihn nach seinem Tode, den er voraussah, an der verräterischen Mutter zu rächen.

So konnte nichts mehr den Auszug aufhalten, und voll Siegeshoffnung rückte das mächtige Heer aus der Stadt.

ANTIGONE IN THEBEN

Antigone war nach ihres Vaters Tode bald wieder in die Heimat zurückgekehrt, so liebevoll der greise Theseus ihr auch Zuflucht geboten hatte. Ein unbestimmtes Gefühl drängte sie in die Nähe der Brüder, denn sie gedachte durch schwesterliche Liebe an ihnen den Fluch zu tilgen, der auf dem thebanischen Königshause lastete. Wie war sie entsetzt, als sie von der Vertreibung des geliebten Bruders Polyneikes aus der Heimat hörte, wie sehr mußte sie aber auch sein Vorhaben mißbilligen, das väterliche Theben durch Belagerung und Sturm zu gewinnen! So weilte sie nun in der Vaterstadt, die Eteokles mit aller Macht zur Verteidigung rüstete. Antigone war bereit, Thebens Schicksal zu teilen.

Hoch auf der Zinne des königlichen Palastes stand die Jungfrau und blickte auf das weite Blachfeld vor den Stadtmauern, wo sich das feindliche Heer lagerte. Rings vor den sieben Stadttoren, am Ufer des Ismenos entlang bis zum Niobe-Altar, schimmerte es vom Glanz der Rüstungen und erklang es von Waffengeklirr, vom Wiehern der Streitrosse und dem Dröhnen der Trompeten. Welch ungeheure Zahl wohlgerüsteter Krieger bedrängte die Stadt! Doch aus der bewegten Masse hoben sich wie Türme die sieben Helden, die Führer der Heerhaufen, heraus: Adrastos mit seinem Schwiegersohn Polyneikes, der Seher Amphiaraos und die anderen vier Helden. Mit welcher Liebe blickte die Jungfrau auf den Bruder in der Ferne – und wie zerriß es ihr das Herz, ihn als Feind vor den Mauern der Vaterstadt zu wissen!

DIE OPFERTAT DES KÖNIGSSOHNES

Bevor die Feinde zum Sturm gegen die befestigte Stadt ansetzten, sandte Kreon, der Oheim der Oidipuskinder, seinen jungen Sohn Menoikeus zu dem Seher Teiresias. Von seinem Knaben geleitet, erschien der blinde Seher alsbald vor Kreon und hörte dessen Wunsch, die göttliche Weissagung über den Ausgang der Schlacht zu erfahren.

„Wie oft schon", rief der Greis abwehrend aus, „habe ich dem thebanischen Königshause Unglück voraussagen müssen! Erlaß mir, Kreon, ich bitte dich, meinen Seherspruch, wie ihn mir der Vogelflug kündete!" Teiresias wollte sich zum Gehen wenden. Doch Kreon ließ nicht ab: „Laß mich den göttlichen Willen hören", bat er, „ich fühle mich stark genug, ihn zu ertragen!" – „So höre, daß die Rettung der Stadt deinem Hause schweren Schmerz bereiten wird!"

Kreon fuhr zusammen. „Ich begehre gleichwohl, den Spruch zu wissen", beharrte er finster. – Da fuhr der blinde Teiresias fort: „Der Jüngste aus Kadmos' Stamme muß sterben, so wird Kadmos' Stadt gerettet werden!" – Kreon schrie auf in unendlichem Weh. „Du kündest mir den Tod meines Menoikeus?" rief er. – „Wenn die Stadt gerettet werden soll!" entgegnete der Seher hart.

Kreon wollte den Greis mit zornigen Worten aus dem Palaste weisen. „So verdammt der Mensch die Wahrheit, wenn sie Leid bringt", sagte der blinde Seher bitter und wandte sich zum Gehen. Doch nun warf Kreon sich ihm zu Füßen und umfaßte unter Tränen seine Knie: „Nimm, ich flehe dich an, nimm den grausigen Spruch zurück und sag mir, daß ich meinen Sohn behalten darf!" – „Der göttliche Wille ist unabwendbar", versetzte Teiresias hart. „Wenn dein Sohn für die Stadt in den Tod geht, so rettet er sie vor dem Untergang, und grauenvoll ist das Schicksal, das Adrastos und seine Streiter erwartet." Der Seher entfernte sich schweigend.

In tiefer Verzweiflung blieb Kreon zurück. Wie gern hätte er selber den Tod für die Vaterstadt auf sich genommen, dem Götterwillen zu genügen! Bei dem Gedanken, den geliebten Sohn zu verlieren, wollte ihm das Herz brechen. „Flieh, Menoikeus, ich bitte dich, ich befehle es dir, flieh aus deiner Vaterstadt! Flieh aus dem Lande und suche beim göttlichen Heiligtum Schutz!"

„Wie gern gehorche ich deinem Willen, lieber Vater", entgegnete der Sohn mit frohen Blicken; „gib mir Reisegeld, so will ich handeln nach deinem Gebote!" – Seine Bereitwilligkeit beruhigte den erregten Vater. Doch als Kreon das Zimmer verlassen hatte, warf sich der Jüngling vor den Altar und bat die Gottheit für seine Lüge um Vergebung. „Wie undankbar wäre ich", rief er aus, „wollte ich die Vaterstadt verraten, der ich mein Leben verdanke! Was für ein Feigling wäre ich, wenn ich davor zurückschrecken wollte, den Seherspruch an mir selbst zu erfüllen und das Land vor der Gefahr zu schützen!"

Ohne zu zaudern, eilte der tapfere Königssohn zur Stadtmauer. Von der höchsten Zinne der Burg, die ihm weithin den Blick ins Land freigab, schaute er abschiednehmend auf die geliebte Heimatstadt. Im Angesicht der Feinde, auf die er alles Verderben der Götter herabwünschte, stieß er sich den Dolch in die Brust und stürzte von der Burgmauer in die Tiefe.

DER STURM AUF DIE STADT

Als die Angreifer zum Sturme gegen die siebentorige Stadt ansetzten, ahnten sie nicht, daß mit dem Tode des Menoikeus der Wille der Götter sich gegen sie gewendet hatte. Adrastos hatte jedem seiner Helden ein Stadttor zugeteilt, und mit ungeheurer Wucht rannten sie gegen die sieben Tore an. Doch Eteokles hatte in seinen Kriegern den Willen zu tapferer Verteidigung entfacht, so daß sie den Angriff heldenmütig abschlugen. Wo der Kampf am härtesten brannte und wo ein Stadttor in Gefahr war, da eilte Eteokles zur Hilfe heran. Wohl rissen Adrastos und Polyneikes die Angreifer zu immer neuem Sturme mit, doch die Thebaner, durch den ersten Erfolg ermutigt, hielten sich so tapfer, daß den Feinden nirgends der Einbruch gelingen wollte. Und als einer der Angreifer tollkühn die Sturmleiter anlegte, um sich über den Kranz der Stadtmauer zu schwingen, da griff Zeus selber mit seinen Donnerkeilen in die Schlacht ein und zerschmetterte den Verwegenen.

So mußte König Adrastos erkennen, daß die Götter selber seinen Mühen feind waren. Grollend ließ er die Trompete blasen und seine Krieger von den Toren zurückrufen. Die Thebaner aber, aufs neue ermutigt durch das Zeichen des Zeus, brachen mit verdoppelter Kampfeswut aus der Stadt heraus und stürzten sich auf die Weichenden. In wilder Flucht mußten die Männer aus Argos das Feld räumen.

DER ZWEIKAMPF DER BRÜDER

Zwar standen die Argeier tags darauf zu neuem Kampfe bereit, doch sie waren durch die blutigen Verluste aufs schwerste geschwächt. Aber auch die Thebaner, die sich des Sieges vom Vortage freuen durften, mußten mit Sorge weiteren Kämpfen entgegensehen. Sollte das blutige Gemetzel weiterhin die Besten aus beiden Heerlagern zum Opfer fordern?

Da faßte König Eteokles einen hohen Entschluß. Als das Heer der Feinde sich wieder zum Angriff sammelte, stieg er auf die Höhe seiner Burg und ließ durch den Herold Schweigen gebieten. Mit lauten Worten forderte er die beiden Kriegslager auf, von dem sinnlosen Morden zu lassen. „Laßt mich selber für euch kämpfen, mich selber und meinen Bruder Polyneikes, der mir diesen Königsthron streitig machen will! Möge unser Zweikampf den Zwist entscheiden und uns weiteres Blutvergießen ersparen! Schenken die Götter mir den Sieg, so werdet auch ihr alle mir das Recht auf Thebens Thron zuerkennen. Wenn aber Polyneikes mich im Zweikampfe niederwirft, so soll er Krone und Herrschaft übernehmen!"

Freudig stimmten beide Heere dem Vorschlage zu, denn alle waren es müde geworden, für den Vorteil eines Einzelnen weiterhin das Leben zu wagen. Unter feierlichen Eiden schloß man den Vertrag, und beide Kämpfer eilten, sich zum Kampfe zu rüsten. Die Freunde ließen es hüben und drüben nicht an Zuspruch und Ermunterung fehlen; jeder der Brüder wußte, um welch hohen Preis die Entscheidung ging.

Ehe man zum Zweikampf schritt, traten Teiresias und Amphiaraos aus beiden Heeren heraus, um aus der Opferflamme den göttlichen Willen sprechen zu lassen. Doch die Vorzeichen waren doppeldeutig und schienen beiden zugleich Sieg oder Untergang zu verkünden. Da hoben beide Helden die Hände zum Himmel und beteten um den Sieg.

Schmetternder Trompetenklang zerriß die Stille zwischen den Schlachtreihen, der Kampf begann.

Die Zuschauer hatten sich im Umkreise gelagert und blickten voll Erwartung auf die feindlichen Brüder. Wie zwei wilde Eber stürzten Eteokles und Polyneikes in den Kampf. Wütend schleuderten sie ihre mächtigen Speere, und wütend starrten sie dem Wurfe nach. Aber die Schilde wehrten den Wurf ab, und auch die Lanzen, mit denen sie nun aufeinander losstürzten, vermochten nicht das Ziel zu treffen, so geschickt wußten beide den Schild in der Abwehr zu führen. Doch als Eteokles für einen Augenblick das Bein darunter sichtbar werden ließ, nutzte Polyneikes blitzschnell die Gelegenheit, ihn schwer am Schienbein zu verwunden. Aber noch in das Triumphgebrüll der Argeier mischte sich der Schmerzensschrei des Polyneikes, denn der Bruder hatte beim Ausfall geistesgegenwärtig des anderen Blöße erspäht und ihm seine Lanze tief in die Schulter gestoßen.

Nun griffen beide zum Schwerte und schlugen aufeinander los, daß das Blachfeld laut von ihren Streichen widerhallte. Keiner der Kämpfer wollte dem anderen weichen. Da täuschte Eteokles den Bruder plötzlich durch einen Kunstgriff, zwang ihn, seine Stellung zu wechseln und traf den völlig Überraschten mit seinem Schwerte mitten in den Leib. Todwund sank Polyneikes zusammen.

Eteokles vergaß in seinem Siegesrausch jede Vorsicht; er stürzte auf den Bruder zu, um ihm Waffen und Rüstung zu entreißen. Doch das wurde auch sein Verderben: Der Sterbende hielt noch im Sturze sein Schwert fest in der Faust, und mit letzter Kraft bohrte er es dem Bruder tief in die Brust! Sterbend sank Eteokles neben seinem Bruder Polyneikes zur Erde.

DER AUSGANG DES KAMPFES

So hatte der Fluch, der auf dem unseligen Hause lastete, sich auch an den Söhnen des Oidipus, an den Zwillingsbrüdern Eteokles und Polyneikes, grausam erfüllt.

Jammernd warfen sich die thebanischen Frauen über die Leiche des Eteokles, der schnell verschieden war, und beklagten seinen Tod. Auch Antigone schritt aus der Stadt; in inniger Liebe nahm sie den sterbenden Polyneikes in ihre Arme, um seine letzten Worte zu vernehmen. Mit brechender Stimme wandte er den Blick der geliebten Schwester zu: „Wie sehr beklage ich dein Schicksal, teure Antigone“, seufzte er, „wie sehr auch das Schicksal meines Bruders, dem ich das Leben nehmen mußte. Erst jetzt weiß ich, wie sehr ich Eteokles geliebt habe!“ Mit letzter Kraft bat er Antigone, ihm ein ehrliches Begräbnis zu geben. „Laß mich, geliebte Schwester, in der Heimaterde ruhen! Tilge den Zorn, mit dem unsere Vaterstadt an mich denkt, damit sie mir nicht ein Begräbnis im Lande meiner Ahnen versagt und meiner Seele den Frieden nimmt!“

Antigone versprach dem Bruder, seine letzte Bitte zu erfüllen, und drückte dem Sterbenden die Augen zu. So starb Polyneikes in den Armen der Schwester.

Wer sollte jetzt als Sieger gelten, da beide Kämpfer ihr Leben gelassen hatten?

Die Argeier verlangten den Siegespreis für Polyneikes, der den ersten Stoß getan, die Thebaner für Eteokles, dessen Gegner zuerst unterlegen sei.

In dem Streite mußten schließlich erneut die Waffen entscheiden. Nun aber waren die argeischen Krieger im Nachteil, die im Vollgefühl ihres Sieges die Rüstungen bereits abgelegt hatten. Die Thebaner nutzten schnell ihre Überlegenheit, ordneten sich zum Angriff und fielen über den Feind her, ehe der sich rüsten konnte. In regelloser Flucht ließen die Argeier sich durch die Ebene treiben und verloren unter dem Wüten der thebanischen Waffen den größten Teil ihres stolzen Heeres. Den Argeierkönig selber rettete das geflügelte Roß von göttlicher Herkunft, das er ritt, während alle seine Helden den Tod fanden. Ringsum hallte das weite Feld wider vom Triumphgeschrei der siegreichen Thebaner.

So sollte sich die göttliche Weissagung, die Amphiaraos vergeblich abzuwenden versucht hatte, an Adrastos und seinen Kriegern grausam erfüllen.

DAS GEBOT DES KÖNIGS

Wieder übernahm der alte Kreon die Königsherrschaft über Theben, die er bereits nach dem Tode des Laïos geführt hatte, bis Oidipus sie gewann, und nach dem Auszug des Oidipus, bis Eteokles König geworden war.

Feierlich ließ König Kreon das Begräbnis für den gefallenen Eteokles rüsten. Mit allen königlichen Ehren trug man den jungen Herrscher, der für die Vaterstadt sein Leben gelassen hatte, zu Grabe. Alle Bewohner folgten dem Leichenzuge und opferten trauernd dem Toten.

Indessen lag Polyneikes unbestattet auf dem Schlachtfelde vor der Stadt. Niemand wagte, ihm ein ehrenvolles Begräbnis zu geben, denn der neue König hatte durch seine Herolde strenges Verbot erlassen, den Feind des Vaterlandes zu bestatten. „Bei meiner königlichen Macht“, so ließ er verkünden, „erkläre ich Polyneikes, der sich mit Thebens Feind verbündet hat, die Vaterstadt mit Waffengewalt zu berennen und mit Feuer zu zerstören, die Götter unserer Heimat zu stürzen und die Einwohner zu knechten, zum Feinde Thebens. Niemand, so befehle ich bei meinem königlichen Zorn, darf ihn beweinen, niemand ihm ein Begräbnis geben; unbestattet und in Unehren soll sein Leichnam liegen bleiben, den Vögeln und Hunden zum

Fraße! Wer meinem Verbote zuwiderhandelt, der soll, bei meiner königlichen Macht, des Todes sterben!"

Kreon ließ Wächter aufstellen, die die Befolgung seines Gebotes überwachen sollten. Wer würde es nun wohl noch wagen, dem königlichen Befehl zu trotzen?

Mit schwerem Herzen hatte Antigone die grausame Ankündigung vernommen. Konnte man ihr, der liebenden Schwester, die Erfüllung ihrer Pflicht verbieten, konnte man ihr versagen, das Versprechen zu halten, das sie dem Sterbenden gegeben hatte? Vergeblich suchte sie Hilfe bei der jüngeren Schwester. Ismene hatte nichts von Antigones Entschlossenheit. „Willst du denn", fragte sie entsetzt die Schwester, „das grausige Schicksal unserer Familie auch auf dich und mich ausdehnen?" Bitter enttäuscht wandte sich Antigone von der Schwester ab. –

Zögernd und gebeugten Hauptes trat in der Frühe einer der Wächter vor König Kreon. „Der Leichnam des Polyneikes, den du uns zu bewachen gebotest", meldete er bedrückt, „ist in der letzten Nacht bestattet worden. Wir wissen nicht, wer der Täter ist. Wir wissen auch nicht, wie er sein Werk trotz unserer Bewachung hat durchführen können."

Der König war außer sich vor Zorn. „Ihr alle werdet mir für den Täter mit euren Köpfen haften, wenn ihr mir ihn nicht herbeischafft!" Er befahl sogleich, den Leichnam wieder auszugraben und auf das freie Feld zu legen.

Die Wächter ließen sich wieder bei dem Toten nieder. Da erhob sich gegen Mittag plötzlich ein wütender Wirbelsturm, der die Landschaft ringsum in Staub hüllte. Die Wächter suchten Zuflucht vor dem Wüten der Natur und bedachten ängstlich, welche Bedeutung wohl solches Vorzeichen habe, als sie eine Jungfrau sich der Leiche nähern sahen. Wehmütig klagend, wie ein Vogel, dem man das Nest geleert hatte, betrachtete sie das grausame Werk der Wächter. Und ehe diese eingreifen konnten, warf die Jungfrau aus einem kleinen Kruge dreimal ein wenig Erde auf den Toten. So war dem Versprechen Genüge getan – des Polyneikes Geist würde nicht ruhelos umherzuirren brauchen. – Schon waren die Wächter herbeigeeilt und ergriffen die Täterin auf frischer Tat. Widerstandslos ließ sich Antigone abführen.

ANTIGONE UND KREON

Der König tobte vor Zorn, als ihm die neue Übertretung seines Gebotes gemeldet wurde. Doch wie entsetzt war er, als man ihm seine Nichte Antigone als Täterin zuführte!

„Gestehst oder leugnest du die Tat, deren man dich zeiht?“ herrschte er sie an. „Ich gestehe sie“, entgegnete sie fest mit erhobenem Haupte. – „Und das Gesetz, das du übertratest, war dir bekannt?“ – „Ich kannte es wohl“, erwiderte sie schlicht. Kreon blickte sie fragend an.

„Jawohl, ich kannte es, König Kreon!“ rief sie entschlossen, „aber ich kenne auch andere Gesetze, die von den unsterblichen Göttern herstammen und die für alle Ewigkeit gelten. Gesetze, die kein Sterblicher ungestraft übertreten hat. Und ein solches Gesetz lehrt mich, den leiblichen Bruder, den toten Sohn meiner Mutter, nicht unbestattet liegen zu lassen.“

Die hoheitsvolle Haltung, in der Antigone sich zu ihrer Tat bekannte, vermochte Kreons harten Sinn nicht zu rühren; durch ihren kühnen Widerspruch wurde er noch mehr aufgebracht. „Bist du gekommen, mich zu belehren?“ rief er erregt. „Und meinst du nicht, ich habe die Macht, deine starre Sinnesart zu beugen?

Doch die Jungfrau beharrte stolz bei ihrem Bekenntnis. „Den toten Bruder zu ehren, ist Schwesternpflicht“, sagte sie ruhig; „ich weiß, daß alle Thebaner meine Tat im Herzen billigen und daß nur die Furcht vor deiner Tyrannei ihnen den Mund verschließt, mein Tun gutzuheißen.“

Das Beispiel der Schwester hatte Ismene so tief ergriffen, daß sie alle weibliche Furcht abgelegt hatte und sich entschlossen vor Kreon als Mitwisserin der Tat bekannte. Aber vergeblich mahnte sie den König an die verwandtschaftlichen Bande, die ihn mit der Tochter seiner Schwester verknüpften, vergeblich gab sie ihm Kunde davon, daß sein Sohn Haimon sich heimlich mit Antigone verlobt habe. „Willst du durch ihren Tod deines Sohnes Glück zerstören?" fragte sie schluchzend.

Doch Kreon zeigte sich taub gegen alle Bitten und Vorstellungen; er ließ beide Schwestern ergreifen und ins Gefängnis werfen.

Da eilte Haimon herbei, um für die geliebte Braut zu bitten. Er wagte es, dem Vater von der Stimmung der Bürger zu sprechen, die den harten Sinn des Königs verurteilten, Antigones Handlung aber höchsten Ruhmes für wert hielten. „Glaube mir, Vater, niemand in der Stadt will einsehen", sagte er drängend, „daß eine Schwester, die der Seele des toten Bruders Ruhe bringen will, den Tod verdient habe."

Aber so vorsichtig Haimon seine Worte auch setzte, um den erregten Vater umzustimmen, Kreon hörte aus ihnen nur Widersetzlichkeit und Ungehorsam. „Willst du unerfahrener Knabe deinen Vater belehren?" fuhr er auch ihn hart an. „Ich merke nur zu gut, daß blinde Liebe zu dem verbrecherischen Mädchen dich gefangen hält! So darfst du wissen: Ich werde meine Hände nicht durch ihren Tod beflecken!"

Haimon wollte mit frohem Dank auf den Vater zueilen, doch dessen abwehrende Hand hielt ihn zurück. „Ich nicht", fuhr der König mit hämischem Lächeln fort. „Aber in eine Felsenkammer werde ich sie einschließen mit Wegzehrung für soviel Tage, daß ich an ihrem Tode schuldlos bin. Vielleicht wird der Gott der Unterwelt, dem sie größeren Gehorsam zollt als der irdischen Obrigkeit, sie gnädig befreien!"

Haimon wich entsetzt zurück; doch ehe er ein weiteres Wort der Bitte aussprechen konnte, hatte Kreon sich von ihm abgewandt und gab den Befehl, seine grausame Weisung in die Tat umzusetzen. Vor aller Augen wurde Antigone in die Gruft geführt, die der Wille des Königs ihr zum Grabe bestimmt hatte.

Die tapfere Jungfrau stieg furchtlos die Stufen hinab. „So werde ich bald mit meinen Lieben vereinigt sein!" rief sie. „Mögen die Götter meinem Tode gnädig sein und den Fluch, der auf unserer Familie liegt, für immer lösen!"

KREONS STRAFE

Doch noch sollte es nicht genug des grausamen Schicksals sein, das auf dem thebanischen Königshause lastete. Die Götter, die Kreons Frevel nicht ungesühnt lassen wollten, sandten neues Unheil. Noch am gleichen Tage erschien der greise Teiresias im Herrscherpalast und begehrte den König zu sprechen: „Kannst du es noch weiter mit ansehen, König Kreon, daß der Leichnam des erschlagenen Königssohnes unbestattet auf freiem Felde liegt, den Hunden und Vögeln zum Fraße? Schweren Zorn der Götter kündet mir der Flug der Vögel, und die Opferschau weist mir Fluch des Schicksals, König Kreon, schweren Schicksalsfluch!"

Der Herrscher blickte starr vor sich hin. „Die Götter zürnen dir sehr, da du am toten Königssohn solch unmenschlichen Frevel begehst", fuhr Teiresias mahnend fort; „sei nicht halsstarrig, o König, ich bitte dich, laß ab von deinem harten Sinn und töte den Polyneikes nicht zum zweiten Male! Gib dem Erschlagenen die Ruhe, nach der seine Seele verlangt!"

Kreons starrer Sinn blieb hart und unzugänglich. Ja, er fuhr den greisen Seher mit bösen Worten an und zieh ihn der Lüge und des Betruges. Da war auch Teiresias am Ende seiner Nachsicht, und schonungslos riß er den Schleier von dem Dunkel, das dem König die Zukunft verhüllte. „Noch ehe die Sonne zur Ruhe geht", rief er erregt, „werden die Götter aus deinem Blute einen Toten als Sühne für die zwei, die du verschuldet, fordern! Denn doppelt sündigst du, da du der Unterwelt den Toten vorenthältst, der ihr gehört, und der Menschenwelt die Lebende, die nach dem Sonnenlicht der Freiheit verlangt!"

Ungerührt sah Kreon den Seher davongehen. Doch dann packte ihn jäh die bebende Angst. In erregter Eile berief er den Rat der Ältesten, sich mit ihnen zu besprechen. Einstimmig rieten ihm die erfahrenen Greise, des

Sehers Weisung nicht zu mißachten und dem Toten wie der Lebenden ihr Recht zu geben. Der König wollte sich nur schwer zu solchem Entschluß bestimmen lassen; aber aller Mut war ihm geschwunden, und ängstlich willigte er ein, um das Verderben, das der Seher seinem Hause verkündet, noch im letzten Augenblicke abzuwenden.

Kreon selber begab sich mit seinem Gefolge auf das Feld, wo Polyneikes immer noch unbestattet lag. Welch unmenschlichen Anblick bot die grausam zerfetzte Leiche! Konnte ein Mensch solchen Frevel befehlen oder auch nur dulden?

Der König ließ den Leichnam sogleich aufnehmen, mit geweihtem Wasser benetzen und dann in reinigendem Feuer verbrennen. Aus heimatlicher Erde, nach der sein letzter Wunsch so sehr verlangt hatte, türmten sie ihm den Grabhügel. „Möge seine Seele nun Ruhe finden", murmelte Kreon, ehe er sich zum Gehen wandte.

Er schritt nun zu der Felsengruft, in der er die unglückliche Antigone dem Hungertode hatte überlassen wollen. „Beeile dich, o König", rief ihm einer der Begleiter zu, den er ängstlich vorausgeschickt hatte, „beeile dich, denn ich höre furchtbare Klagelaute aus der Todesgruft dringen!" Kreon hastete weiter, denn auch er hatte das Wehklagen vernommen und die Stimme Haimons, seines Sohnes, erkannt.

Was mußte er erblicken, als er voll Sorge durch den Spalt am Eingang schaute! Der Atem wollte ihm stocken, das Herz wollte ihm brechen in unendlichem Schmerz: Im Hintergrunde des Felsengewölbes erblickte er Antigone, seine Nichte, die sich an ihrem Schleier aufgeknüpft hatte! Entseelt hing der Leichnam der Jungfrau in der Schlinge. Und vor ihr kniete Haimon, sein Sohn, und klagte um die geliebte Braut. Er stieß gräßliche Fluchworte gegen den Vater aus, der den Tod der Geliebten verschuldet hatte.

Kreon ließ eilends den Stein beiseite wälzen und betrat die düstere Gruft. Da riß Haimon mit schrecklichem Aufschrei das Schwert aus der Scheide und – stürzte sich auf den Vater! Nur durch schnelle Flucht konnte Kreon dem Stoß ausweichen. Mit wirrem Blick starrte der Sohn ihm nach. Dann wandte er sich wieder der toten Braut zu, und – langsam stieß er sich die doppelschneidige Waffe ins Herz! Im Hinsinken umfaßte er die Geliebte und hauchte über ihr sein Leben aus.

Kreon mußte mit eigenen Augen das furchtbare Bild schauen. Entsetzt stürzte er auf den Sohn zu, ihm das Schwert zu entreißen, doch es war zu spät. –

Aber noch war das Maß des grauenvollen Unglücks nicht erfüllt. Als Kreon die Leichen der beiden Liebenden nebeneinander hatte betten lassen und ganz verzweifelt zum Königspalaste zurückwankte, da erwartete ihn neues Leid. War denn sein entsetzliches Schicksal überhaupt noch zu überbieten? Ungläubig hörte er die Botschaft: Eurydike, seine Gattin, zu der die Schreckensnachricht von Antigones und Haimons Tode schon geeilt war, hatte sich im Innern des Palastes mit seinem eigenen Schwerte den Tod gegeben! Völlig vereinsamt mußte Kreon sein weiteres Schicksal tragen.

So endet die Sage von Oidipus und seinem Geschlecht.

Laokoon und seine Söhne

Vorbereitung eines Wagenrennens

DER TROJANISCHE KRIEG

AM ANFANG STAND DIE ZWIETRACHT

Als Peleus, der König von Phrygien, mit der Meernymphe Thetis Hochzeit feierte, wurden alle Götter zu Gast geladen. Nur Eris, die Göttin der Zwietracht, schloß man aus. Voller Zorn über solche Beleidigung erschien sie plötzlich auf dem fröhlichen Feste und warf mitten unter die Gäste einen goldenen Apfel mit der Aufschrift: „Für die Schönste!" Da entbrannte eifersüchtiger Streit unter den Göttinnen, und schließlich beanspruchte eine jede, Hera, Athene und Aphrodite, den Preis für sich. Als keine vor der andern zurücktreten wollte, sprach Zeus sein Machtwort: „Paris, ein Sohn des Trojanerkönigs Priamos, soll den Streit entscheiden."

Die drei Göttinnen begaben sich zum Berge Ida, wo der Jüngling die väterlichen Herden hütete, und jede von ihnen versuchte, ihn für sich zu gewinnen. „Alle Macht auf Erden verspreche ich dir", begann Hera. – „Ich verheiße dir Ruhm unter den Menschen", fuhr Athene fort. – „Erkennst du mir den Preis zu", sprach Aphrodite, „so wirst du durch mich die schönste Frau der Welt gewinnen."

Da entschied sich Paris für die Liebesgöttin, vor deren Schönheit und Anmut der Reiz der andern erblaßte; Hera und Athene aber wandten ihm beleidigt und voll göttlichen Zorns den Rücken.

Aphrodite geleitete ihren Schützling zu Schiff nach Europa hinüber, wo Paris beim König Menelaos von Sparta zu Gast war. Viele Wochen genoß er dort die Gastfreundschaft, doch er vergalt sie mit schändlichem Undank: Er beredete Helena, die schöne Gattin des Königs, mit ihm nach Troja zu entfliehen. Während Menelaos abwesend war, entführte er sie mit vielen Schätzen auf seinem Schiffe.

Der betrogene Gatte wollte Rache für die erlittene Kränkung nehmen. Er rüstete zu einem gewaltigen Zuge gegen Troja. Es wurde ihm nicht schwer, zahlreiche Helfer zu finden, denn als Tyndareos, Helenas Vater, sich einst unter den zahlreichen Freiern seiner Tochter Menelaos zum Eidam erwählte, hatte er alle anderen durch einen Eid verpflichtet, seinem zukünftigen Schwiegersohn stets zur Seite zu stehen. So kamen auf den Ruf des Menelaos sogleich dessen mächtiger Bruder Agamemnon, der über Mykene herrschte, der herrliche Achilleus, der gewaltige Aias, der listenreiche Odysseus von Ithaka, der greise Nestor von Pylos mit ihren Helden und viele andere tapfere Männer. Unter ihnen waren eine große Anzahl junger Königssöhne, die auf Abenteuer begierig waren. Keiner wollte fehlen, wo Ruhm und Beute winkten.

So rüsteten alle Stämme Griechenlands zum Kampf gegen Troja (Troia).

VON AULIS NACH TROJA

Die Bucht von Aulis in Boiotien war zum Sammelplatz für Heer und Flotte bestimmt; mehr als tausend Schiffe kamen dort zusammen. Der mächtige Agamemnon wurde Oberbefehlshaber.

Als endlich alles zur Abfahrt bereit war, fehlte den Schiffen ein günstiger Fahrwind. War es ein Gott, der die Windstille schickte? Kalchas, der Seher, nannte den Grund: Die Göttin Artemis zürne dem Agamemnon, der einst auf der Jagd eine heilige Hirschkuh erlegt hatte. Als Sühneopfer verlange sie Agamemnons älteste Tochter!

Unsagbar war der Schmerz des Vaters. Doch die Aufgabe, der er diente, verlangte von ihm, zu einem solchen Opfer bereit zu sein. Unter einem

Vorwande ließ er Iphigeneia aus Mykene holen. Man sagte ihr, sie sei dem Achilleus zur Frau bestimmt. Als die Jungfrau den wahren Grund erfuhr, war sie zum Opfertod bereit. Schon stand Iphigeneia vor dem Altar, schon hob der Priester das Opfermesser, da fühlte sich die Göttin durch Agamemnons Gehorsam und seine erlittene Seelenqual versöhnt. Sie entrückte das Mädchen in einer Wolke und legte dafür eine Hirschkuh auf den Opferaltar.

Jetzt endlich konnte das mächtige Heer mit günstigem Wind unter Segel gehen. Schon in wenigen Tagen erreichte die Flotte die Küste von Troja, wo man die Schiffe ans Land zog. In der Ebene des Flusses Skamandros ließen die Führer das Schiffslager errichten; Zelte und schilfgedeckte Erdhütten nahmen die griechischen Krieger, die Achaier, auf. Vier Wegstunden weit breitete sich die troische Ebene als vortreffliches Schlachtfeld aus; in seiner Mitte ragte weithin sichtbar die herrliche Stadt und Burg Trojas zum Himmel auf.

Um die vielen Kämpfer zu ernähren, durchzogen die griechischen Kriegsvölker plündernd das Land, führten das Vieh weg und schnitten die Ähren auf den Feldern. Der göttliche Achilleus rühmte sich später, allein mit seinen Myrmidonen zu Schiffe zwölf und zu Lande elf reiche Städte erobert zu haben. Die Beute, die man einbrachte, wurde gerecht verteilt. Agamemnon erhielt jedoch als Oberbefehlshaber stets den besten Anteil.

Die Helden vollbrachten in diesem Ringen gewaltige Taten. Ungezählte Männer sanken in den Tod, denn auch die Trojaner (Troer) stellten tapfere und kampfgewohnte Krieger. Allen voran kämpfte dort Hektor, der älteste Sohn des Königs Priamos. Selbst die Götter griffen in den Streit ein; Aphrodite und Apollon standen auf seiten der Trojaner, Hera und Athene aber, die durch das Urteil des Paris gekränkt waren, unterstützten die Griechen.

Jahr um Jahr verging unter solchen Kämpfen. Die Troer wußten sich in ihren hochragenden Mauern sicher, deren Erstürmung selbst das gesamte Achaierheer nicht wagen konnte.

APOLLON RÄCHT SEINEN PRIESTER

So trat man in das zehnte Jahr der Belagerung ein. Vergeblich hatten sich die griechischen Führer bemüht, ein Ende zu erzwingen, vergeblich suchten sie die Trojaner durch Schmähreden zur letzten Entscheidung herauszufordern. Viele der griechischen Krieger waren des langen Krieges müde geworden und sehnten sich nach dem Ende des Streites.

Da schien sich das Kriegsglück von den Achaiern abzuwenden. Agamemnon hatte auf einem Beutezug ein Städtchen geplündert, in dem der fromme Chryses als Priester ein Heiligtum Apollons verwaltete. Diesem hatte er seine schöne Tochter Chryseïs genommen.

Im priesterlichen Schmucke und mit reichen Lösegeschenken erschien der tiefbetrübte Vater im Griechenlager, um die Freiheit der Tochter zu erbitten. Doch Agamemnon wollte nicht von der Jungfrau lassen; er fuhr den Alten mit Schimpfworten an und jagte ihn unter Drohungen aus dem Lager. Voller Schmerz irrte der Priester am Gestade des Meeres umher. Dann hob er verzweifelt die Hände zu seinem Gotte empor: „Fernhintreffender Apollon", rief er flehend, „hilf deinem Priester und räche Agamemnons Freveltat!"

Apollon erhörte ihn. Er verließ den Olymp, ließ sich in einiger Entfernung von den Schiffen nieder und entsandte seine tödlichen Pfeile in das Heerlager der Griechen. Wen sie ereilten, den raffte die Pest dahin, zuerst die Tiere, dann auch die Menschen.

Schrecken und Niedergeschlagenheit befiel die Griechen. Man befragte Kalchas, den Priester, nach dem Grunde des göttlichen Zornes. Zögernd nur nannte er Agamemnon als den Schuldigen; erst wenn der Völkerfürst dem Wunsche des Chryses willfahre und ihm die Tochter zurückgebe, werde die Seuche aufhören. In grimmigem Zorn gehorchte Agamemnon, doch als

Entschädigung für die Jungfrau verlangte er die schöne Brisëis, die Lieblingssklavin des Achilleus.

Heftiger Streit entbrannte nun zwischen den beiden Fürsten; schon standen sie sich mit funkelnden Schwertern gegenüber, schon hob Achilleus die Waffe, da trennte Pallas Athene die Streitenden, und Nestor, hochgeehrt wegen seiner Weisheit und Erfahrung, beschwichtigte die Gegner.

Achilleus fügte sich dem Willen und den Drohungen Agamemnons und trat ihm die Jungfrau ab. Doch grollend zog er sich ans Gestade zu seinen Schiffen zurück, entschlossen, nicht mehr am Kampfe teilzunehmen. Er klagte seiner Mutter Thetis, der Meergöttin, sein Leid, und Thetis, die eilends aus der blauen Tiefe emportauchte, versprach ihm ihre Hilfe. Sie wollte Zeus bitten, den Troern solange Sieg auf Sieg zu gewähren, bis Agamemnons Streitmacht geschwächt sei und er selber einsehe, welches Unrecht er begangen hatte, als er den Tapfersten der Griechen zu beleidigen wagte.

Unmutig schwieg Zeus, als Thetis in aller Frühe aus den dunklen Wogen des Meeres zum Olymp emporstieg und um Rache für ihren Sohn bat. Sie flehte so herzlich, daß er ihrer Bitte nicht widerstehen konnte und mit seinen dunklen Brauen Gewährung nickte. Ein trügerisches Traumbild erschien Agamemnon in Nestors Gestalt und ließ ihn wissen, er werde gegen die Feinde siegreich sein. Da rief er seine Krieger zum Kampfe auf. Wie die Scharen der Zugvögel, die in dichten Schwärmen durch die Luft ziehen, so kamen sie von den Schiffen herbei. Auch die Troer strömten aus der Stadt hinaus.

ZWEI MÄNNER KÄMPFEN UM HELENA

Als die Heere gegeneinander vorrückten und einander auf Wurfweite nahegekommen waren, da sprang Hektor plötzlich zwischen die Schlachtreihen und hob den Speer: „Haltet ein, ihr Griechen und ihr Troer! Ehe wir wieder die Waffen sprechen lassen, mag ein Gottesurteil diesen Völkerstreit entscheiden!" Paris lasse durch ihn dem Menelaos einen offenen Zweikampf anbieten, fuhr er fort, wer darin unterliege, solle dem Sieger die schöne Helena mit allen Schätzen überlassen, und mit dem Tode des Besiegten solle auch der unglückselige Krieg beendet sein.

Menelaos war freudig einverstanden, und auf seinen Wunsch kam der alte König Priamos herbei, um mit feierlichen Opfergebräuchen den Vertrag zu beschwören.

Alle Krieger stimmten voll Freude zu, sollte doch der langandauernde Krieg nun schnell entschieden werden. Trojaner und Griechen legten Waffen und Rüstung ab und standen, auf ihre Schilde gelehnt, einander gegenüber, um dem Zweikampfe zuzuschauen.

Hoch oben auf der Zinne der Burg sah man die trojanischen Greise versammelt. Auch Helena hatte ihr Frauengemach verlassen und gesellte sich den weisen Ratgebern des Königs zu. Welch seltsame Gefühle entbrannten in ihrer Brust, als sie ihre Landsleute so nahe vor Augen sah! Menelaos, ihr rechtmäßiger Gemahl, erschien ihr so herrlich, daß sie Tränen der Rührung vergoß und ihr eigenes Schicksal bitter beklagte. Priamos tröstete sie mit väterlichen Worten. Selbst die Greise blickten mit Wohlgefallen auf Helenas Schönheit. „Nicht verwunderlich", meinten sie zueinander, „daß Troer und Griechen um solch ein herrliches Weib den zermürbenden Krieg entfesselt haben!"

Hektor und Odysseus hatten inzwischen den Kampfplatz abgemessen. Dann warfen sie zwei Lose in den Helm, um über den Kampfbeginn zu entscheiden; Paris hatte den ersten Wurf.

Der Zweikampf begann. Paris schleuderte seinen Wurfspieß mit heftigem Schwunge auf den Gegner, doch er prallte an dessen Schilde ab. Nun schwang Menelaos seine Waffe, durchbohrte den Schild des Paris und fuhr mit bloßem Schwerte auf ihn los; sicherlich hätte er ihm den Schädel gespalten, wäre an dem harten Helm nicht die Klinge zersprungen. Wieder drang Menelaos auf den Räuber seiner Ehre ein. Schon packte er ihn beim Helmbusch, doch im letzten Augenblicke rettete Aphrodite ihren Liebling;

sie ließ den Kinnriemen reißen, so daß der ergrimmte Menelaos nur den leeren Helm in der Hand hielt. Aphrodite hüllte Paris in schützenden Nebel und führte ihn in die Stadt zurück.

Laut jubelten die Achaier, und Agamemnon, der seinen Bruder für den Sieger erklärte, verlangte die Erfüllung des Vertrages: Die Trojaner sollten Helena mitsamt ihren Schätzen ausliefern. Zeus selber aber gab durch Athene einem Trojaner eine böse Tat ein: Dieser richtete seinen Pfeil auf Menelaos und lud damit die Schuld des Vertragsbruches auf die Trojaner.

Zwar war es nur ein Streifschuß, so daß die Wunde bald heilte, doch entbrannte der Kampf sogleich von neuem. Nie war mit solcher Erbitterung gestritten worden, nie hatte man heldenmütigere Taten gesehen. Hektor und Agamemnon, Aineias und Diomedes, Odysseus und viele andere vollbrachten Wunder an Tapferkeit und streckten Scharen von Feinden in den Staub.

Die Olympischen selber ließen sich nicht mehr zurückhalten und griffen in den Kampf ein. Pallas Athene verlieh ihrem Liebling Diomedes Götterkraft, daß er die Achaier im Sturme mitriß und die Troer schwer bedrängte. Selbst Aineias, Aphrodites Sohn, konnte ihn nicht im Kampfe bestehen. Diomedes warf ihn zu Boden, und es wäre um den Halbgott geschehen gewesen, hätte nicht Aphrodite ihn auf ihre Arme genommen. Nur mit Mühe rettete sie ihn vor dem wütenden Griechen; doch Diomedes scheute sich nicht, die Göttin selber mit seinem Speere zu verwunden, so daß sie sich auf dem Wagen des Ares zum Olymp retten und den Sohn in der Gewalt des Feindes lassen mußte. Schon holte Diomedes zum Todesstreiche aus, als Apollon herbeieilte und den göttlichen Sohn seiner Schwester in seinen Schutz nahm.

Ares aber, der Kriegsgott, mischte sich selber in den Streit, weckte neuen Mut im Herzen der Trojaner und führte sie in den Kampf. Ihre Schlachtreihen, Hektor weit voran, stürmten ungestüm gegen die Griechen vor, daß diese bis zu den Schiffen zurückweichen mußten. Pallas Athene selber, in ihres Vaters Panzer gehüllt, stürzte sich in die wilde Männerschlacht, um den Achaiern beizustehen. Sie stärkte ihren Liebling Diomedes von neuem mit dreifacher Kraft, daß dieser den wütenden Ares verwundete und ihn zwang, die Feldschlacht zu verlassen.

HEKTOR UND ANDROMACHE

Währenddessen eilte Hektor auf Geheiß des kundigen Vogelschauers zur Stadt zurück; er wollte die Frauen veranlassen, sich in Athenes Tempel zu versammeln, um die Göttin um Hilfe gegen den wütenden Diomedes anzuflehen. Nur mit Mühe bahnte er sich am Tore seinen Weg durch die ängstlich harrenden Frauen, die ihm mit Fragen nach dem Geschick ihrer Gatten, Söhne, Brüder und Verwandten bestürmten. Vielen mußte er traurige Nachricht geben. „Betet zu den Göttern", sagte er, „daß sie unserer Stadt gnädig seien!"

Vor dem väterlichen Palaste traf er seine Mutter Hekabe. Voll Besorgnis redete die greise Königin auf ihren Sohn ein, doch Hektor mahnte sie, sogleich die Frauen zusammenzurufen und der Göttin die gebotenen Opfer darzubringen. Er eilte sodann zur Wohnung des Paris, die hoch auf der Burg in der Nähe von Hektors eigenem Palaste lag.

Den mächtigen Speer in der Hand, trat der Held vor seinen Bruder, der in der Halle saß und seine Waffen musterte. „Du tust bitter unrecht, hier untätig zu verweilen, während unser Volk um deinetwillen draußen kämpft!" so redete Hektor den Bruder voll Unwillen an. Paris wies den verdienten Tadel nicht zurück und versprach, wieder in die Schlacht hinauszugehen. Helena aber, die mit ihren Frauen bei emsiger Arbeit saß, wandte sich mit Worten der Scham und der Klage an den Schwager: „Hätte mich unheilstiftendes Weib doch die Meeresflut verschlungen, ehe ich mit Paris hier an Land stieg! Oder hätte ich doch mir wenigstens einen Gemahl erwählt, der die Schmach und die Fülle der Vorwürfe, die er verdient, auch empfände! Die Frucht seiner Feigheit wird nicht ausbleiben!"

Vergeblich bat Helena den Helden Hektor, zu verweilen und vom Kampfe auszuruhen. „Ich will zuvor noch Weib, Kind und Gesinde schauen, ehe ich wieder in den Kampf eile", sagte er und ging davon. Doch er fand Andromache nicht zu Hause. Die Sorge um den Stand der Schlacht hatte sie auf einen der Stadttürme getrieben.

Als Hektor durch die Straßen zurückeilte, kam ihm am skaiischen Tore die Gattin entgegen. Die Dienerin, die ihr folgte, trug das Knäblein Astyanax. Mit stillem Lächeln betrachtete der Vater das Kind; Andromache aber trat unter Tränen auf ihn zu und drückte ihm zärtlich die Hand: „Du böser Mann", rief sie, „gewißlich wird dein tollkühner Mut dir noch den Tod bringen! Hast du denn kein Erbarmen mit deinem unmündigen Kinde und mit deinem unglückseligen Weibe, das du bald zur Witwe machen wirst? Vater und Mutter habe ich verloren, meine sieben Brüder hat Achilleus, der schreckliche Pelide, erschlagen – ohne dich habe ich keinen Trost mehr, Hektor! Du bist mir Vater und Mutter und Bruder. Hab doch Erbarmen mit mir und bleib hier auf dem Turme!"

Doch der tapfere Held, in dem ganz Troja seinen Hort sah, schenkte solchen Bitten kein Gehör. „Ich müßte mich vor allen Männern und Frauen schämen", sagte er fest, „wollte ich nur aus der Ferne dem Streite zuschauen; auch mein eigenes Herz erlaubt es mir nicht, denn ich bin gewohnt, stets in der vordersten Reihe zu streiten. Zwar hat mein Herz mir geweissagt: Der Tag wird kommen, wo das heilige Troja hinsinkt, Priamos selbst und sein Volk. Aber weder der Trojaner Leid noch das der eigenen Eltern und der leiblichen Brüder, wenn sie dann unter dem Schwerte der Griechen fallen, geht mir so zu Herzen wie das deine, Andromache, wenn dich einer der Danaer in die Knechtschaft führen wird und du dann zu Argos am Webstuhle sitzt oder Wasser schleppen mußt und dann wohl jemand, der dich in Tränen sieht, spricht: ‚Sie war Hektors Weib!' Möge mich die Erde decken, ehe ich deine Klagen hören muß, wenn die Feinde dich entführen!"

Hektor sprach es mit ernstem Blick und streckte die Arme nach seinem Knäblein aus. Doch das Kind suchte schreiend bei der Amme Schutz; es fürchtete sich vor dem mächtigen Helm mit dem flatternden Roßschweif. Jetzt schaute der Vater das Kind und die Mutter lächelnd an, nahm schnell den schimmernden Helm vom Haupte, legte ihn zu Boden und nahm das

Kind auf den Arm. „Zeus und ihr Götter", flehte er dann zum Himmel empor, „laßt es werden, wie ich selbst bin!" Andromache lächelte unter Tränen, als er ihr das Söhnchen reichte. Hektor aber streichelte sie voll Wehmut und redete ihr tröstend zu. „Gegen das Geschick wird mich niemand töten", sagte er, „und seinem Schicksal ist noch kein Sterblicher entronnen."

Hektor setzte den Helm auf und schritt davon. Während Andromache ins Haus zurückkehrte, wandte sie unter Tränen immer wieder die Augen zurück zu ihrem herrlichen Gatten, bis er ihren Blicken entschwunden war.

ACHILLEUS BLEIBT UNVERSÖHNLICH

Ungestüm entbrannte der Streit von neuem. Aias stand im Zweikampf gegen Hektor, doch ohne Entscheidung gingen die beiden Helden auseinander. Unaufhaltsam stürmten dies Trojaner vor, drängten unter Hektors Führung die Achaier bis zu den Schiffen zurück und lagerten über Nacht bei tausend lodernden Feuern in der Ebene außerhalb ihrer schützenden Stadtmauern.

Sollten die Achaier im Kampfe unterliegen? Schon hatte Agamemnon gewagt, im Rate der Griechenführer von Heimfahrt zu reden, so hoffnungslos wollten die Zeichen ihm erscheinen. Der tapfere Diomedes und Nestos, der erfahrungsreiche Greis, waren es gewesen, die Mut und Ausharren verlangten. Doch sie hielten dem Völkerfürsten zugleich seine Schuld vor und verlangten, er selber solle den Anfang machen, den gekränkten Achilleus zur Versöhnung zu bewegen.

„Wenn der Pelide nur von seinem Zorne läßt", erklärte Agamemnon; „ich bin bereit, alles zu tun." Er bot eine Fülle von Versöhnungsgaben an, um Achill umzustimmen. Auf Nestors Rat machten sich auserlesene Männer als Abgesandte des Heeres auf: Phoinix, Achills einstiger Erzieher, der mächtige Aias und der redegewandte Odysseus. Sie fanden Achill bei den

Schiffen der Myrmidonen. Seine Leier schlagend, sang er von den Siegestaten der Helden. Herzlich begrüßte er die Gäste, ließ es sich nicht nehmen, sie selber zu bewirten, und hörte geduldig ihre Rede. Aber seine Antwort war ein rundes Nein! Vergeblich setzte Odysseus seine schönsten Worte, vergeblich schilderte er die drohende Gefahr, vergeblich lockte er mit Agamemnons reichlichen Geschenken – Achilleus zeigte sich gegen alle ihre Bitten taub. „Agamemnon hasse ich wie das Tor der Unterwelt", erklärte er unversöhnlich; er war entschlossen, in die Heimat zurückzukehren!

Ohne Erfolg mußten die Abgesandten des Heeres mit dieser Antwort ins Lager zurückkehren.

Furchtbar wogte der Kampf nun hin und her. Wunder an Heldentaten wurden vollbracht. Agamemnon, Diomedes, Odysseus, Aias und viele andere stritten auf der einen Seite im Vorkampfe, Hektor, Polydamas, Aineias und andere berühmte Männer auf der anderen. Wie ein strahlender Stern aber durch das Nachtgewölk bricht, so schritt Hektor durch die vordersten Reihen. Niemand konnte seinem Wüten widerstehen. Schon wandten die Scharen der Achaier sich zur Flucht, schon hatte Hektor, schrecklich anzuschauen im Glanze seiner Erzrüstung, sich einen Weg bis zum ersten Schiffe gebahnt!

Wollte Zeus die Griechen in solcher Not verlassen? Auf dem Berggipfel des Ida sitzend, wandte er gleichgültig seine Augen vom Schiffslager ab. Da mischte sich Poseidon, der Meeresgott, unerkannt unter die kämpfenden Griechen und sprach ihnen Mut zu. Viele Helden sanken auf beiden Seiten in den Staub. Aias der Telamonier war es, der den Schiffen Entlastung brachte. Mit seinen Freunden schirmte er sie mit einem Wall von Schilden und Lanzen. In mächtigem Sprunge schwang er sich von einem Verdeck auf das andere, in der Rechten eine zweiundzwanzig Ellen lange, eisengefügte Stange. Mit Donnerstimme schrie er den Griechen Mut zu und trieb sie zum Kampfe an.

Mit wütender Erbitterung kämpfte man bei den Schiffen um die Entscheidung. „Feuerbrände herbei!" schrie Hektor. Doch wer sich mit Fackeln den Schiffen näherte, fiel unter Aias' furchtbarer Lanze.

KAMPF UND TOD DES PATROKLOS

Als Patroklos die verzweifelte Not der Griechen sah, hielt es ihn nicht länger untätig im Zelte. Voll Schrecken überschaute er die Walstatt – dann eilte er zu seinem Waffenfreunde Achilleus. „Willst du denn immer unversöhnlich bleiben, Achill?“ so fuhr er ihn an. „Laß ab von deinem Zorne, ich flehe dich an! Komm und eile den Achaiern zur Hilfe!“

„Der bittere Schmerz der Kränkung frißt mir in der Seele“, entgegnete Achill ungerührt. Er weigerte sich wie bisher, in den Kampf einzugreifen. Doch wie erschrak er, als er von der Höhe des Verdecks dann die Lage überschaute! Schon loderte ein Schiff in hellen Flammen auf, schon sah er Hektor weiter vorstürmen, Aias aber und die Achaier zurückweichen! „Auf, Patroklos, eile“, rief er, „eile, daß sie uns nicht die Schiffe und mit ihnen die Heimkehr nehmen!“

Während Patroklos sich mit Achills Rüstung zum Kampfe wappnete, ordnete dieser die Schar seiner Myrmidonen zum Kampfe, die schon längst voll Ungeduld die tatenlose Ruhe verwünschten.

Gleich hungrigen Löwen stürzten sich die kampferprobten Krieger in die Schlacht, allen voran Patroklos auf dem Streitwagen des Freundes.

Achill blickte ihnen nach. In der Hand hielt er einen wertvollen Becher, aus dem noch nie ein anderer Mann getrunken und niemand außer Zeus ein Dankopfer empfangen hatte: „Verleih den Achaiern den Sieg“, betete der Held, „und geleite meinen Waffengefährten Patroklos unversehrt zu den Schiffen zurück!“ – Er konnte nicht sehen, wie Zeus zur zweiten Bitte ablehnend das Haupt schüttelte.

Durch den unwiderstehlichen Stoß der Myrmidonen wurden die Schiffe augenblicklich befreit; die Troer, die Achills Rüstung erkannten, meinten nicht anders, als daß der gefürchtete Held selber in den Kampf eingegriffen habe, und suchten ängstlich ihrem Verderben zu entrinnen. Selbst Hektor ließ sich von ihrer regellosen Flucht mitreißen. Mit lautem Schlachtgeschrei setzten die siegreichen Griechen, Patroklos allen voran, den Trojanern nach. Viele Feinde sanken unter seinen wütenden Streichen in den Staub.

Doch ein böses Geschick trieb den Patroklos, als er den Flüchtigen bis unter die Stadtmauer folgte. Auf dem festesten Turme stand Apollon selber, Troja zu schützen; zornig trat er dem Angreifer entgegen. Dreimal setzte der griechische Held zum Sturme an, dreimal stieß ihn der Gott zurück. „Weiche!“ rief er dreimal drohend. Da gehorchte Patroklos.

Hektor aber, von Apollon neu gekräftigt, wandte sich dem gefährlichen Bedränger seiner Vaterstadt entgegen. Mit mächtigem Steinwurf tötete Patroklos Hektors Wagenlenker, doch als beide Helden um die Leiche kämpften, griff Apollon zornig in ihren Kampf ein. Er stellte sich hinter Patroklos und versetzte ihm einen Schlag auf Rücken und Schulter, daß dem Helden schwindelte. Ein weiterer Schlag des Gottes nahm ihm den Helm und zerbrach ihm die Lanze. Den angeschlagenen Helden traf ein Trojaner von hinten mit der Lanze, und jetzt vollendete Hektor das Werk: Sein Speer traf den wunden Patroklos tödlich.

Hohnworte und grimmiges Frohlocken begleiteten den Griechen auf seinem letzten Gang. Doch der sterbende Patroklos gab Antwort: „Hüte dich, Hektor, das Verhängnis steht dir schon zur Seite, und ich weiß, durch wen du fallen wirst!“ Mit letzter Kraft hatte Patroklos die Worte hervorgestoßen. Dann war sein Leben erloschen.

Die Trojaner raubten dem Gefallenen die herrliche Rüstung und die kostbaren Waffen Achills, die die Götter einst seinem Vater Peleus zur Hochzeit geschenkt hatten. Hektor legte sie zum Zeichen seines Triumphes an. Er ahnte nicht, daß der Tod ihm schon zur Seite schritt.

Mit Mühe gelang es den Griechen, die Leiche ihres Freundes zu bergen. Mit ihnen trauerten die unsterblichen Rosse des Achilleus. Abseits vom Schlachtfelde standen sie und weinten, wie Menschen es tun in tiefstem Schmerze.

ACHILLEUS TRAUERT UM DEN FREUND

Namenloser Jammer aber packte Achill, als man ihm den Tod des geliebten Freundes meldete. Vor seinen Augen wurde es Nacht. Mit beiden Händen griff er nach dem schwarzen Staube, bestreute Antlitz und Gewand und zerraufte sich sein goldblondes Haar. Er war wie von Sinnen.

So schrecklich drang Achills Wehklage um den verlorenen Freund in die Lüfte hinaus, daß auch Thetis sie in der Tiefe des Meeres vernahm. In Mutterschmerz und teilnehmender Sorge stieg sie empor, um den geliebten Sohn zu trösten. Doch nur einen Trost gab es für ihn: blutige Rache an Hektor, dem Mörder seines liebsten Waffenbruders!

Weinend hörte seine göttliche Mutter die Worte, denn ein alter Orakelspruch hatte einst über ihn geweissagt, sogleich nach Hektor sei auch ihm das Lebensende bestimmt. „Stürbe ich doch lieber auf der Stelle", rief Achill in seinem Unmut, „da ich, statt den Freund zu verteidigen, untätig im Zelte saß! Verflucht sei mein Zorn, der dem Freund und so vielen Waffengenossen den Tod gebracht hat! Verwehre mir nun den Kampf nicht, liebe Mutter!"

Nur schweren Herzens gab Thetis nach. „Aber deine herrliche Rüstung", fuhr sie fort, „ist in der Gewalt der Troer. So bitte ich dich, mein Sohn: Halte dich vom Kampfgetümmel fern, bis ich zurück bin; in aller Frühe, wenn die Sonne aufgeht, will ich dir neue Waffen bringen. Hephaistos selber soll dir eine Rüstung schmieden." Damit eilte sie zum Olymp hinauf, den Götterschmied aufzusuchen.

Unterdes war von neuem um die Leiche des Patroklos ein heftiger Kampf entbrannt. Mit lautem Geschrei verfolgten die Troer die beiden Aias, die den toten Körper einbrachten; unablässig drängte Hektor nach. Da vernahm Achill von der erneut drohenden Gefahr; Iris, die Götterbotin, hatte ihn auf Heras Geheiß angerufen. Waffenlos, wie er war, sprang der göttliche

Held auf den Lagerwall, stand dort allen Augen sichtbar und hob seine Stimme; Athene mischte die ihre dazu, daß sein Rufen den Trojanern wie eine Kriegsposaune ins Ohr tönte. Mit unheilvoller Ahnung füllte sich ihr Herz, als sie die mächtige Stimme des Helden vernahmen und ihn hochaufgerichtet, das Haupt von dem flammend goldenen Haare umweht, auf dem Walle erblickten. Wagen und Rosse wandten sich zur Flucht, der Feind ließ den Leichnam des edlen Patroklos in der Hand der Griechen.

Achill vergoß heiße Tränen, als er den treuen Gefährten, von feindlichen Speeren so gräßlich entstellt, leblos auf der Bahre liegen sah.

DER VERSÖHNTE PELIDE IN GÖTTLICHER WAFFENRÜSTUNG

Indessen schmiedete Hephaistos auf Bitten von Thetis die herrlichste Rüstung, die je ein Held getragen hat: einen strahlenden Panzer, der heller leuchtete als das Feuer, einen wuchtigen Helm mit Bügel und wehendem Helmbusch und Beinschienen aus feinstem Zinn. Ein Wunderwerk göttlicher Schmiedekunst aber war der Schild; in kunstvoller Arbeit schuf Hephaistos aus Gold und Zinn, aus Stahl und Silber Abbilder des Menschendaseins auf der Erde. Das Leben auf dem Markt und im Hause, in der Werkstatt und auf der Hochzeitsfeier, bei der Belagerung und im Kriegsgetümmel, alles entstand unter seinen kunstfertigen Händen, das Leben in der freien Natur, im Rebengarten und auf der Wiese, umkränzt mit dem Bilde des festlichen Reigens blühender Jünglinge und lieblicher Jungfrauen. Nie sah man eine so herrliche Arbeit.

Beim ersten Morgenlichte brachte Thetis ihrem Sohne die neue Rüstung. Noch immer saß Achill weinend in seinem Zelte, doch in wilder, rachedürstender Kampfesfreude glänzten seine Augen beim Anblick des kunstvollen Göttergeschenkes. Dann schritt er zum Meeresstrand, und mit seiner

Donnerstimme rief er die Danaer herbei. Wie jauchzten sie, den Helden wieder zu hören! Alle sprangen auf und eilten zum Versammlungsplatz.

Aufrecht stand Achilleus. „Sohn des Atreus!" rief er weithin schallend, „laß uns das Vergangene vergessen, so sehr es uns auch kränken mag! Meinen Zorn habe ich abgelegt. So laßt uns jetzt eilen, unsere Krieger in die Schlacht zu führen! Ich möchte wissen, ob die Troer noch Lust spüren, bei den hohen Schiffen zu ruhen!"

Jubelgeschrei unterbrach seine Worte. Wie glücklich waren die Achaier, daß der Held versöhnt und zurückgewonnen war! Agamemnon reichte ihm die Hand. Er ließ die Geschenke holen, und Brisëis, durch deren Wegnahme einst der verhängnisvolle Zwist entbrannt war, kehrte zu ihrem rechtmäßigen Herrn zurück. Das ganze Heer setzte sich zum Mahle, um sich für den Kampf zu stärken.

Achilleus waffnete sich mit den göttlichen Geschenken des Hephaistos. So wundersam schmiegte sich die schwere Rüstung um seinen Körper, daß sie ihm wie Flügel erschien; ihm war, als wolle sie ihn vom Boden emporheben.

Er nahm seine schwere Lanze zur Hand, die kein anderer zu gebrauchen wußte, schwang sich in seiner strahlenden Waffenrüstung auf den Streitwagen und rief seine göttlichen Rosse an: „Tragt mich sicher durchs Kampfgetümmel und laßt mich wohlbehalten zurückkehren! Laßt mich nicht tot dort draußen liegen wie meinen Patroklos!"

Der ganze Olymp nahm Anteil am Kampfe um die heißumstrittene Stadt, seit Achilleus wieder zu den Waffen gegriffen hatte. Schon standen die Troer zu neuem Streite gerüstet, und bald erdröhnte der Boden unter den Schritten der feindlichen Heere. Wie der brausende Sturmwind das dürre Herbstlaub vor sich her treibt, so stürmten die Achaier gegen die Troer an. Der Donner des Zeus mischte sich schreckenerregend in den Kampflärm, und Poseidon ließ die Erde erbeben bis zu den Pforten des Hades.

ACHILL UND HEKTOR IM ENTSCHEIDUNGSKAMPFE

Achill blickte voll Kampfbegier und Rachelust nach allen Seiten. Er suchte Hektor, den verhaßten Sieger über Patroklos. Gleich einem Rudel aufgescheuchter Rehe flohen die Trojaner vor seinem Wüten, und wer sich nicht in den Schutz der Mauern rettete, den trieb der Held gegen den Skamandros; bald färbten sich seine Fluten mit dem Blute der Erschlagenen. Der Flußgott ergrimmte, und fast hätte er den Helden in seine Strudel hinabgezerrt; doch Poseidon befreite ihn und ließ ihn ins Kampfgewühl zurückeilen. Voller Entsetzen flohen die Trojaner zum Tore. Der greise König Priamos, der auf der Stadtmauer saß, ließ es schnell öffnen und nahm seine erschöpften Krieger in die Stadt auf. Apollon selber war dem rasenden Achill entgegengetreten, um den Fliehenden Zeit zur Rettung zu geben.

Nur der tapfere Hektor hatte diesen Schutz verschmäht. Ob Mutter und Vater ihn auch unter Tränen mahnten, er blieb auf dem Schlachtfelde, um sich zum Zweikampf zu stellen. „Ehe mich einer der Krieger feige schelten soll“, rief er entschlossen, „will ich lieber sterben, wenn ich den furchtbaren Feind nicht besiegen kann.“

Wie ein Löwe stürmte Achill heran, schrecklich anzusehen im strahlenden Schmucke seiner Rüstung, mit wild verzerrtem Gesicht und heftigen Hohnworten auf den Lippen. Standhaft blickte Hektor seinem Todfeind entgegen und – verlor plötzlich allen Mut! Hektor, der Tapfere, den noch kein Sterblicher hatte zittern sehen, er wandte sich, von panischem Schrecken gepackt, zur Flucht! Längs der Stadtmauer floh er hin, wie die Taube, die dem Habicht entrinnen will. Bald rechts, bald links suchte er zur Seite zu springen, um seinen Verfolger zu ermüden. Doch wenn er sich mühte, in die Nähe der schutzgewährenden Tore zu gelangen, so schnitt ihm Achill den Weg ab und trieb ihn wieder in die Ebene hinaus. Dreimal jagte der

Held den Helden um die Stadt herum in einem verzweifelten Wettlauf um Leben und Tod.

Die Griechen ließen ab vom Kampfe, so sehr bannte sie der Anblick; von der Höhe der Stadtmauer starrten die Trojaner voller Entsetzen auf den Todeslauf ihres geliebten Königssohnes. Auch die Götter hielten inne, denn keiner durfte zu Hektors Hilfe die Hand erheben: Seine Stunde war gekommen. Als Zeus die Schicksalswaage ergriff und zwei Todeslose hineinwarf, da sank die Schale mit Hektors Los tief hinab: Sein Schicksal war entschieden; auch Apollon verließ ihn jetzt.

Zum vierten Male jagten die beiden Krieger um die Stadt; da war es Hektor, als springe auf einmal ein Mann vom Tore her auf ihn zu, als wolle er ihm Hilfe bringen: sein Bruder Deïphobos. Nun endlich fühlte der Trojanerheld, wie sein alter Mut zurückkehrte. „Steh, Peleus' Sohn", rief er seinem Verfolger zu, „nicht länger fliehe ich vor dir! Ich will dich im Kampfe bestehen, und sollte ich dabei den Tod finden!"

Mit grimmig erhobener Waffe trat Achill ihm entgegen. „Laß uns vor den Göttern einen Vertrag schließen", fuhr Hektor fort: „Verleiht Zeus mir den Sieg, so werde ich dich nicht mißhandeln; ich nehme dir nach Kämpferart und Kriegsgebrauch die Rüstung, doch ich lasse deinen Leib den Achaiern zu rühmlicher Bestattung. Versprich du mir Gleiches!"

„Nichts von Verträgen!" schrie Achill ihm entgegen. „Kann zwischen Löwe und Mensch ein Bund sein oder zwischen Wolf und Lamm Eintracht herrschen? Ebensowenig wirst du zwischen mir und dir Freundschaft stiften. Einer von uns beiden muß zu Boden!" Schon fuhr seine furchtbare Lanze auf den Gegner. Doch Hektor ließ sich aufs Knie nieder, daß sie über ihn hinweg in den Sand fuhr. Nun schleuderte Hektor die seine, und er traf genau; mit lautem Krachen schlug das Geschoß gegen Achills Schild, doch machtlos prallte es zurück. Schon hatte Achill seine Lanze aus Athenes Hand zurückerhalten, doch als Hektor sich nach dem Bruder umschaute, daß dieser ihm seine Lanze leihe, da war Deïphobos verschwunden! Hektor mußte erkennen, daß Athene ihn grausam getäuscht hatte.

„Nicht ruhmlos will ich in den Staub sinken", stieß der gewaltige Held entschlossen hervor. Mit erhobenem Schwerte drang er auf den erbarmungslosen Gegner ein; doch der Pelide wartete den Streich nicht ab; blitzschnell erkannte er an Hektors Rüstung, die ja seine eigene war, eine Blöße und zielte mit dem Speere auf jene verwundbare Stelle: Die Spitze fuhr Hektor mit solcher Wucht in die Kehle, daß sie zum Nacken herausdrang.

„Fahr dahin, den Hunden und Vögeln zum Fraße!" schrie Achill in wilder Rachgier, als er Hektor sterbend zu Boden sinken sah. Mit letzter Kraft flehte dieser den siegreichen Feind an: „Schände meinen Leichnam nicht, Achill, ich beschwöre dich! Nimm Geld zum Geschenk, soviel du verlangst, doch laß meinen Leib dafür nach Troja heimkehren, daß ihm auf dem Scheiterhaufen die Ehre zuteil werde, wie sie einem Helden zukommt!"

Achill aber hatte weder Gehör noch Erbarmen für den Mann, in dem er nur den Mörder seines Freundes sah. Vergebens mahnte der Sterbende ihn, an sein eigenes Schicksal zu denken. „Stimmt den Siegesgesang an", rief Achill den jubelnd herbeieilenden Griechen zu, „und laßt uns vor allen Dingen meinem Freunde, laßt uns Patroklos das Sühneopfer darbringen, das ich ihm hier geschlachtet habe!"

GRAUSAME RACHE

Schon hatte Achill dem Toten die Rüstung genommen, band den leblosen Körper an seinen Streitwagen und jagte den Schiffen zu, die Leiche im aufwirbelnden Staube nachschleppend.

Welch ein Anblick war es für die unglückseligen Eltern, die das grausige Schauspiel von der Mauer aus mit anschauen mußten! Hekabe, die Mutter, schrie auf in Schmerz, riß ihren Schleier vom Haupte und raufte sich ihr graues Haar. Starren Blicks stand Priamos, mit wankenden Knien und wie von Sinnen in Zorn und Schmerz. Nur mit Mühe hielt man den Greis zurück, als er zum Tore hinausstürmen und sich auf Achilleus stürzen wollte.

Andromache, Hektors Gemahlin, hatte von dem ganzen Unglück noch nichts vernommen. Ruhig saß sie in einem der Gemächer des Palastes und durchwirkte ein schönes Purpurgewand mit bunter Stickerei. „Stell einen großen Dreifuß ans Feuer!“ rief sie gerade einer ihrer Dienerinnen zu. Sie wollte ihrem Gemahl ein Bad bereiten, wenn er aus der Feldschlacht käme.

Da vernahm Andromache vom Turme her Schreien und Jammerlaut. „O wehe“, rief sie, finstere Ahnung im Herzen, „wehe mir, ich fürchte, meinem Hektor ist ein Leid zugestoßen!“

Zwei Mägde folgten ihr auf ihr Geheiß, während sie mit hämmerndem Herzen durch den Palast und auf den Turm eilte. Über die Mauer hinab mußte sie mitansehen, wie der Pelide den Leichnam ihres Gatten erbarmungslos mit seinen Rossen durch das Gefilde schleifte.

Andromache brach in ihrem unsagbaren Schmerz ohnmächtig zusammen. Ihr kostbarer Schmuck, Aphrodites Hochzeitsgeschenk, flog zur Erde. Lange lag sie wie leblos, und als ihr das Bewußtsein zurückkehrte, erhob sie herzbewegende Klage. Die ganze Stadt hallte wider von unendlichem Weh.

Das Antlitz im Staub, so lag die Leiche des besten Trojanerhelden vor Achills Zelt. Der Pelide hatte sie zu Füßen seines gefallenen Freundes Patroklos niederwerfen lassen. Er selber setzte sich mit Tausenden seiner Waffengefährten zum festlichen Leichenschmause nieder. Über den Tod hinaus zürnte er dem trojanischen Helden, und nichts als der Gedanke an Rache bewegte ihn.

„Kein Bad soll mich erquicken“, schrie er mit wütendem Schwur, „ehe nicht Patroklos auf dem Scheiterhaufen liegt und er sein Denkmal erhalten hat!“ Da veranstalteten die Griechen für den toten Patroklos eine prunkvolle Leichenfeier. Zu Tausenden folgten sie dem Leichenzuge; ein ganzer Wald von Bäumen wurde zum Scheiterhaufen herbeigeschafft. Die prächtigsten Wettspiele wurden Patroklos zu Ehren mit Wagenrennen und Faustkampf, Ringen, Lauf und Waffenkampf, mit Kugelwurf, Bogenschuß und Speerwurf durchgeführt.

Doch während die Fürsten und ihre Völker nach der glänzenden Leichenfeier ausruhten, suchte Achill vergeblich erlösenden Schlummer. Die Trauer um den unvergeßlichen Freund und unversöhnlicher Zorn trieben ihn vom Lager auf; unstet im Herzen, irrte er am Ufer des Meeres umher, und als Eos plötzlich mit rötlichem Glanze das Meer und die Ufer überstrahlte, spannte der Held in wildem Entschluß seine Rosse ins Joch, band Hektors leblosen Körper an den Wagensitz und schleifte ihn dreimal um die Totenbahre des Freundes. Apollon aber schwebte schützend über dem trojanischen Helden, deckte ihn mit dem goldenen Schirm seiner Aigis und bewahrte den toten Leib vor allen Entstellungen.

PRIAMOS UND ACHILLEUS

Priamos, den tiefgebeugten Vater, hielt es inzwischen nicht mehr in der belagerten Stadt. Wie sollte er es ertragen, daß sein herrlicher Sohn unbestattet draußen lag! Apollon, der sich ihm im Traume nahte, verlieh ihm Kraft und Mut, und Zeus selber gab Hermes den Befehl, den Greis sicher zu geleiten, als er sich mit reichen Lösegeschenken ins Griechenlager aufmachte. Allen Warnungen zum Trotze wollte er es wagen, Achill um Hektors Leiche zu bitten.

In der Stille der Nacht durchfuhr der Greis das Griechenlager. Niemand hinderte ihn, denn keiner der Wächter wurde ihn gewahr, als er sich dem Zelte Achills näherte. Er hatte die kostbarsten Geschenke aus seiner königlichen Schatzkammer, Decken, Teppiche, goldene Kessel, Becken und Becher auf den Wagen laden lassen, um den Grimmigen versöhnlich zu stimmen.

Achill saß im Kreise seiner Waffengefährten, als der König zu ihm ins Zelt trat. Wie erstaunte der Pelide über den unerwarteten Anblick! Betroffen blickten seine Waffengefährten. Der greise Troerkönig trat auf ihn zu und warf sich ihm zu Füßen; flehend umfaßte er die Knie des Göttergleichen. „Denk an deinen Vater“, rief er unter Tränen, „der alt und kraftlos wie ich zu Hause lebt! Auch er ist vielleicht schutzlos und voller Angst, doch bleibt ihm die Hoffnung, seinen geliebten Sohn von Troja heimkehren zu sehen. Ich aber, der ich fünfzig Söhne hatte, ich bin der meisten beraubt worden, und zuletzt dieses einzigen, der die Stadt und uns alle zu schützen vermochte. Darum komme ich nun zu den Schiffen, ihn, meinen Hektor, von dir zu erkaufen. Unermeßliches Lösegeld bringe ich; sieh mich hier im Staube vor dir – ich küsse die Hand, die meinen liebsten Sohn erschlug!“

Mitleid packte Achills starres Herz. Voll Sehnsucht dachte er an den eigenen Vater; der auch bald um ihn trauern würde. In tiefer Erschütterung beugte er sich zu dem Greise nieder, um ihn auf den Ehrenplatz an seiner Seite zu ziehen. Doch Priamos wollte sich nicht setzen, solange sein Sohn unbestattet auf dem Felde lag. „Gib ihn mir heraus“, bat er, „denn mein Herz verlangt nach ihm, meinem herrlichen Sohne! Freue dich an dem reichen Lösegeld, Achill, und habe Mitleid mit meinem gebrochenen Vaterherzen!“

Solchen Bitten konnte Achill nicht widerstehen. Er eilte hinaus, hieß die Diener den Leichnam waschen, salben und bekleiden und hob ihn mit eigener Hand auf die Bahre; er wollte nicht, daß Priamos die Leiche des Sohnes so nackt und entstellt sehe. Die kostbaren Gaben, die der greise König als Lösegeld mitgebracht hatte, ließ er ins Zelt tragen und setzte sich dann mit dem Könige zu Tische. Staunend betrachtete Priamos den Wuchs und die Gestalt seines edlen Gastgebers; Achill glich wahrhaft den Unsterblichen. Doch auch der Pelide blickte voll Achtung auf seinen königlichen Gast und vernahm mit Ehrerbietung dessen weisheitsvolle Reden. Gastfreundlich bot er ihm sodann eine Lagerstätte an, denn Priamos hatte kein Auge geschlossen, seit sein edler Sohn aus dem Leben geschieden war. Gerne stimmte Achill zu, als der gramgebeugte Vater um eine elftägige Kampfpause bat, damit er seinen Sohn mit allen Ehren bestatten könne. Hermes, der Götterbote, geleitete den königlichen Greis auf seinem Rückwege wieder sicher durch das Griechenlager. Priamos führte den teuren Toten auf einem Wagen, der mit Maultieren bespannt war, nach Troja zurück.

Unsagbar war Andromaches Schmerz um den toten Gemahl, untröstlich trauerte Hekabe um den herrlichen Sohn; Helena beklagte den toten Schwager, und unaufhörlich drang die Klage des ganzen Troervolkes zum Himmel empor. Neun Tage währten die Vorbereitungen zur prunkvollen Leichenfeier, zu der Priamos rüsten ließ. Im Königshause beendete man die Trauerfeier mit einem festlichen Totenmahle.

DIE SCHÖNE PENTHESILEIA

Nach Hektors Bestattung entbrannte der Kampf von neuem mit erbitterter Wut. Die Trojaner hielten sich anfangs hinter den schützenden Mauern, doch dann nahte ein unerwarteter Helfer, die Amazonenkönigin Penthesileia, die den grimmigen Achilleus im Kampfe zu bestehen gedachte. Schrecklich wütete die streitbare Jungfrau unter den Griechenhelden, die Schmach des Priamos zu rächen, und ihre Kriegerinnen wetteiferten mit ihr an Tapferkeit. Unaufhaltsam wichen die Achaier zurück; schon glaubten die Troer in törichter Freude an die gänzliche Vernichtung ihrer Feinde.

Dann aber griffen Aias, des Telamon Sohn, und Achilleus selber in den Kampf ein. Wie ein Panther auf die Jäger, so stürzte Penthesileia sich mutig auf die verhaßten Feinde. Der starke Achilleus aber durchbohrte Roß und Reiterin mit einem Stoße; sterbend sank die Amazone in die Knie.

Doch als der Pelide dann die überirdische Schönheit der Jungfrau betrachtete, die, ähnlich der nach heißer Jagd schlummernden Artemis, in voller Waffenrüstung vor ihm lag, überkam ihn bitterster Schmerz, daß er das herrliche Weib hatte töten müssen. „Viel eher hättest du es verdient", stieß er hervor, „als meine Gemahlin mit mir in Phthia einzuziehen!" Mit tiefer Wehmut blickte er auf die Jungfrau nieder, und die Qual, die an seinem Herzen nagte, war nicht geringer als in den Stunden, da er um seinen erschlagenen Freund Patroklos jammerte.

DES PELIDEN GESCHICK ERFÜLLT SICH

Um diese Zeit sollte sich Achills Schicksal erfüllen, das die Götter schon längst vorausgesehen hatten. Der göttergleiche Pelide war nicht unsterblich, denn als die Göttin Thetis ihn bei seiner Geburt im Feuer des Hephaistos und im Wasser der Styx unverwundbar machte, hatte sie den Knaben an der Ferse gehalten. Nur den Göttern war bekannt, daß diese Stelle, wo seine göttliche Mutter ihn beim Eintauchen angefaßt hatte, verwundbar war.

Wieder entbrannte der Kampf vor Trojas Mauern. Achilleus erschlug eine große Zahl der Feinde und verfolgte die Fliehenden bis vor die Tore. Als er sich jedoch in seiner übermenschlichen Kraft anschickte, die Torflügel aus den Angeln zu heben, um den Griechen den Weg in die Stadt zu öffnen, konnte Phoibos Apollon nicht mehr untätig bleiben. Wütend stieg der Gott vom Olymp hernieder, den Köcher mit den unfehlbaren Pfeilen auf dem Rücken; unverhüllt trat er dem Peliden entgegen und gebot ihm in göttlichem Zorne Halt. „Hüte dich", klang drohend seine Stimme, „daß nicht einer der Unsterblichen dich verderbe!"

Achilleus kannte des Gottes Stimme gar wohl. Aber der rasende Held achtete nicht auf die Warnung. Er scheute sich nicht, dem Zeussohne zu drohen und ihn mit frevelnden Worten zu schmähen. „Mach dich davon, daß nicht mein göttlicher Speer dich treffe!" schrie er.

Da hüllte der zürnende Phoibos sich in dunkles Gewölk, legte einen Pfeil in die Sehne und schoß dem Peliden in die verwundbare Ferse. Paris war es, der dann gegen den Verwundeten den Todesstreich führte. Wie ein unterhöhlter Turm stürzte Achill zu Boden. Doch er raffte sich wieder auf, denn noch war seine unbändige Kampfkraft nicht gebrochen, und mancher Trojaner endete unter seiner unfehlbaren Lanze. Bald aber ermatteten ihm die

Glieder, und unter die Toten ringsum sank Achilleus, der herrlichste Held der Griechen, in den Staub, wie ihm geweissagt war.

Paris, sein Todfeind, frohlockte und rief den Troern zu: „Bemächtigt euch der Leiche!" Als sich jedoch die Menge der Troer, die vorher so ängstlich Achills Lanze gemieden hatten, jetzt beutegierig um den Toten scharte, war Held Aias zur Stelle. Wachsam umkreiste er die Leiche des Waffengefährten und verjagte die Feinde. So mancher, der sich zum Kampfe herbeiwagte, empfing den Todesstoß. Odysseus und andere Danaer traten dem tapferen Aias zur Seite.

Inzwischen hatten die Könige Achills Leichnam vom Schlachtfelde zu den Schiffen tragen lassen und umstanden ihn voller Schmerz. Unaufhörlich stieg die Wehklage um den Tod des Besten der Griechen zum Himmel.

Endlich machte der greise Nestor dem Klagen ein Ende. Er mahnte die Griechen an ihre Pflicht gegen den Toten, hieß sie den Leichnam waschen und aufs Lager betten und die Totenehrungen vorbereiten. Trauernd blickte Athene vom hohen Olymp auf ihren Liebling. Sie träufelte einige Tropfen Ambrosia auf sein Haupt, um ihn vor Entstellung und Verwesung zu bewahren. Frisch wie ein Lebender ruhte nun der herrliche Held auf seinem Totenlager, und alle Griechen, die vor ihn hintraten, schauten mit Staunen seinen Riesenwuchs und den herrlichen Körper. Es war, als liege er in friedlichem Schlummer und werde bald wieder erwachen.

Aus der Meerestiefe aber stieg Thetis, Achills göttliche Mutter, mit den übrigen Töchtern des Nereus empor. Thetis umfing ihren Sohn mit den Armen, küßte ihn auf den Mund und weinte, daß der Boden von ihren Tränen naß wurde. Mit ehrfurchtsvoller Scheu wichen die sterblichen Danaer vor den meerentstiegenen Gottheiten zurück.

Erst als sie sich beim Morgengrauen ins Meer zurückgezogen hatten, wagten die Griechen wieder, sich dem Leichnam des Helden zu nahen. Sie türmten ungezählte Bäume zum Scheiterhaufen, schmückten ihn zu Ehren des Toten mit den Rüstungen Erschlagener, schlachteten Opfervieh und brachten ihm Totengeschenke dar. Briseïs, die Lieblingssklavin des

Toten, weihte ihrem Gebieter ihre Locken als letzte Gabe. Hoch auf zum Himmel schlug die Flamme, die des Helden Leib zu Asche verbrannte. Sodann ehrten die Griechen mit prächtigen Wettspielen ihren großen Toten.

DAS SCHWERE SCHICKSAL DES AIAS

Ein schweres, unverdientes Schicksal traf den tapferen Aias, der so mannhaft für den gefallenen Achill eingetreten war. Bei der prunkvollen Leichenfeier hatte Thetis die Rüstung ihres Sohnes demjenigen zugesprochen, der den Leichnam vor dem Zugriff der Trojaner gerettet hatte. In dem Streit mit dem listigen Odysseus aber, der die herrlichen Göttergeschenke für sich beanspruchte, war Aias unterlegen. Zürnend saß er in seinem Zelte. Doch während er daran dachte, ob er Odysseus in Stücke hauen, die Schiffe anzünden oder sich mit seinem scharfen Schwerte auf die Griechen stürzen solle, hatte ihn Athene furchtbar getroffen. Besorgt um ihren Freund Odysseus, hatte sie Aias, der so Schlimmes brütete, mit Wahnsinn geschlagen. So furchtbar war Aias von der Göttin geblendet, daß er die Schafherden, von denen die Griechen sich nährten, für Scharen feindlicher Krieger hielt; in wilder Kampfeswut stürmte er auf sie ein und richtete unter den unschuldigen, wehrlosen Tieren ein sinnloses Gemetzel an. Doch als er in wildem Wahne einen Widder, in dem er den verhaßten Odysseus sah, mit seiner Peitsche furchtbar züchtigte, nahm die Göttin die Krankheit von ihm. Die Geißel in der Hand, stand der Held im Augenblick des Erwachens vor dem Widder, der mit zerfleischtem Rücken am Türpfosten hing. Dieser Anblick sagte dem unglücklichen Aias genug. „Warum hassen mich die Unsterblichen?“ stieß er hervor; „hier stehe ich, zum Gelächter dem ganzen Heere, meinen Feinden ein Spott!“ Beschämt und verzweifelt wünschte er sich den Tod. Vergeblich suchte Tekmessa, die Mutter seines Sohnes, ihn von seinem Vorhaben abzubringen: Aias fand den Tod durch sein eigenes Schwert.

DAS HÖLZERNE PFERD

Zehn Jahre lagen die Griechen nun schon vor Troja, doch immer noch war kein Ende des furchtbaren Krieges abzusehen. An die Stelle Achills war sein Sohn Neoptolemos getreten. Inzwischen mußten die Belagerten auch den Paris betrauern, den Urheber all des Unheils, das Griechen und Trojaner im Kampfe um die Stadt erlitten hatten. Von einem Giftpfeil des Philoktetes getroffen, fand Paris den Tod in der Schlacht. Die Trojaner führte an Hektors Stelle jetzt der fromme Aineias, der Sohn der Aphrodite, der sich schon ruhmvoll im Kampfe hervorgetan hatte. Apollon hauchte ihm Mut und Stärke ein, daß die Griechen unter schweren Verlusten zurückweichen mußten. Nur mit Mühe konnte Neoptolemos die schwierige Lage meistern.

Unaufhörlich wogte der Streit hin und her. Erfolg und Mißerfolg, Sieg und Niederlage verteilten die Götter auf beide Seiten. Vergeblich versuchten die Griechen eine Entscheidung zu erzwingen. Aineias, der strahlende Held, war der stärkste Rückhalt der Trojaner.

Da rief Kalchas, der Seher, die vornehmsten Helden des griechischen Heeres zusammen. „Laßt ab von dem Versuche, die Stadt mit Gewalt zu nehmen“, redete er zu ihnen, „denn so werdet ihr nie zum Ziele kommen! Besinnt euch lieber auf eine List, die euch den Erfolg bringen mag!“ Zur Bekräftigung seiner Worte erzählte er ihnen von einem Traume, in dem er einen Habicht eine Taube verfolgen sah. Als das Tierchen in einem Felsspalt sicheren Schutz fand, verbarg der Raubvogel sich im nahen Gebüsch, bis das törichte Täubchen herausschlüpfte. Mit leichter Mühe packte er es nun und würgte es ohne Erbarmen. „Laßt uns diesen Vogel zum Vorbild nehmen“, schloß Kalchas, „laßt uns darauf sinnen, Troja nicht mit Gewalt zu erobern, sondern es einmal mit List zu versuchen!“

Keinem der Helden aber wollte ein Mittel einfallen, wie man dem Kriege mit einer List ein Ende setzen könne. Schließlich hatte der schlaue Odysseus den erlösenden Einfall: „Laßt uns ein riesengroßes Pferd zimmern, in dessen Leib sich unsere edelsten Helden verbergen sollen. Durch einen scheinbaren Abzug unseres Heeres werden die Troer sich aus der Stadt herauslocken lassen." Der erfindungsreiche Held hatte seinen Plan bis in alle Einzelheiten zu Ende gedacht. Ein mutiger Mann, den keiner der Feinde kannte, solle zurückbleiben, sich als Flüchtling ausgeben und den Troern das Lügenmärchen vortragen, er sei vor der frevelhaften Gewalt der Achaier geflohen, die ihn für ihre glückliche Rückkehr den Göttern als Opfer hätten schlachten wollen. Und habe er das Mißtrauen der Troer überwunden, so solle er sie veranlassen, das hölzerne Pferd in die Mauern ihrer Stadt zu ziehen!

Als Odysseus ausgeredet hatte, lobten alle seinen erfindungsreichen Geist. „Du hast meine Worte richtig verstanden!" rief Kalchas anerkennend. Zugleich beobachtete er auch günstige Vogelzeichen und zustimmende Donnerschläge des Zeus. „Geht sofort ans Werk, ihr Freunde!" rief er drängend.

Der kunstfertige Epeos übernahm die Leitung. Ihm war Pallas Athene im Traume erschienen. Sie trug ihm auf, das mächtige Roß aus Balken zu zimmern, und versprach ihm ihren Beistand. Eiligst schickten die Atriden in die waldreichen Täler des Idagebirges und ließen die stärksten Fichten fällen. Epeos zimmerte zuerst die Füße des Pferdes, dann den Bauch, fügte darüber den gewölbten Rücken, die Weichen und zuletzt den Hals mit dem mächtigen Kopfe. Schweif und Haare, Ohren und Augen, nichts fehlte. Nur drei Tage hatte die Arbeit gedauert. Staunend stand das ganze Heer vor der Schöpfung des Künstlers.

„Jetzt gilt es, ihr Führer des Danaervolkes!" rief Odysseus. „Mehr Mut gehört dazu, in dieses Versteck zu kriechen, als dem Tode in offener Feldschlacht zu trotzen! Darum, wer sich zu den Tapfersten zählt, der entscheide sich für dieses Wagnis! Die andern mögen vorerst zum Scheine abfahren und sich außer Sichtweite halten! Ein mutiger Jüngling aber soll zurückbleiben, wie ich geraten habe!"

Sinon hieß der Waffengefährte, der dazu bereit war. Dreißig Helden aber, voran Neoptolemos, dann Menelaos, Diomedes, Odysseus und viele andere berühmte Kämpfer, stiegen in voller Waffenrüstung in den geräumigen Leib des Riesentieres. Zuletzt stieg Epeos, der das Wunderpferd gebaut hatte, hinein, zog die Leiter ein und schloß von innen die Riegel.

Die andern Griechen aber steckten die Zelte und alles Lagergerät in Brand; unter Agamemnons und Nestors Führung brachen sie mit den Schiffen auf und verließen die Küste. Mit ungläubigem Staunen hatten die Trojaner von der Mauer aus alle Vorbereitungen für die Abfahrt beobachtet. Wirklich, der Feind, der sie zehn Jahre lang bedroht hatte, war plötzlich verschwunden!

LAOKOONS WARNUNG

Aber eines konnten die Trojaner nicht sehen: Die Griechenschiffe gingen außer Sichtweite hinter der Insel Tenedos, die der Küste vorgelagert ist, vor Anker. Die Krieger stiegen an Land und warteten mit Spannung auf die verabredeten Feuerzeichen.

Voll Freude öffneten die Trojaner ihre Tore und strömten in Scharen über das Schlachtfeld dem Ufer zu. Zwar trugen sie Waffen und Rüstung, denn noch wagten sie nicht ganz zu glauben, daß sie so überraschend von allen Bedrängnissen des furchtbaren Krieges befreit sein sollten. Neugierig strömten sie durch das verödete Schiffslager, sahen die Stätte, wo einst der gewaltige Achill mit seinen Myrmidonen gehaust und wo die Königszelte des Agamemnon und des Menelaos gestanden hatten. Staunend umstanden sie das große hölzerne Pferd. Welch gewaltiger Bau!

Was sollte man mit dem seltsamen Wunderwerke anfangen? Sollte man es in die Stadt schaffen und als Siegesdenkmal für alle Zukunft auf der Burg aufstellen? Sollte man es ins Meer stürzen oder verbrennen? Erregt gingen die Meinungen hin und her. Da trat mit eiligen Schritten Laokoon, Apollons

Priester, mitten unter das Volk. „Was für ein Wahnsinn treibt euch, ihr Toren!“ rief er schon von weitem. „Glaubt ihr etwa, die Achaier seien wirklich abgefahren? Glaubt ihr, es gebe ein Danaergeschenk, das ohne List und Ränke ist? Kennt ihr den Odysseus denn so schlecht? Entweder birgt das Roß irgendeine Gefahr, oder es ist eine Kriegsmaschine, die gegen unsere Stadt gerichtet ist. Trauet dem Pferde nicht, ihr Troer! Was es auch sein mag: Ich fürchte die Danaer – besonders, wenn sie uns Geschenke bringen!“ Mit diesen Worten entriß er einem Krieger die Lanze und stieß sie machtvoll in den Bauch des Wundertieres. Der Schaft zitterte im Holze, und aus der Tiefe hallte es dröhnend wider. Klang es nicht wie Waffengeklirr? In ihrer Verblendung vernahmen die Trojaner nicht die Warnung des Schicksals.

SINON, DER MEISTER DER HEUCHELEI

Da entdeckten Hirten den zurückgelassenen Sinon, der sich versteckt gehalten hatte, und schleppten ihn vor Priamos. Das troische Kriegsvolk eilte neugierig herbei. Waffenlos, mit gefesselten Händen und wirrem Haare, stand der Gefangene vor dem König. Er verstand es vortrefflich, die Rolle zu spielen, die Odysseus ihm aufgegeben hatte. Flehend streckte er die Arme zum Himmel und dann wieder zu den Umstehenden, und unter Schluchzen rief er aus: „Weh mir Armem! In welchem Lande, auf welchem Meere soll ich Schutz suchen! Ich leugne nicht, ein Grieche zu sein; aber meine Landsleute haben mich ausgestoßen, und die Troer werden mich jetzt ohne Erbarmen töten!“

Neugierig lauschte man seinen Worten. „Schon lange“, berichtete Sinon, „waren die Achaier des hoffnungslosen Krieges müde, und schon längst sannen sie auf Heimfahrt. Wie einst in Aulis aber hemmten widrige Winde ihre Reise, und auch jetzt forderte Kalchas einen Griechen als Opfer. Er haßt mich, der Seher, und so benannte er mich als denjenigen, dessen Blut die Götter forderten. Schon war der Schreckenstag gekommen, schon hatte man das Opfer vorbereitet, da konnte ich meine Fesseln zerreißen und entfliehen. Ich verbarg mich im Schilfrohr des Sumpfes, bis sie abgesegelt waren."

Mit solchem Lügen verstand es der schlaue Späher, die Trojaner zu täuschen. Sie ließen sich davon überzeugen, daß er die Wahrheit spreche und nichts Feindliches im Schilde führe. „Ich bin in eurer Hand, ihr Troer", sagte er ergeben, „und von euch hängt es ab, ob ihr mir in eurer Großmut das Leben schenken oder mir den Tod geben wollt, mit dem mich meine eigenen Landsleute bedrohten."

Mitleid ergriff die Angesprochenen; der greise Priamos ließ ihm die Fesseln abnehmen und sprach ihm freundlich zu. „Du sollst bei uns eine sichere Zuflucht finden, Sinon, doch vorher laß uns noch wissen: Weshalb erbauten die Griechen dieses mächtige Roß? Ist es ein Bild zu Ehren der Götter? Ist es ein Kriegswerkzeug, mit dem unsere listigen Feinde uns noch nach ihrer Abfahrt vernichten wollen?"

Sinon, der Meister der Heuchelei, scheute sich nicht, die Götter zu Zeugen anzurufen, als er mit seinen Lügen fortfuhr: „So wisset, daß die Achaier den Zorn ihrer Schutzgöttin Pallas Athene erregt haben. Das Pferd, das ihr hier errichtet seht, soll ein Weihgeschenk für die Göttin sein, um ihren Zorn zu versöhnen. Und so mächtig groß und breit haben sie es gebaut, damit ihr es nicht durch eure Tore bringen könnt. Denn ist es erst einmal innerhalb der Mauern eurer Stadt, so würde Athene euch noch mehr als bisher ihren Schutz spenden. Höret aber, worauf die arglistigen Achaier hoffen: Ihr sollt euch an dem geheiligten Rosse vergreifen, denn dann wäre der Untergang eurer Stadt gewiß!"

TROJAS VERDERBEN IST UNABWENDBAR

Alles, was Sinon vorbrachte, erschien so glaubhaft, daß Priamos und die Trojaner in seine Worte keinen Zweifel setzten. Athene selber aber wachte über dem Geschick ihrer Freunde, und als einige erregte Trojaner davon sprachen, das unheimliche Pferd zu verbrennen oder ins Meer zu stürzen, befreite sie ihre Schützlinge durch ein entsetzliches Wunder aus solcher Gefahr. Laokoon nämlich, der Priester des Apollon, der zugleich auch Priester des Poseidon war, opferte gerade am Meeresgestade. Seine beiden Knaben waren bei ihm. Da kamen plötzlich von der Insel Tenedos zwei ungeheure Schlangen über die spiegelglatte Meeresfläche daher und strebten zum Ufer. Ihre mächtigen Leiber peitschten die aufschäumende Flut. Schon hatten sie das Land erreicht; züngelnd und zischend blickten sie um sich.

Die Trojaner, die noch immer in Scharen um das Roß herumstanden, flohen nach allen Seiten; die beiden Schlangen aber glitten auf den Altar zu, wanden sich um die Leiber der beiden Knaben und bohrten ihre giftigen Zähne in die jungen Körper. Laut schrien die Knaben vor Schmerz. Laokoon ergriff ein Schwert und eilte den Söhnen zur Hilfe, doch mit mächtigen Windungen schlangen sich die Ungeheuer auch um seinen Leib. Vergeblich mühte er sich, die Umschlingungen zu lösen. Furchtbar waren seine Klagelaute, die sich zum Himmel erhoben.

So erlag Laokoon, der Priester, mit seinen beiden Söhnen den schrecklichen Schlangen. Diese aber schlüpften Athenes hochragendem Heiligtum zu und bargen sich dort unter den Füßen und dem Schilde der Göttin.

Jedermann sah: Laokoon war von der Gottheit für seinen frevlerischen Zweifel schrecklich gestraft worden; die Göttin schützte ihre Weihgabe, wie Sinon es behauptet hatte. Da eilte ein Teil der Trojaner der Stadt zu und schlug eine Bresche in die Mauer, ein anderer fügte Rollen unter die Füße

Achilleus verbindet Patroklos

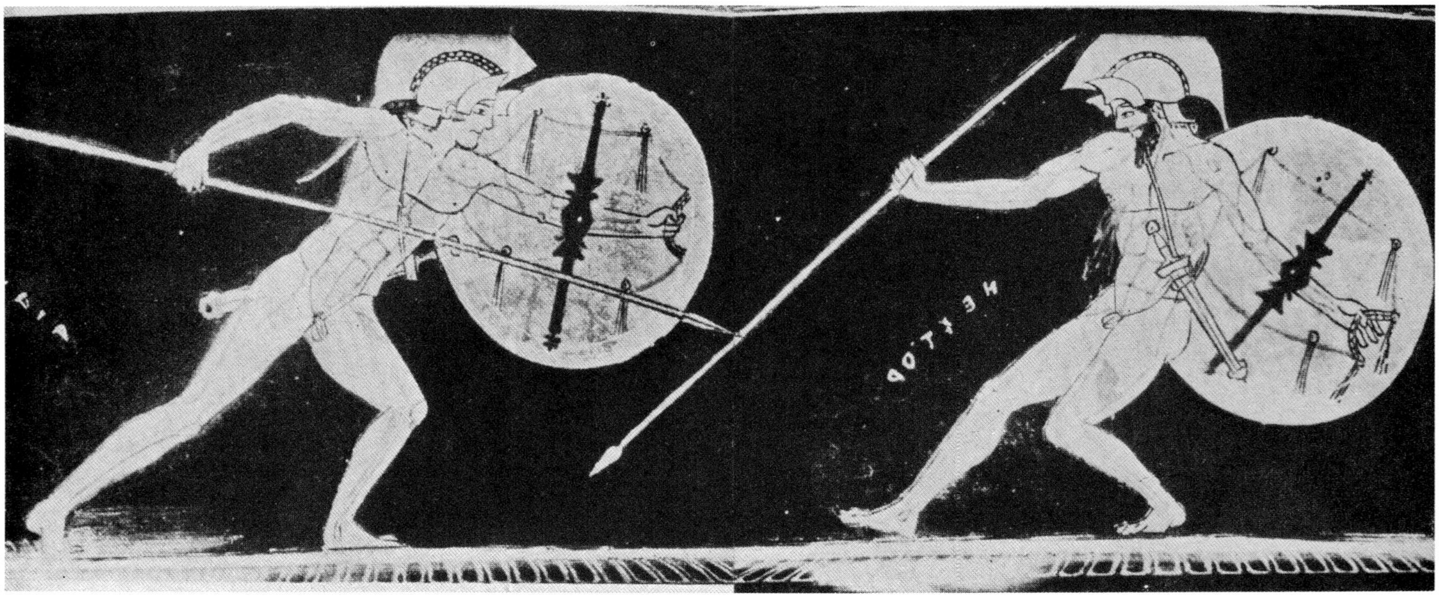

Achilleus und Hektor

des Rosses, wieder andere drehten gewaltige Seile aus Werg und warfen sie dem hölzernen Riesentier um den Hals.

Alle drängten sich, das seltsame Geschenk auf die Burg führen zu helfen. Im Triumph zog man das Roß in die Stadt hinein. Als der Koloß über die Schwellen rollte, erdröhnte es wieder in seinem Bauche wie von Waffen. Die Trojaner aber waren wie mit Blindheit geschlagen. Inmitten ihrer Begeisterung blieb nur Kassandra, die begnadete Tochter des Priamos, bei klaren Sinnen. Die Götter hatten ihr die Gabe verliehen, Zukünftiges zu sehen, doch ihr Schicksal war es, daß niemand ihren Worten Glauben schenkte. Auch jetzt hatte sie Unheilszeichen am Himmel beobachtet; mit flatternden Haaren, vom Geiste der Weissagung getrieben, stürzte sie aus dem Königspalaste hervor: „Ihr unglücklichen Toren", schrie sie, „erkennt ihr denn nicht, daß wir den Weg zum Hades hinabschreiten? Daß wir am Rande des Verderbens stehen? Ich sehe die Stadt in Feuer und Blut gehüllt; aus dem Bauche des Rosses wallt es heraus, dem ihr in eurer Verblendung Eingang in unsere Stadt gegeben habt!"

Die Trojaner aber hörten nicht auf ihre Warnungen. Jubelnd und singend führten sie das verhängnisvolle Feindesgeschenk durch die Stadt und ruhten nicht, bis es auf der Burg stand.

Die halbe Nacht hindurch überließen sich die Trojaner der Freude, endlich von aller Bedrängnis frei zu sein. Alles ergab sich festlichem Schmause, sang und lauschte der Musik. Immer wieder wurden die Becher gefüllt, bis die Trinker die Müdigkeit übermannte.

Endlich sanken auch die letzten in tiefen Schlaf, überwältigt von dem Geschehen des Tages und der lärmenden Feier. Da erhob sich Sinon, der wacker mit den Trojanern gezecht und sich zuletzt schlafend gestellt hatte, von seinem Lager. Er schlich hinaus zum Stadttor, zündete ein Fackel an und gab damit zur Insel Tenedos hinüber das verabredete Zeichen. Ebenso leise begab sich der Späher sodann zum hölzernen Pferde und klopfte an den mächtigen Bauch, wie Odysseus ihn geheißen hatte. Mit klopfendem Herzen stiegen die Helden aus der dunklen Höhlung. Sie zogen ihre Schwerter und schlichen durch die Straßen zu den Toren, um die Wächter niederzumachen.

ERBARMUNGSLOSER UNTERGANG

Gräßlich war das Gemetzel, das dann unter den schlaftrunkenen, weinberauschten Trojanern anhob, die sich nur schwach zur Wehr setzen konnten. Feuerbrände wurden in die Wohnungen geschleudert, und bald loderten ringsumher die Häuser. Zu gleicher Zeit trieb ein günstiger Wind die Flotte der Griechen in den Hafen. Ihr Heer stürmte durch die breite Mauerlücke, durch die tags zuvor das Roß hineingezogen worden war, in die Stadt. Stöhnen und Wehklagen, Schmerzensschreie und Todesklagen jammernder Frauen und unmündiger Kinder durchgellten die brennende Stadt.

Kein Alter, kein Geschlecht noch Stand blieben bei dem schrecklichen Morden verschont. Keiner von den Söhnen des Königs rettete sein Leben. Priamos selber fand unter dem Schwerte des Neoptolemos den Tod. Wer von den Trojanern dem schrecklichen Gemetzel und dem Brande entronnen war, den traf das noch härtere Los der Sklaverei. Hektors Gattin Andromache wurde von Neoptolemos hinweggeschleppt, wie ihr einst Hektor in trüber Vorahnung verkündet, nachdem sie mit eigenen Augen hatte ansehen müssen, wie ihr Sohn Astyanax von der Zinne des Turmes hinabgeschleudert wurde und einen gräßlichen Tod fand.

Als Aineias, der herrliche Held, erkannt hatte, daß alle Gegenwehr vergeblich war, nahm er seinen greisen Vater Anchises auf die Schultern und seinen Sohn Askanios bei der Hand und begab sich auf die Flucht; seine Hausgötter führte er mit sich. Aphrodite, seine Mutter, war mit ihm: Wohin er seinen Fuß setzte, wichen die Flammen vor ihm zurück. Kein Speer, kein Schwert konnte ihn verwunden.

Des Königs Menelaos Trachten war auf Helena, seine rechtmäßige Ehegattin gerichtet, um die der furchtbare Völkerstreit entbrannt war. Mit blankem Schwerte drang er auf die Treulose ein; doch als er sie in dem strahlenden Liebreiz ihrer Schönheit vor sich stehen sah, vermochte er sich nicht gegen die alte Liebe zu wehren. Froh über den wiedererlangten Besitz, nahm er sie aufs neue als seine Ehegattin auf.

Hoch hinauf bis zum Äther stieg die Flammensäule und verkündete den Bewohnern der Inseln und den Schiffen ringsum den Untergang der unglücklichen Stadt Troja.

DAS SCHICKSAL DER TANTALIDEN

FLUCH RUHT AUF DEM HAUS DER ATRIDEN

Troja war gefallen; froh segelte die Flotte der Griechen heimwärts. Viele Schiffe aber gerieten in schweres Unwetter und wurden vernichtet. Agamemnons Segler standen unter Heras Schutz. Sie hatten daher keinen Schaden genommen und fuhren rüstig der Heimat, dem Peloponnesos, zu. Schon zeigte sich am Horizont das erste Vorgebirge von Lakonien, da packte ein Orkan auch Agamemnons Flotte und warf sie aufs offene Meer zurück. Seufzend hob der Völkerfürst die Hände zum Himmel empor: „Ihr Götter", rief er, „habe ich darum soviel Ungemach erlitten, bin ich mit soviel gutem Willen euren Befehlen gefolgt, um nun im Angesicht der Heimat mit meinen tapferen Kriegern elend zu verderben?" Er wußte nicht, daß diesmal der Sturm als Warner und Freund gekommen war. Denn besser wäre es für den König gewesen, im fernsten Barbarenlande sein Leben in schwerer Verbannung zu beschließen, als den Fuß in seinen Königspalast in Mykene zu setzen.

Seit Tantalos, Agamemnons Urahn, es gewagt hatte, mit den Göttern frevlerischen, greuelhaften Spott zu treiben, ruhte schwerer Fluch auf dem Hause. Pelops, der Sohn des Tantalos, half durch seinen Mord an Myrtilos, dem Sohne des Gottes Hermes, diesen Fluch weitertragen: Auf seinen Fahrten kam er in den Peloponnesos, die Pelops-Insel, und warb in Elis um die schöne Hippodameia. Doch ihr Vater, der König Oinomaos, wollte sie nur demjenigen Manne geben, der ihn im Wagenrennen besiegte. Pelops verstand es, des Königs Stallmeister Myrtilos für sich zu gewinnen; er überredete ihn, in die Achsen des königlichen Rennwagens statt der eisernen Nägel wächserne vor die Räder zu stecken. Oinomaos fand den Tod; um seine Freveltat nicht ruchbar werden zu lassen, stürzte Pelops Myrtilos, den Zeugen seines Betruges, ins Meer.

Das Geschlecht des Tantalos war der Rache der Götter verfallen.

In den Söhnen Atreus und Thyestes, die Hippodameia dem Pelops gebar, wirkte der Fluch fort. Sie wurden Herren in Argos, gerieten jedoch bald in unseligen Bruderzwist, als Thyestes dem älteren Bruder das Vlies des goldenen Widders raubte, das seinem Besitzer die Herrschaft verhieß. Auf seiner Flucht nahm Thyestes Pleisthenes, den jungen Sohn des Atreus, mit sich, erzog ihn als seinen eigenen und sandte ihn, als dieser herangewachsen war, nach Mykene, um den feindlichen Oheim, der in Wahrheit sein leiblicher Vater war, zu ermorden. Der junge Mörder wurde gefangen. Atreus ließ ihn töten, doch als er dann erfahren mußte, wem er das Leben genommen hatte, schwur er dem Bruder furchtbare Rache. Zum Scheine versöhnte er sich mit ihm. Dann handelte er wie einst sein Großvater Tantalos: Heimlich ließ er beide Söhne des Thyestes ergreifen, schlachtete sie und setzte sie dem Bruder beim gräßlichen Gastmahle vor. Den Sonnengott, der das unmenschliche Verbrechen schauen mußte, kam solches Grauen an, daß er seinen Wagen nach Osten zurücklenkte.

Unlösbar war der Fluch, der auf dem Hause der Atriden ruhte. Aigisthos, ein Sohn des Thyestes, tötete den Oheim Atreus, doch Agamemnon wiederum, der älteste Sohn des Atreus, stellte dem Brudermörder nach, der sich des Thrones bemächtigt hatte. Er tötete Thyestes, doch Aigisthos blieb verschont. Es war, als hätten die Götter ihn zum Fluche des Geschlechtes aufgehoben.

AGAMEMNONS SCHRECKLICHE HEIMKEHR

Als nun Agamemnon sich auf die Heerfahrt gegen Troja begab und seine Gemahlin Klytaimnestra die Qualen über die Opferung und die Entrückung ihrer Tochter Iphigeneia erleben mußte, glaubte Aigisthos, die rechte Zeit für seine Rache sei gekommen. Es wurde ihm leicht, die Gattin des in der Ferne weilenden Fürsten für sich zu gewinnen. Denn die tiefgekränkte Frau hatte keinen anderen Wunsch, als sich an ihrem Gatten zu rächen, dessen Handeln sie als unmenschlich empfunden hatte.

Die drei Kinder, die kluge Jungfrau Elektra, ihre jüngere Schwester Chrysothemis und der noch unmündige Orestes, mußten mit ansehen, wie ihre Mutter den verhaßten Aigisthos an des Vaters Stelle setzte.

Die beiden hatten alles bedacht, um nicht von Agamemnon, von dem rechtmäßigen Herrn, überrascht zu werden, und waren auf seinen Empfang wohl vorbereitet. Als ein Herold den heimkehrenden Agamemnon meldete, ging ihm die Königin mit verstellter Freundlichkeit entgegen. Der König, der nach dem letzten Sturm glücklich hatte landen können, ahnte nicht das Geschick, das ihn erwartete. Er hatte bereits erfahren, daß Aigisthos im Namen der Königin sein Reich verwaltete, aber er sah nichts Arges darin und dankte den Göttern, daß der alte Rachegeist aus seinem Hause verschwunden sei. Nach dem furchtbaren Erleben der langen Kriegsjahre, die so viel Blut gefordert hatten, war ihm selber jegliches Verlangen nach Rache vergangen.

So reichte er dem Mörder seines Vaters zur Versöhnung die Hand, dankte ihm für die Verwaltung seines Landes und schritt über die Teppiche, die man ihm zur Begrüßung ausgebreitet hatte, die Stufen zum Palast hinauf.

Indessen saß Kassandra, des Priamos weissagende Tochter, die sich in Agamemnons Gefolge befand, mit gebeugtem Haupte auf dem Beutewagen.

Klytaimnestra sah die edle Gestalt der Trojanerin mit Eifersucht, aber noch größer war ihre Furcht vor Kassandras Sehergabe. Schnell erkannte sie, wie gefährlich es sei, länger mit ihrem verruchten Vorhaben zu zögern, und ebenso schnell war sie entschlossen, die fremde Jungfrau zur gleichen Stunde wie ihren Gatten zu beseitigen.

Freundlich sprach die arglistige Klytaimnestra die gebeugte Jungfrau an. Kassandra veränderte keine Miene, doch als man sie aufforderte, den Wagen zu verlassen, sprang sie wie ein gescheuchtes Reh von ihrem Platze auf. Sie wußte, was für ein Schicksal ihr bevorstand. Sie hatte nicht den Willen, ihrem drohenden Geschick entgegenzutreten. Wohl war Agamemnon der Feind ihres Volkes, doch sie war bereit, mit ihm zu sterben, denn ihm verdankte sie ja ihr Leben.

Immer noch ahnungslos, betrat der heimgekehrte König das Badgewölbe seines Palastes, wo seine Gattin ihm ein Bad hatte richten lassen. Waffen und Kleidung legte er ab, um in das Bad zu steigen. Da brachen Aigisthos und Klytaimnestra aus ihren Verstecken hervor, warfen ihm ein Netz über und töteten den Wehrlosen. Kein Hilferuf des schmählich Überfallenen drang aus dem unterirdischen Gewölbe in den Palast hinauf, wo Kassandra ruhelos hin und her irrte und das Geschehene seherisch miterlebte. Wenige Augenblicke später wurde auch sie niedergemacht.

Die beiden Mörder scheuten sich nicht, sich jetzt offen zu ihrer Tat zu bekennen. Sie ließen die beiden Leichname im Palast ausstellen. „Verarget mir meine bisherige Verstellung nicht", erklärte Klytaimnestra ohne Scheu vor den Häuptern der Stadt, „ich habe dem Todfeinde meines Hauses, der mir die geliebte Tochter genommen hat, die Schuld nicht anders bezahlen können. Mit drei Dolchstichen, die ich im Namen des unterirdischen Pluton führte, habe ich für seine Tat Rache genommen." Dann wies ihre Hand auf die Bahre, auf der die Königstochter Kassandra ruhte: „Und was diese Sklavin angeht, so hat sie die Strafe für ihren Ehebruch mit dem treulosen Agamemnon erlitten!"

Niemand wagte, gegen solche Lügen aufzubegehren. Die Bewaffneten des Aigisthos waren bereit, jeden niederzumachen, der sich gegen den gräßlichen Doppelmord auflehnte. Ohne Widerstand befestigten Klytaimnestra und Aigisthos ihre Herrschaft, beseitigten Unzufriedene und verteilten alle Ämter unter ihre treuesten Anhänger. Agamemnons Töchter hielten sie für ungefährlich. Zu spät aber bedachten sie, daß in dem zwölfjährigen Orestes ein Rächer heranwuchs. Seine kluge Schwester Elektra, besonnener als die Mörder, war um seine Sicherheit besorgt und sandte ihn zu ihrem Oheim ins Land Phokis; König Strophios wurde ihm ein zweiter Vater und erzog ihn sorgfältig mit seinem eigenen Sohne Pylades.

IST DER RÄCHER TOT?

Mehrere Jahre gingen dahin, in denen Elektra nur von der Hoffnung lebte, Orest werde als Rächer erscheinen. Kummervoll und bitter war das Leben, das sie führen mußte, denn unerträglich war ihr der Anblick, den sie täglich vor Augen hatte: den Mörder auf ihres Vaters Königsthron, an der Seite der Mutter, die auf die allerschimpflichste Tat die allerverruchteste hatte folgen lassen. Elektra selbst mußte täglich erleben, daß sie von der Mutter mit haßerfüllter Feindschaft verfolgt wurde. Die Jungfrau verzehrte sich in geheimem Gram, denn es war ihr nicht einmal vergönnt, frei zu weinen, so sehr ihr Herz auch danach verlangte.

„Zur rechten Zeit, wenn Manneskraft in meinem Arme ist, werde ich wiederkommen“, so hatte Orest bei seiner Flucht versprochen. Warum ließ sie der Bruder jetzt so lange warten? Allmählich erlosch die Hoffnung auf seine Rückkehr im Herzen Elektras.

Chrysothemis, die jüngere Schwester, hatte nichts von Elektras männlicher Entschlossenheit; an ihr konnte diese nur wenig Unterstützung und wenig Trost finden.

Aber auch Klytaimnestra war in sorgenvoller Unruhe. Ein nächtliches Traumbild hatte sie mit banger Furcht erfüllt, sie sah den erschlagenen Agamemnon, wie er den Herrscherstab, den er einst trug und der nun in des Aigisthos Hand war, im Königspalaste ergriff und in die Erde pflanzte. Aus diesem entsproß alsbald ein Baum mit Ästen und üppigen Zweigen, der seine Schatten über ganz Mykene verbreitete.

Um ihre Ruhe und Sicherheit wiederzugewinnen, ging die Königin im Morgengrauen zum Altar Apollons im Hofe des Palastes und brachte dem Gott ein Versöhnungsopfer.

Es schien, als wolle der Gott sie erhören. Noch hatte sie das Opfer nicht beendet, als ein Fremder auf die Dienerinnen zuschritt und sich nach der Königsburg des Aigisthos erkundigte. Vor der Fürstin des Hauses beugte der Mann sodann sein Knie: „Ich bin gekommen, Königin, dir ein willkommenes Wort zu künden. Mich sendet König Strophios mit einer Botschaft an dich. Orestes ist tot."

Elektra, die in der Nähe stand, wurde bei dieser Nachricht ohnmächtig. Klytaimnestra aber, hin- und hergerissen von Gefühlen der Freude und des Schmerzes, stürzte auf den Boten zu: „Erzähle, wie fand er den Tod?"

„Dein Sohn war, von Ruhmbegier getrieben, nach Delphoi zu den heiligen Spielen gekommen", so berichtete der Bote. Bis in alle Einzelheiten erzählte er von den herrlichen Siegen Orestes, von seinen Siegespreisen in jedem Kampfe und von dem erregenden Wagenrennen, in dem plötzlich die Radnabe zerschellte, daß der Unglückliche vom Wagen stürzte und von den durchgehenden Rennern jämmerlich zu Tode geschleift wurde. „In einer Urne", schloß der Mann, „bringen wir die Überreste des herrlichen Mannes; gönnt ihm in seinem Vaterland ein Grab?"

Klytaimnestra wußte nicht, daß der Überbringer dieser Nachricht der treue Erzieher war, der einst Orestes in das sichere Asyl zum König Strophios geleitet hatte; sie wußte nicht, daß seine Nachricht falsch war. Auch Elektra, aus ihrer Ohnmacht erwacht, ahnte nicht, daß der Bruder lebte – und auf Rache sann!

Während sie in tiefer Trauer und Verzweiflung vor dem Palaste saß und ihr Geschick beklagte, kam ihre Schwester Chrysothemis voll Freude auf sie zugeeilt und weckte sie aus ihren Gedanken. „Orest ist gekommen“, rief sie, „er ist da, so leibhaftig, wie du mich selbst hier vor dir siehst!“

Wollte Chrysothemis die Schwester in ihrem schweren Leide verspotten? Doch nein, sie hatte auf dem Grabe des Vaters Spuren einer frischen Opferspende gefunden, die ein fremder Mann dargebracht hatte. Jener hatte die Grabstätte mit Blumen bekränzt und eine frisch abgeschnittene Locke niedergelegt. „Kann es jemand anders sein als unser ferner Bruder?“ rief Chrysothemis in ihrer Freude. „Muß diese Locke, die ich dir hier bringe, nicht von seinem Haupte geschnitten sein?“

„Du weißt nicht, was ich weiß“, entgegnete Elektra düster. „Orest, unser Bruder, ist tot.“ Und nun mußte Chrysothemis die Botschaft des Phokiers hören, so daß der armen Schwester nichts anderes übrig blieb, als in Elektras Klage mit einzustimmen.

„Die letzte Hoffnung, unsern Vater durch die Hand seines Sohnes zu rächen, ist mit Orests Tode erloschen“, fuhr Elektra plötzlich auf. „Wollen nicht wir Schwestern beide die Tat gemeinschaftlich durchführen und Aigisthos, den Mörder unseres Vaters, töten?“

Chrysothemis, die nichts von dem männlichen Sinn der Schwester hatte, schauderte zurück. „Deine Weigerung überrascht mich nicht“, entgegnete Elektra. „Geh“, rief sie kalt, als Chrysothemis sie in schwesterlicher Liebe umschlingen wollte, „geh und verrate mich unserer Mutter!“

In bitterer Einsamkeit schritt Elektra zur Grabstätte des Vaters; sie fand sie frisch geschmückt. Zwei junge Männer traten auf sie zu, eine Urne in ihren Händen. „Wir sind aus Phokis“, entgegneten sie auf die Frage der Jungfrau, „wir bringen hier die Asche des Orestes, damit der unglückliche Königssohn in der Heimat seine letzte Ruhe finde.“

In großem Schmerz nahm Elektra die Urne an sich. „So ist es also Wahrheit“, klagte sie mit tränenerstickter Stimme, „mein Bruder, nach dem ich mich so lange gesehnt habe, ist nicht mehr!“

Da konnte sich der Jüngling, der das Wort geführt hatte, nicht länger halten: „Du bist Elektra“, stieß er hervor, „Elektra, meine liebe Schwester! Erkenne mich doch, ich bin Orestes!“

Ungläubig blickte sie ihn an. „Fort mit der leeren Urne“, rief er, „es ist ja doch alles nur Schein! Orestes lebt! Erkenne mich doch an diesem Zeichen, das ich hier auf dem Arm trage! Glaubst du nun, daß ich lebe, Elektra, meine Schwester?“ Aufschluchzend vor Freude, schloß sie den wiedergefundenen Bruder in die Arme. Die Nachricht von seinem Tode war ja nur eine List gewesen, um Klytaimnestra in Sicherheit zu wiegen und die Rache besser vorbereiten zu können.

ORESTS RACHE

Ungestüm drängte Orest mit seinem Freunde Pylades jetzt zur Rache. Klytaimnestra war ohne Schutz im Palaste, denn Aigisthos war um diese Zeit fern.

Wild pochte Elektras Herz, und flehend umfaßte sie Apollons Altar, als die Männer in den Palast eilten.

Wenige Augenblicke später erschien Aigisthos; ein Gefühl der Unruhe hatte ihn seine Reise abbrechen lassen. „Ist es wahr, was man mir als Freudenbotschaft unterwegs erzählte“, wandte er sich froh erregt an Elektra, „ist es wahr, daß Orest nicht mehr unter den Lebenden weilt? Wo sind die Jünglinge“, fuhr er höhnisch fort, „die deine Hoffnung zerstört haben?“

„Sie sind drinnen im Palast“, entgegnete die Jungfrau kalt; „sie haben ihn selbst bei sich –“ – „Welch erfreuliches Wort höre ich von deinen Lippen!“ rief der König, „doch siehe, dort bringt man die Leiche schon!“

Frohlockend ging Aigisthos dem Orestes und seinen Begleitern entgegen, die einen verhüllten Leichnam aus dem Innern des Palastes in die Vorhalle trugen. „Welch froher Anblick!“ rief er, während seine Augen aufleuchteten. „Hebt die Decke auf, denn der Anstand erfordert ja, daß ich mich traurig zeige; es ist doch verwandtes Blut!“ Auch vor der Bahre konnte er nicht von seinem grausamen Spotte lassen.

„Hebe selbst die Decke auf, König“, entgegnete Orest hart; „dir allein steht es zu, liebevoll zu schauen und zu begrüßen, was unter der Hülle ruht!“ – „So ruft auch Klytaimnestra herbei, daß sie schaue, wonach ihr Herz verlangt!“ – „Klytaimnestra ist nicht ferne“, stieß Orest erregt hervor.

Da hob der König die Decke, die den Leichnam bedeckte. Mit einem Entsetzensschrei fuhr er zurück; nicht die Leiche des Orestes, wie er gehofft hatte – Klytaimnestras blutiger Leichnam lag vor ihm!

Die beiden Freunde stießen den König in den Palast hinein, und an derselben Stelle, wo er einst den König Agamemnon im Bade gemordet hatte, fiel Aigisthos unter dem Todesstreich des rächenden Sohnes.

IN DER GEWALT DER ERINNYEN

Orestes hatte auf Geheiß der Götter selbst und nach einem Orakelspruch Apollons gehandelt, als er den Tod seines Vaters rächte. Aber nach der grausigen Tat erwachte die Kindesliebe unwiderstehlich in seiner Brust, und der gräßliche Zwiespalt zwischen Pflicht und Liebe zerriß ihm das Herz mit solcher Macht, daß er keinen Ausweg mehr wußte. Orestes wurde ein Opfer der Rächerinnen menschlicher Frevel, der Erinnyen. Schwarz wie die Nacht und von entsetzlicher Gestalt, übermenschlich von Wuchs und mit blutigen Augen, Schlangen in den Haaren und aus Schlangen geflochtene Geißeln in den Händen, so verfolgten sie den Täter.

Sogleich nach der schrecklichen Tat fühlte sich Orestes in der Gewalt der Rachegöttinnen. Sie gönnten ihm nicht das Zusammensein mit den wiedergefundenen Schwestern, jagten ihn unerbittlich vom Schauplatze des Mordes und hüllten seinen Geist in Wahnsinn. Als Flüchtling mußte der Muttermörder das Vaterland verlassen, das er soeben erst zurückgewonnen hatte. In dieser Not bewährte sich Pylades als treuer Freund. Er hatte seine Liebe Elektra gestanden und sich mit ihr verlobt. Nun war er der einzige, der dem so schwer Getroffenen zur Seite blieb und alle Mühen der Verbannung mit ihm teilte. Apollon, der Orest die Rache befohlen hatte, zeigte sich bald sichtbar, bald unsichtbar an seiner Seite und wehrte die ungestüm nachdringenden Erinnyen von dem Verfolgten ab.

Wenn Apollon in der Nähe weilte, fühlte Orestes sich ruhiger.

So waren die Flüchtlinge auf langen Irrfahrten endlich ins Gebiet von Delphoi gekommen; in Apollons Tempel, zu dem den Erinnyen der Zutritt verwehrt war, hatte Orestes für den Augenblick Zuflucht und eine Freistatt gefunden. Voll Mitgefühl stand der Gott ihm zur Seite, sprach ihm Trost zu und erteilte ihm hilfreichen Rat: „Zwar ist deines Bleibens hier nicht von Dauer, du Sohn des Agamemnon, doch nicht länger sollst du ohne Ziel umherirren. Lenke deine Schritte nach Athen, der ehrwürdigen Stadt meiner Schwester Pallas Athene! Dort soll dir ein gerechtes Urteil werden!"

Apollons Beistand war dem unglücklichen Orestes bitter not, denn unaufhörlich bedrängten ihn die unerbittlichen Rachegeister. Auch vor dem Tempel des Gottes machten sie nicht halt und scheuten sich nicht einmal, die geheiligte Schwelle zu überschreiten. Mit Scheltworten trieb der Delphier die greulichen Wesen hinaus. „Orestes steht in meinem Schutze", rief er, „denn in meinem Auftrage hat er als der fromme Sohn seines Vaters Agamemnon gehandelt!"

Sodann übergab er Orest mit seinem Freunde der Obhut des Hermes, in dessen Schutze die Wanderer stehen, und kehrte zum Olymp zurück. Die beiden Freunde machten sich nach der Weisung des Gottes auf den Weg nach Athen; aus Scheu vor der goldenen Rute des Götterboten wagten die Erinnyen den Wanderern nur aus der Ferne zu folgen. Allmählich aber wurden sie kühner; als die beiden Freunde glücklich in der Stadt der Pallas Athene angekommen waren, heftete sich ihnen die Schar der Rächerinnen dicht an die Fersen, und kaum hatte Orest mit seinem Freunde den Tempel Athenes betreten, so stürmte die grauenvolle Schar auch schon durch die offenen Pforten herein, um den Verfolgten mit ihren Gesängen in neuen Wahnsinn zu versenken.

Da durchleuchtete plötzlich überirdisches Licht den Tempel; die Göttin Athene selber stand lebendig vor den rasenden Rachegeistern. Sie wußte, daß Orest keinen unsühnbaren Mord begangen hatte und ihren Altar nicht mit unreinen Händen umfaßte. Sie wollte dem Sohne des Völkerfürsten, mit dem sie selber Troja, Ilions Feste, zerstört hatte, einen gerechten Urteilsspruch zuteil werden lassen und übergab die Entscheidung den besten Männern der Stadt, die ihren Namen führt. Den gequälten Orest aber nahm sie in ihren Schutz. Bis zum Gerichtstag verwies sie die Rachegeister in ihre unterirdische Behausung.

ORESTS FREISPRUCH DURCH DEN AREOPAG

Als der Gerichtstag herangekommen war, berief ein Herold die auserwählten Bürger von Athen auf einen Hügel vor der Stadt, der dem Gotte Ares heilig war und deshalb der Areopag hieß. Die Göttin selber war anwesend. Zum Schutze des Angeklagten aber war Apollon erschienen.

Orest leugnete nicht, Klytaimnestra getötet zu haben. „Ich sah in ihr nicht mehr die Mutter", stieß er gequält hervor, „sondern nur die Mörderin meines Vaters." Apollon ergriff das Wort für den Angeklagten, der auf sein Geheiß gehandelt habe; die Erinnyen dagegen blieben nicht stumm und geißelten mit wildem Eifer den Frevel des Muttermordes.

Athene hieß die Stimmsteine unter die Richter verteilen, jedem einen schwarzen für die Schuld, einen weißen für die Unschuld des Beklagten; doch ehe die ausgewählten Männer sich zum Abstimmen anschickten, sprach die Göttin von ihrem erhöhten Thronsessel herab: „Höret, was ich als Gründerin eurer Stadt bestimme, ihr athenischen Bürger, die ihr heute den ersten Streit wegen vergossenen Blutes richtet: Für alle Folgezeit soll dieser Gerichtshof in euren Mauern bestehen. Hier auf diesem heiligen Areshügel, dem Areopag, soll künftig das Blutgericht abgehalten werden und die Bürger durch fromme Scheu vor Blutschuld bewahren!"

Dann erhoben sich die ehrwürdigen Richter von ihren Sitzen und traten an die Urne. Nacheinander rollten die Stimmsteine hinein. Als man die schwarzen und die weißen Steine nachzählte, da ergab es sich, daß die Zahl beider gleich war. Die Entscheidung kam jetzt der Göttin zu, die den Vorsitz innehatte.

Athene entschied für Freispruch Orests. Unter Segenswünschen verließ er, geleitet von dem treuen Pylades, den Areopag. Die Rachegöttinnen aber, so sehr sie sich durch dieses Urteil auch beschimpft fühlten, wagten es nicht, sich an dem Freigesprochenen zu vergreifen. Doch gräßlichen Fluch sprachen sie über die Stadt und ihr Volk aus. Erst als Apollon mit seiner Schwester begütigend auf sie einredete und ihnen ein geweihtes Heiligtum auf athenischem Boden versprach, besänftigte sich ihr Zorn. Sie versprachen, die Stadt in ihren gnädigen Schutz zu nehmen.

IPHIGENEIA IN TAURIS

Nachdem Orest von seiner Schwermut genesen war, wandte er sich mit dem treuen Pylades nach Delphoi, um den Gott um weitere Weisungen zu bitten. „Königssohn von Mykene", lautete der Spruch der Priesterin, „du wirst das Ende deiner Not erreichen, wenn du dich auf die taurische Halbinsel begibst, wo Apollons Schwester Artemis ein Heiligtum besitzt. Dort sollst du das Bildnis der Göttin, das nach der Sage dieses Barbarenvolkes vom Himmel gefallen ist, durch List oder andere Mittel rauben und nach Athen bringen, denn die Göttin sehnt sich nach dem milderen Himmelsstrich und nach griechischen Gläubigen."

Das Volk der Taurier war ein wilder Menschenstamm, der Schiffbrüchige und Gestrandete der Göttin Artemis zu opfern pflegte. Warum aber sandte das Orakel den Orestes in dieses wilde Land und zu dem grausamen Völkerstamm? Als Iphigeneia einst in Aulis durch die Göttin Artemis gerettet war, die eine Hirschkuh an ihrer Statt auf den Altar gelegt hatte, war sie durch das Lichtmeer des Himmels auf den Armen der Göttin über Meer und Land nach Tauris gebracht worden. Hier in ihrem eigenen Tempel hatte Artemis die Tochter Agamemnons niedergelegt. Thoas, der König des Barbarenvolkes, hatte sie zur Priesterin bestellt. Schrecklich war Iphigeneias Aufgabe im Dienste der Göttin. Sie mußte den fürchterlichen Brauch pflegen, jeden Fremden, der das Ufer betrat, der Göttin zu opfern. Oft waren es griechische Landsleute, die dieses Los traf. Sie selber hatte das Todesopfer einzuweihen. Niedrigere Diener der Göttin mußten es sodann in das Innere des Heiligtums zur Schlachtbank schleppen.

Viele Jahre schon hatte die Jungfrau ihres traurigen Amtes gewaltet. Thoas achtete ihre königliche Abkunft, das Volk verehrte sie um ihrer milden griechischen Sitte willen. Doch wie unendlich schwer wurde ihr das Leben, das sie in der Fremde, ohne Wissen vom Schicksal ihrer Familie, vertrauern mußte! Wie oft stand sie am Ufer, die ferne Heimat mit der Seele suchend!

„AUF DEN ALTAR MIT DEN FREMDEN!"

Orest hatte mit seinem Freunde inzwischen das Ufer von Tauris erreicht. Sie ließen das mit fünfzig Ruderern bemannte Schiff in einer der Felsgrotten, und mit aller Vorsicht schlichen die beiden an Land. Voll Staunen blickten sie auf die düsteren Mauern, die, einem Zwinger gleich, den Göttertempel umgaben. Einzudringen erschien ihnen unmöglich, und so beschlossen sie, den Schutz der Nacht abzuwarten, um ihr Vorhaben auszuführen.

Doch die Götter sandten dem gequälten Jüngling wieder eine schwere Bedrängnis. Taurische Hirten trieben an jener Stelle ihre Tiere ins Wasser, als Orestes plötzlich von neuem von seiner furchtbaren Krankheit gepackt wurde. Vielleicht hielt er das Gebrüll der Rinder und das Hundegebell für Stimmen der Rachegeister. Wahnsinn packte ihn, und aufstöhnend schrie er dem Freunde zu: „Pylades, Pylades! Siehst du dort nicht die schwarze Jägerin, den Drachen aus dem Hades, wie sie mich zu morden begehrt – wie sie mit den wilden Schlangen züngelnd auf mich zufährt? Und dort die andere, die Feuer sprüht, hat sie nicht meine eigene Mutter im Arme und droht, sie auf mich zu schleudern?“ Wie rasend zog der Unglückliche sein Schwert, warf sich auf die Rinderherde und stieß den Tieren das Eisen in die Bäuche, daß sich die Meeresflut ringsum rot färbte.

Endlich fanden die taurischen Hirten, die erschrocken zugesehen hatten, ihre Fassung wieder und warfen sich auf den Jüngling, der, Schaum vor dem Munde, in Wahnsinn tobte. Pylades stand dem Freund tapfer zur Seite, doch der Übermacht der Hirten, die auf ihren Muschelhörnern noch Bauern zur Hilfe gerufen hatten, waren beide nicht gewachsen, obwohl auch Orestes seinen gesunden Verstand wiedergefunden hatte. Die beiden Griechen wurden gefesselt und vor Thoas geführt.

„Auf den Altar mit den Fremden!“ befahl der König sogleich in seinem Zorne, „bringt sie der Priesterin als Todesopfer!“ So wurden die beiden Gefangenen Iphigeneia zugeführt. „Mögest du recht viele solcher Griechen bekommen“, meinten treuherzig die Diener, „denn sie scheinen von herrlicher Abkunft. Läßt du viele von ihnen töten, so mag dir das eine Rache an Griechenland sein, weil man dich einst dort, in der Bucht von Aulis, umbringen wollte.“

In der letzten Nacht hatte Iphigeneia einen quälenden Traum: Ihr geliebter Orest weilte nicht mehr unter den Lebenden. So fanden die Worte der Diener Widerhall in ihrem Herzen: „War ich bisher barmherzig gegen die Fremdlinge und schenkte den Stammesgenossen mein Mitleid – jetzt sollt ihr alle, die ihr diesem Strande naht, mich grausam finden!“ Doch als man ihr die Gefangenen zuführte, ließ sie ihnen die Fesseln von den Händen lösen und sandte die Diener fort, denn Mitleid mit dem Geschick ihrer Landsleute ergriff sie von neuem. „Hattet ihr eine weite Fahrt bis zu diesen Ufern, ihr Fremden?“ fragte sie freundlich. „Jetzt müßt ihr euch für eine noch weitere bereithalten“, fuhr sie dann fort; „denn eure Fahrt geht hinunter ins Schattenreich!“

„Wir wollen dein Mitleid nicht“, entgegnete Orestes hart; „wer das Henkerbeil schwingt, dem steht es übel an, sein Opfer zu trösten, ehe er den Streich führt.“

„Welcher von euch beiden ist Pylades?“ fragte nun die Priesterin. Diesen Namen hatte sie von den Hirten erfahren, die die beiden Griechen gefangen hatten. Orest deutete auf den Freund. „Seid ihr Brüder?“ Der Gefragte nickte: „Durch Liebe“, entgegnete er; „nicht durch Geburt!“ – „Und wie ist dein Name?“ – „Nenne mich einen Unglücklichen“, versetzte Orest düster; „am besten ist es, ich sterbe namenlos.“

BRUDER UND SCHWESTER

Die Priesterin verdroß sein Trotz, und sie drang in den Gefangenen, ihr wenigstens seine Vaterstadt zu nennen. Als sie den Namen Argos vernahm, zuckte sie erregt zusammen. „Bei den Göttern“, rief sie, „sprichst du die Wahrheit? Du stammst wirklich aus Argos?“ – „So ist es“, antwortete der Gefragte; „aus Mykene stamme ich, wo meine Familie einst im Glücke lebte.“

„Wenn du von Argos kommst, Fremdling“, stieß Iphigeneia zitternd vor Spannung hervor, „so weißt du vom Krieg gegen Troja, von Helena und von dem Oberfeldherrn! Hieß er nicht Agamemnon, des Atreus Sohn?“ Orestes schauderte bei dieser Frage und wandte sein Gesicht ab. „Sprich mir nicht von diesen Dingen, Weib!“ rief er hart. Doch Iphigeneia, im tiefsten Herzen aufgerührt, ließ nicht ab. Sie bat mit so weicher, flehender Stimme, daß Orestes nicht widerstehen konnte. „Er ist tot, nach dem du fragst“, sagte er; „durch seine eigene Gattin starb Agamemnon einen grauenhaften Tod.“

Entsetzt fuhr die Priesterin zurück. Doch es drängte sie, die ganze Wahrheit zu erfahren, und nun vernahm sie von den grausigen Geschehnissen im Hause des Atriden, von dem Rächeramt des Sohnes, von seinem elenden Dasein als Vertriebener und von den überlebenden Schwestern.

„Höret, ihr Freunde", sagte sie in tiefster Bewegung, und ihre Stimme sank zu vorsichtigem Flüstern, damit kein Unberufener ihre Worte höre: „Ich will dich retten, Jüngling, wenn du mir ein Briefblatt in deine Heimat, die auch die meine ist, nach Mykene, bringen willst!" – „Ich mag mich nicht retten ohne den Freund", erklärte Orest abweisend, „wie sollte ich ihn verlassen?"

Für Iphigeneia war es unmöglich, beiden Freunden den Weg in die Freiheit zu öffnen. „Mir ist es gleich, wer von euch meinen Brief besorgt", sagte sie, „entscheidet ihr es unter euch beiden!"

Während sie sich entfernt hatte, um den Brief zu schreiben, stritten die Freunde in edlem Wettbewerb miteinander, denn jeder weigerte sich, den andern im Stiche zu lassen. „So übernimm du das Amt, meinen Brief zu überbringen!" wandte Iphigeneia sich nach ihrer Rückkehr an Pylades. „Versprichst du mir, ihn richtig den Meinigen abzuliefern, so ist dir deine Rettung gewiß. Und damit du die Botschaft kennst, wenn ein Unglücksfall sie dir nehmen sollte, so höre ihren Inhalt: Melde dem Orestes, Agamemnons Sohn, daß Iphigeneia, die in Aulis vom Opferherde entrückt wurde, unter den Lebenden weilt und ihm sagen läßt –" – „Was höre ich?" fuhr Orestes auf, „was sprichst du, Priesterin? Du bist Iphigeneia? Du bist Agamemnons Tochter?"

„Ich bin Iphigeneia", erklärte die Priesterin mit Würde.

Die beiden Freunde fanden in freudigem Staunen kein Wort. Dann nahm Pylades den Brief aus den Händen der Priesterin, wandte sich dem Freunde zu und rief: „Ja, ich will mein Versprechen auf der Stelle einlösen: Da, nimm das Schreiben, Orestes, das deine Schwester Iphigeneia dir sendet!"

Orestes ließ den Brief zu Boden fallen und umschlang die wiedergefundene Schwester. Sie konnte nicht glauben, was sie gehört hatte, und suchte sich seinen Umarmungen zu entziehen; erst als die beiden Jünglinge sie völlig überzeugt hatten, gab sie sich ihrer Freude hin und rief: „Wie glücklich bin ich!“

Orestes erinnerte jedoch sogleich an die gefährliche Gegenwart. „Ja, wir sind glücklich“, sagte er, „aber wie lange wird es währen? Ist uns nicht ein jammervoller Untergang gewiß?“ Auch die Schwester sprach ihre Sorge aus. „Was ersinne ich nur“, sagte sie bebend, „euch aus der Gewalt des Barbarenfürsten zu erlösen?“

IPHIGENEIAS FLUCHTPLAN

Die kluge Iphigeneia fand einen Weg zur Rettung. Sie übergab die beiden Jünglinge wieder ihren Wächtern und ließ sie ins Innere des Tempels führen. Bald darauf erschien der König Thoas mit seinem Gefolge, unwillig, daß die Leiber der Fremdlinge nicht schon lange auf dem Hochaltare der Göttin brannten. Doch als er den Tempel betreten wollte, stand vor ihm Iphigeneia, die Bildsäule der Göttin auf ihren Armen. Erstaunt trat der König zurück: „Was soll das bedeuten, Priesterin, warum trägst du das Götterbild aus dem Tempel fort?“

„Abscheuliches ist geschehen, Fürst“, entgegnete sie. „Die Fremdlinge, die man mir zur Opferung gebracht hat, sind nicht rein. Als sie sich schutzflehend dem Standbilde der Göttin näherten, wandte es sich auf seinem Sockel und schloß die Augenlider. Du mußt wissen, daß dieses Paar Grauenhaftes verübt hat.“

Und nun berichtete sie dem Könige von dem schrecklichen Geschehen am Atridenhofe, so wie es der Wahrheit entsprach. „Mein Gottesdienst verlangt“, fuhr sie fort, „die Fremdlinge samt dem Götterbilde zu entsühnen. Laß die Fremden wieder fesseln, König, und ihre Häupter vor dem Strahle der Sonne verhüllen! Und sende Boten zu deiner Königsstadt, daß die Bürger sich, wenn die Entsühnung geschehen ist, in ihren

Stadtmauern halten, um von der alles verpestenden Blutschuld nicht angesteckt zu werden.“

Iphigeneia hatte klug alles Notwendige vorbedacht, um den Fluchtweg vorzubereiten: „Du selber, König Thoas“, fuhr sie fort, „tust am besten, dich in meiner Abwesenheit im Tempel zu halten und das gesamte Gewölbe ausräuchern zu lassen, damit ich alles gereinigt vorfinde. Und wenn die Fremden aus dem Tempel treten, so wende dein Antlitz ab, daß sich der Greuel dir nicht mitteile!“

So wußte die Priesterin den argwöhnischen König mit kühner Klugheit zu täuschen. Thoas willigte in all ihre Anordnungen ein. „Solltest du meinen, ich säume zu lange am Meeresstrande“, schloß sie, „so werde nicht ungeduldig, Herrscher! Bedenke, welchen großen Frevel es zu entsühnen gilt!“

HEIMKEHR MIT HILFE DER GÖTTER

Mehrere Stunden waren vergangen, als ein Bote erhitzt und keuchend vor der Tempelpforte stand und ungestüm Einlaß begehrte. „Schlimme Nachrichten bringe ich“, stieß er hervor. „Die Priesterin des Tempels ist mitsamt den Fremden und dem Standbild der Schutzgöttin von Tauris entflohen! Das ganze Entsühnungsopfer war nichts als Lüge!“ schrie der Bote.

König Thoas wollte die Worte nicht glauben. „Der mit ihr flieht“, berichtete der Mann, „ist ihr Bruder Orest, derselbe, den sie hier zum Opfertode zu weihen schien.“ Fassungslos stand der König vor einem so kühnen Betrug. „Noch ist nicht alle Hoffnung vergebens“, fuhr der Bote voll Erregung fort, „denn der Meeresgott zeigte sich den flüchtigen Griechen feindlich. Poseidon denkt wohl mit Zorn an die Zerstörung der Mauern Trojas, die ja das Werk seiner eigenen Hände waren. Er hat das Schiff ans Land zurückgetrieben, und während ich hier spreche, König, ist es vielleicht schon auf den Strand geschleudert.“

In aller Eile ließ Thoas die Rosse zäumen. In seinem Zorn beschloß er, das Schiff samt seinen Ruderern zu versenken, die beiden Fremdlinge aber und die treulose Priesterin vom schroffsten Felsen ins Meer hinabstürzen oder aufspießen zu lassen.

Als der König an der Spitze seiner Krieger dem Meeresufer zujagte, zwang plötzlich eine himmlische Erscheinung den Zug zum Halten. Pallas Athene, die erhabene Göttin, war es, die dem zornigen König in den Weg trat. Von einer lichten Wolke umgeben, schwebte ihre Riesengestalt über die Erde, und wie Donner rollte ihre Götterstimme über die Taurier hin: „Höre, was die Göttin spricht, König Thoas: Schicke deine Krieger wieder zurück und laß meine Schützlinge frei in die Heimat ziehen! Göttlicher Wille hat den Atridensohn Orestes hierher gerufen, daß er, von den Erinnyen befreit, seine Schwester ins Vaterland zurückgeleite und das heilige Bild der Artemis in meine geliebte Stadt Athen bringe, wie die Göttin selbst es begehrt hat. Orestes wird dort dem Bilde der taurischen Artemis in einem heiligen Hain einen herrlichen Tempel errichten. Iphigeneia soll auch dort die Priesterin der Göttin sein und soll, wenn der Tod sie dereinst abruft, dort ihre fürstliche Gruft finden! Du, König Thoas, und du, Volk der Taurier, gönnt ihnen allen ihr Geschick und lasset von eurem Zorne!"

Der König Thoas lebte in frommer Verehrung der Götter. Er warf sich vor der Erscheinung nieder und hob die Hände zum Gebete: „O Pallas Athene", rief er, „welcher Mensch würde es wohl wagen, sein Ohr dem Göttergeheiß zu verschließen? Mögen deine Schützlinge mit dem Bildnis der Göttin dahinziehen, mögen sie es in deiner Stadt aufstellen; ich weiche dem Willen der Götter!"

Damit ließ er seine Krieger umkehren und wandte sich zur Stadt zurück.

Es geschah, wie Athene verkündet hatte. Orest errichtete der taurischen Artemis in Athen einen Tempel. Iphigeneia waltete dort als Priesterin. Orest bestieg zu Mykene den Thron seiner Väter und verbrachte ein glückliches Leben an der Seite der schönen Hermione, der Tochter des Menelaos und der Helena. Auch Argos und Sparta brachte er unter seine Herrschaft. So herrschte er über ein mächtigeres Reich, als sein Vater es besessen hatte.

Pylades, der nach der glücklichen Rückkehr Elektra heimgeführt hatte, bestieg als Nachfolger seines Vaters den Thron des heimischen Phokis. Orestes selber durfte ein gesegnetes Greisenalter erleben; er wurde neunzig Jahre alt. Der alte Fluch, der auf Tantalos' Geschlecht lag, schien erloschen. Oder war er es erst mit Orests Tod? Eine Schlange stach den greisen König in die Ferse, so daß er ein rasches Ende fand.

DIE IRRFAHRTEN DES ODYSSEUS

IM PALAST ZU ITHAKA

Die griechischen Helden waren von Troja zurückgekehrt und befanden sich, glücklich oder unglücklich, in der Heimat. Nur Odysseus, der Sohn des Laërtes, war noch auf abenteuerlicher Irrfahrt. Auf der Insel Ogygia hielt ihn die Nymphe Kalypso in ihrer weinumrankten Grotte gefangen, weil sie ihn zum Gemahl begehrte.

Aber so schön auch die Insel war und so anmutig die Göttin, Odysseus konnte die Heimat, seine Frau und seinen Sohn nicht vergessen. Täglich saß er am Gestade und blickte voll Sehnsucht über das weite Meer, ob sich nicht in der klaren Ferne das geliebte Ithaka zeige. Da folgten die Olympischen schließlich Athenes Bitten und befreiten ihn aus der Gewalt der göttlichen Inselfürstin. Während Hermes, der Götterbote, den Befehl des Göttervaters nach Ogygia brachte, eilte Athene selber zur Insel Ithaka, um Telemachos, dem Sohne des Odysseus, ihren Trost zuzusprechen; sie hatte die Gestalt des Königs Mentor angenommen, als sie vor das hohe Tor des Königshauses trat.

Traurig sah es im Palaste des Odysseus aus. Als er aus dem Kriege um Troja nicht heimkehrte, hielt man ihn für tot, und von Ithaka und den umliegenden Inseln stellten sich viele Fürsten ein, die um die Hand der jungen Witwe warben. Fast hundert Freier waren es, die sich im Hause des Odysseus niederließen und vom Gute des fernen Fürsten zehrten; schon über drei

Jahre trieben sie dort mit frechem Übermut ihr Unwesen, schmausten, spielten und tranken. Telemach, der Sohn des Hauses, mußte ihrem wüsten Treiben ohnmächtig zuschauen. Wann endlich, so dachte er immer wieder, wird mein herrlicher Vater aus der Ferne heimkehren und die Eindringlinge aus unserem Hause jagen?

Solche Gedanken bewegten ihn auch jetzt, als er die Göttin in der Gestalt des fremden Königs am Tore erblickte. Er eilte ihm entgegen, hieß ihn willkommen und bot ihm Platz und Speise an. Während die Freier sich am Reigentanz und Gesang junger Mädchen erfreuten, gab sich die Göttin in ihrer verwandelten Gestalt als Gastfreund zu erkennen. „Ich bin der König der Insel Taphos", sagte sie. „Frage deinen Großvater Laërtes, der, wie man sagt, sich fern von eurer Stadt in Kummer verzehrt; er wird dir von unserer alten Familienfreundschaft zu erzählen wissen. Ich glaubte, deinen Vater wieder daheim anzutreffen. Ist es auch nicht der Fall, so brauchst du dir doch keine Sorgen um ihn zu machen; ich weiß, daß die Stunde seiner Heimkehr nicht fern ist."

Der vermeintliche Gastfreund gab dem jungen Königssohne mit folgenden Worten trostreichen Rat. „Rüste ein Schiff aus", sagte Mentor, „und begib dich auf die Suche nach deinem Vater! Fahr nach Pylos im Lande Messenien, um den ehrwürdigen Greis Nestor zu befragen; erfährst du dort nichts, so wende dich nach Sparta zum heldenhaften Menelaos, denn er ist der letzte der Griechen, der heimgekehrt ist."

Ehe Telemach dem Fremden ein Gastgeschenk reichen konnte, erhob sich dieser von seinem Sessel und war mit Vogelschnelle verschwunden. Da ahnte Telemach, daß ein Gott ihn besucht habe, und sann lange dessen Worten nach.

TELEMACH FORSCHT NACH DEM VATER

Penelope, die in ihren Frauengemach den Gemahl betrauerte, sah mit Verwunderung, wie verständig der junge Telemachos sich seit diesem Tage zeigte und wie bestimmt seine Rede wurde. Ihr war, als sei er plötzlich zum Manne gereift. Auch die Freier staunten über seine Entschlossenheit, als er ihnen so furchtlos entgegentrat und ihnen gebot, nicht länger von seinem Erbgut zu zehren.

Tags darauf berief Telemach eine Volksversammlung ein. Die Lanze in der Hand, trat er vor die Bürger von Ithaka; auch die Freier waren anwesend.

Der Herold reichte dem jungen Königssohn das Zepter, als dieser sich an die Einwohner seiner Insel wandte und um ihre Hilfe bat. „Meinen hochgeborenen Vater, euren König", rief er, „habe ich verloren, und nun bricht mein Haus zusammen, mein Besitz geht verloren! Freier umdrängen meine Mutter ganz gegen ihren Willen, sie nehmen uns Rinder und Schafe und trinken ohne Scheu unseren Wein. Was vermag ich gegen so viele?"

Bewegten Herzens lauschten die Männer von Ithaka der Klage des Königssohnes. „Erkennet doch selbst euer Unrecht", wandte dieser sich an die Freier, „fürchtet ihr denn nicht die Rache der Götter?"

Unter Tränen warf Telemach das Zepter zur Erde; schweigend saßen die Freier umher, nur einer von ihnen, Antinoos, trat dem Königssohn heftig entgegen. Nicht die stürmischen Freier, so erklärte er, sondern Penelope selber habe die Schuld. Drei Jahre schon halte sie ihre ernsthaften Bewerber hin und spotte ihrer. „‚Wartet auf meine Entscheidung solange, bis ich meines Schwiegervaters Laërtes Totenhemd gewebt habe', so hat die ränkevolle Penelope uns gesagt!" rief Antinoos zornig, „denn keine Griechin soll mich tadeln, daß der Vater meines Gemahls dereinst auf seinem Totenbette nicht festlich eingekleidet liege.' " Wirklich arbeitete sie bei Tag an ihrem Gewebe, in der Nacht aber trennte sie bei Kerzenlicht heimlich wieder auf, was sie am Tage gewebt hatte! Die Stimme des Antinoos wurde drohend: „Wenn Penelope die edlen Griechen noch länger verhöhnen und täuschen will, so zehren wir weiter von deinem Erbe, Telemachos, und nicht eher werden wir weichen, als bis deine Mutter einem von uns die Hand zum Ehebund gereicht hat!"

Vergeblich versuchte der junge Königssohn, dem anmaßenden Freier zu widersprechen, vergeblich wandte er sich an dessen Genossen, um ihr Gefühl für Recht und Unrecht anzurufen. Die Freier beharrten darauf, daß Penelope sich für einen Bewerber entscheiden solle.

Telemachos ging nun daran, ein Schiff zur Reise zu rüsten, um nach dem Geheiß der Göttin in Pylos und in Sparta nach dem verschollenen Vater zu forschen. Er ließ zwölf Henkelkrüge mit Wein füllen und zwanzig Maß feines Mehl in Schläuche schütten. In der Nacht, als die Mutter auf ihrem Lager ruhte, reichte Athene den zechenden Freiern einen Schlaftrunk, daß sie in tiefen Schlummer sanken.

Währenddessen bestieg Telemach das Schiff, brachte den Göttern ein Trankopfer und fuhr bei günstigem Winde davon. In Pylos traf er den greisen Nestor mit seinen Söhnen beim Opferschmaus an. Man nötigte die Männer von Ithaka freundlich, am Gastmahl teilzunehmen, und wies Telemach den Ehrensitz an. Doch über das Schicksal des Odysseus konnte Nestor keine Auskunft geben.

Der freundliche Greis erbot sich, dem Sohne seines alten Kampfgefährten Wagen und Pferde für die Weiterfahrt nach Sparta zu stellen. Unter lebhaften Gesprächen verging der Abend. Man brachte den Göttern ein Trankopfer, tat fröhlichen Umtrunk und ging zur Ruhe. Kaum schimmerte die Morgenröte über dem Palast, so regte sich das geschäftige Leben von neuem. Wieder wurde ein Opfertier geschlachtet. Man verbrannte die besten Stücke für die Göttin Athene und schüttete dunklen Wein darauf; das übrige wurde an Spieße gesteckt, gebraten und verspeist.

Nestor ließ seine schönsten Rosse vor den Wagen spannen und gab Brot und Wein für die Fahrt mit. Sein jüngster Sohn führte die Zügel, um Telemach sicher zu Menelaos zu bringen.

Noch niemals hatte der Sohn des Odysseus einen so herzlichen und ehrenden Empfang erlebt, wie er ihm am Königshofe zu Sparta bereitet wurde. Als Menelaos und Helena vernahmen, daß der Sohn ihres hochgeschätzten Freundes vor ihnen stehe, waren sie tief gerührt. Menelaos entrüstete sich über das freche Treiben der übermütigen Freier, von dem Telemach bekümmert berichtete, sprach ihm Trost zu und ließ ihn wissen, was ihm der Meeresgott Proteus über Odysseus geweissagt hatte: „Er sitzt auf einer einsamen Insel und vergießt Tränen der Sehnsucht, denn die Nymphe Kalypso hält ihn mit Gewalt zurück, und noch fehlt es ihm an Schiffen, in die Heimat zurückzukehren."

Der Spartanerkönig wollte den jungen Gastfreund zum Verweilen nötigen, doch Telemach folgte der freundlichen Einladung nicht; es trieb ihn, zur Mutter heimzukehren, um ihr in ihrer schweren Bedrängnis beizustehen.

SCHIFFBRÜCHIG NACH SCHWERER SEEFAHRT

Inzwischen eilte Hermes auf das Geheiß der Götter zur Insel Ogygia, wo die Nymphe Kalypso lebte. Ein Zypressenhain, in dem bunte Vögel nisteten, beschattete die weinumrankte Grotte, in der ihre Gemächer waren; Quellen entsprangen in der Nähe, und Bächlein bewässerten die Blumenwiesen.

Kalypso saß am Webstuhl und sang ein munteres Lied zur Arbeit. Sie erkannte Hermes sogleich. Der Götterbote fand Odysseus jedoch nicht zu Hause. Nach seiner Gewohnheit saß der göttliche Dulder traurig am Gestade und schaute mit Tränen in den Augen, das Herz voll Sehnsucht, auf das weite Meer hinaus.

Als die Nymphe den Götterbeschluß vernahm, der für Odysseus Freiheit und Rückkehr verlangte, brach sie in Tränen aus. „Sind die Götter so grausam und so voll Neid?“ rief sie klagend. „Dulden sie denn nicht, daß eine Unsterbliche sich einen sterblichen Mann zum Gemahl erwählt?“ Doch aus Furcht vor dem Zorne und der Rache des Göttervaters versprach sie, zu gehorchen und Odysseus freizugeben.

Kalypso gab ihm Axt und Beil zur Hand, und aus den mächtigsten Zedern der Insel fertigte Odysseus ein Floß mit Mast und Steuer, das bereits nach vier Tagen fahrbereit am Strande lag. Die Nymphe selber versah den Helden mit Schläuchen voll Wein und Körben voll köstlicher Speisen, gab ihm günstigen Fahrwind und nannte ihm die Zeichen der Himmelsgestirne, nach denen er sich auf See richten sollte.

Siebzehn Tage lang fuhr Odysseus über das Meer, immer weiter nach Osten. Am achtzehnten Tag endlich stiegen die dunklen Bergketten des Phaiakenlandes aus dem Meere empor. So nahe war der Held seiner Rettung.

Doch da bemerkte ihn der Meeresgott Poseidon, der soeben von den Aithiopiern zurückkehrte. Er wußte nichts von dem Ratschluß der Götter, denn sie hatten seine Abwesenheit benutzt, Odysseus endlich aus seiner Not zu befreien. „Er soll noch Jammer genug erfahren“, stieß Poseidon ingrimmig hervor, sammelte die dunklen Wolken und wühlte mit seinem Dreizack das Meer in den Tiefen auf. Dann rief er die Orkane zum Kampfe gegeneinander herbei: Meer und Erde wurden ganz in Dunkel gehüllt. Odysseus zitterte, als er sich in der unendlichen Wasserwüste so einsam sah. Längst war das Land wieder seinen Blicken entschwunden. Ringsumher erblickte er nichts als schwarze Wogen, die ihn bald zum Himmel schleuderten, bald in den unendlichen Abgrund rissen.

„Warum habe ich nicht den Kriegertod unter den Speeren der Troer gefunden?“ durchfuhr es den Helden. Verzweifelt klammerte er sich an das Floß, als ihn plötzlich ein gewaltiger Windstoß mit Urgewalt packte, der das Floß mit Macht herumriß und ihn ins Wasser warf. Mast und Segel flogen auf das tobende Meer hinaus. Mit äußerster Mühe arbeitete Odysseus sich aus den Wellen empor und erreichte mit letzter Kraft sein zerbrochenes Fahrzeug.

Als der edle Dulder so in der entfesselten See dahintrieb, erbarmte sich seiner die Göttin Leukothea, die Helferin der Schiffbrüchigen. Sie schwang sich zu ihm auf das Floß und sprach ihm Mut zu: „Die Götter wollen deinen Untergang nicht, mag der Meeresgott Poseidon dir auch noch so grimmig zürnen. Laß dir raten, Odysseus: Zieh dein wasserschweres Gewand aus, überlaß das Floß dem wütenden Sturm und schwimme durch die Wellen ans Ufer! Mein Schleier wird dich dabei beschützen."

Unendlich mühsam war noch der Kampf, den Odysseus mit den entfesselten Wogen zu bestehen hatte, bis er am dritten Tage die Felsenküste der Insel Scheria vor sich liegen sah. Doch die Brandung war zu stark und schleuderte ihn wieder ins Meer zurück. Endlich fand er ein flaches, windgeschütztes Ufer ohne Klippen, wo ein Flüßchen ins Meer mündet, und erreichte, zu Tode erschöpft, den Strand.

Als der Schiffbrüchige festen Boden unter den Füßen spürte, brach er ohnmächtig zusammen; die Anstrengung war zu groß gewesen. Langsam nur kehrte ihm das Bewußtsein zurück. Dankbar löste er Leukotheas Schleier von seiner Brust und gab ihn dem Meere zurück. Dann warf er sich auf die Knie und küßte voll Dankbarkeit die heilige Erde. Ihn fror in seiner Nacktheit, denn die Nachtluft wehte schneidend kalt vom Meere herüber. Im Schutze des Waldes fand Odysseus ein paar wilde Ölbäume, deren Zweige sich eng ineinander verschlungen hatten und sicheren Schutz boten. Von dem dürren Laube, das auf dem Boden herum lag, errichtete er sich dort ein Lager, kroch hinein und deckte sich mit den Blättern zu. Sogleich fiel er in festen, erquickenden Schlaf, der ihn sein schweres Leid vergessen ließ.

NAUSIKAA

Die Insel Scheria wurde von dem hochangesehenen, friedfertigen Volke der Phaiaken bewohnt, das unfern des Hafens eine mächtige Stadt erbaut hatte. Dort herrschte geschäftiges Treiben, denn die Phaiaken trieben Handel und Schiffahrt, daneben aber auch Ackerbau und Jagd, und auf ihren Schiffswerften wuchsen die Masten zum Himmel. Ihr König hieß Alkinoos, der dort in einem prächtigen Palaste wohnte, über Ordnung und Sitte waltete und den Wohlstand des Landes mehrte.

Während Odysseus noch im Walde ruhte, war Athene, seine göttliche Freundin, darauf bedacht, ihm bei den Vornehmsten der Insel eine gastliche Aufnahme zu bereiten. Am folgenden Morgen kam des Königs Tochter Nausikaa, wie Athene ihr im Traume eingegeben hatte, zum Flußufer gefahren, um mit ihren Mägden Linnen und Gewänder der königlichen Familie zu waschen.

Die Mädchen lösten die Maultiere aus dem Gespann, ließen sie im üppigen Grase weiden und machten sich emsig an die Arbeit, stampften und wuschen und breiteten sie Stück für Stück auf die Kiesel am Ufer. Dann badeten sie selber im Meere, salbten sich mit duftigem Öl und verzehrten fröhlich das mitgebrachte Mahl.

Mädchenlachen erfüllte die sonst so einsame Gegend. Die Jungfrauen tanzten und spielten. Nausikaa selber stimmte den Gesang dazu an. Als sie nun einmal den Ball nach einer Gespielin warf, ließ Athene, die unsichtbar gegenwärtig war, ihn in den Fluß fallen. Da kreischten die Mädchen in ihrem Übermut, daß es von den Ufern widerhallte.

Odysseus, dessen Lager ganz in der Nähe war, richtete sich horchend auf. Bis dahin hatte er von dem fröhlichen Treiben der Mädchen nichts vernommen.

„Das können keine wilden Räuberbanden sein", sagte er sich. Er kroch aus dem Gebüsche hervor, schüttelte das Laub von sich, und um seine Blöße zu decken, brach er einen buschigen Zweig ab, den er sich vor den Leib hielt. Die Jungfrauen glaubten, ein Seeungeheuer zu erblicken, als der Schiffbrüchige unter sie trat, und flüchteten verstört nach allen Seiten. Nur Nausikaa zeigte sich beherzt. Ruhig blickte sie den Fremden entgegen. Odysseus bat sie ehrerbietig um Kleidung und Wegweisung. Sie antwortete ihm freundlich, bot ihm Kleidung und gab Antwort auf seine Frage. „Phaiaken sind es, die Stadt und Land hier bewohnen", sagte sie; „ich selber bin die Tochter des Königs Alkinoos. Wenn du dich an ihn wendest, so wirst du nicht vergeblich um gastliche Aufnahme bitten."

Da legte Odysseus die Kleidung an, die Nausikaa ihm aus ihrem Vorrat ausgesucht hatte, und stärkte sich nach der langen Entbehrung mit den Speisen, die die Mädchen ihm reichten. Dann bestieg Nausikaa mit ihren Gefährtinnen den Wagen und fuhr davon.

Odysseus folgte ihr langsam. Wie staunte er über das schöne Land, die hohen Stadtmauern, den Hafen und die Schiffe! Athene selber, in der Gestalt eines anmutigen Phaiakenmädchens, führte ihn zum Königspalast. „Hier ist das Haus des Alkinoos", sagte sie, „tritt nur getrost ein, Fremdling, und wende dich an Arete, unseres Königs verehrte Gemahlin. Sie wird dir sicherlich helfen."

Verwundert stand der Held vor dem herrlichen Bau mit den Wänden von gediegenem Erz, den Simsen aus bläulichem Stahl und den herrlichen Standbildern, die Hephaistos selber gefertigt hatte.

Im Saale waren die vornehmen Phaiaken festlich versammelt. Athene, die ihren Schützling in eine Nebelwolke gehüllt hatte, führte ihn ungesehen durch die Reihen der Schmausenden vor das Königspaar. Da zerfloß auf Athenes Wink das Dunkel um ihn her. Er warf sich vor der Königin Arete nieder, umfing ihre Knie und bat sie um Hilfe in seiner Not. Schweigend setzte er sich dann neben das Herdfeuer.

Die Phaiaken, von dem Anblick überrascht, verstummten, bis einer der Alten das Schweigen brach: „Alkinoos", sagte er, „ist es recht, einen Fremd-

Odysseus und die Sirenen

Eurykleia erkennt Odysseus, rechts Eumaios

ling am Herde in der Asche sitzen zu lassen? Die übrigen Gäste schweigen, nur weil sie deiner Befehle harren. So laß den Fremden gleich uns auf einem silberbeschlagenen Sessel Platz nehmen, laß die Herolde neuen Wein mischen, daß wir Zeus, dem Beschirmer des Gastrechtes, unser Opfer darbringen! Und dann befiehl, unserm Gaste Speise und Trank vorzusetzen!"

Der gütige Alkinoos reichte dem Helden selber die Hand und führte ihn zu einem Sessel an seiner Seite. Odysseus labte sich am guten Mahle inmitten der phaiakischen Männer, und ohne den Gestrandeten nach seinem Namen zu fragen, versprach ihm der König sichere Entsendung in die Heimat. Unter der Halle wurde ihm sodann ein weiches Lager bereitet. Bald entschlummerte der Held und vergaß die überstandenen Leiden.

FESTSPIELE BEI DEN PHAIAKEN

In der Morgenfrühe berief König Alkinoos eine Volksversammlung auf den Marktplatz der Stadt. Alle stimmten seinem Vorschlage zu, dem fremden Schiffbrüchigen das Geleit in seine Heimat zu gewähren. Dann lud der Herrscher die Fürsten seines Volkes zu einem Festmahle, das er dem Gaste zu Ehren veranstaltete, in seinen Palast, und damit dabei das Lied nicht fehle, ließ er den blinden Demodokos rufen, den göttlichen Sänger.

Während die Jünglinge auf des Königs Geheiß das Schiff für die Reise ausrüsteten, füllten sich die Hallen des Palastes mit den geladenen Gästen. Ein fröhliches Schmausen hub an, denn der Hausherr hatte mit Speise und Trank nicht gekargt. Dann griff der Sänger, der seinen Ehrenplatz mitten unter den Gästen hatte, nach der Harfe und stimmte sein Lied an.

Demodokos sang von dem Kampfe der Griechen vor Troja, er sang von den Kämpfen der Helden, von Achilleus und von Odysseus.

Als der Heimkehrer seinen eigenen Namen nennen und im Liede feiern hörte, wurde es ihm bitter schwer, seine Rührung zu verbergen. Die

Erinnerung riß alle Wunden wieder auf. Er mußte das Haupt in seinem Gewande bergen, damit man seine Tränen nicht sah. Nur der König, der neben dem Gaste saß, bemerkte dessen tiefe Bewegung und vernahm sein Seufzen. „Höret, ihr Freunde", sagte er darum, den Fremden zu schonen, „lasset uns dem Gesang ein Ende machen und unsern Gast nun durch Kampfspiele ehren. Er soll den Seinen zu Hause melden können, wie wir Phaiaken im Faustkampf und Ringen, im Sprung und im Wettlauf alle Sterblichen übertreffen!"

Sogleich folgten alle dem Rufe des Königs, erhoben sich vom Mahle und eilten zum Markte. Unter der jungen Mannschaft, die sich im Wettkampfe messen wollte, waren auch die drei Söhne des Alkinoos. Mit Wohlgefallen sah Odysseus den Eifer der edlen Jünglinge im Wettlauf, im Ringen, im Springen und beim Wurf mit dem Diskos. Da wandten sie sich auch an ihn und baten ihn, seine Kunst zu zeigen.

„Freunde", entgegnete Odysseus betrübt, „so groß ist mein Unglück, daß ich nicht Neigung verspüre, mich im Wettkampf zu messen. Zuviel habe ich erdulden müssen. Jetzt verlangt mich nach nichts anderem als nach der Heimkehr in mein Vaterland!"

Euryalos, einer der jungen Phaiaken, der sich soeben im Wettkampfe hervorgetan hatte, wagte in seinem Unwillen ein fürwitziges Wort: „Schon gut, Fremdling", rief er, „man sieht wohl, daß du dich aufs Kämpfen nicht verstehst. Vielleicht bist du Händler oder ein Aufseher auf einem Kaufmannsschiffe, der die Ladung besorgt und die Gewinne berechnet? Ein Held jedenfalls scheinst du mir nicht zu sein."

Odysseus furchte unwillig die Stirne: „Das war keine feine Rede, mein Freund; du scheinst mir ein recht übermütiger Bursche zu sein. Man sieht doch, wie ungleich die Götter ihre Gaben verteilen: Wie selten sind Schönheit und männliche Kraft gepaart mit Beredsamkeit und Weisheit! Du darfst mir glauben, daß ich kein Neuling im Kampfe bin, und als ich noch meiner Jugendkraft vertrauen konnte, habe ich mich mit den Tapfersten gemessen. Aber ob die Feldschlacht und der Kampf mit dem Meere mich auch entkräftet haben, du hast mich herausgefordert – ich versuche den Wettkampf!"

Auf sein Geheiß reichte man ihm die Wurfscheiben. Odysseus wählte die schwerste von allen aus, und ohne den Mantel abzulegen, schleuderte er sie so kräftig, daß sie weit über das Ziel hinaus flog, weit hinter die Wurfmarken der anderen.

„Schleudert mir dorthin nach, ihr vorlauten Jünglinge", rief Odysseus seinen Herausforderern zu, „und versucht euch mit mir, in welchem Kampfe ihr wollt! Ich werde keinem ausweichen, weder im Bogenschießen, noch im Wettkampf mit dem Wurfspeer. Nur im Laufen mag es mir jemand zuvortun, denn die stürmische Meerfahrt hat mir die Glieder steif gemacht."

Da schwiegen die Phaiaken alle, und niemand getraute sich mehr, den Helden herauszufordern. Alkinoos sprach vermittelnde Worte. Dann zeigten sich schöne Jünglinge im Tanze, daß Odysseus selber staunen mußte. Noch nie hatte er einen so anmutigen Tanz gesehen. „In dieser Kunst habt ihr euresgleichen nicht", sagte er lobend zum König; „sicherlich könnt ihr Phaiaken euch der geschicktesten Tänzer auf der ganzen Erde rühmen!"

Eine solche Anerkennung hörte der König gern. Euryalos aber reichte dem Gast sein kunstvoll gearbeitetes Schwert zum Geschenk und bat ihn, die kränkenden Worte zu vergessen. „Mögen die Götter dir fröhliche Heimkehr verleihen!" sagte er freundlich. Wie er taten nach des Königs Geheiß auch die phaiakischen Fürsten; jeder schickte einen Herold nach Hause, ein Geschenk für den Fremden holen zu lassen.

„ICH BIN ODYSSEUS!"

Unterdes war es Abend geworden. Odysseus setzte sich im Saale an die Seite des Königs, während die Diener das Fleisch zerlegten und aus den Mischkrügen Wein in die Becher schenkten. Auch Demodokos, den blinden Sänger, führte man wieder herein und gab ihm seinen Ehrenplatz. Als alle gespeist hatten, wandte sich Odysseus an den Sänger und lobte seinen Gesang: „So lebendig und genau verstehst du das Schicksal der griechischen Helden zu schildern, als hättest du selber alles miterlebt! Besing uns doch auch einmal die seltsame Sage vom hölzernen Pferde und von der Tat des Odysseus!“

Da sang der Alte zum Klange der Harfe, und keiner der Lauschenden ahnte, daß der Held, dessen List er feierte, leibhaftig unter ihnen saß. Odysseus konnte seinen heimlichen Tränen nicht wehren, als er seine Taten so preisen hörte, und Alkinoos, der allein die Tränen bemerkte, hieß den Sänger schweigen. „Laß die Harfe ruhen“, sagte er, „denn nicht allen singst du zur Freude! Seit das Lied ertönt, sitzt unser Gast wie in tiefen Gram versunken, und vergebens trachten wir, ihn fröhlich zu stimmen. Muß uns ein Fremder, der voll Vertrauen naht, nicht lieb sein wie ein Bruder?“

Und damit wandte er sich an Odysseus, der den zartfühlenden Gastgeber dankbar anblickte: „So sag uns nun, Fremdling, frei und offen: Wie heißt du? Wer sind deine Eltern, welches ist dein Vaterland?“

Alle blickten in stummer Erwartung auf den Gefragten. „Glaube nicht, edler König, daß euer Sänger mich nicht erfreue! Eine Wonne ist es, seine göttergleiche Stimme und sein unsterbliches Lied zu vernehmen, und nichts Schöneres weiß ich, als wenn im Kreise der schmausenden Gäste die Becher gefüllt werden und der Sänger sein Lied anstimmt von den Taten der Helden. Doch ihr fragt nach meinem leidvollen Schicksal, ihr lieben Gastfreunde; noch tiefer muß ich nun in Gram und Kummer versinken. So höret zuerst mein Geschlecht und mein Vaterland: Ich bin Odysseus, des Laërtes Sohn, durch Klugheit unter den Menschen bekannt, und mein Ruhm steigt bis zum Himmel. Ithakas sonnige Höhen sind meine Heimat.“

Bewundernd blickten die Phaiaken auf den berühmten Helden. Sie drängten sich herbei, den Mann zu sehen, dessen Taten sie so oft im Liede vernommen hatten und der jetzt leibhaftig vor ihnen saß.

BEI DEN LOTOPHAGEN

„Ihr wollt von meiner traurigen Heimfahrt erfahren, die mir der Donnerer Zeus beschied", fuhr Odysseus fort. „So höret! Von Ilion weg trug uns der Wind zur Kikonenstadt Ismaros. Wir eroberten sie und erschlugen die Männer. Die anderen Einwohner teilten wir unter uns. Nach meinem Rate hätten wir uns eilends davonmachen sollen, doch meine unbesonnenen Gefährten blieben schwelgend sitzen, und die Verwandten der Kikonen, die landeinwärts wohnen, überfielen uns beim Festschmaus. Sechs Gefährten von jedem unserer Schiffe blieben tot auf dem Platze, als wir uns mit Mühe vor der Übermacht retteten.

So segelten wir weiter, zwar froh, der Todesgefahr entronnen zu sein, doch traurig über den Verlust unserer Gefährten. Nun galt es, ein seltsames Abenteuer zu bestehen: Als wir ein Vorgebirge an der Pelopsinsel umfahren wollten, warf uns der Sturmwind wieder auf die offene See hinaus. Neun Tage trieben wir umher, bis wir ans Ufer der Lotophagen gelangten. Die zwei Kundschafter, die wir ausschickten, wurden von dem friedlichen Volke, das sich nur von der Lotosfrucht nährt, freundlich aufgenommen, doch die Kost, die man ihnen gab, hat ganz seltsame Wirkung. Sie ist süßer als Honig und nimmt dem, der von ihr ißt, für immer den Drang zur Heimkehr. Nur mit Gewalt und ganz gegen ihren Willen konnten wir unsere Gefährten zu den Schiffen zurückführen.

BEIM KYKLOPEN POLYPHEM

Auf unserer weiteren Fahrt landeten wir an einer kleinen, dichtbewaldeten Insel. Menschen fanden wir nicht, nur Ziegen durchstreiften in großen Scharen die Ebene. Wir versorgten unsere zwölf Schiffsmannschaften reichlich mit frischem Fleische. Gegenüber dieser Insel liegt ein mächtiges Eiland, auf dem das Volk der Kyklopen haust. Sie wissen nichts vom Ackerbau, denn ohne ihr Zutun lassen die Götter dort alle Nahrung, Getreide und Reben, wachsen. Sie kennen nicht Gesetze noch staatliche Ordnung, leben einsam in Felshöhlen und kümmern sich kaum um ihre Nachbarn.

Als ich am andern Morgen mit meinem Schiffe zur Kyklopeninsel hinüberfuhr, wußte ich davon noch nichts. Hart am Gestade erblickten wir eine hohe, von Gesträuch überschattete Felsenkluft. Eine Menge Ziegen und Schafe lagerte davor in einem mächtigen Gehege von Steinen und Bäumen.

Da wählte ich zwölf meiner tatkräftigsten Freunde aus, hieß die übrigen an Bord bleiben und das Schiff bewachen. Ich versäumte auch nicht, einen Schlauch voll süßen Weines mitzunehmen, denn ich ahnte, er könnte mir nützlich sein als Gastgeschenk für die fremden Bewohner.

Wir fanden den Herrn nicht zu Hause, denn er war bei seinen Herden auf der Weide. Voll Verwunderung betrachteten wir das Innere der Höhle, die Körbe voll von Ziegenkäse, die Kübel, Bütten und Eimer, dazu die Menge der Schafe und Lämmer in den unterirdischen Pferchen. Hier hauste der fürchterlichste unter den Riesen; er war ein Sohn Poseidons und hieß Polyphem. Wie alle Kyklopen hatte er ein einziges Auge mitten auf der Stirn. Er war mit unendlicher Kraft begabt, so daß er Felsen wegwälzen und Granitblöcke wie Kiesel durch die Luft schleudern konnte.

Wäre ich doch dem Rate meiner Gefährten gefolgt, von dem Käse zu nehmen, Lämmer und Ziegen auf unsere Schiffe zu treiben und zu den Gefährten zurückzukehren! Doch es reizte mich, den seltsamen Herrn der Höhle kennenzulernen und sein Gastgeschenk abzuwarten.

So setzten wir uns in der Höhle nieder, zündeten ein Feuer an und aßen von dem Käse des Kyklopen. Endlich nahte er, auf seinen Riesenschultern einen mächtigen Haufen trockenen Feuerholzes tragend. Verängstigt krochen wir in die Winkel der Grotte, als er die Last zu Boden fallen ließ. Er trieb die Ziegen und Schafe herein, rollte einen mächtigen Felsblock, den zweiundzwanzig vierrädrige Karren nicht hätten von der Stelle schaffen können, vor den Eingang, hockte sich gemächlich nieder, melkte Ziegen und Schafe und legte die saugenden Jungtiere ans Euter.

Erst als er das Feuer entfachte, erblickte uns der mächtige Mann. „Wer seid ihr, Fremdlinge?" fuhr er uns mit seiner rauhen Stimme an; sie klang wie Donnerrollen, daß uns das Herz im Leibe erbebte. „Woher kommt ihr über das Meer gefahren? Seid ihr Seeräuber, oder was treibt ihr?"

Da nahm ich allen Mut zusammen: „Griechen sind wir, kommen von Troja her und haben uns auf dem Meere verirrt. Schutzflehend nahen wir uns dir! Erhöre unsere Bitten, denn du weißt ja, daß Zeus die Schutzflehenden beschirmt und jeden Frevel an ihnen rächt!"

Mit häßlichem Lachen erwiderte der Kyklop: „Ein rechter Tor scheinst du mir, Fremdling, wenn du meinst, uns Kyklopen kümmere die Rachedrohung der Götter. Sind wir selber nicht viel mehr als sie? Doch sag mir, wo bist du mit deinem Schiffe gelandet?"

Ich merkte die Arglist, die in seiner Frage lag, gar wohl. „Mein Schiff", entgegnete ich, „hat der Erderschütterer Poseidon auf die Klippen geworfen und zertrümmert; ich allein bin mit zwölf Gefährten hierher entronnen!" Statt aller Antwort streckte der Unhold seine Riesenhände aus, packte zwei meiner Gefährten und schmetterte sie wie junge Hunde zu Boden, daß Blut und Gehirn auf die Erde spritzten. Und sogleich zerriß er sie und fraß sie auf. Voll Entsetzen mußten wir der Untat zuschauen; jammernd streckten wir die Hände zu Zeus empor.

Doch ungerührt trank der Kyklop zu seinem schrecklichen Mahle einen Kübel Milch und streckte sich dann auf dem Boden zur Ruhe nieder. Sollte ich mich auf ihn stürzen und ihm das Schwert ins Herz stoßen? Schnell verwarf ich diesen Racheplan, denn was hätte er uns geholfen? Wir hätten einen elenden Tod in dem Felsengrab sterben müssen, weil niemand uns den Stein vom Eingang hätte fortwälzen können. So ließen wir das Ungeheuer schnarchen und erwarteten in dumpfer Bangigkeit den Morgen.

Wieder packte Polyphem zwei meiner Begleiter und verzehrte sie vor unseren Augen. Dann schob er den Felsblock vom Eingang der Höhle, trieb die Herde hinaus und legte den Stein wieder sorgsam vor das Loch. In bebender Todesangst blieben wir zurück.

Da ersann ich einen Plan, um uns zu befreien und zugleich die toten Gefährten zu rächen. Im Stalle lag die mächtige Keule des Kyklopen, lang und dick wie ein Mastbaum. Davon hieb ich ein Stück ab, hieß die Gefährten es glätten, schärfte es oben spitz und härtete es in der Flamme. Diesen Pfahl verbarg ich sodann unter dem Mist, der den ganzen Boden bedeckte. Vier meiner Gefährten traf das Los, mit mir zusammen meinen Plan zu verwirklichen. Wir wollten dem Kyklopen das Auge ausbrennen.

Am Abend kehrte der schreckliche Riese heim, führte seine Schafe in die Höhle und verrammelte den Eingang mit dem Felsen. Wieder packte er zwei unserer Gefährten und vertilgte sie. Da näherte ich mich dem Ungeheuer mit einer Kanne meines schweren Weines: „Da nimm, Kyklop, und trink! Auf Menschenfleisch schmeckt der Wein vortrefflich. Ich hatte ihn dir als Gastgeschenk mitgebracht, aber wahrlich, du treibst es zu arg. Wer wird dich künftig wieder besuchen, wenn du so mit deinen Gästen umgehst?“

Wortlos nahm der Kyklop den dargebotenen Wein; man sah, wie das Getränk ihm behagte. Zum ersten Male zeigte er sich freundlich: „Gib mir noch einen Schluck davon zu trinken, Fremdling“, bat er, „und sage mir doch, wie du heißest, damit auch ich dich mit einem Gastgeschenk erfreuen kann!“

Gern gab ich ihm von neuem zu trinken. Ja, dreimal schenkte ich den Krug voll, und dreimal leerte er ihn in seiner Dummheit. Als dann der Wein ihn zu umnebeln begann, redete ich ihn listig an: „Meinen Namen willst du wissen, Kyklop? Ich habe einen seltsamen Namen, denn ich heiße Niemand*; alle Welt nennt mich Niemand, Mutter und Vater heißen mich so und alle meine Freunde."

„So sollst du dein Gastgeschenk erhalten, Niemand", entgegnete der Kyklop mit grimmigem Spott; „ich werde dich als letzten von euch allen verspeisen. Bist du mit meiner Gabe zufrieden?"

Diese letzten Worte brachte der Unhold nur noch lallend hervor; dann lehnte er sich in seinem Rausche hintenüber und fiel in tiefen Schlaf.

DIE FLUCHT VON DER KYKLOPENINSEL

Da steckte ich eilig den Pfahl in die glimmende Asche und drehte ihn, bis die ganze Spitze glühte und sprühte. Zu viert packten wir an und stießen dem Riesen die glühende Spitze mitten in das einzige Auge! Grauenvoll heulte der Verletzte auf, so laut, daß die Höhle vom Gebrüll erzitterte. Bebend vor Angst flüchteten wir uns in den äußersten Winkel. Polyphem riß den Pfahl aus der Augenhöhle, schleuderte ihn weit von sich und tobte wie ein Besessener.

Als seine Nachbarn das Geschrei hörten, kamen sie von allen Seiten herbei. „Niemand, Niemand bringt mich um, ihr Freunde! Niemand tut es mit Arglist!" schrie der Riese immer wieder.

Kopfschüttelnd hörten die Kyklopen seine Worte. „Wenn niemand dir etwas zuleide tut, warum schreist du denn so? Vielleicht bist du krank, Polyphem, doch dagegen haben wir kein Mittel. Da mag dein Vater Poseidon dir helfen!" So sprachen sie und gingen davon. Wie freute ich mich, daß meine List sie so getäuscht hatte!

Vor Schmerzen winselnd, tappte der Geblendete in seiner Höhle umher. Er nahm den Felsblock vom Eingang, hockte sich vor der Höhle nieder und betastete mit seinen plumpen Händen sorgsam die hinausdrängenden

* Es handelt sich um ein Wortspiel, das im Deutschen nicht wiederzugeben ist. Der Held gibt sich den Namen Utis, der eine Verkleinerungsform von Odysseus darstellt, zugleich aber „Niemand" bedeutet.

Schafe, damit keiner von uns entwische. Er hielt uns für zu einfältig. Ich aber hatte längst eine List erdacht, band von den stärksten Widdern immer drei mit Weidenruten zusammen und hieß unter dem Bauche des mittleren einen der Gefährten sich an der Wolle festhalten, während die beiden Tiere rechts und links die heimliche Last beschirmten. Für mich selber wählte ich den stattlichsten Bock, das Leittier der Herde, aus.

Sorgfältig tastete Polyphem über jeden Rücken, ob keiner von uns draufsitze; an den Bauch dachte er in seiner Dummheit nicht. Wohlbehalten gelangten die Gefährten hinaus. Als mein Bock mit seiner schweren Last durch das Tor der Höhle schritt, streichelte Polyphem ihn zärtlich. „Gutes Widderchen, warum trabst du so langsam hinter der übrigen Herde hinaus? Du leidest es doch sonst nie, daß andere Schafe dir vorangehen, betrübt dich das ausgebrannte Auge deines Herrn? Könntest du sprechen, du gutes Tier, sicher würdest du mir sagen, in welchem Winkel der Höhle sich die Frevler versteckt halten. Wie wollte ich mich an ihnen rächen!"

Von den zwölf Gefährten waren nur noch wir sieben am Leben, als wir uns endlich in Freiheit befanden. Wir umarmten einander herzlich und betrauerten die Toten. Heimlich trieben wir die Tiere, die uns gerettet hatten, dann zum Schiff. Doch als wir auf unsern Ruderbänken saßen und durch die Brandung steuerten, rief ich mit spottenden Worten den Kyklopen an, der eben mit seiner Herde den Hügel emporkletterte. „Heda, Polyphem, merkst du nun, daß du keines verächtlichen Mannes Gefährten in deiner Höhle gefressen hast? Endlich hast du die Strafe des Zeus für deine Freveltaten erfahren!"

Bei diesen Worten wußte sich der Kyklop vor Zorn nicht mehr zu halten. Er riß einen mächtigen Felsblock aus dem Gebirge heraus und warf ihn nach unserem Schiffe. So gut hatte er gezielt, daß er fast das Steuerruder getroffen hätte. Der entstehende Wogenschwall wollte das Schiff wieder ans Ufer zurücktragen, und nur mit aller Kraft entgingen wir neuem Unglück. Wieder hob ich meine Stimme, obwohl die Freunde, die einen zweiten Wurf befürchteten, mich mit Gewalt abhalten wollten. „Höre, Kyklop", schrie ich, „wenn dich je einmal ein Menschenkind fragt, wer dich geblendet habe, so sollst du eine bessere Antwort geben, als du sie deinen Stammesbrüdern erteilt hast. Sag nur: Der Zerstörer Trojas, Odysseus, war es, der mir das Augenlicht nahm!"

In höchstem Grimme schrie er seine Antwort zurück: „So hat sich also doch erfüllt, was einst der Wahrsager mir prophezeite. Der sprach mir von Odysseus, und immer fürchtete ich, einst werde ein heldenhafter Mann von übermenschlicher Stärke mich heimsuchen. Und nun muß ich erleben, daß solch ein elender Wicht mich mit Wein überlistet und im Rausche geblendet hat!"

Dann änderte er listig den Ton seiner Worte: „Komm doch noch einmal heran, Odysseus, und laß uns Frieden schließen!" rief er freundlich. „Ich will dich als meinen lieben Gast aufnehmen und den Meeresgott, meinen Vater, bitten, dir sicheres Geleite zu geben. Gewißlich wird er mich heilen und mir die Sehkraft wiedergeben!"

Natürlich wies ich seine arglistigen Worte höhnend zurück. Da rief er seinen Vater Poseidon an und bat ihn, mir die Heimkehr zu verwehren. „Und kehrt er jemals zurück, so sei es spät, unglücklich und verlassen, auf fremdem Schiffe; nichts als Elend soll er zu Hause antreffen!" So betete Polyphem, und ich glaube, der finstere Meeresgott hat ihn erhört.

In seiner ohnmächtigen Wut ergriff der Kyklop einen zweiten Felsblock und schleuderte ihn uns nach; nur mit Mühe entgingen wir ihm. Eilig ruderten wir zur Ziegeninsel hinüber, wo unsere Gefährten uns mit Freudenrufen empfingen. Fröhlich wurde unsere Rettung gefeiert.

Am nächsten Morgen saßen wir wieder auf unseren Schiffen und ruderten weiter – der Heimat entgegen.

DAS GASTGESCHENK DES AIOLOS

Unsere Reise führte uns zu einer schwimmenden Insel, die Aiolos, der Gott der Winde, bewohnte. Freundlich nahm er uns auf und bewirtete uns einen ganzen Monat. Immer wieder mußte ich von Troja und von unseren Abenteuern auf der Heimfahrt berichten. Als wir endlich Abschied nahmen, gab mir der Gott als Gastgeschenk einen dickaufgeschwollenen Schlauch, der aus der Haut eines mächtigen Stieres gearbeitet war. Darin hatte Aiolos alle Winde eingeschlossen, und wie glücklich hätte uns sein Geschenk machen können, wenn meine Gefährten nicht durch ihre Torheit alles verdorben hätten!

Aiolos ließ einen sanften Wind wehen, der uns schnell und leicht in die Heimat bringen sollte. Neun Tage segelten wir dahin, und in der zehnten Nacht waren wir der geliebten Heimatinsel schon so nahe, daß wir Ithakas Wachtfeuer erblicken konnten: Das Ende unserer Irrfahrt schien gekommen!

Doch die Anstrengungen waren zu groß gewesen; unaufhörlich hatte auch ich die Segel bedient, um das Vaterland so schnell wie möglich zu erreichen. Nun legte ich mich im Schiffsraum nieder, überließ mich sorglos dem Schlummer und träumte von der Heimat. Meine Gefährten hatten sich schon oft Gedanken darüber gemacht, was in dem Schlauche sein möge, den Aiolos mir als Gastgeschenk überreicht hatte, und ihn mit scheelen Blicken betrachtet. „Einen Sack voll Gold und Silber hat der Gott ihm geschenkt, während wir mit leeren Händen heimkehren", so meinten sie, und schnell stifteten sie sich gegenseitig an, nach den verborgenen Schätzen zu forschen. Sie öffneten die Stricke, mit denen der Windgott den Sack verschnürt hatte – da brachen alle Winde in brausendem Sturm hervor, rissen unsere Schiffe mit fürchterlicher Gewalt zurück und trieben uns in die offene

See hinaus. Ehe wir uns versahen, waren wir wieder vor der Insel des Aiolos, von der wir vor zehn Tagen abgefahren waren.

Fast wäre ich, von den tobenden Winden aus dem Schlafe gerissen, in meiner Verzweiflung über Bord gesprungen, doch ich faßte mich wieder und war entschlossen zu ertragen, was das Schicksal mir schickte. Nun eilte ich zur Burg des Windgottes hinauf, ihn um seine Hilfe zu bitten. Er saß mit den Seinen beim Mahle und staunte nicht wenig, als er mich zurückkehren sah. Doch als ich ihm von meinem Schicksal berichtete, fuhr er von seinem Sitze empor. „Mach dich aus meinem Hause, du Verworfener!" schrie er zornbebend. „Hier ist nicht Platz für einen Mann, den der Zorn der Götter verfolgt!" Mit diesem Fluche jagte er mich von dannen.

BEI DEN LAISTRYGONEN

In tiefer Mutlosigkeit machten wir uns wieder auf die Reise. Sechs Tage ruderten wir rastlos durch das unermeßliche Meer, bis wir endlich Land erblickten. Wir waren vor der Küste der Laistrygonen, steuerten unsere Schiffe in eine geschützte Bucht und legten an. Vergeblich aber schaute ich mich nach Spuren menschlicher Tätigkeit um. Sollte das Land unbewohnt sein?

Von einer Anhöhe sah ich Rauch zum Himmel steigen, der auf eine Stadt schließen ließ. Zwei Gefährten, die ich samt einem Herold auf Kundschaft ausschickte, folgten einem Wege, der sie auch wirklich zu dieser Stadt führte. Ein laistrygonisches Mädchen, das Wasser vom Brunnen geholt hatte, bot sich ihnen als Führerin an. Sie war die Tochter des Königs und zeigte ihnen freundlich den Palast ihres Vaters. Arglos traten die drei Abgesandten ein. Doch wie erschraken sie, als des Königs Frau, groß wie ein Berg, vor sie trat. Die Laistrygonen sind nämlich Riesen und – Menschenfresser!

Sie rief sogleich ihren Gemahl herbei, und dieser packte zum Gruße einen meiner Männer und befahl, ihn zum Abendessen herzurichten. Entsetzt flohen die beiden andern zu den Schiffen zurück. Über tausend Riesen stürzten auf des Königs Geschrei hinter ihnen her, schleuderten gewaltige Felssteine auf uns und zerschmetterten Menschen und Schiffe. Nur mein eigenes Schiff, das ich hinter einem Felsen festgemacht hatte, blieb von den Geschossen verschont. In aller Eile nahm ich dort all die Männer auf, die noch unverletzt waren, und wir entkamen unversehrt aus dem verhängnisvollen Hafen. Unsere anderen Schiffe aber waren mit ihrer Mannschaft, Toten, Sterbenden und Verwundeten, in den Abgrund gesunken.

ABENTEUER AUF KIRKES INSEL

Nun fuhren wir auf dem einzigen geretteten Schiffe weiter, bis wir an eine Insel mit Namen Aiaia kamen. Hier herrschte die wunderschöne Kirke, eine Tochter des Sonnengottes Helios. Doch wir wußten nichts von ihr. Müde und betrübt lagen die Gefährten im Ufergrase, während ich das Land auskundschaftete. Als ich in der Ferne den Rauch aus einem Palast aufsteigen sah, kehrte ich, durch die schrecklichen Erlebnisse gewitzt, zuerst zu den Freunden zurück, um Späher auszusenden. Ein guter Hirsch, den die barmherzigen Götter mir in den Weg schickten, gab den ausgehungerten Gefährten einen köstlichen Abendschmaus und ließ den alten Mut wieder erwachen.

Als ich ihnen jedoch von dem Rauch über dem Palaste erzählte, packte sie wieder Verzagtheit, denn sie dachten an unsere Abenteuer bei den Kyklopen und Laistrygonen.

Endlich gelang es mir, die Gefährten wieder aufzurichten. Ich teilte sie in zwei Haufen und loste mit Eurylochos, dem Anführer des anderen, wer die Insel erkunden solle. Das Los traf ihn. Nur unter Seufzern machte er sich mit seinen zweiundzwanzig Genossen auf den Weg nach der Stelle, von der ich den Rauch hatte aufsteigen sehen.

Bald stießen sie auf Kirkes herrlichen Palast, der in einem anmutigen Tale versteckt lag. Doch wie erstaunten meine Genossen, als sie auf dem Hofe Wölfe und Löwen herumwandeln sahen. Die grimmigen Raubtiere kamen ihnen friedlich entgegen wie Hunde, die ihren Herrn begrüßen – es waren, wie wir später erfuhren, lauter Menschen, die Kirkes Zauberkunst in Tiere verwandelt hatte.

Aus dem Innern des Palastes erscholl eine liebliche Stimme. Es war Kirke, die am Webstuhl arbeitete und dabei sang. Als sie das Rufen der Ankömmlinge vernahm, öffnete sie die Pforte. „Tretet ein, ihr Gastfreunde", bat sie schmeichelnd, „daß ich euch bewirte!" Die Männer ließen sich hineinführen; nur der besonnene Eurylochos ahnte den Trug und blieb draußen.

Kirke ließ ihre Gäste auf den prächtigen Sesseln Platz nehmen und setzte ihnen die köstlichsten Speisen vor. Doch heimlich mischte sie unheilbringendes Gift hinein, und kaum hatten die Männer von der verführerischen Speise gekostet, so wurden sie – in borstige Schweine verwandelt. Zufrieden trieb die Zauberin die grunzenden Tiere in den Stall.

Eurylochos, der das alles mit angesehen hatte, stürzte sprachlos vor Entsetzen zu unserem Schiffe zurück, um mir von dem Schicksal der Freunde zu berichten. Sofort ergriff ich Schwert und Bogen. Vergebens suchte Eurylochos mich zurückzuhalten. Ich wollte die Gefährten befreien oder sie an der grausamen Zauberin rächen. Das Schicksal war mir wohlgesinnt; denn unterwegs begegnete mir in blühender Jugendkraft Hermes, der Götterbote. Er reichte mir eine schwarze Wurzel, die mich gegen Kirkes Zauberkraft gefeit machte. „Wenn sie dich mit ihrem Zauberstabe berührt", sagte er, „dann zieh dein Schwert und geh auf sie los, als wolltest du sie erschlagen! Dann wird sie sich gefügig zeigen und die Gefährten freigeben!"

Sorgenvoll eilte ich zum Palaste. Kirke selber öffnete mir, führte mich zum Sessel und reichte mir in goldener Schale von ihrem Traubenmus. Kaum hatte ich davon genossen, so berührte sie mich mit ihrem Zauberstabe: „Fort mit dir in den Schweinestall, zu deinen Freunden!"

Sie hatte nicht an meiner Verwandlung gezweifelt. Doch ich tat, wie Hermes mir anbefohlen hatte. Da warf sie sich schreiend zu Boden und umfaßte meine Knie: „Wer bist du, daß du meinen Zauber brichst? Noch kein Sterblicher hat der Kraft meines Trankes widerstanden. Bist du vielleicht Odysseus, von dem mir einst Hermes geweissagt hat, er werde meine Kraft brechen?"

Nicht eher willigte ich ein, ihre Freundschaft anzunehmen, als bis sie sich mit heiligem Eid verpflichtet hatte, mich unversehrt zu lassen und meine Gefährten zurückzuverwandeln.

Von den herrlichen Speisen, die sie mir vorsetzte, rührte ich nichts an, so sehr die Göttin mich auch nötigte. „Wie sollte ich unbekümmert Speise und Trank zu mir nehmen, solange meine Freunde gefangen sind?" sagte ich zu ihr. Da ging sie in den Stall, trieb meine so seltsam verwandelten Freunde heraus und bestrich jeden mit ihrem Zaubersaft. Da schälten sie, die eben noch als grunzende Schweine um mich herum gelaufen waren, sich aus ihrer borstigen Hülle und standen wieder als Menschen, jünger und schöner als zuvor, vor mir. Mit Freude begrüßten wir uns wieder, erst recht die beim Schiff zurückgebliebenen Gefährten, die auch mich schon verloren glaubten!

Gern ließen wir uns jetzt von Kirke bereden, eine Zeitlang als ihre Gäste bei ihr zu verweilen. Wir zogen das Schiff auf Strand, bargen die Ladung in einer Felsengrotte und ließen es uns bei ihr wohl sein.

IM REICHE DER SCHATTEN

Als wir endlich von Kirkes Insel abzufahren gedachten, befahl sie uns, auf der Heimfahrt einen Umweg durch das Schattenreich zu machen und den blinden Seher Teiresias um unsere Zukunft zu befragen. Nur ungern vernahm ich das Geheiß der Zauberin, denn mir graute vor dem Reiche der Toten.

Nicht anders erging es den Gefährten; doch ihr Jammern half nichts. „Richte nur getrost den Mast in die Höhe und spann die Segel“, sagte Kirke begütigend, „der Nordwind wird euch zu Persephones Hain treiben, wo sich der Eingang zur Unterwelt befindet!“

Die Sonne tauchte ins Meer, als wir, von wunderbarem Fahrtwinde vorwärtsgetrieben, am Ende der Welt, das in ewigem Nebel liegt, am Strome Okeanos anlangten. Wir zogen unser Schiff auf den Strand, nahmen die mitgebrachten Opfergaben und stiegen zu dem Orte hinab, den uns Kirke bezeichnet hatte.

Als wir nach ihrem Geheiß die Totenopfer darbrachten, tauchten tief aus der Unterwelt die Seelen der Abgeschiedenen empor. Mit hohlem, grauenvollem Stöhnen drängten sie um die Opferstelle, daß mich Entsetzen überkam. Nur mit Mühe konnte ich sie mit meinem Schwerte abhalten, von dem Opferblute zu lecken, bevor ich Teiresias befragt hatte.

Da trat der Seher heran. Ich stieß das Schwert in die Scheide und ließ ihn trinken, denn erst mit dem Genusse des Blutes erhalten die Schatten ihr leibliches Leben zurück.

„Du forschest bei mir, Odysseus, nach fröhlicher Heimkehr. Einer der Himmlischen wird sie dir schwer machen, denn du weißt, wie tief du den Erderschütterer Poseidon beleidigt hast, als du seinem Sohne das Auge blendetest. Dennoch wird dir die Heimkehr nicht verwehrt bleiben, wenn ihr auf der Insel Thrinakria die Stiere des Helios unangetastet laßt. Verletzt ihr sie aber, dann weissage ich deinem Schiff und deinen Freunden Verderben. Nur nach unendlichen Mühen wirst du dann, verlassen von allen deinen Gefährten und unbekannt wie ein Bettler, auf einem fremden Schiffe heimkehren, und nur bitteres Elend wird dich zu Hause erwarten.“

Dankend schied ich vom Seher Teiresias. Nun erschien auch meine Mutter und trank von dem Blute. Urplötzlich erkannte sie mich und erfuhr nun die Geschichte meiner Leiden. Aus Gram um mich, so berichtete sie, sei sie verschieden, während mein Vater Laërtes im Jammer um das Geschick des verschollenen Sohnes dahinlebe. „Alles Glück seines Reichtums“, sagte sie, „verschmäht er, solange er dich nicht glücklich weiß.“

Als ich die Mutter in herzlicher Sehnsucht in meine Arme schließen wollte, entschwand sie wie ein Traumbild. An ihre Stelle drängten sich andere in Scharen, die einst die Gattinnen meiner Kampfgenossen gewesen waren. Sie tranken von dem Blute und erzählten mir ihr Schicksal. Dann wurde mir ein Anblick zuteil, der mich im Innersten bewegte. Es kam nämlich die Gestalt des Völkerfürsten Agamemnon heran, schwermütig und kraftlos. Traurig erzählte er von dem Schicksal, das ihn in der Heimat ereilt hatte. Achilleus trat heran und erkannte mich staunend. „Lieber wollte ich als Tagelöhner auf Erden das Feld bestellen, ohne Eigentum und Erbe, als hier im Reiche der Toten herrschen“, sagte er klagend. Andere Seelen der Abgeschiedenen folgten, Patroklos und Aias. Auch die Schatten längst verstorbener Helden erblickte ich von ferne, auch Tantalos und Sisyphos, die ihr qualvolles Schicksal zu ertragen hatten, und viele andere. Doch mich packte das Grauen, noch länger an diesem Orte zu verweilen; eilig verließ ich mit den Gefährten den Hades und segelte durch den Okeanos wieder auf das weite Meer hinaus.

DIE SIRENEN – SKYLLA UND CHARYBDIS

Auf der Weiterfahrt kehrten wir noch einmal auf Kirkes Insel ein und machten uns dann, reichlich mit Lebensmitteln versehen und vor allerlei Gefahren gewarnt, auf die Heimreise.

Das erste Abenteuer, das die Göttin uns bereits vorausgesagt hatte, erwartete uns an der Insel der Sirenen. Diese sangeskundigen Nymphen bezaubern jeden der Vorüberfahrenden, der ihrem Liede lauscht. Doch wer sich von ihnen auf das grüne Gestade hinüberlocken läßt, muß unrettbar sterben. Durch Kirke gewarnt, verklebte ich meinen Gefährten die Ohren mit Wachs, als ich die Inseln der Sirenen in der Nähe vermutete, und ließ mich selber an den Mastbaum binden.

Gar bald zeigte sich, wie recht Kirke mir geraten hatte. Denn der Gesang der Sirenen war so hinreißend und bezaubernd, daß ich mein Verlangen nicht zu bändigen vermochte. Doch ob ich auch den Gefährten zunickte, mich freizulassen, sie banden mich nach meinem vorherigen Geheiß nur noch fester, und erst als wir die betörenden Jungfrauen hinter uns hatten, lösten sie mir die Fesseln und entfernten das Wachs aus ihren Ohren.

Bald darauf vernahmen wir von ferne den Donner einer wütenden Brandung. Es war die Charybdis, ein schrecklicher Strudel, der unter einem Felsen hervorquillt und jedes Schiff verschlingt. Meinen Gefährten fuhren die Riemen vor Schrecken aus der Hand, und erst, nachdem ich meine eigene Furcht überwunden hatte, konnte ich ihnen und dem Steuermann Mut zusprechen. Von der Skylla, dem gegenüber drohenden Ungeheuer, schwieg ich noch wohlweislich, denn ich fürchtete, meine Gefährten würden sich dann im Schiffsraume verkriechen.

Unter Donnergetöse schlürfte die Charybdis die Meeresflut ein, so daß man in einen Abgrund von schwarzem Schlamm hinunterblicken konnte. Während wir unsere Augen mit starrem Entsetzen auf dieses Schauspiel richteten und unwillkürlich zur Linken auswichen, waren wir der Skylla zu nahe gekommen. Mit einem einzigen Zupacken hatten ihre sechs scheußlichen Köpfe sechs meiner tapfersten Gefährten von Bord hinweggeschnappt und hoch in die Luft emporgerissen. Flehentlich schrien sie um Hilfe, aber im nächsten Augenblick waren sie zermalmt. Soviel Schreckliches ich auf meinen Irrfahrten erdulden mußte, nie erlebte ich einen jammervolleren Anblick!

DIE RINDER DES HELIOS

Nachdem wir glücklich zwischen dem Strudel der Charybdis und dem Felsen der Skylla hindurch waren, lag die Insel Thrinakria im Sonnenschein vor uns. Schon vom Meere aus hörten wir das Gebrüll der heiligen Rinder des Sonnengottes und das Blöken seiner Schafe. Ich erzählte meinen Gefährten von Kirkes Voraussage und warnte sie, die Insel zu betreten, auf der uns das grimmigste Schicksal bedrohe.

Doch sie nannten mich grausam, weil ich ihnen nicht Ruhe und Erholung nach der ermüdenden Seefahrt gönnte. „Einen Schwur müßt ihr mir leisten, die heiligen Rinder nicht zu verletzen!“ Das verlangte ich, und sie schwuren es mir zu.

Einen ganzen Monat lang hinderten uns ungünstige Winde an der Weiterfahrt. Solange Kirkes Gaben uns noch ernährten, taten die Gefährten nichts Unrechtes. Doch als uns Speise und Trank zu fehlen begannen und nagender Hunger sich einstellte, ließen sie sich, als ich mich für kurze Zeit von unserm Lager entfernt hatte, von Eurylochos zu Ungehorsam und Eidbruch verleiten: Sie wagten es, die Stiere des Sonnengottes zu schlachten!

„Ich will den verfluchten Räubern das Schiff mit dem Donnerkeile zerschmettern!“ rief Zeus in seinem Zorne. Keiner meiner Gefährten sollte seiner Rache entgehen.

Kaum hatten wir bei gutem Ostwind die Insel verlassen, so senkte Zeus schwarzblaues Gewölk auf uns hernieder. Ein rasendes Unwetter brach aus und zerriß die Haltetaue des Mastbaumes. Während dieser bei seinem Sturz unendliche Verwirrung anrichtete, fuhr ein Blitz unter krachendem Donner auf das Schiff herab, zerschmetterte es und schleuderte uns alle ins Meer. Keiner meiner Gefährten entrann dem grausigen Tode. Mir selber gelang es, mich an den Kiel zu klammern und ihn mit einem Tau an den vorbeitreibenden Mast zu binden.

Neue Angst packte mich, als der Wind nach Süden umschlug und mich wieder der Skylla und der Charybdis entgegentrieb. Der entsetzliche Strudel packte den Mast und verschlang ihn. Wie durch ein Wunder gelang es mir, mich an einen Feigenbaum zu klammern, der über dem grausigen Schlunde hing. Als Mast und Kiel wieder aus dem Wirbel emportauchten, gelangte ich in kühnem Sprunge auf den Balken, und ich konnte mich, mit bloßen Händen rudernd, aus dem Strudel retten: Zeus hatte mich glücklich von dem Felsen der Skylla abgelenkt.

Neun Tage trieb ich auf der See herum, bis die gütigen Götter mich am zehnten wieder auf Kalypsos Insel Ogygia führten. Dort hat mich die Göttin neun Jahre lang festgehalten."

ABSCHIED VON DEN PHAIAKEN

Odysseus hatte seine lange Erzählung beendet. Mit tiefer Ergriffenheit hatten die Phaiaken dem abenteuerreichen Bericht des Odysseus gelauscht. Als er geendet hatte, überhäuften sie ihren Gast mit Geschenken. Der König selber sorgte dafür, daß sie sorgsam in dem Schiffe verstaut würden, das Odysseus in die Heimat führen sollte.

Das Abschiedsmahl für den Scheidenden war im königlichen Palaste gerichtet. Wieder sang Demodokos herrliche Lieder. Odysseus selber aber drängte zur Abreise. „Möge ich meine Gattin untadelig und Sohn, Verwandte und Freunde wohlbehalten antreffen!" sagte er zum König; „dich aber, Alkinoos, mögen die Götter mit all ihren Gaben segnen!"

Alle Phaiaken stimmten diesem Wunsche zu. Sie erhoben sich von ihren Sitzen und brachten den Göttern ein Trinkopfer für die glückliche Heimkehr ihres Gastes. Gerührten Herzens dankte der edle Dulder allen, besonders dem Königspaare, ließ sich in ehrenvollem Geleit zum Schiffe führen und legte sich auf das weiche Fell, das die Phaiaken für ihn niedergelegt hatten. Leicht wie ein Vogel glitt das Schiff über die Meeresfläche. Odysseus aber sank in tiefen Schlummer.

AUF DEM BODEN DER HEIMAT

Der Morgenstern stand noch am Himmel, als das Schiff die Insel Ithaka ansteuerte und in einer sicheren Bucht landete. Um den schlafenden Heimkehrer nicht zu stören, faßten die phaiakischen Jünglinge leise das Fell, auf dem er schlief, und trugen ihn an Land. Auch seine Geschenke legten sie in aller Stille in der Nähe nieder. Dann begaben sie sich wieder ins Schiff, um in die Heimat zurückzufahren. So unerbittlich aber war Poseidons Zorn, daß er seinen Zorn noch an den friedliebenden Phaiaken ausließ. Er verwandelte ihr Schiff in einen Felsen, ehe es den Heimathafen erreicht hatte.

Als Odysseus aus seinem tiefen Schlummer erwachte, lag die ganze Landschaft in tiefen Nebel gehüllt. Er erkannte sein Vaterland nicht! Trostlos und einsam wankte er am Gestade umher. Sollte eine neue Leidenszeit beginnen?

Da gesellte sich ein Hirtenknabe zu ihm, und als Odysseus nach dem Namen des Landes fragte, erfuhr er zu seinem Erstaunen, er stehe auf Ithakas Boden! Der Hirtenknabe, schön wie ein Gott und gekleidet wie ein König, war niemand anders als Odysseus' göttliche Freundin Pallas Athene!

Da warf der edle Dulder sich nieder und küßte den Boden der wiedergewonnenen Heimat.

Athene half ihm, die mitgebrachten Gastgeschenke sorgsam in einer Felsgrotte zu verbergen. Dann beratschlagte sie mit ihm, wie er sich der aufdringlichen Freier entledigen solle. Ohne die Warnung der Göttin hätte ihn wohl im eigenen Hause ein schmählicher Tod erwartet.

„Sei getrost, mein Freund", sagte die Göttin, „solange ich bei dir bin! Doch niemand darf von deiner Ankunft etwas ahnen, bevor du dir nicht zuverlässige Freunde verschafft hast. Ich will deine Gestalt verwandeln, damit du allen unkenntlich bist." Sie berührte ihn mit ihrem Zauberstabe, und aus dem kraftvollen Helden wurde ein runzliger, gebeugter Greis mit glanzlosen Augen. Statt der herrlichen goldgestickten Kleider, die ihm die Phaiaken geschenkt hatten, umgaben ihn Lumpen.

„Zuerst nun rate ich dir, deinen treuesten Untertan aufzusuchen, den Schweinehirten Eumaios. Bei ihm wirst du alles erfahren, was in deinem Hause vorgeht! Ich eile indessen zu deinem Sohn Telemachos, denn er kommt soeben von Sparta zurück, wo er nach deinem Schicksal geforscht hat. Jetzt muß ich ihn vor den Freiern schützen, die im Hinterhalt auf ihn lauern!" Damit verließ die Göttin ihren Schützling.

ODYSSEUS, EUMAIOS UND TELEMACHOS

Odysseus schritt in der verwandelten Gestalt über die waldigen Höhen zu dem Ort, den ihm Athene bezeichnet hatte. Dort traf er den treuesten seiner Knechte. Eumaios jedoch erkannte den armen Wanderer nicht. Dennoch lud er ihn freundlich ein und setzte ihm Speise und Trank vor. „Es ist nur Ferkelfleisch", sagte er bitter, „denn die Mastschweine essen mir die unersättlichen Freier weg, diese gewalttätigen Menschen ohne alle Götterfurcht!"

Mit wachen Augen blickte Odysseus auf die Arbeit seines Hirten, auf das Gehege, das er errichtet hatte, und auf die Fülle der wohlgenährten Schweine, die Eumaios selber sorgfältig überwachte. Der arme Heimkehrer freute sich von Herzen über den ehrlichen und getreuen Knecht, der das Gut des längst verloren geglaubten Herrn so gewissenhaft verwaltete.

Glücklich traf bald darauf Telemach wieder auf Ithaka ein. Sein erster Besuch galt nach dem Geheiß der Göttin dem treuen Schweinehirten. Eumaios saß mit seinem Gastfreunde beim Frühstück, als draußen Schritte vernehmbar wurden. „Gewiß besucht dich ein Freund oder Bekannter", sagte Odysseus, „denn die Hunde schlagen nicht an. Gegen Fremde gebärden die Hunde sich doch ganz anders, das habe ich selbst erfahren!"

Da stand auch schon Telemachos, schlank und hochgewachsen, auf der Schwelle. Schmeichelnd sprangen die Hunde an ihm empor und umschnupperten ihn. In freudiger Überraschung ließ der Hirt das Geschirr aus der Hand fallen, eilte seinem jungen Herrn entgegen und umarmte ihn unter Küssen, als sei er vom Tode erstanden. Nicht herzlicher kann ein Vater den langvermißten Sohn empfangen, der aus der Fremde heimkommt.

Odysseus, der Bettler, wollte dem jungen Königssohne ehrerbietig Platz machen, doch Telemach wehrte ihm: „Bleib nur sitzen, Fremdling!" sagte er bescheiden, „Eumaios wird schon für mich sorgen." Dieser bereitete inzwischen einen Sitz aus Reisig, über das er einen Schafpelz legte, setzte dem Sohne seines Herrn Fleisch und Brot vor und mischte ihm den Wein. Während sie schmausten, fragte Telemach den Hirten nach seinem Gaste. „Er sagt, er stamme aus Kreta und sei landflüchtig", entgegnete Eumaios, „und ich empfehle ihn dir, daß du für ihn sorgest."

Telemachos blickte unsicher auf den Fremden: „Gern will ich dich mit Kleidung und Speise ausstatten, doch unter die Freier darfst du dich nicht begeben, denn sie schalten so frech in meinem Hause, daß ihnen niemand widerstehen kann!"

Seufzend hatte der Königssohn diese Worte gesprochen. Dann bat er Eumaios, zu Penelope zu gehen, um ihr seine Rückkehr zu melden.

VATER UND SOHN

Pallas Athene hatte nur diesen Augenblick abgewartet. Sie erschien dem Odysseus durch die halbgeöffnete Pforte, blieb aber seinem Sohne unsichtbar, und winkte ihn freundlich zu sich heraus. „Edler Odysseus", sagte sie, „jetzt ist es Zeit, dich deinem Sohne zu entdecken und mit ihm über die Rache an den Freiern zu beratschlagen. Auch ich brenne vor Begierde, mit euch die Frevler zu bestrafen." Damit berührte sie ihn mit ihrem goldenen

Stabe, und augenblicklich verwandelte sich der runzlige, altersgebeugte Bettler in den männlich starken, hochgewachsenen Helden zurück.

Staunend blickte Telemachos auf den Eintretenden, denn er dachte nicht anders, als daß ein Gott sich ihm nahe. „Wie anders erscheinst du mir –", doch Odysseus unterbrach ihn: „Nein, ich bin kein Gott", rief er, „dein Vater bin ich, um den du so lange getrauert hast!" Unter heißen Tränen hielten Vater und Sohn sich innig umschlungen.

Nun galt es die Rache an den Freiern zu vollziehen. Odysseus ließ sich ihre Namen – es waren wohl hundert – nennen und mahnte den Sohn zur Verschwiegenheit. „Niemand darf von meiner Heimkehr wissen", sagte er, „auch nicht Laërtes oder der Hirt, ja nicht einmal Penelope, deine Mutter."

Gegen Abend kehrte Eumaios wieder vom Palaste zurück. Er ahnte nicht, was in seiner Abwesenheit geschehen war, denn Athene hatte ihrem Schützling inzwischen wieder die Bettlergestalt zurückgegeben.

Tags darauf ließ sich Odysseus von dem Schweinehirten in die Stadt begleiten. Telemach war vorausgeeilt, um seine Mutter zu begrüßen. Voll banger Erwartung hatte Penelope auf gute Nachricht über den fernen Gatten gehofft, und Telemach mußte sich alle Kraft zusammennehmen, damit seine Mutter seine Freude über die Heimkehr des Vaters nicht merkte.

Tiefbewegt schritt Odysseus, der Heimkehrer, durch das Land seiner Väter. Wie schlug ihm das Herz, als er sich dem Palast näherte, in dem er einst geherrscht hatte! An der Seite des Eumaios betrat er sein Haus. Da schlug ihm festlicher Lärm entgegen. Niemand beachtete den armseligen Bettler. Nur im Vorhof erhob ein alter Haushund den Kopf und richtete die Ohren in die Höhe. Argos hieß er; Odysseus selber hatte ihn einst aufgezogen und oft mit auf die Jagd genommen. Jetzt lag das arme Tier, im Alter verachtet und von Ungeziefer bedeckt, auf dem Mist. Trotz der Verkleidung erkannte der treue Hund seinen Herrn, wedelte mit dem Schweife und versuchte näherzukommen. Doch seine Kraft war gebrochen. Odysseus wandte sich schweigend ab und wischte eine Träne aus dem Auge, als er den treuen Hund zu seinen Füßen verenden sah.

UNERKANNT IM EIGENEN HAUSE

Bescheiden, wie es sich für einen Bettler geziemt, hockte sich Odysseus auf der Schwelle seines Hauses nieder. Telemach, der ihn erblickt hatte, ließ ihm durch Eumaios Brot und Fleisch reichen. Während Odysseus sich daran labte, trieb Athene ihn an, die Freier auf die Probe zu stellen und sie um Brosamen zu bitten. Odysseus erhob sich, durchschritt den Lärm der Schmausenden und streckte flehend die Hand aus – so sicher, als sei er seit je zu betteln gewohnt. Einige gaben ihm verwundert. Nur Antinoos, der Übermütigste von allen, fuhr den Schweinehirten zornig an. Als Odysseus bescheiden an ihn herantrat, schleuderte der freche Freier seinen Fußschemel nach dem vermeintlichen Bettler und traf ihn an der rechten Schulter. Odysseus stand unverrückbar wie aus Stein und wiegte nur schweigend das Haupt, seinen Groll im Herzen verschließend. Schweigend sah auch Telemach, wie sein Vater mißhandelt wurde, und drängte seinen Ingrimm zurück.

Noch eine andere Beschimpfung mußte Odysseus, der Bettler, an jenem Tage erleben. Da war ein berüchtigter Bettler aus der Stadt, Iros mit Namen, den der Neid trieb, den Nebenbuhler aus dem Hause zu verdrängen. Für die Freier war dieser Streit eine willkommene Abwechslung. Unter Scherzen und Lachen stachelten sie die beiden gegeneinander auf und zwangen sie, miteinander zu ringen. Dröhnendes Gelächter scholl durch den weiten Palast, als Odysseus den elenden Landstreicher zu Boden schlug.

Penelope zeigte sich selber im Kreise der Freier. Mit unendlicher Freude sah Odysseus, der unbeachtet auf der Schwelle hockte, ihre Treue und Besonnenheit. Bis in die späte Nacht währte das Zechen und der Reigentanz. Odysseus selber schürte das Feuer, behielt aber dabei jeden der Freier im Auge. In seinem Herzen sann er auf grimme Rache.

Während Telemach sich dann auf seines Vaters Geheiß schlafen legte, erschien Penelope aus ihrem Frauengemach, schön wie Artemis und Aphrodite; sie ließ sich den elfenbeingeschmückten Sessel zum Feuer rücken und hieß Odysseus ihr gegenüber Platz nehmen. Sorgsam wich er ihren Fragen aus, als sie Namen und Herkunft wissen wollte, und mischte Wahres und Falsches, als er ihr tröstend erzählte, er habe Odysseus in Kreta gesehen. Wie schwer wurde es ihm, die Tränen zurückzuhalten, aber um seines Racheplanes willen mußte er sich bezwingen. Mit einem heiligen Eid aber versicherte er ihr: „Odysseus wird heimkehren, noch in diesem Jahre, ehe der Mond gewechselt hat!"

Die Königin gab der treuen Eurykleia den Auftrag, dem Gast die Füße zu waschen. Odysseus rückte vorsichtig ins Dunkel, als die Alte heißes und kaltes Wasser mischte, denn er hatte über dem rechten Knie eine tiefe Narbe, die ihm einst ein Eber auf der Jagd gerissen hatte. Er fürchtete, von der greisen Magd erkannt zu werden. Als diese mit den Händen über die Stelle fuhr, fühlte sie sofort die Narbe. Mit Freudentränen in den Augen umfaßte sie den Helden: „Odysseus, wahrlich, du bist es!" stieß sie hervor. Schon wollte sie Penelope die freudige Botschaft zurufen, da preßte Odysseus ihr die Kehle zu: „Willst du mir alles verderben, Mütterchen?" flüsterte er; „da du mich erkannt hast, ehe es an der Zeit ist, so schweig, damit kein Mensch im Hause es erfahre!"

Am folgenden Tage feierte man das Neumondsfest. Schon früh herrschte reges Leben in der Halle, denn die Mägde waren eifrig an der Arbeit, alles zu reinigen. Hirten brachten Mastvieh herbei, und in der Küche wurde gesotten und gebraten. Auch Odysseus erhielt seinen Anteil am Mahle; doch die Freier unterließen nicht, ihn wieder zu beschimpfen, und einer der Übermütigen schleuderte sogar einen Kuhfuß nach ihm. Odysseus wich dem Wurfe geschickt aus, und Telemach verwies dem Frechen streng seine Tat. „Mein Speer hätte dich durchbohrt", rief er, „wenn du unsern Gast getroffen hättest." Alle wunderten sich über die männliche Kraft, die aus der Rede des Jünglings sprach.

Da nahm ein anderer der Freier das Wort, lobte Telemachs Haltung und mahnte die Genossen, ihre harten Reden zu lassen. „Aber Telemach und seine Mutter sollen jetzt in Güte mit sich reden lassen. Da doch mit der Rückkehr des Odysseus nicht mehr zu rechnen ist, so soll sie dem Besten unter den Bewerbern die Hand zum Ehebund reichen. Wir andern wollen sodann in Frieden heimziehen."

Telemach tat, als stimme er einem solchen Vorschlag von ganzem Herzen zu, doch heimlich warf er seinem Vater einen Blick zu, als erwarte er dessen Zeichen, um loszubrechen.

DER BOGEN DES ODYSSEUS

Jetzt war auch Penelopes Zeit gekommen. Athene hatte ihr den Rat gegeben, den Freiern den Bogen des Odysseus, den er bei seinem Auszug nach Troja daheimgelassen hatte, zum Wettkampf vorzulegen. Den Bogen und den pfeilgefüllten Köcher in der Hand, trat sie in den Saal mitten unter die lärmenden Gäste und ließ Stille gebieten. „Höret mich, ihr edlen Freier", rief sie. „Ihr wollt mich zur Gattin gewinnen. Nun denn, so gelte es einen Wettkampf! Wer diesen Bogen des göttlichen Odysseus am leichtesten spannt und durch die Öhre von zwölf hintereinander aufgestellten Äxten hindurchschießt, wie mein Gemahl es einst getan, dem will ich die Hand zum Ehebunde reichen."

Der treue Eumaios vergoß Tränen, als Penelope ihm befahl, den Freiern Bogen und Pfeile zu reichen. Telemach aber zog eine Furche auf dem Estrich, stellte die Äxte sorgsam auf und richtete sie nach der Schnur.

„Auf denn, ihr Freunde", rief Antinoos triumphierend, „laßt uns den Wettkampf beginnen!" Der Reihe nach versuchten die Freier nun, den mächtigen Bogen zu spannen. Doch vergebens bemühte sich einer nach dem andern; auch als sie den Bogen mit Fett bestrichen, wollte es nicht gelingen.

Odysseus war mit Eumaios und dem treuen Rinderhirten Philoitios in den Vorhof gegangen. „Wie wäre es, ihr Freunde", sagte er, „wenn Odysseus plötzlich heimkehrte? Würdet ihr für ihn eintreten?"

„O Zeus im hohen Olymp", rief der Rinderhirt, „wenn mir dieser Wunsch gewährt würde! Wie wollte ich meine Arme regen!" Ebenso flehte Eumaios zu den Göttern, sie möchten dem geliebten Herrn die Heimkehr schenken.

„Nun denn, so vernehmt: Ich bin Odysseus!" rief der Held. Er zeigte ihnen die Narbe am Bein, um sie zu überzeugen, und sah voll Ergriffenheit ihre Freude. Dann gab er ihnen genaue Anweisungen, wie er das Rachewerk an den Freiern vollenden wolle; er gebot ihnen, alle Türen des Palastes fest zu verriegeln.

Im Saale drehte Eurymachos inzwischen den Bogen über dem Feuer, um ihn zu erwärmen und dadurch geschmeidiger zu machen. Dennoch gelang es ihm nicht, die schwere Waffe zu spannen. Antinoos, der als einziger noch keinen Versuch gemacht hatte, schlug vor, den Wettkampf auf den nächsten Tag zu verschieben.

Da wandte sich Odysseus an die Freier und bat, man solle ihm den Bogen überlassen. „Bist du von Sinnen? Betört dich der Wein?" schrie ihm Antinoos entgegen. Penelope aber verwies ihm das Wort; dem Fremden solle die Bitte gewährt sein.

Da rief Telemach: „Über den Bogen habe nur ich zu bestimmen, sonst niemand auf der Insel. Du aber, Mutter, geh in dein Frauengemach zu Webstuhl und Spindel, denn Kriegswaffen sind Männersache." Staunend hörte Penelope die entschlossene Rede ihres Sohnes, doch fügte sie sich schweigend. Athene goß ihr süßen Schlummer auf die Wimpern.

Dann reichte der Schweinehirt den Bogen Odysseus, während die Freier ein tobendes Geschrei erhoben. Der Held schwang ihn nur leicht, um zu prüfen, ob nicht Würmer das Holz zernagt hätten, als er ferne war. Mit Erschrecken sahen die Freier, wie leicht der Bettler den schweren Bogen handhabte. Nun versuchte er die Spannkraft der Sehne; hell erklang sie wie das Zwitschern der Schwalbe. Gleichzeitig aber ließ Zeus den Donner rollen.

Jetzt nahm Odysseus einen Pfeil aus dem Köcher, spannte den Bogen wie vormals und schoß den aufgelegten Pfeil durch alle zwölf Öhre! Ruhig wandte sich der Held an den Sohn: „Der Fremdling, den du in deinem Palaste aufgenommen hast, Telemachos, hat dir, so scheint mir, keine Schande gemacht! Meine Kraft ist ungeschwächt, so sehr mich auch die Freier verhöhnt haben. Doch jetzt ist es Zeit, den Achaiern noch bei Tageslicht das Nachtmahl zu bereiten und an Tanz und Saitenspiel zu denken, wie es zum festlichen Mahle gehört!"

Damit gab Odysseus dem Sohne das vereinbarte Zeichen. Schnell hängte dieser sein Schwert um, nahm den Speer zur Hand und trat neben den Vater.

DIE RACHE AN DEN FREIERN

Odysseus streifte die Bettlerlumpen ab, sprang auf die Schwelle und schüttete aus dem vollen Köcher die Pfeile vor seinen Füßen aus: „Der erste Wettkampf wäre nun vollbracht, ihr Freier! Nun gilt es ein Ziel, wie es noch keiner vor mir getroffen hat."

Mit diesen Worten legte er auf Antinoos an, der eben seinen goldenen Pokal emporhob und ahnungslos zum Munde führte. Da fuhr ihm Odysseus' Pfeil in den Hals, daß die Spitze zum Genick hervordrang. Der Becher stürzte ihm aus der Hand; dem Getroffenen fuhr ein dicker Blutstrahl aus der Nase, und im Hinsinken stieß er den Tisch um, daß Speise, Brot und Fleisch auf den Boden rollten.

Tobend sprangen die Freier auf. Sie stürmten durch den Saal, nach Waffen suchend; doch nicht Schild noch Speer waren mehr an den Wänden. In grimmigem Zorn fuhren sie den Schützen an: „Das war ein unseliger Schuß, du verfluchter Fremdling! Die Geier sollen dich fressen!" Sie meinten nämlich, Odysseus habe ohne böse Absicht getroffen, und ahnten nicht, die Toren, daß ihnen allen das gleiche Schicksal bevorstand.

Mit donnernder Stimme aber fuhr der Held sie an: „Ihr Hunde! Dachtet ihr, ich käme nimmermehr von Troja zurück, daß ihr mein Gut verpraßtet und um mein Weib warbt, obwohl ich am Leben war? Jetzt ist die Stunde eures Verderbens gekommen!"

Schreckensbleich, von Entsetzen gepackt, hörten die Freier seine Worte. Vergebens versuchte Eurymachos zu vermitteln, vergeblich versuchten die anderen Freier, durch Tische gedeckt, Odysseus von der Schwelle zu verdrängen. Erbarmungslos trafen seine Pfeile einen nach dem andern. Telemach holte für sich und die beiden Hirten Waffen aus der Rüstkammer und brachte auch dem Vater eine Rüstung. Athene selber gesellte sich den vier Kämpfern zu und feuerte Odysseus an. Wie Rinder, die auf der Weide von der Bremse verfolgt werden, so irrten die Freier verstört im Saale umher, um sich vor den Geschossen zu schützen. Doch nicht eher nahm das Strafgericht ein Ende, als bis der letzte der frechen Eindringlinge in seinem Blute lag. Nur Phemios, den Sänger, und Medon, den Herold, verschonten die Waffen des Odysseus.

ODYSSEUS UND PENELOPE

Nun rief der Held Eurykleia, die treue Schaffnerin, herbei, und ließ sie das grausige Rachewerk schauen. Die Alte wollte aufjauchzen, doch Odysseus wehrte ihr: „Freue dich im Herzen, Mütterchen“, sagte er, „aber juble nicht; denn gottlos ist es, über erschlagene Menschen zu frohlocken. Was hier geschehen ist, ist ein Gericht der Götter!“

Darauf ließ er die Leichen von den Mägden hinaustragen und die Sessel und die Tische vom Blute reinigen. Eurykleia brachte auf ihres Herrn Geheiß Glut und Schwefel auf einer Pfanne, um Saal, Haus und Vorhof auszuräuchern. Nach getaner Arbeit umdrängten die treugebliebenen Dienerinnen ihren heimgekehrten Herrn, hießen ihn unter Freudentränen willkommen und drückten zum Zeichen ihrer Ergebenheit ihr Angesicht in seine Hände. Odysseus selber schluchzte und weinte vor Freuden.

Jetzt erst erlaubte Odysseus der rührigen Alten, Penelope aus dem Schlafe zu wecken, um ihr die freudige Botschaft zu verkündigen. Hastig trippelte

Eurykleia hinauf und trat vor Penelopes Lager: „Erwache, meine Tochter, denn mit eigenen Augen darfst du heute sehen, worauf du von Tag zu Tag gewartet hast: Odysseus ist heimgekehrt. Er ist heimgekehrt und hat die frechen Freier, die dich so sehr bedrängt haben, erschlagen!"

Doch Penelope, aus dem Schlafe gerissen, wollte den überraschenden Worten nicht Glauben schenken: „Mütterchen", sagte sie traurig, „warum treibst du Spott mit mir in meinem tiefen Kummer?"

„Nein, nein", versetzte die Alte eifrig, „es ist wirklich so; der Fremdling ist's, den sie alle im Saale verspotteten. Telemach hat es längst gewußt, doch er verbarg das Geheimnis, bis die Rache an den Freiern vollzogen war."

Da sprang die Fürstin von ihrem Lager auf und umarmte die Alte unter Freudentränen; staunend hörte sie vom Tode der aufdringlichen Bewerber. Zitternd vor Hoffnung und Freude, folgte sie der treuen Eurykleia hinunter in den Saal. Hier setzte Penelope sich, ohne ein Wort zu reden, Odysseus gegenüber am Herdfeuer nieder. Lange saß sie stumm, denn Staunen und Zweifel hielten ihr Herz gefangen; bald glaubte sie sein Angesicht zu erkennen, bald wieder schien es ihr fremd, da ihn die Bettlerlumpen bedeckten. Erst als Odysseus ihr Zeichen nannte, die nur ihr und ihm bekannt waren, ließ Penelope Zweifel und Mißtrauen fahren. Weinend vor Glück und Freude warf sie sich an seinen Hals und küßte ihn zärtlich: „Zürne mir nicht, Odysseus, ich bitte dich, daß ich dich nicht sogleich willkommen geheißen habe! Mein armes Herz lebte in beständiger Angst, von einem schlauen Betrüger getäuscht zu werden. Jetzt aber bin ich ganz überzeugt!" Da übermannte auch den Helden innige Rührung, und weinend hielt er sein liebes, getreues Weib umfangen.

Die halbe Nacht verging den Gatten unter gegenseitigen Berichten über alles Schwere, das sie beide in den zwanzig verflossenen Jahren erlitten hatten, und der Königin kam nicht eher der Schlaf, als bis ihr Gemahl von allen seinen Irrfahrten erzählt hatte.

Erechtheion-Tempel auf der Akropolis von Athen

Tempel von Sunion auf der Südspitze Attikas

ODYSSEUS UND LAËRTES

Sobald der Morgen graute, rüstete sich Odysseus mit den beiden Hirten, seinen Vater aufzusuchen. Bald erreichten sie das Landgut des alten Laërtes. Odysseus ging sogleich in den Obstgarten, wo er den Vater vermutete. Laërtes, armselig gekleidet wie ein Ackerknecht, war eben dabei, den Boden um ein kleines Bäumchen vom Unkraut zu reinigen. Um dem Vater nicht mit der unerwarteten Botschaft Schaden zuzufügen, trat Odysseus mit freundlichem Gruße an ihn heran, ihn vorsichtig vorzubereiten. Er berichtete von einem Mann, den er einst beherbergt habe. „Der stammte aus Ithaka und erzählte mir, er sei ein Sohn des Königs Laërtes", erklärte er dem aufhorchenden Greise.

Tränenden Auges horchte der greise Vater auf, als er die Worte vernahm, doch er hatte keine Hoffnung mehr, den Sohn noch einmal lebend zu sehen. Voll tiefer Wehmut beugte er sich zu Boden und streute sich Staub auf sein weißes Haupt.

Da übermannte es den Helden. Er flog auf den Vater zu und umarmte ihn unter Tränen: „Ich bin es ja selber, Vater, um den du weinst", rief er; „jetzt endlich bin ich heimgekehrt! Laß Tränen und Schmerz und vernimm: Die Freier habe ich in unserem Palaste erschlagen!"

In fassungslosem Staunen blickte Laërtes auf den Heimkehrer. „Bist du wirklich mein Sohn Odysseus, so nenne mir ein untrügliches Kennzeichen, das mich ganz überzeugt!"

„Schau hier die Narbe", entgegnete Odysseus lächelnd, „die mir einst der Eber schlug, als du mich zum Großvater sandtest! Doch ein zweites Zeichen: Ich will dir die Bäume zeigen, die du mir einst geschenkt hast, als ich kindlich darum bat: Birnbäume waren es dreizehn, zehn Apfelbäume, vierzig kleine Feigenbäume und fünfzig Weinreben dazu, die jeden Herbst voll prächtiger Früchte stehen müssen!"

Da war dem Greis jeglicher Zweifel behoben. Er schlang die Arme um den wiedergefundenen Sohn und sank an seinem Herzen in Ohnmacht.

Doch noch waren Odysseus und sein Haus nicht aller Sorgen ledig. Als der Vater wieder zum Bewußtsein zurückgekehrt war, saßen sie mit Telemachos, Eumaios und Philoitios im Landhause zur fröhlichen Wiedersehensfeier beim Mahle. Doch zugleich pflogen sie ernsthaften Rat, wie man den Angehörigen der Freier begegnen solle, die sicherlich nach Rache dürsteten. Und in der Tat hatten die Väter der Erschlagenen sich in der Volksversammlung zusammengetan, um an Odysseus Rache zu nehmen. Der Sänger und der Herold, die der Held großmütig geschont hatte, bekundeten aber, wie recht der Heimkehrer gehandelt habe, und Pallas Athene selber erwirkte die Mithilfe des Zeus. Nach seinem Beschluß wurde jeglicher Gedanke an Rache aus den Herzen aller Beteiligten getilgt. Athene erneuerte zwischen Odysseus und den Fürsten der Insel den ewigen Landfrieden, und diese huldigten mit dem ganzen Volke dem heimgekehrten Helden als ihrem König.

Odysseus, der edle Dulder, lebte noch lange, glückliche Jahre mit seiner Gattin zusammen, bis sich an ihm erfüllte, wie es ihm einst von Teiresias vorausgesagt war. Im hohen Greisenalter entführte ihn ein sanfter Tod in die Unterwelt.

DIE WICHTIGSTEN GÖTTER DER ALTEN GRIECHEN

(In Klammern die römischen Namen der Gottheiten)

Acheron, siehe Unterwelt.

Aphrodite (Venus), die Göttin der Liebe und der weiblichen Anmut; ihr ständiger Begleiter ist Eros.

Apollon, auch Phoibos A. (Phoebus Apollo), der Gott der Weisheit, des delphischen Orakels und der schönen Künste, auch gleichgesetzt dem Lichtgott Helios, der den Sonnenwagen lenkt; ihm ist das Orakel zu Delphoi heilig. Er und seine Zwillingsschwester Artemis sind Kinder des Zeus und der Göttin Leto (Latona).

Ares (Mars), der schreckliche Gott des Krieges; er vermählte sich mit Aphrodite.

Artemis (Diana), Apollons Schwester, die Göttin der Jagd und des Waldes.

Athene, auch Athena; Pallas A. (Minerva), Lieblingstochter des Zeus, aus seinem Haupte entsprungen, Lehrerin von vielen schönen Künsten und Lenkerin der Völkergeschicke in Schlacht und Krieg, Göttin der Klugheit, Schutzgöttin der Stadt Athen, der sie den Ölbaum schenkte.

Bakchos (Bacchus), siehe Dionysos.

Chariten: Die drei Chariten (Grazien) erscheinen als Göttinnen der Schönheit und der Lebensfreude meist in Aphrodites Gefolge. Gemeinsam mit den neun Musen verschönern sie durch Gesang und Tanz die Feste der Götter.

Charon, siehe Unterwelt.

Demeter (Ceres), die Göttin des Ackerbaus und der Fruchtbarkeit.

Dionysos (Dionysus), Bakchos (Bacchus), der Gott des herzerfreuenden Weines und der Fröhlichkeit, meist begleitet von den Satyrn und Bakchantinnen.

Eos (Aurora), die Morgenröte, die dem Sonnengotte Helios, ihrem Bruder, die Himmelspforten öffnet.

Erinnyen (Furien), die grausigen Rachegöttinnen mit flatterndem Haar aus Schlangenleibern. Eumeniden, „die Wohlmeinenden", nennt man sie, um sie günstig zu stimmen.

Eros (Amor, Cupido), der Liebesgott, ausgerüstet mit Bogen und Pfeilen, die Hephaistos gefertigt hat.

Hades, auch Pluton (Pluto), der finstere Gott der Unterwelt Hades (Orcus, Orkus), des Aufenthaltsortes der Toten.

Helios, Sonnengott, Bruder der Eos; bei ihm schwuren die Griechen, da er alles sah und hörte.

Hephaistos (Vulcanus, Vulkan), der Gott des Feuers und der Schmiedekunst, Erbauer der Götterburg Olymp.

Hera, Here (Juno), Gemahlin des Zeus, die stolze Himmelskönigin; die Beschützerin der Ehe und Familie. Ihrer Ehe entsprossen Hephaistos, Ares und Hebe.

Hermes (Mercurius, Merkur), der Götterbote, auch der Gott des Handels und des Verkehrs, mit Flügelschuhen und Zauberstab; er schuf die Hirtenflöte Syrinx.

Horen, die Göttinnen der Jahres- und der Tageszeiten.

Iris, die geflügelte Botin des Zeus, Dienerin der Hera, die Göttin des Regenbogens.

Kerberos, siehe Unterwelt.

Moiren, die drei Moiren (Parzen) Klotho, Lachesis und Atropos, die als geheimnisvolle Schicksalsmächte den Faden des Menschenlebens spinnen, drehen und abschneiden.

Musen, die neun Musen, Töchter des Zeus, sind Begleiterinnen Apollons, Schützerinnen der schönen Künste und des heiteren Wissens: Kleio oder Klio (Geschichte), Melpomene (Trauerspiel), Terpsichore (Tanzkunst), Thaleia oder Thalia (Schau- und Lustspiel), Euterpe (Musik), Erato (Gesang), Urania (Sternkunde), Polyhymnia (Beredsamkeit und Lyraspiel), Kalliope (Heldengedicht).

Nymphen sind meist die Begleiterinnen der jungfräulichen Artemis; sie bewohnen auch die Berge und Flüsse, Bäume, Grotten und Quellen.

Pan (Faunus), Sohn des Hermes, der bocksfüßige Hirtengott mit der Syrinx, der Hirtenflöte; mit seinem plötzlichen Auftauchen jagt er den Hirten oft „panischen" Schrecken ein.

Persephone (Proserpina), Tochter der Demeter und des Zeus, Gemahlin des Hades.

Poseidon (Neptunus, Neptun), Bruder des Zeus, der Gott der Meere, der mit seinem Dreizack die Fluten aufwühlt. Seine Lieblinge sind die Pferde.

Satyrn und Bakchantinnen, die Begleiter und Begleiterinnen des Bakchos auf seinen Streifzügen.

Styx, siehe Unterwelt.

Tethis, eine der Meeresgöttinnen, Göttin der Feuchtigkeit, Gattin des Okeanos, des Gottes des großen Meeres, das die Erde umspült.

Unterwelt: In der Unterwelt, in des Hades Reich, führt der Fährmann Charon die Seelen der Abgeschiedenen über den Acheron, den Totenfluß, in das Reich der Schatten. Vor dem Eingangstor wacht der dreiköpfige Kerberos (Cerberus). Dort fließt auch die Styx, „die Verhaßte"; sie ist die Tochter des Okeanos. Bei diesem Flusse schwören die Götter; im Falle eines Eidbruches müßten sie ihn überschreiten und verlören damit ihre Unsterblichkeit. – Die tiefste Tiefe der Unterwelt ist der Tartaros.

Zeus (Jupiter), der Vater der Götter, Beherrscher des Weltalls und Schützer des Rechts. Das Zeichen seiner Macht ist ein Bündel Blitze, sein königlicher Begleiter der Adler.

NAMEN- UND SACHREGISTER

(In Klammern die römischen Namen und Bezeichnungen – griech. ai = lat. ae [deutsch ä]; griech. oi = lat. oe [deutsch ö]; griech. k = lat. c; griech. os = lat. us)

BILDNACHWEIS

1. Gott aus dem Meer (Zeus oder Poseidon) von Kap Artemision, um 460 v. Chr.; Nationalmuseum Athen; Foto-Marburg.
2. Demeter, Triptolemos und Persephone, Weihrelief aus Eleusis, um 440 v. Chr.; Nationalmuseum Athen; Foto: Archäologisches Institut Tübingen.
3. Europa auf dem Stier, Metope (Bauglied) von Selinunt (Sizilien), 6. Jahrh. v. Chr.; Museum von Palermo; Foto: Archäologisches Institut Tübingen.
4. Artemis und Apollon töten die Niobiden (Ausschnitt), Kelchkrater (Gefäß zum Mischen von Wein und Wasser) des Niobidenmalers, um 460 v. Chr.; Louvre, Paris; Tafel des Archäologischen Institutes Tübingen.
5. Sisyphos in der Unterwelt, Amphora (großes zweihenkeliges Tongefäß), Ende des 6. Jahrh. v. Chr.; Antikensammlung, München; Foto-Marburg.
6. Orpheus, Eurydike und Hermes, Relief, römische Kopie nach griechischem Werk, um 420 v. Chr.; Nationalmuseum Neapel; Foto: Dr. Hell, Tübingen, nach einem Abguß des Archäologischen Institutes Tübingen.
7. Der Kampf des Herakles mit dem Löwen, Amphora, Mitte des 6. Jahrh. v. Chr.; Landesmuseum Kassel; Foto: Bärenreiter-Verlag, Kassel, Karte Nr. 1154.
8. Atlas bringt Herakles die Äpfel der Hesperiden (hinter Herakles die Göttin Athene), Metope des Zeustempels von Olympia, um 460 v. Chr., Olympia; Foto-Marburg.
9. Abschied des Hippolytos von Phaidra, Hippolytos-Sarkophag, 2. Jahrh. n. Chr.; Museum von Arles (Frankreich); Foto-Marburg.
10. Theseus und Amphitrite, Schale des Euphronios, um 500 v. Chr.; Louvre, Paris; Tafel des Archäologischen Institutes Tübingen.
11. Oidipus und die Sphinx, Schale des Duris, um 470 v. Chr.; Vatikanisches Museum, Rom; Tafel des Archäologischen Institutes Tübingen.
12. Orest und Elektra, melisches Relief (von der Insel Melos), um 440 v. Chr.; Martin-von-Wagner-Museum, Würzburg; nach Jacobsthal, Die Melischen Reliefs, Berlin 1931, Tafel 53.
13. Laokoon und seine Söhne, die Meister Hagesandros, Polydoros, Athanodoros von Rhodos, um 25 v. Chr.; Vatikanisches Museum, Rom; Foto-Marburg.
14. Vorbereitung eines Wagenrennens (Wagenanschirrung), Hydria (bauchiger, kurzhalsiger Wasserkrug mit zwei Henkeln zum Tragen, einen dritten zum Schöpfen und Gießen), um 500 v. Chr.; Antiquarium, Berlin; Tafel des Archäologischen Institutes Tübingen.
15. Achilleus verbindet Patroklos, Schale des Sosias, um 500 v. Chr.; Antiquarium, Berlin; Foto-Marburg.
16. Achilleus und Hektor, Krater, um 490 v. Chr.; nach J. D. Beazley, Der Berliner Maler, Berlin, 1930, Tafel 31.
17. Odysseus und die Sirenen, Stamnos (Mischkrug), um 470 v. Chr.; Britisches Museum, London; Tafel des Archäologischen Institutes Tübingen.
18. Eurykleia erkennt Odysseus, Skyphos (zweihenkeliges Trinkgefäß), um 440 v. Chr.; Museum von Chiusi (Italien); Tafel des Archäologischen Institutes Tübingen.
19. Erechtheion-Tempel auf der Akropolis von Athen (der Pallas Athene geweiht), Ende des 5. Jahrh. v. Chr.; Foto-Marburg.
20. Tempel von Sunion auf der Südspitze Attikas, 5. Jahrh. v. Chr.; Foto-Marburg.

Die Bilder 4, 10, 14, 17 und 18 sind nach Tafeln des Werkes Furtwängler-Reicholdt, Griechische Vasenmalerei, Verlag C. Bruckmann, München, wiedergegeben.

INHALT

RÖMISCHE SAGEN

DEN QUELLEN NACHERZÄHLT

VON RICHARD CARSTENSEN

ENSSLIN & LAIBLIN VERLAG

REUTLINGEN

Schutzumschlag von Anton Stankowski.
Karten auf dem Vorsatz von Gottfried Wustmann.

189.–196. Tausend

Überarb. Neuauflage 1994 93 92 91 90 25 24 23 22

 Satz: Ensslin-Druck, Reutlingen. Schrift: Garamond-Antiqua. Gesamtherstellung: Ebner Ulm. Printed in Germany. ISBN 3-7709-0131-2

AENEAS

HEIMATLOS

„Priams* Feste war gesunken, Troia lag in Schutt und Staub", heißt es im „Siegesfest" von Friedrich Schiller. Tod und Vernichtung war über die mächtige Stadt hereingebrochen, als die Griechen nach dem listigen Rat des Odysseus sich mit dem hölzernen Pferde Eingang in die bisher unbesiegte Stadt verschafft hatten. Nur wenige Einwohner entrannen dem Verderben.

Aeneas**, der herrliche Held, hatte noch bis zum letzten Augenblick tapfer und mit ungestümer Kraft Widerstand geleistet, um die Heimatstadt vor dem Untergang zu bewahren. Aber verzweifelt mußte er erkennen, daß alle Gegenwehr vergeblich war. Seinen Vater Anchises hinderte das hohe Alter, im Kampf dem Feind entgegenzutreten. Voll Schmerz gedachte der Greis inmitten der allgemeinen Vernichtung jenes glücklichen Augenblicks, da sich die göttliche Venus einst mit ihm vereinigt hatte. Hatte die Göttin ihn und ihren Sohn, den heldenhaften Aeneas, ganz verlassen?

Entschlossen nahm Aeneas den greisen Vater, der die Hausgötter im Arme trug, auf seine mächtigen Schultern, ergriff Ascanius, seinen unmündigen Sohn, bei der Hand und floh aus der brennenden Stadt. Venus, seine göttliche Mutter, stand ihm nun unsichtbar zur Seite, denn wohin der Held auch

* Die Anmerkungen sind im Namen- und Sachregister auf Seite 247–260 vereinigt.

** Der Laut ai in griechischen Namen entspricht dem lateinischen Laut ae, das griechische ei vielfach dem langen e. So lautet der griechische Name Aineias im Lateinischen: Aeneas.

seinen Fuß setzte, da wichen die Flammen zurück und die Pfeile der Feinde fielen kraftlos vor ihm zur Erde nieder.

Während ringsum die griechischen Krieger in Kampfeswut rasten und fast alles Leben in der Stadt ausrotteten, während Häuser und Tempel im Gluthauch des furchtbaren Brandes zusammenbrachen, konnte Aeneas entrinnen und gelangte mit Vater und Sohn zur Küste. Dort in der Hafenstadt Antander am Fuße des Idagebirges, deren felsenumsäumte Bucht vor den griechischen Spähern sicher war, fand er Schutz; dort stieß er auf Leidensgenossen, die aus Troja entkommen waren wie er.

„Wir müssen uns eine neue Heimat suchen", sagte zu ihnen der Held; „die Vaterstadt ist für immer verloren." Gemeinsam zimmerten sie eine Flotte, und als der Frühling ins Land zog, war alles zur Abfahrt bereit. Der greise Anchises selber gab das Zeichen zum Aufbruch. Weinend sagten die Troer ihrem Heimatlande Lebewohl. Wohin würde das Schicksal sie führen? Wo würde es ihnen eine neue Heimat schenken?

Viele Tage durchpflügten die Schiffe der Flüchtlinge das Meer. Vergeblich versuchten sie, in Thrakien seßhaft zu werden. Wieder fuhren sie in die offene See hinaus, bis ein günstiger Wind sie zur Insel Delus*, der Geburtsstätte des Apollo, führte. In Demut hob Aeneas mit seinen Gefährten die Hände vor dem Heiligtum des Gottes empor, der sich stets als Beschützer der Trojaner gezeigt hatte. „Schenk du uns eine Wohnstätte", bat er, „hilf uns, eine neue Heimat zu gründen, und tu uns durch ein Zeichen deinen göttlichen Willen kund!"

* Die lateinische Endung -us entspricht der griechischen -os, die lateinische Endung -um der griechischen -on, also Delos = lat. Delus; Ilion = lat. Ilium.

GÖTTLICHE VERHEISSUNG

Erschrocken fuhren die Flehenden zurück, denn aus dem Tempel drang eine Stimme, die den Lorbeerhain ringsum erbeben ließ: „Ihr leidgeprüften Dardaner, bleibt weiterhin ungebrochenen Mutes, denn euch ist bestimmt, in das Land zurückzukehren, aus dem einst euer Ahnherr hervorgegangen ist! Ein Sproß aus Aeneas' Geschlecht wird von dort aus einst mit seinen Nachkommen über alle Länder dieser Erde herrschen."

Voll Ehrfurcht vernahmen die Heimatvertriebenen die göttliche Stimme. Dann sprangen sie jubelnd auf. Aber welches Land war es, das Apollo ihnen verhieß?

Anchises glaubte die Deutung des Orakels zu wissen. „Apollo, der unserem Volke stets freundlich gesinnt war, verweist uns auf jene Insel, der Iupiter* selber entstammt. Es ist Creta**, und von dort, das wissen wir, kam einst auch der Stammvater unseres Volkes, der mächtige Teucer, nach Troia. Lichtet die Anker – mit gutem Fahrtwind können wir in wenigen Tagen in unserer neuen Heimat sein!"

Um die Götter günstig zu stimmen, brachten ihnen die Auswanderer ihre Opfer dar: dem Gotte Neptun, der Meer und Wellen regiert, und dem Apollo, dessen Orakelspruch ihnen neuen Trost gespendet hatte. Dann ging es

* Iupiter: Die lateinische Sprache kennt kein „j" als halbkonsonantischen Gleitlaut, sondern nur das reinvokalische „i".

** Die Aussprache des c-Lautes in lateinischen Wörtern ist ein etwas verwickeltes Problem, weil er vor hellen Vokalen (also vor e, i, y) vielfach als z ausgesprochen wurde und z. T. – z. B. im Lateinunterricht in Österreich – noch wird und weil er andererseits in der Entwicklung lateinischer Wörter in den romanischen Sprachen (z. B. Cicéron im Französischen) als „ß" und im Deutschen in Fremdwörtern als z-Laut in der Aussprache und vielfach auch in der entsprechend angeglichenen Schreibung (z. B. Zivilisation) fortlebt.

Die Römer haben diesen Laut als „k" ausgesprochen, wie aus der Schreibung im Griechischen (z. B. lat. Cicero = griech. Kikeron) nachweisbar ist.

Aus Gründen der Einheitlichkeit haben wir meist die lateinische Schreibung „c" beibehalten.

von Delus aus wieder aufs Meer hinaus, an den weißen Marmorklippen der Inseln vorbei – der verheißenen Heimat entgegen.

Froh gingen sie in Creta an Land, mit Eifer und frommem Willen richteten sie sich ein, bauten Wohnstätten und bestellten das Land und – mußten bald erkennen, daß kein göttlicher Segen auf ihrem Beginnen ruhte. Die Sonne brannte ringsum ihre Felder aus und ließ Pflanzen, Gras und Bäume verdorren; Krankheiten wüteten unter den jungen Siedlern und hielten schreckliche Ernte. Verzweifelt drängten sich die Überlebenden um Aeneas und seinen greisen Vater und verlangten ihren Rat. Hatte Apolls Orakelspruch ihnen denn Elend und Untergang vorausgesagt?

„Vielleicht ist es das beste, die Schiffe zu besteigen und durch das Inselmeer nach Delus zurückzufahren, um noch einmal den Gott zu befragen, wohin er uns ziehen heißt; vielleicht haben wir seine Prophezeiung nicht recht verstanden!" In ihrer Verzweiflung stimmten alle Aeneas zu; eilig rüsteten sie sich, das ungastliche, unglückbringende Land zu verlassen.

In tiefen Sorgen um das Volk, das sich ihm als Beschützer anvertraut hatte, lag Aeneas in jener Nacht, die die letzte in Creta sein sollte, auf seinem Lager und überlegte, wie seinen Gefährten zu helfen sei. Da zeigte sich ihm plötzlich ein seltsames Gesicht: Vor ihm standen in hellem Strahlenglanz Trojas heilige Hausgötter, die er aus seiner brennenden Vaterstadt gerettet hatte, und redeten ihn an. Noch niemals zuvor hatte er ihre Stimme vernommen. „Höre voll Vertrauen, was wir dir auf Apollos Geheiß zu verkünden haben: Wir, deine Laren, werden dir und deinem Geschlecht eine Heimstatt geben; herrlichen Ruhm werden wir deinen Nachkommen bescheren und ihrer Stadt die Herrschaft über die Welt verleihen. Du darfst die Mühsale der Flucht nicht scheuen, denn dir selber ist es bestimmt, deinen Enkeln den Boden zu diesem Wohnsitz zu bereiten. Du mußt wissen, daß das Land, das dir als Ziel deiner Fahrt erschien, nicht dem Willen des delischen Gottes entspricht. Apollo hat mit seinem göttlichen Spruche nicht Creta gemeint, nein, weit von hier liegt das Land, in dem ihr euch niederlassen sollt; es liegt gegen Sonnenuntergang und heißt darum Hesperien, das Abendland. Nach dem Namen seines vormaligen Königs Italus soll es Italien heißen."

Voll ehrfürchtigen Staunens hörte der Held die Stimme seiner Laren. War ihm nicht der einstige Sitz seiner Ahnen verheißen? „Jenes Land ist einst deinem Geschlecht zu eigen gewesen“, fuhren sie fort, „denn von dorther entstammt Dardanus, der Urvater eurer Ahnenreihe.“

Wunderbarer Trost durchströmte Aeneas bei dieser Verheißung, und voll Dank gegen die Gottheiten hob er die Hände zum Himmel empor und brachte ihnen ein Dankopfer dar. Dann weckte er den Vater: „Der delische Gott gebietet uns, diesen Strand zu verlassen, denn Cretas Boden verweigert uns der Vater der Götter. Italien ist das Ziel unserer Fahrt; dort ist uns eine neue Heimat verheißen!“

Anchises stimmte in die Freude des Sohnes ein, denn jetzt erst verstand er Apollos Seherspruch richtig. Hatten doch dic Troer einen doppelten Ursprung: Teucrus, ihr Stammvater, sei vorzeiten von Creta ins troische Land gekommen, so berichtet uralte Überlieferung, und habe dem Hirtenvolk jener Gegend den Namen gegeben. Dann aber sei Dardanus, ein Sohn des Zeus, von Italien her nach Samothrake und von dort aufs asiatische Festland an die Mündung des Skamandros gekommen und der Schwiegersohn des Königs geworden; nach ihm war das Volk der Teukrer seither „Dardaner“ genannt.

Auch die Gefährten des Aeneas hörten mit Freude, wie man bisher das göttliche Gebot mißverstanden hatte, und voll Eifer lenkten sie den Bug der Schiffe, die schon für die Rückfahrt nach Delus gerichtet waren, gegen Abend: Nach Westen ging die Fahrt – Italien war ihr Ziel!

Viele Tage durchpflügten die Schiffe die hohe See, viele Tage lang erblickten die Auswanderer ringsum nichts als Himmel und Wasser. Schweres Unwetter galt es zu bestehen. Plötzlich sahen sie sich in finsteres Gewölk gehüllt, ein wilder Sturm brachte das Meer in Aufruhr, trieb die Flotte weit auseinander und machte sie zum Spielball der mächtigen Wellen. Als sich endlich die Elemente beruhigten, erblickten die Seefahrer am Horizont einen Gebirgszug und schöpften neuen Mut; sie ließen die Segel herab, legten sich in die Riemen und steuerten dem rettenden Lande zu.

Die hart geprüften Flüchtlinge, ganz erschöpft von der zermürbenden Fahrt durch die empörte Wasserflut, ahnten nicht, was ihnen bevorstand.

Denn jene Insel war der Sitz der Harpyien, jener gefräßigen, eisengepanzerten Scheusale, die Vögel mit Gesichtern von Jungfrauen sind. Seit sie von den Argonauten von der Küste Bithyniens vertrieben worden waren, hatten sich die widerlichen Vögel diese Insel als Wohnsitz erkoren.

Voller Freude, wieder festen Boden unter den Füßen zu haben, blickten Aeneas und seine Gefährten über das fremde Land hin. Rinder und Ziegen, die ohne alle Wartung weideten, gab es in Fülle. So zögerten die hungrigen Seefahrer nicht, sich reichlich zu verpflegen; sie erschlugen mit ihren Schwertern das Vieh, opferten den Göttern und setzten sich fröhlich zum Mahle nieder.

Doch plötzlich schraken sie auf, denn von den nahen Hügeln stürzte sich jäh ein sausender Schwarm der grausigen Harpyien herab. Die Gefräßigen fielen gierig über die Speisen her, zerkratzten alles mit ihren Krallenfüßen und besudelten es mit greulichem Unflat. Voll Entsetzen suchten die Männer unter einem vorspringenden Felsen Schutz, zündeten wieder ihre Feuer an und hofften nun, ihren brennenden Hunger stillen zu können. Aber wieder drängten sich die abscheulichen Vögel herbei, zerrten an den Speisen herum und befleckten alles mit ihrem Schmutz. Die Helden griffen zu den Waffen, stürzten sich auf die Angreifer und – mußten entsetzt feststellen, daß ihre Schläge ohne Wirkung abprallten und keinerlei Wunden hinterließen. Zwar machten sich die Harpyien nun eilig davon, doch eine von ihnen schleuderte als Unheilskünderin noch einen schicksalsmächtigen Fluch auf die Flüchtlinge herab: „Nicht genug, ihr Troer, daß ihr unsere Rinder und Ziegen getötet habt, wollt ihr nun noch uns Harpyien anfallen und aus unserem Vaterlande vertreiben. Darum hört und merkt euch gut, was Iupiter dem Apollo und dieser mir verkündet hat. Ich, die höchste der Rachegöttinnen, tue es euch kund: Das Land Italien, das ihr zu erreichen sucht, wird euch zwar nicht versagt bleiben, aber nicht eher sollt ihr den verheißenen Boden in Besitz nehmen, als bis der Hunger euch als Strafe für euer Unrecht zwingt, von euren eigenen Tischen zu nagen und sie gar aufzuessen!"

Nach diesem schlimmen Spruch war sie davongeflogen. Entsetzt starrten die Trojaner ihr nach. Würde das Schicksal sie weiterhin mit solch grimmigem Haß verfolgen?

Wieder vertrauten sie sich dem Meere an, hißten die Segel und steuerten der sinkenden Sonne entgegen. Viele lange Tage rauschten die Kiele durch die salzige Flut. Aber die Gottheit schien ihnen wohlgesinnt, denn endlich zeigte sich am fernen Horizont eine niedrige Küste. „Land!" schrie einer der Helden in froher Erwartung, „Italien!" fielen die Gefährten jubelnd ein. Am Schiffsbord stand Anchises, füllte seinen Becher mit Wein und hielt ihn bittend zum Himmel: „Schenkt uns günstigen Wind und leichte Fahrt, ihr Götter!" rief er, und wirklich blähte ein kräftiger Hauch die Segel, so daß die Schiffe der Küste entgegenflogen. Ein Hafen lag im Hintergrunde, von hochgetürmten Felsen eingerahmt, zur Seite ein Tempel. „Dort, ein Vorzeichen!" stieß Anchises beklommen hervor und zeigte auf vier schneeweiße Rosse, die am Gestade weideten; „Rosse bedeuten Krieg", fuhr der erfahrene Held fort, „so gastlich dieses Land uns auch erscheinen mag, es droht uns mit Krieg!"

So nahe war ihnen die verheißene neue Heimat, und doch durfte niemand wagen, das Land zu betreten. So folgten sie dem Rat des Anchises und wandten den Bug wieder dem Meere zu. Die Küste zur Rechten ihrer Schiffe, segelten sie südwärts, vorbei am Meerbusen von Tarent, bis sie in der Ferne Land sahen, das von einem mächtigen Berge überragt war. „Es ist die Insel Sizilien", erklärte der länderkundige Anchises, und schon vernahmen die Seefahrer ein ungeheures Tosen; aus aufgewühlter Tiefe wogte die Flut schäumend empor und warf den Sand vom Grund des Meeres hoch in die Lüfte. Die Schiffe näherten sich dem Felsenriff der Charybdis. Nur mit größter Mühe entrannen die Seefahrer der furchtbaren Gefahr, denn der Strudel warf sie bald hoch empor, bald wieder stürzte er sie in die schauerliche Tiefe, daß sie sich in der Unterwelt wähnten. Ganz in der Nähe donnerte der feuerspeiende Aetna, wirbelte Qualm und glühende Asche in die Luft empor und schleuderte aus seinem Innersten Steine und geschmolzene Felsen.

Froh, dem Verderben entronnen zu sein, segelten die Flüchtlinge weiter an der Küste der Insel entlang. „Ich fühle es deutlich", sagte Anchises eines Tages zu seinem Sohne, „daß ich das gelobte Land unserer Sehnsucht nicht mehr mit eigenen Augen schauen werde." Betroffen blickte Aeneas auf den geliebten Vater, obwohl er längst selber beobachtet hatte, wie dessen Lebenskraft dahinschwand und daß sein Geist nicht mehr die Schärfe von einst besaß. In tiefer Trauer stand er bald darauf vor dem Lager des greisen Helden: Anchises hatte sich zum Sterben gelegt, ohne dem Sohne Lebewohl zu sagen. Die furchtbaren Anstrengungen und die Schrecken der Flucht hatten das Herz des Trojanerhelden plötzlich stillstehen lassen.

Am Strande von Sizilien bestattete Aeneas den Vater mit allen Ehren, wie ein großer Held sie verdient.

Doch dann ließen die Troer aufs neue die Schiffe zu Wasser, und mit kräftigem Riemenschlage und geblähten Segeln ging es aufs Meer hinaus – dem Lande entgegen, wo sie das von den Göttern verheißene Reich gründen sollten.

DIE GÖTTERMUTTER IST UNERBITTLICH

Aber Iuno, Iupiters Gattin, war unerbittlich in ihrem Haß und ihrer Feindschaft gegen die Trojaner; sie konnte nicht vergessen, daß Paris, der troische Königssohn, ihr einst den Preis der Schönheit versagt und der Venus den Vorzug gegeben hatte. Zornig blickte Iuno jetzt vom Olymp herab auf die dahinbrausende Flotte: „Soll ich wirklich untätig zuschauen, wie dieser trojanische Flüchtling von Italiens Gefilden Besitz ergreift? Soll ich, die Königin unter den Unsterblichen, Iupiters Schwester und Gemahlin, so lange erfolglos mit diesem Volke in Streit liegen? Wer wird künftig noch die Macht der Iuno anbeten, wer sich ihrem Altar bittend nahen, wenn ich jetzt nicht siegreich aus dem Zwist hervorgehe?“

Zornig eilte sie in die Grotte des Königs der Winde, wo er die wilden Winde mit strengem Befehl gebunden hielt.

„Aeolus“, redete sie ihn schmeichelnd an, „der Vater der Götter und Menschen hat dir die Macht gegeben, die Flut einzuschläfern und wieder im

Sturme emporzujagen. Sieh jetzt, wie das Volk, das ich hasse, über das Meer hinzieht, um Ilium und seine Penaten nach Italien zu tragen! Rege du die Winde mit Macht und reiß die Schiffe in den Strudel des Meeres hinab!"

Aeolus wußte, was er der Götterkönigin verdankte, hatte sie ihm doch die Macht über die Winde verschafft und ihm Zutritt zum Tische der Olympischen gegeben. Als Iuno ihm dann gar eine der schönen Nymphen zur Frau versprach, hatte sie ihn ganz gewonnen. Mit der Spitze seiner Lanze stieß er gegen den Berg, in dem die Winde eingeschlossen waren, und öffnete ihnen den Weg in die Freiheit.

In wildem Getümmel stürzten sie hervor, wirbelten durch die Länder, wühlten das Meer in seinen Tiefen auf und peitschten die Wellen empor. Jammergeschrei erhob sich unter den Männern auf den Schiffen, die Taue knallten, und beklemmende Finsternis senkte sich herab. Bald lag düsteres Grauen der Nacht auf der weiten Flut, nur erhellt von den Blitzen, die unter Donnerrollen herabzuckten.

Entsetzt starrte Aeneas in das Toben der Elemente. Er hob die Hände zur Höhe empor, wo er irgendwo im Dunkel die Sterne erahnte: „Wie glücklich die Freunde, die einst vor Troias Mauern im Angesichte der Heimat den Tod fanden, wie beneidenswert das Los Hectors und Sarpedons, die durch die Hand der griechischen Helden gefallen sind!"

Aber in seine Klagen brauste der Nordwind hinein, der die Seufzer verwehte, die Segel zerfetzte und die Schiffe auf den hohen Wellenbergen bis in die tiefhängenden Wolken schleuderte. Die Ruder zerbrachen, und todwund legten sich die Fahrzeuge auf die Seite, als die Wassermassen gierig eindrangen. Drei von den Schiffen stieß der Zephyrus, der sonst so milde Südwind, auf Klippen, die unsichtbar dicht unter der Wasserfläche lagen, drei schleuderte der Ostwind auf die Sandbänke. Ein anderes, das lykische Bundesgenossen und ihren Führer Orontes trug, packte eine ungeheure Welle, sie zerschlug das Ruder und schleuderte den Steuermann ins Meer; dreimal drehte der rasende Wirbel das Schiff um sich selbst – dann verschlang es der Abgrund.

Ringsum auf den tosenden Wellen schwammen die kläglichen Überreste von Waffen, Balken und Schiffstrümmern.

Jetzt endlich vernahm Neptun, der Meeresgott, auf dem Grunde seines Reiches das Toben der Elemente. Voller Unwillen hob der sonst so Friedliche sein Haupt aus den wilden Wogen und blickte umher. Was mußte er sehen? Ringsum sah er die Flotte des Aeneas auf den Wellen zerstreut und die Flüchtlinge inmitten des Wütens der Fluten.

Neptun wußte sogleich, daß seine Schwester Iuno mit ihrem unerbittlichen Groll gegen die Troer hier ihre Hand im Spiele hatte. Zornig rief er Ostwind und Südwind zu sich: „Verlaßt ihr euch so frech auf eure Herkunft, daß ihr so zu stürmen, solche Wellenberge aufzutürmen wagt? Euch werd ich – –! Ich will das Meer nun stillen. Ihr aber kommt mir ein anderes Mal nicht so glimpflich davon. Macht euch nun auf und meldet eurem Gebieter: Ich bin der Herr des Meeres und nicht er! Ihm gehören die Felsen und die Grotten, wo eure Behausung ist. Dort im Palaste mag er seinen Zorn austoben – dort im verschlossenen Kerker mag er seine Herrschaft führen!"

Schnell hatte der gütige Neptun die Wellen beruhigt; er verscheuchte die finsteren Wolken, daß die Sonne wieder sichtbar wurde. Eilig machten sich auf sein Geheiß die Meeresgottheiten daran, die Fahrzeuge von den Klippen zu schieben. Er setzte seinen Dreizack an, um die Schiffe auf den Sandbänken flottzumachen. Dann glitt er auf seinem Wagen, von Seerossen gezogen, über die friedlichen Wasser dahin.

Zu Tode erschöpft blickten die Seefahrer um sich. Ganz in der Nähe zeigte sich eine Küste, die sie nun ansteuerten. Es war der Strand von Libyen. Bald nahm sie ein Hafen auf, der geschützt in einer anmutigen Bucht lag. Gerade vor ihnen öffnete sich eine Felsengrotte mit Quellen und Moosbänken.

Nur sieben Schiffe waren es noch, die von der Flotte des Aeneas übriggeblieben waren. Wie groß war das Verlangen der Männer, wieder festen Boden unter die Füße zu bekommen und sich auszuruhen! Einer der Helden schlug an einem Kiesel Feuer, fing die Funken in trockenem Laube auf, nährte sie mit dürrem Reisig und schwenkte die kleine Flamme hin und her, um sie zu entfachen. Ceres' Gabe, das Korn, das im Wasser schwer gelitten hatte, luden sie schnell aus den Schiffen, trockneten es am Feuer und mahlten es zwischen flachen Steinen.

Indessen erstieg Aeneas mit seinem Waffenträger einen Felsen und schaute über das Meer hin nach den Gefährten aus, die der Sturm verschlagen hatte. Wo mochten sie sein, die treuen Männer?

Aber nirgends zeigte sich eines der fehlenden Schiffe. Unten am Strande gewahrte er drei Hirsche; ein ganzes Rudel folgte äsend. Schnell ließ der Held sich Bogen und Pfeile reichen und erlegte die Leittiere. Er ruhte nicht, bis er von der Herde, die verwirrt durcheinanderstob, sieben Tiere zur Strecke gebracht hatte, so viele, wie er noch Schiffe zählte. Dann kehrte er zum Ankerplatz zurück und verteilte die Beute. Auch Wein ließ er aus den Schiffen holen, den ihm ein Gastfreund an der sizilianischen Küste geschenkt hatte. Er spendete den Göttern, bevor er trank, und suchte die bekümmerten Freunde mit seinem tröstenden Zuspruch aufzurichten: „Schon Schlimmeres haben wir erduldet, ihr Freunde, als das Schwere der letzten Stunden. Ich bin sicher, daß ein Gott auch dieser Not ein Ende machen wird. Faßt wieder Mut – es kommt eine Zeit, da es uns Freude machen wird, an diese Leiden zurückzudenken! Nach göttlichem Willen müssen wir ja auf dem Wege nach Italien, das uns vom Schicksal zur Heimat bestimmt ist, viele Gefahren erdulden. Dort soll – so ist es vorbestimmt – Troias Reich neu erstehen. Darum harret aus, bewahret euch für eine schönere Zukunft!“

Der gottesfürchtige Held, der mit solchen Worten die Gefährten aufzurichten versuchte, war selber nicht frei von Sorge für die Zukunft und mußte sich mühen, dies den Begleitern nicht zu zeigen. Sie schlachteten und brieten die gute Jagdbeute, lagen beim Mahle zufrieden im Gras und tranken den köstlichen Wein dazu. Immer wieder kam das Gespräch auf die vermißten Freunde. Ob sie noch lebten? Oder hatten sie den Tod gefunden? So bewegten sich die Gedanken aller zwischen Furcht und Hoffnung.

„DAS SCHICKSALSLOS BLEIBT UNVERRÜCKT"

Hoch auf der Himmelshöhe des Olymps stand Iupiter, ließ sein Götterauge über das Meer, die Länder und die Völker gleiten und richtete den Blick auf Afrikas Küste, wo Aeneas soeben in Libyen gelandet war. In tiefer Betrübnis trat Venus neben ihn, die Augen voll Tränen der Wehmut. „Du allmächtiger Herrscher der Menschen und Götter, was hat dir nur Aeneas angetan, daß du ihn so viel Unglück erdulden läßt und ihm um Italiens willen die ganze Welt verschlossen hältst? Hast nicht du selber verheißen, daß sich das Blut des trojanischen Stammvaters erneuern werde und daß im Kreisen der Jahre aus seinen Troern dereinst das Römervolk erwachsen und Meer und Lande unter seiner Herrschaft stehen werden? Nur durch diese Verheißung habe ich mich einst über Troias Untergang hinwegtrösten lassen. Warum hast du, Vater, jetzt deinen Entschluß geändert? Immer noch verfolgt ein unbarmherziges Geschick die Männer und treibt sie in so viele Nöte. Wann, großer König, machst du dieser Not ein Ende?"

Gütig lächelte der Göttervater ihr zu und küßte sie zärtlich: „Sei nur getrost, meine Tochter, das Schicksalslos deiner Lieben bleibt unverrückt. Du wirst die Stadt und Laviniums Mauern sehen, wie ich es verheißen habe, denn Aeneas wird die trotzigen Völker Italiens bezwingen und Recht und Ordnung schaffen. Drei Jahre lang wird er in Latium herrschen. Nach ihm wird sein Sohn Ascanius, der den Namen Iulus annehmen wird, das Reich führen und den Sitz der Herrschaft von Lavinium nach Alba Longa verlegen. Drei Jahrhunderte lang wird dort das Geschlecht des Priamus regieren, bis eine Priesterin aus königlichem Geschlecht dem Kriegsgotte Mars ein Zwillingspaar schenkt. Romulus, der eine der Brüder, wird eine neue Stadt erbauen und der Gründer des Römervolkes werden, das seinen Namen tragen soll. Die Römer aber mache ich zu Herren der Welt – über ein Reich ohne Grenzen. Die göttliche Iuno selber, die heute noch Meer und Länder gegen die Flüchtlinge aus troischem Stamme aufwiegelt, wird ihren Sinn wandeln und sich in Güte und Freundlichkeit dem Volk von Rom, den Beherrschern der Welt, zuwenden. So ist es im Rate der Götter beschlossen."

Beglückt hörte Venus die Weissagungen ihres göttlichen Vaters. „Ja, einst kommt die Zeit", fuhr Iupiter fort, „wo die Männer aus Troias Stamm Rache nehmen werden an dem hochberühmten Mykene, von wo Agamemnon mit seinen Helden auszog,um Troia in den Staub zu zwingen. Und aus dem altehrwürdigen Geschlecht wird ein Caesar erwachsen, dessen Ruhm bis zu den Sternen reicht und dessen Herrschaftsbereich erst am Ozean endet: Iulius wird er heißen als Nachkomme des edlen Iulus; ihn wird man einst unter die Götter aufnehmen. Das Goldene Zeitalter wird dann heraufziehen, die Kriege haben ein Ende – ewiger Friede wird unter den Völkern herrschen!"

So sprach Iupiter, und er sandte sogleich seinen Sohn, den Götterboten Mercurius, nach Karthago im Lande Libyen. Dort herrschte die Königin Dido, die selbst die „neue Stadt" – denn das bedeutet der Name Karthago – erbaut hatte. Sogleich eilte Merkur, um Iupiters Auftrag zu erfüllen und für die Troer gastliche Aufnahme zu erwirken. Ungesehen nahte er sich der Königin und stimmte ihr Herz zur Milde.

GÖTTLICHE BEGEGNUNG

In tiefen Gedanken hatte Aeneas die Nacht verbracht. Als das göttliche Licht den Morgen ankündigte, machte er sich in Begleitung seines Waffenträgers Achates auf, die fremde Gegend zu erkunden. Sorgfältig ließ er vorher die Flotte im Schutze einer Felswand und im Schatten der Bäume verstecken.

Mitten im Walde begegnete ihm eine Jägerin, gekleidet wie eine spartanische Jungfrau. Aeneas ahnte nicht, daß er Venus, seine göttliche Mutter, vor sich hatte; sie trug einen Bogen über den Schultern, das Haar flatterte frei im Winde, und das leichte Gewand war bis ans Knie gerafft. „Sagt, ihr Jünglinge", rief sie die beiden Helden an, „habt ihr keine meiner Freundinnen gesehen, die sich hier im Walde verirrt haben?"

Aeneas verneinte überrascht die Frage der Göttin. „Aber wer bist du denn, Jungfrau? Eine Sterbliche scheinst du mir nicht zu sein, und auch deine Stimme klingt nicht wie die eines Menschen. Bist du vielleicht Diana, Apollos Schwester, oder wenigstens eine der Nymphen?"

Venus gab nicht sogleich Antwort. „Wer du auch sein magst", fuhr Aeneas fort, „sag uns an, in welchem Lande wir uns befinden! Wir kennen hier nicht Land noch Leute, denn von Wind und Wellen dahingetrieben irren wir durch die Welt. Ich gelobe, Himmlische, dir am Altar reichliche Opfer darzubringen."

Venus gab lächelnd Antwort: „Solche göttliche Ehre kommt mir nicht zu. Wir tyrischen Mädchen sind es gewohnt, Köcher zu tragen – denn eine Tyrerin bin ich, und der Bogen, den ich führe, macht mich noch nicht zur Jagdgöttin, zur Schwester Apolls! Du bist in Afrika, im Lande der wilden Libyer. Phönizier haben hier ihr Reich errichtet, und Dido ist ihre Königin. Auf der Flucht vor Pygmalion, ihrem leiblichen Bruder, ist sie aus Tyrus hierher gekommen, nachdem sie schweres Unrecht hat erdulden müssen. Allzulang währte es, ihre Geschichte zu erzählen; darum will ich dir nur das Wichtigste berichten: Pygmalion, der in der Heimat die Herrschaft führte, hatte lange voll Neid auf Didos Gatten Sychaeus und dessen Reichtum geblickt. Schließlich scheute er in seinem Hasse nicht davor zurück, den Schwager am heiligen Altare niederzustoßen; so sehr hatte ihn die Goldgier geblendet. Dido selber ahnte nicht, daß ein Bruder solch furchtbarer Freveltat fähig sein könne, denn voll Heuchelei teilte Pygmalion ihren Schmerz um den Gatten, dem ihre ganze Liebe gehört hatte. Doch im Traume erschien ihr der Schatten des Gemordeten, eine tiefe Schwertwunde in der Brust, und offenbarte ihr die grausige Bluttat. Er riet Dido zu schneller Flucht und zeigte ihr vorher den unterirdischen Ort, wo der unermeßliche Schatz an Gold und Silber verborgen lag. Viele Gefährten, die wie Dido den Tyrannen haßten, sammelten sich um sie.

Dido also wurde die Führerin jener Auswanderer, die hier an Afrikas Küste landeten, an dem Ort, wo du jetzt die mächtigen Mauern der ‚neuen Stadt' und ihre himmelragende Burg erblickst. Mit Klugheit erwarb Dido den Grund dafür, denn sie forderte nur soviel Land, wie sie mit einer Tierhaut umspannen könne. Aber diese Tierhaut schnitt sie sodann in feine Riemen, die ausreichten, einen großen Raum einzuschließen. Das ist der Platz, der jetzt die Burg Karthagos trägt. Ihr mächtiger Reichtum ließ sie immer mehr Gebiet erwerben, und so beherrscht sie heute ein gewaltiges Reich."

Aeneas lauschte den Worten der schönen Erzählerin. Er ahnte nicht, daß seine eigene Mutter vor ihm stand, und er ahnte auch nicht, daß die königliche Frau, von der sie ihm berichtete, bald entscheidend in sein Leben eingreifen sollte.

Die Jägerin wandte sich nun dem Helden selber zu, um ihn zum Sprechen zu bewegen: „Doch nun sagt mir: Wer seid denn ihr? Woher kommt ihr, und wohin führt euch euer Weg?"

Nach tiefem Seufzen gab der Held Antwort: „Vom fernen Troia kommen wir, dessen Ruhm sicher schon zu deinen Ohren gedrungen ist. Über weite Meere sind wir gefahren, und jetzt warf uns hier der Orkan mit blinder Gewalt an die Küste von Libyen. Ich bin Aeneas, dessen Ruhm einst bis zu den Sternen erklang. Die heimatlichen Penaten habe ich aus Troia gerettet, und nun strebe ich mit den Gefährten nach Italien, das uns Iupiter selber verheißen hat."

Voller Mitgefühl hörte Venus von den Leiden ihres Sohnes, die sie ja kannte. Er berichtete von den schrecklichen Abenteuern auf See, vom Verlust der Schiffe, von den Qualen des Hungers und Durstes, die sie erleiden mußten. „Es ist, als ob Asia wie Europa mich ausgestoßen hätten!" rief er in seinem Schmerz.

Venus unterbrach seine Klagen: „Wer du auch sein magst, ich glaube nicht, daß du den himmlischen Göttern verhaßt bist", sagte sie tröstend.

„Wenn meine Eltern mich nicht vergeblich gelehrt haben, den Vogelflug zu deuten, so darfst du wissen, daß deine vom Sturm verschlagenen Schiffe gerettet und deine Freunde zurückkehren werden. Sieh nur die zwölf Schwäne, die dort am Himmel entlanggleiten! Ein Adler, der Vogel Iupiters, hat sie auseinandergejagt, aber sie haben sich wieder gesammelt und streben froh dem Lande zu. So haben auch manche deiner Gefährten bereits den Hafen erreicht, die andern nähern sich ihm mit schwellenden Segeln. Du aber geh nur getrost, wohin der Weg dich führt!"

Mit diesen Worten wandte sie sich ab. Da erglänzte ihr rosiger Nacken von überirdischem Lichte, ihren ambrosischen Locken entströmte himmlischer Wohlgeruch, lang floß das Kleid bis zu den Füßen hinunter – ihr edles Dahinschreiten ließ sie als Göttin erscheinen. Jetzt erst erkannte Aeneas seine himmlische Mutter, doch vergebens versuchte er, sie zurückzurufen. Sie hüllte sich in dichten Nebel, so daß sie von niemandem mehr erblickt oder nach ihren Absichten ausgeforscht werden konnte. Hoch durch die Himmelsluft schwebte Venus von dannen nach Paphos, ihrem Lieblingsaufenthalt.

IM REICHE DER KÖNIGIN DIDO

Aeneas und sein Gefährte folgten dem Fußpfade und schritten rüstig im Nebel dahin. Bald hatten sie die Höhe des Hügels erreicht, der sich über der Stadt erhob und auf die gegenüberliegende Burg hinabblickte. Mit Staunen betrachtete Aeneas den stolzen Königsbau, an dessen Stelle einst armselige Bauernhütten gestanden hatten, die mächtigen Stadttore, die breiten gepflasterten Straßen und das tätige Leben in der jungen Stadt. Noch war der Bau nicht vollendet, und voller Eifer war man am Werke: Die einen führten Steine heran zum Bau der hohen Mauern, die die Burg schützen sollten, andere waren dabei, den Platz für ihr Haus auszusuchen, und zogen Gräben um die Baustelle. Andere wieder schachteten den Hafen aus, wieder andere legten den Grund zum neuen Theater und schlugen dazu aus den Felsen Säulen heraus, die die künftige Bühne stützen sollten. Überall herrschte rege Geschäftigkeit wie in einem Bienenstock zu Beginn des Sommers.

„Glückliches Volk!" sagte Aeneas leise vor sich hin. Wann würde es ihm selber beschieden sein, die verheißene Stadt zu erbauen?

Der Nebel umhüllte die beiden Trojaner, so daß keiner der eifrig Werkenden sie bemerkte; unerkannt schritten sie durch die Straßen.

Mitten in der Stadt lag, eingebettet in das schattige Grün eines schönen Hains, ein Tempel, den Dido der Göttin Iuno errichtet hatte. Stattlich war sein Bau, aus Erz gefügt die Stufen, Pfeiler und Torflügel. Hier, in der weihevollen Nähe der Gottheit faßte Aeneas frischen Lebensmut und neuen Zukunftsglauben. Staunend sah er an den Tempelwänden herrliche Kunstwerke, Malereien, die von dem Kriege um Troja kündeten. Mit Tränen in den Augen stand der Held vor dem Bilde des Priamus, des Königs der Trojaner, vor dem mächtigen Agamemnon, der die Griechenheere anführte, und vor den Darstellungen der wechselvollen Kämpfe. Trauer und neugeweckter Schmerz erfüllten ihn, als er Hectors Leiche durch den Staub zerren sah und des Priamus ohnmächtiges Flehen.

Während der Held, ganz gefangen von der Erinnerung an seine Erlebnisse, vor den Bildern stand, wandelte die Königin daher, herrlich anzusehen; ein Ehrengeleit tyrischer Jünglinge führte sie zum Tempel.

Dido nahm unter der Wölbung des Tempelportals auf hohem Throne Platz, während das Volk sich um sie versammelte, und waltete ihres königlichen Amtes. Sie bestimmte die Arbeit, die jeder für die Stadt zu leisten hatte, sie traf ihre Entscheidungen und sprach Recht.

Mit freudigem Staunen sahen Aeneas und sein Begleiter mitten im Gedränge des Volkes plötzlich ihre Freunde und Schiffsgenossen, von denen der Sturm sie getrennt hatte. Wie trieb es den Helden, ihnen die Hand zum Gruße zu reichen! Doch er wagte es nicht, so unbegreiflich erschien ihm noch alles, und voller Spannung, ob er aus dem Munde der Gefährten selbst etwas über ihr Schicksal erfahren werde, hielt er sich in der schützenden Nebelwolke verborgen. Er sah nämlich, daß von jedem Schiffe nur einige ausgewählte Männer zur Stelle waren. Sie drängten sich vor die Königin, und als man ihnen das Wort erteilte, begann ihr Führer Ilioneus zu sprechen:

„Erhabene Königin", rief er, „unglückliche Trojaner stehen bittend vor dir! Nicht mit feindlicher Absicht oder um Beute zusammenzuraffen, betraten wir diesen Strand; der Sturm hat uns unbarmherzig von Meer zu Meer geworfen. Aber wie tritt man uns hier entgegen? Unter was für Menschen sind wir hier geraten? Nicht einmal Barbarenvölker üben solche Bräuche: Man verwehrt uns, den festen Strand zu betreten, man begegnet uns gewalttätig und droht, unsere Schiffe zu verbrennen. Achtet ihr schon nicht die Sterblichen, so habt doch wenigstens Ehrfurcht vor der Macht der Götter, die über Recht und Unrecht walten! Unser König ist Aeneas, den niemand an Frömmigkeit und gerechtem Wesen übertrifft. Wenn das Geschick uns diesen Mann am Leben erhalten hat, wenn er noch die Himmelsluft atmen darf und nicht zu den dunklen Schatten hinabgestiegen ist, so werdet ihr es nie bereuen, uns Entgegenkommen gezeigt zu haben. Darum erlaubt uns, die vom Sturm angeschlagenen Schiffe auf den Strand zu ziehen, gestattet uns, in euren Wäldern Bauholz für Schiffe und Ruder zu schlagen! Gibt das Geschick uns unseren König und unsere Gefährten zurück, so wird es uns auch gelingen, das italische Land zu erreichen, das uns die Gottheit verheißen hat!"

Dido hielt die Augen zu Boden gesenkt, als sie den Bittenden Antwort gab: „Verbannt alle Furcht aus eurem Herzen, ihr Flüchtlinge! Mein Lebensschicksal hat mich schon in der Jugend zur Härte gezwungen, und mein Reich ist so jung, daß ich seine Grenzen vorsorglich schützen muß. Wer sollte euch nicht kennen, Trojaner, euer unglückliches Volk, eure Helden und ihren Waffenruhm? Wir wissen von dem schrecklichen Kriege und von Trojas Untergang, und unser Herz ist nicht so abgestumpft, daß euer Schicksal uns nicht gerührt hätte. Wollt ihr euch also in Italien oder in Sizilien eine neue Heimat suchen, so verspreche ich euch gern Hilfe und Unterstützung für die Fahrt und lasse euch in Frieden ziehen. Wollt ihr euch aber hier im Lande ansiedeln, so nehme ich euch gern als Mitbürger in unserer neuen

Stadt auf; ihr werdet unter den gleichen Gesetzen stehen wie meine Untertanen. Wäre doch auch Aeneas hier! Ich will sogleich Kundschafter aussenden, ihn zu suchen; vielleicht ist er an einem einsamen Ufer gestrandet und irrt irgendwo in den Wäldern umher."

Kaum hatte Dido geendet, da zerteilte sich plötzlich die Wolke, die Aeneas verhüllt hatte, und entschwand im Äther. Da stand nun der Held in strahlendem Lichte, an Gestalt und Antlitz einem Gotte gleich. Venus hatte ihm frische Jugendfarbe auf die Wangen und in seine Augen heitere Würde gelegt. Wie eine göttliche Erscheinung stand er vor allen da. Er wandte sich der Königin zu: „Hier bin ich, nach dem du verlangt hast, ich, der Trojaner Aeneas!"

Staunend blickten alle auf den Helden, der den Fluten entronnen war. „Du edle Königin", fuhr er fort, „keiner von all den Trojanern, die das Geschick über die ganze Erde verstreut hat, wird dir deine Großmut je danken können. Mögen die Himmlischen dir dein edles Handeln vergelten! Für alle Zeiten wird dein Name, wohin das Schicksal uns auch führen mag, bei uns in höchstem Ruhm erstrahlen!" Voller Freude begrüßte Aeneas nun die wiedergefundenen Gefährten.

Jetzt erst faßte sich die staunende Königin. „Du bist also Aeneas, den einst die erhabene Göttin Venus dem Troer Anchises gebar? Viel schon habe ich von den Schicksalen deines Geschlechtes und deines Volkes aus dem Munde meines Vaters erfahren. Tretet als unsere Gäste in unsere Häuser ein, ihr trojanischen Männer! Ich verstehe nur zu gut, was Flüchtlingsschicksal ist, denn auch ich mußte ja die Heimat verlassen, bis ich hier nach langen Mühsalen eine neue Heimstatt fand."

Dido führte den Helden sogleich in ihre Burg und ließ in allen Tempeln ein prächtiges Opferfest veranstalten. Ihren Palast ließ sie mit königlichem Prunk ausstatten und in den schönsten Räumen ein Festmahl richten. Kostbare Purpurteppiche schmückten die Wände, Gold- und Silbergeschirr auf den Tischen lud zum Mahle ein. Auch die Gefährten des Aeneas vergaß Dido nicht; sie ließ ihnen Fleisch und andere Nahrung in Fülle reichen, damit auch für sie dieser Tag zum Festtag werde.

Aeneas, der in inniger Liebe an seinem Sohne hing, ließ dem kleinen Ascanius die frohe Botschaft bringen, wie günstig sich ihr Geschick gewandelt habe. Er ließ ihn zum Königspalaste führen und befahl, aus seinem Schiffe als Ehrengeschenke für Dido Kostbarkeiten herbeizuschaffen, die er aus seiner brennenden Vaterstadt gerettet hatte: einen prächtigen Mantel mit golddurchwirkten Bildern, ein Gewand der Helena, das sie einst als Geschenk ihrer göttlichen Mutter Leda aus Sparta mitgebracht, ein goldgeschmücktes Zepter, das einst Priamus' ältester Tochter gehört hatte, eine kostbare Perlenkette und eine Krone, die von Gold und Edelsteinen erglänzte.

CUPIDOS AUFTRAG

Aber Venus, die Mutter des Helden, machte sich Sorgen um das Schicksal ihres Sohnes und wähnte, man dürfe den Tyrern und ihrem Königshause nicht trauen. So sann sie auf eine neue List. Ihr Söhnchen, der Liebesgott Cupido, sollte in der Gestalt des jungen Ascanius die Geschenke, die Aeneas hatte holen lassen, zur Königsburg bringen. „Nimmt dich Dido dann beim fröhlichen Mahle auf den Schoß", gebot Venus dem Knaben, „so verzaubere sie, auf daß sie meinem Sohne in Liebe verfalle." Cupido freute sich über solchen Auftrag und gehorchte der Mutter gern. Wie das Ebenbild des jungen Ascanius ging er an der Hand des Achates, der nichts von dieser Täuschung ahnte, von den Schiffen zur Stadt. Ascanius selber war von Venus vorsorglich in tiefen Schlummer gesenkt und in einen fernen Hain entführt worden, damit er die List nicht zur unrechten Zeit zunichte mache.

Als der Bote, den kleinen Gott an der Hand, die Burg und den Festsaal betrat, ruhte Dido bereits auf den prunkvollen Teppichen, die die goldene Liegebank bedeckten; Aeneas und seine Helden betraten den Saal und lagerten sich ebenfalls zum Mahle auf purpurnen Polstern. Diener reichten frisches Wasser zum Waschen und weiche Handtücher. Sie boten Brot aus den bereitstehenden Körben, und fünfzig Mägde standen in langen Reihen vor den Herden, die Speisen zu bereiten. Hundert andere Mägde und ebensoviele Diener stellten die Gerichte auf die Tische und die Becher vor jeden der Gäste. Auch die Tyrer kamen jetzt in Scharen herein und lagerten sich nach dem Geheiß der Königin an den Tafeln. Voll Bewunderung sahen sie auf den Kleinen; niemand ahnte, daß ein Gott die Stelle des Ascanius eingenommen hatte.

Auch Dido spürte nicht, wie nahe ihr das Verhängnis war. Immer wieder gingen ihre Blicke voll Entzücken von den köstlichen Geschenken zu dem lieblichen Bilde des Knaben, der am Halse des Aeneas hing, seinen Mund mit Küssen bedeckte und kluge Worte redete.

Endlich löste sich der kleine Liebesgott aus den Armen des Aeneas und eilte auf die Königin zu. Arglos nahm sie ihn auf ihren Schoß, herzte und küßte ihn. Wenn sie gewußt hätte, daß ein Gott ihr genaht war und ihr, den Befehlen seiner Mutter folgend, das Feuer der Liebe einhauchte! Schon verblaßte in ihrem Herzen das Bild ihres tiefbetrauerten Gemahls Sychaeus – die Neigung zu Aeneas erwuchs in ihrem Herzen.

Als nach beendigtem Mahl die Speisen abgeräumt waren, stellte man mächtige Weinkrüge auf den Tisch und füllte die Becher von neuem. Das Stimmengewirr der fröhlichen Festteilnehmer ging durch die weiten Säle; ringsumher flammten von den goldenen Decken herab die Leuchter, und das Licht der Fackeln durchdrang das Dunkel der Nacht. Da ließ Dido sich eine mit Edelsteinen verzierte Schale aus schwerem Golde reichen und füllte sie mit Wein; es war das altehrwürdige Trinkgefäß aus dem Schatze ihrer tyrischen Vorfahren. Ringsum in den Gemächern erstarb der laute Festjubel, als die Königin sich von ihrem Lager erhob und das Gefäß emporhielt: „Iupiter!“ rief sie feierlich, „du mächtigster Schirmherr des Gastrechtes, mach diesen Tag zu einem Festtag für Tyrer und Trojaner, daß noch unsere spätesten Enkel mit Freuden an ihn denken! Auch du, Bacchus, du Freudenspender, und auch du, gütige Iuno!“

Mit diesen Worten spendete sie den Göttern das schuldige Trankopfer, kostete selber von dem geweihten Getränk und reichte es dem tyrischen

Würdenträger an ihrer Seite weiter. Nun machte die Schale unter Tyrern und Trojanern die Runde, während der Sänger zur Zither seine Weisen sang über den Ursprung der Welt, von den Menschen und den Tieren. Dido aber konnte ihren Blick nicht von dem göttlichen Aeneas losreißen. Schon war sie in Liebe zu ihm entbrannt. Immer wieder fragte sie ihn nach seinen Erlebnissen vor Troja, sie fragte nach Priamus und Hector, Achill und Diomedes und bat den Helden schließlich, die Geschichte seiner Abenteuer von Anfang an zu berichten.

ERINNERUNG AN TROJAS UNTERGANG

Ringsum verstummten alle voller Spannung, während Aeneas sich auf seiner Liegestatt aufrichtete und begann: „Unaussprechlichen Gram, hehre Königin, heißest du mich erneuern. Soll ich wirklich davon berichten, wie Troja unter dem erbarmungslosen Ansturm der Feinde in den Staub sank?"

Doch dann ließ der Held sich erbitten und erzählte von dem hölzernen Pferd, das die Griechen erbaut hatten, von Laokoons Tod und dem Untergang der trojanischen Vaterstadt, von dem Wüten der griechischen Krieger und vom Tode des greisen Priamus.

Während Aeneas erzählte, zwang ihn die Erinnerung mehr und mehr in ihren Bann, und seine Zuhörer durchlebten mit ihm noch einmal die Stunden, die über Leben und Tod des Helden entschieden hatten:

Voll Verzweiflung hatte sich Aeneas in das Kampfgetümmel gestürzt, um durch die Waffen des Feindes den Tod zu finden.

Doch da war ihm, mit ihrem Lichte die Nacht durchstrahlend, seine göttliche Mutter Venus erschienen. „Hast du denn all deine Sorge um uns vergessen?" fuhr sie ihn an. „Willst du dich nicht darum kümmern, wo dein vom Alter gebeugter Vater Anchises geblieben ist? Und ob deine Gemahlin Crëusa, ob dein kleiner Ascanius noch lebt? Hätte ich ihnen nicht meinen göttlichen Schutz geboten, so wären sie längst von dem wilden Kampfgewühl dahingerafft worden. Nicht etwa Helena, die Vielgescholtene, hat mit ihrer verhängnisvollen Liebe zu Paris den Untergang Troias besiegelt – nein, mißgünstige Götter waren es: Neptun, der mit seinem Dreizack den Grund der Erde aufwühlt, und die unerbittliche Iuno, die einst von Paris beleidigt worden ist. Auch Pallas Athene und Iupiter stehen auf seiten der Griechen!"

Mitten durch die züngelnden Flammen und das Wüten der Feinde schlug sich Aeneas zu seinem Palaste durch. Dort trat er vor seinen Vater, denn ihn wollte er zuerst retten.

Aber der greise Anchises weigerte sich, nun da Troja zerstört war, fortzuleben und in die Verbannung zu gehen. „Denkt ihr Jungen daran, euer Leben durch die Flucht zu retten", rief er, „mich aber laßt hier sterben!"

Mit Tränen in den Augen bat ihn der Sohn immer wieder; auch Crëusa schloß sich seinem Bitten an und der junge Ascanius. „Willst du uns denn alle verderben?" rief Aeneas drängend. Nein, Anchises war nicht bereit, die Heimat zu verlassen.

Nun wollte sich Aeneas wieder in das Kampfgetümmel stürzen, um den Tod zu finden. Denn welches Schicksal konnte er sonst noch erwarten? War es für ihn etwa möglich, dem Geheiß des Vaters zu folgen? Konnte er ihn hilflos zurücklassen? Aeneas war entschlossen, zugleich mit der hinsinkenden Vaterstadt zu sterben. „Bringt Waffen herzu, ihr Männer!" schrie er todesmutig. „Wir wollen unser Leben teuer verkaufen!"

Aber auf der Schwelle des Hauses stand seine Gattin Crëusa; sie stürzte ihm entgegen, umklammerte bittend seine Knie, und zugleich schmiegte sich der kleine Ascanius an den Vater. „Wenn du in den Tod gehen willst", rief Crëusa, „so nimm doch uns mit! Aber wenn du noch auf deine Waffen vertraust, so denk zuerst daran, unser Haus zu schützen! Für wen sollen wir denn noch zurückbleiben, dein kleiner Sohn, dein greiser Vater und ich, deine Gattin?"

Das Haus klang von dem Verzweiflungsgeschrei der Unglücklichen wider. Da – plötzlich zeigte sich ein Wunder! Ein seltsam klingendes Wunder. Das Haar des Jungen leuchtete wie von Gold, die Flamme züngelte über die weichen Locken und die Schläfen – und fügte dem Knaben doch keinen Schaden zu! Voll Schrecken blickten alle auf die überraschende Erscheinung. Sie schüttelten ihm das Feuer aus dem brennenden Haar und löschten die Flammen mit heiligem Wasser. Vater Anchises aber hob seine Augen fröhlich zu den Sternen empor und streckte die Hände zum Himmel: „Iupiter, wenn du dich durch unser Gebet rühren läßt, so blick uns jetzt an! Und wenn unsere Frömmigkeit es verdient, Vater der Götter, so gib eine zweite Weissagung und festige dadurch dieses Vorzeichen!"

Kaum hatte der Greis so gesprochen, da donnerte es plötzlich zur Linken, und hoch vom Himmel her schoß ein feuriger Stern mit hellglänzendem Schweif herab. Er fuhr über das Hausdach hinweg und ging dann klar strahlend im Walde des Idaberges nieder. Ringsum dampfte die Gegend von Schwefel.

Nun war Anchises überzeugt vom Willen der Götter. Er rief die Himmlischen an und zeigte dabei auf den Stern: „Jetzt gibt es kein Säumen mehr! Ich folge euch, Götter meiner Väter, wohin ihr mich auch führt! Erhaltet das Geschlecht, erhaltet den Enkel! Ich weiß, jene Himmelserscheinung kam von euch! In eurem göttlichen Schutze steht Troia trotz alledem. Auf denn! Gern folge ich dir, mein Sohn, auf deinem Weg."

Dieser bot dem Vater die mächtigen Schultern. „Welches Schicksal uns auch erwartet", sagte er, „für uns gibt es nur eine gemeinsame Gefahr und eine gemeinsame Rettung. Meinen kleinen Ascanius führe ich an der Hand, und zur Seite geht mir die Gattin."

Darauf wies er den Dienern einen Treffpunkt an: „Außerhalb der Stadt liegt ein Hügel mit einem alten Tempel der Ceres, der Göttin der Feldfrüchte. Ganz in der Nähe steht eine uralte Zypresse, die unsere Vorfahren in heiliger Ehrfurcht seit Jahrhunderten geschont haben. Dorthin wollen wir uns alle auf verschiedenen Wegen begeben. Du, Vater, trag in deinem Arm die heiligen Penaten! Meine Hände sind noch blutig von dem schrecklichen Morden, und nicht eher will ich die Gottheiten mit ihnen berühren, als bis ich sie in reinem fließendem Wasser gewaschen habe."

Nach diesen Worten beugte sich der Held und bot seinem Vater den kraftvollen Nacken. Rings um sie her prasselten die Flammen; immer bedrohlicher drangen die heißwogenden Gluten auf die Wehrlosen ein.

Der kleine Ascanius hatte Mühe genug, mit dem kräftig ausgreifenden Vater Schritt zu halten. An Aeneas' Seite hielt sich seine Frau Crëusa. Aber der Held, der eben noch unbekümmert dem Sturm der feindlichen Waffen getrotzt hatte, schrak nun beim geringsten Lufthauch auf, lauschte ängstlich auf jedes Geräusch und verhielt oft den Schritt in seiner Sorge um die Last auf seinen Schultern und um seine Begleitung.

Schon hatte Aeneas das Stadttor erreicht, schon glaubte er, alle Schrecknisse hinter sich zu haben, als plötzlich ein Geräusch wie von nahenden Schritten an das Ohr der Flüchtlinge drang. Anchises, der von der Höhe der Schultern in das nächtliche Dunkel blickte, schrie voller Erregung: „Flieh, mein Sohn, flieh! Dort kommen sie! Funkelnde Waffen erkenne ich im Dunkel!"

In nie gekannter Angst hörte Aeneas die Warnungen des Vaters. Blindlings wählte er einen Umweg durch das Gewirr der engen Gassen seiner Heimatstadt, taumelte durch die Ruinen der zusammenbrechenden Häuser und riß den kleinen Sohn an der Hand mit sich. Noch zitternd von dem wilden Lauf, stand er endlich an dem Hügel mit dem alten Ceres-Tempel, den er als Treffpunkt mit den Gefährten ausgemacht hatte. Ein großer Teil von ihnen war bereits zur Stelle und begrüßte den Herrn. Aufatmend setzte er den Vater von den Schultern. Aber wo war Crëusa, seine Gattin?

„Wo ist Crëusa?" schrie Aeneas wie von Sinnen.

Die Frau war nirgends zu erblicken!

Hatte das Schicksal sie ihm entrissen? War sie vom Wege abgekommen? Hatte sie, überwältigt von der Anstrengung, am Wegrande Ruhe gesucht?

Niemand wußte seine Fragen zu beantworten. Bittere Vorwürfe machte sich der Held, daß er auf der jähen Flucht versäumt hatte, immer wieder nach der ihm folgenden Gattin zu schauen; voller Verzweiflung klagte er Götter und Sterbliche an, und er wußte doch, daß jedes Wort vergeblich war.

„Achtet auf meinen Sohn, auf meinen Vater!“ schrie er erregt, „und nehmt unsere Penaten in euren Schutz!“ Erschrocken blickten die Gefährten auf ihn; voller Entsetzen baten sie ihn, das Schicksal doch nicht noch einmal zu versuchen.

Aber Aeneas war zum Äußersten entschlossen; er wollte alle Gefahren erneut auf sich nehmen und auf der Suche nach der Gattin noch einmal durch die Trümmer der verlorenen Heimatstadt eilen.

Als er die Stadt betrat, hatte der Kampflärm sich gelegt. Aber grauenvoll war es, durch die Nachtstille zu schreiten. Bis zu seinem Hause drang er vor, ohne die Gattin zu finden. Sollte das Schicksal sie ihm hier zurückgeben? Die ganze Wohnung schien voll von Feinden, während schon die Flammen verzehrend zum Giebel hinausschlugen. Voller Verzweiflung schritt der Held weiter, er stand vor der Königsburg und sah die Gemächer des Priamus, er erblickte von ferne den Tempel der Iuno, wo Odysseus Wache hielt, um das Heiligtum vor Plünderern zu schützen. Ringsumher lag der troische Reichtum, goldene Weihgeschenke, Krüge, Gefäße von edlem Metall – alles wahllos aufgehäuft als Raub der Sieger. Unmündige Kinder und wehrlose Mütter standen zusammengepfercht und warteten auf ihr grausiges Schicksal.

Das Herz voller Sorge schritt der Held weiter. Sollte er die geliebte Gattin wirklich verloren haben? Der Gefahr nicht achtend, ließ Aeneas immer wieder seine Stimme durch die Nacht erschallen, immer wieder rief er Crëusas Name. Da plötzlich sträubte sich sein Haar vor Entsetzen, und die Stimme versagte ihm. Denn vor ihm stand Crëusas Geist! Höher als im Leben ragte ihre Gestalt, ihre Züge aber, ihm so innig vertraut, waren wie einst, und aller Schreck wich von ihm, als sie ihn ansprach: „Laß ab von deinem Schmerz, mein Gatte, denn was geschah, das haben die Götter selbst gefügt! Es ist dir nicht beschieden, mich als deine Gefährtin in die Fremde mitzunehmen, denn Iupiter hat es anders bestimmt. Höre von mir, was deiner in Zukunft harrt: Lange mußt du heimatlos das weite Meer befahren; endlich wirst du weit im Westen in das Land kommen, wo der Tiber in sanftem Laufe durch fruchtbare Fluren strömt. Dort ist dir dein Glück beschieden – ein Königreich und eine Gattin aus königlichem Hause.

Nun aber weine nicht mehr um mich! Denn nicht Gefangenschaft bei den Griechen ist mein Los. Die große Göttermutter hält mich hier im Lande fest! Darum: Leb wohl und bewahre dir die Liebe zu unserem Sohne!"

Weinend hörte der Held ihre Worte. Er wollte ihr Antwort geben, doch vergeblich suchte er die entschwebende Gestalt anzusprechen. Dreimal streckte er die Arme aus, um ihren Nacken zu umfangen, dreimal entschwand das Bild seinen Händen und entwich dann wie ein Hauch in die Lüfte.

Aeneas kehrte zu den Seinen zurück. Dort fand er neue Gefährten in großer Zahl, Männer und Frauen und junges Volk, zusammengeströmt und bereit zur Flucht, eine bejammernswerte Menge. „Sei du unser Führer!" riefen sie ihm zu, „mit unserem Mut und unserer Habe, die wir aus der Heimatstadt gerettet haben, wollen wir dir folgen, wohin du auch ziehen magst, um eine neue Heimat zu gründen!"

Helleuchtend erhob sich in diesem Augenblicke über den Bergspitzen des Idagebirges der Morgenstern und führte den neuen Tag herauf. Die siegreichen Griechen hielten Trojas Tore besetzt, so daß alle Hoffnung auf Hilfe für immer schwand. Da ergab sich Aeneas in sein Schicksal. Er winkte den Gefährten, ihm zu folgen, hob seinen Vater auf die Schultern und schritt dem Gebirge zu.

In atemloser Spannung waren Dido und ihre Gäste den Worten Aeneas' gefolgt; er berichtete weiter von den Abenteuern auf See, von dem Irrweg, den der Orakelspruch sie geführt hatte, von der Weissagung der Harpyien, vom Tode des greisenAnchises und von dem furchtbaren Unwetter, das sie soeben auf dem Meere bestanden hatten. „Das war das Ende harter Not", schloß der Held; „ein Gott führte uns dann an eure Küste und läßt uns nun euer Gastrecht genießen."

VERHÄNGNISVOLLE LIEBE

Aeneas hatte geendet, und bald darauf suchten alle ihr Lager zur Nachtruhe auf. Aber Dido fand keinen Schlaf. Vor ihren Augen stand der strahlende Held, dessen Schicksal sie mit pochendem Herzen vernommen hatte; seine Mienen und seine kraftvolle Männlichkeit hatten sie ganz gefangengenommen. Immer stärker spürte sie, wie sehr die Glut der Liebe sie getroffen hatte.

Schon führte Aurora, die Morgenröte, mit dem Sonnenlichte des Phoebus Apollo den neuen Tag herauf, und immer noch lag Dido ohne erquickenden Schlaf. Sie irrte durch die Räume ihres Palastes und trat schließlich in das Gemach ihrer geliebten Schwester und vertrauten Freundin Anna, um bei ihr Trost zu suchen.

„Liebe Schwester", begann sie, „mich ängstigen seltsame Träume. Was für ein herrlicher Gast ist es, der unser Haus betreten hat, wie prächtig ist seine Gestalt, wie mutig ist er, und welcher Waffenruhm umstrahlt ihn! Man sieht ihm wohl an, daß er von den Göttern abstammt. Und welch schweres Schicksal hat er erfahren, welche Kriegsabenteuer bestehen müssen! Wäre ich nicht fest entschlossen, mich niemals wieder ehelich zu binden, seit ein grausamer Tod mir meine erste und einzige Liebe mit aller Freude und aller Hoffnung entrissen hat – diesem Manne hier könnte ich mein Herz schenken. Aber eher soll mich die Erde verschlingen, eher soll der allmächtige Göttervater mich mit seinen Blitzen treffen, ehe ich die Treue breche, die ich meinem ermordeten Gemahl schulde! Er hat meine Liebe mit sich fortgenommen, er soll sie ewig im Grabe behalten!"

Voll Mitleid blickte Anna auf die Schwester, der ein Strom von Tränen die Stimme erstickte. Um Dido zu beruhigen, redete sie ihr gütig zu und suchte ihre Bedenken zu zerstreuen. Ihrem toten Gatten geschehe kein Un-

1 Bärtiger Zeuskopf

2 Iupiter von Otricoli

recht, wenn sie sich wieder vermähle. Sei sie bei der bedrohlichen Nachbarschaft der kriegerischen Numiderstämme und der Feindschaft des unversöhnlichen Bruders nicht auf männlichen Schutz angewiesen? „Nein, Schwester", fuhr Anna fort, „unsere Schutzgöttin Iuno hat uns eine besondere Gunst erweisen wollen, als sie die Schiffe der troischen Flüchtlinge hier landen ließ. Wie mächtig wird die Stadt, wie mächtig das junge Reich aufblühen durch eine solche eheliche Verbindung! Bis zum Himmel wird der Ruhm der Punier steigen, wenn trojanische Waffen ihm neuen Glanz verleihen. Schwester, ergreif die Gelegenheit, halt die Helden hier durch freundliche Einladung fest, daß sie nicht an Weiterfahrt denken! Noch liegen die Schiffe ihrer Flotte zerschellt am Strande, noch fehlen ihnen günstige Winde zur Abreise."

Annas Worte ließen die Liebe in Didos Herzen zur hellen Flamme emporlodern; alle Bedenken schwanden dahin. Zusammen gingen die beiden Schwestern zum Tempel, um den Göttern zu opfern und sie um Frieden und ihren Segen zu bitten: Apollo, die fruchtspendende Ceres und besonders Iuno, die das Band der Vermählung knüpft. Mit innigen Gebeten ließ Dido dem Opfertier, einer auserlesenen Kuh, den Festwein zwischen die Hörner rinnen.

Ruhelos eilte Dido von Altar zu Altar, erforschte immer wieder das Innere der Opfertiere, um so die Zukunft zu ergründen. Würden die Götter ihr gewähren,wonach ihr Herz verlangte?

Ihre Unruhe trieb sie durch die Gassen. Dort traf sie den geliebten Mann, dem all ihre Gedanken galten. Dido führte den Helden durch die noch junge Stadt, zeigte ihm den sidonischen Königsglanz und fühlte sich in seiner Nähe so befangen, daß sie, die stolze Königin, mitten im Satze verstummte. Wieder veranstaltete sie dem Gaste zu Ehren ein Festmahl, wieder bat sie ihn, von seinen Abenteuern zu erzählen – nur um ihn sprechen zu hören und ihn anschauen zu können. Immer wieder nahm sie den jungen Ascanius, das Ebenbild seines Vaters, in die Arme – Dido verzehrte sich in unbezwingbarer Liebe. Alle Pflichten des Alltags schien sie vergessen zu haben, sie kümmerte sich nicht mehr um den Bau der Wehrtürme, nicht um die Befestigung des Hafens, noch um die Ausbildung der jungen Mannschaft. Alles Werken und Schaffen in der jungen Stadt ruhte.

Iuno, die Göttermutter, sah mit Befriedigung, daß für sie jetzt der richtige Zeitpunkt sei, Aeneas für alle Zeiten von seinem Streben nach dem verheißenen Italien abzubringen. Heuchlerisch wandte sie sich an ihre Tochter Venus und lobte deren Sieg, den sie mit Hilfe des Liebesgottes errungen habe: „Du hast jetzt erreicht", sagte Iuno, „was du mit ganzer Seele gesucht hast: Dido ist in Liebe zu Aeneas entbrannt! So laß uns die Völker der Tyrer und Troer verschmelzen; mag Dido ihrem trojanischen Gatten gehören und ihm als Hochzeitsgabe die Tyrer einbringen!"

Venus merkte gar wohl die heimliche Absicht der Heuchlerin. Klug tat sie, als stimme sie Iuno zu: „Wie könnte ich so töricht sein, dir etwas zu verweigern, Mutter", sagte sie, „oder gar dir zu trotzen? Ich habe nur Bedenken, ob Iupiter selber die Verbindung der beiden Völker gutheißen wird. Aber du bist ja seine Gattin und wirst ihn am leichtesten durch Bitten gewinnen. Versuch du, was an dir liegt! Ich werde dir folgen."

„Das laß nur meine Sorge sein!" versetzte Iuno froh, „vorerst gilt es, den Ehebund zu stiften. Überlaß es mir, die Geschicke zu lenken!"

In der Morgenfrühe des nächsten Tages herrschte reges Treiben im königlichen Palaste. Dido veranstaltete ihrem Gaste zu Ehren eine Jagd. Auserlesene Jünglinge mit Netzen, Jagdschlingen und breiten Spießen zogen zum Tore hinaus; Reiter und Spürhunde schlossen sich ihnen an. Vor dem Palast stampfte Didos Roß, prangend in Gold und Purpur, ungeduldig den Boden. Endlich trat die Königin, umdrängt von ihrem Jagdgefolge, heraus. Sie trug ein buntes Gewand aus ihrer sidonischen Heimat; ein goldenes Diadem faßte die Fülle ihrer Haare, und von der Schulter hing ihr der goldene Köcher. Auch der fröhliche Ascanius war in ihrem Gefolge. Nun trat Aeneas vor, der herrliche Held, der alle an Schönheit überragte; seine troischen Gefährten folgten ihm.

Als man das bergige Jagdgebiet erreicht hatte, zerstreuten sich die Jäger bald in dem unwegsamen Gelände. Überall sah man, wie Gemsen und Hirsche flüchtend die Berge hinabstrebten, sich ängstlich zu Rudeln zusammenschlossen und über das freie Feld dahineilten. Unbekümmert tummelte sich der junge Ascanius auf seinem Pferd, jagte stolz an den Männern vorbei und hatte nur den einen Wunsch, statt des flüchtigen Wildes möge ihm doch einmal ein wütender Eber oder ein angriffslustiger Löwe begegnen.

So sehr waren die Jäger mit ihrem fröhlichen Weidwerk beschäftigt, daß sie nicht bemerkten, wie sich der Himmel bedrohlich verdunkelte. Plötzlich peitschte der Wind durch die Bäume.

Regen und Hagel prasselten hernieder. Fast schutzlos waren die Tyrer und Trojaner dem Wüten der Elemente preisgegeben. Sie irrten durch das Jagdgelände und suchten Unterschlupf vor dem furchtbaren Unwetter, während die angeschwollenen Bäche von den Höhen rauschten. Auch Dido, die Königin, und Aeneas mußten sich nach einem Obdach umsehen und fanden sich, wie Iuno es gefügt hatte, in derselben Grotte zusammen. Hier, inmitten des Tobens der Naturkräfte, bei dem grellen Lichtschein der niederfahrenden Blitze und dem Grollen des Donners, löste sich die Zurückhaltung und weibliche Scheu, die Dido bisher gezeigt hatte: Sie gestand dem Helden ihre Liebe. –

Während Aeneas nun an Didos Seite lebte, Freudenfeste feierte und nicht an Abreise und nicht an seinen göttlichen Auftrag dachte, erhob sich Fama, die Göttin des Gerüchts, und durchflog Libyens Städte. Fama, das gräßliche Geschöpf von schillernd beweglichem Wesen, ist die Tochter Gaias, der Mutter Erde, und die jüngste Schwester der Giganten. Sie lebt im Dunkel der Verborgenheit und ist anfangs klein und unauffällig, aber im Fortschreiten wächst sie bis in die Lüfte hinan an Kraft und Größe, daß ihr Scheitel sich in den Wolken verbirgt, während die Füße noch über den Boden gleiten. Unendlich viele gierig funkelnde Augen hat der flaumbedeckte Kopf, ebensoviele Zungen und Mäuler, die nie schweigen, und ebensoviele lauschende Ohren. Zur Nachtstunde fliegt sie umher, und niemals schließen sich ihre Lider zum Schlummer. Tagsüber kauert sie gierig lauschend an Häusergiebeln und an den Zinnen der Stadtmauern, nimmt jedes Wort auf und gibt es weiter – ganz gleich, ob es Wahrheit, Lüge oder Trug ist.

Fama fühlte sich jetzt in ihrem Element. Vielerlei Gerüchte streute sie in den afrikanischen Ländern aus: Es sei Aeneas, ein Mann aus Troja, gekommen, und ihm sei die liebliche Dido leicht als Gemahlin zugefallen. Nun vergesse das Paar jede Sorge um die Herrschaft, durchschwelge in üppiger Pracht den Winter und denke nur an die Liebe.

Mit diesen Gerüchten, die Fama unter dem Volke verbreitete, trat sie auch vor den König Iarbas von Gaetulien, den einstigen Besitzer von Didos jungem Reiche, dessen Hand diese erst kürzlich zurückgewiesen hatte. Iarbas war ein Sohn Iupiters und einer libyschen Nymphe und verehrte seinen göttlichen Vater in hundert prächtigen Tempeln. Jetzt entflammte sein Herz in wildem Grimm, so sehr fühlte er sich in seinem Stolze verletzt: „Ein landflüchtiges Weib hat es gewagt, mich zu verschmähen, ergibt sich den Schmeichelreden eines Trojaners und läßt ihn genießen, was mir versagt wurde? Sind wir nicht Toren, dir noch Weihgeschenke darzubringen, wenn solches Unrecht in der Welt triumphiert?“

Iupiter hörte ihn und blickte vom hohen Olymp auf Karthago hinab. In seinem Zorne schickte er dann Merkur, seinen Boten, zu Aeneas, ihn an seine Pflicht zu erinnern. Sogleich folgte der Sohn dem göttlichen Befehl. Er legte seine Flügelschuhe an, schwebte wie ein Vogel durch die Lüfte und ließ sich auf Karthagos Palast nieder. Dort stand Aeneas, ganz in tyrische Gewänder gekleidet, die Dido ihm geschenkt hatte, und überwachte den Bau neuer Paläste. „Bist du so zum Weiberknecht geworden“, fuhr der Götterbote ihn an, „daß du die Aufgabe vergessen kannst, die das Schicksal dir bestimmt hat, und das Reich, das du gründen sollst? Und wenn dich schon nicht der Gedanke an den eigenen Ruhm treibt, dann gedenke wenigstens deines Sohnes Ascanius und seiner Nachkommen! Für sie die Herrschaft über Italien zu gründen, ist deine Pflicht! Iupiter selber ist es, der mich mit solcher Mahnung zu dir sendet!“

Ehe Aeneas sich in seiner Bestürzung fassen konnte, war der Götterbote in den Lüften verschwunden. Nach diesem göttlichen Wink hielt Angst den Helden gepackt. In eiliger Flucht diese liebliche Gegend zu verlassen war Iupiters Gebot. Aber wie sollte er mit solchem Begehren vor die Königin treten? Hin und her erwog er den Gedanken, bis er endlich zu einem Entschluß kam. Er berief seine vertrautesten Gefährten und befahl ihnen, in aller Heimlichkeit die Flotte zur Abfahrt klarzumachen, die Freunde am Gestade zu sammeln und Waffen bereitzuhalten. „Niemand darf den Grund unseres Tuns wissen", schärfte er den treuen Gefährten ein. Noch bevor Dido etwas von der notwendigen Trennung erfahre, wolle er selber den rechten Augenblick wählen, sie das göttliche Gebot wissen zu lassen.

Gehorsam und bereitwillig gingen die troischen Freunde ans Werk. Aber wer kann ein liebendes Herz täuschen? Die Königin ahnte den Betrug, denn nie war sie sich ihres Glückes ganz sicher gewesen. Fama selber, die tückische Göttin, hatte ihr heimlich ins Ohr geraunt, daß die Trojaner sich zur Abfahrt rüsteten. Wie von Sinnen irrte Dido durch die Gassen ihrer jungen Stadt. Sollte ihre Liebe wirklich schon zu Ende sein?

So trat sie vor den Geliebten: „Du Treuloser, hofftest du, deine schlimmen Absichten vor mir verheimlichen zu können und dich unbemerkt aus dem Lande zu schleichen? Hält dich denn nicht die Liebe, die uns verbindet, nicht der Treuschwur, den du mir in die Hand gelobtest, nicht der Gedanke, daß die Trennung meinen Tod bedeutet? Jetzt mitten im Winter betreibst du die Abreise und willst dich lieber den Gefahren der Nordstürme aussetzen als in meinen Armen ruhen? Warum fliehst du vor mir, Aeneas? Bei den Tränen, die du hier rinnen siehst, bei deinem Treueid, bei unserer Ehe, die wir geschlossen, beschwöre ich dich, Geliebter: Habe ich dir je Gutes erwiesen und wenn etwas an Dido dir lieb und gut war, so ändere deinen Sinn, hab Mitleid mit meinem sinkenden Hause! Um deinetwillen sind Libyens Völker und die Wüstenhäuptlinge mir feind, ja selbst die Tyrer. Um deinetwillen vergaß ich die züchtige Scheu, um die ich einst so hohen Ruhm trug. Darf ich dich nicht mehr meinen Gemahl nennen? Bist du mir nur noch ein Gastfreund, der mich jetzt unbekümmert der Rache meines Bruders überläßt oder dem Drohen unseres Nachbarkönigs Iarbas?"

Tiefste Verzweiflung sprach aus Didos Worten. Aber Aeneas hatte sich durch Iupiters Worte warnen lassen und zeigte weder im Blick noch in der Miene seine wahre Seelenregung. Nur kurz gab er Antwort: „Königin", sprach er, „solange ich Bewußtsein und Lebenskraft besitze, werde ich nie vergessen, was du mir an Wohltaten erwiesest. Doch höre dies: Glaube nicht, ich wolle mich heimlich und ohne dein Wissen aus dem Lande stehlen. Aber habe ich dir je das Recht gegeben, dich als meine Gemahlin zu bezeichnen? Wäre es mir vom Schicksal erlaubt, nach freiem Willen zu schalten, so würde ich nicht säumen, unser geliebtes Troia in altem Glanze neu erstehen zu lassen. Aber Apollos Befehl weist mich nach Italien; dort soll ich ein neues Vaterland finden. So wie du als landflüchtige Tyrerin hier ein neues Reich gegründet hast, so ist es für mich Gebot, für Ascanius und meine Nachkommen in Italien ein Reich zu bauen. Wäre es nicht Unrecht von mir, meinen Sohn um das verheißene Erbe zu betrügen? Durch den Götterboten selber habe ich Iupiters Gebot vernommen. So höre nun auf, Königin, uns beiden mit unnützen Klagen das Herz zu beschweren! Göttlicher Wille ist es, der mich nach Italien führt!"

Dido blickte ihn von der Seite an, maß ihn schweigend von Kopf bis Fuß und fuhr ihn endlich voller Empörung an: „Du sollst der Sohn einer Göttin sein? Nein, aus dem Felsen des Kaukasus bist du entsprossen, Tiger haben dich gesäugt. Hat dieser Unmensch bei meinen Tränen auch nur einen Seufzer gezeigt, hat er eine Träne, nur ein Zeichen des Bedauerns für mich gehabt? Arm und schiffbrüchig ist er zu mir gekommen, ich habe ihn aufgenommen, habe ihm die Gefährten aus dem Rachen des Todes zurückgegeben und mit ihm meinen Thron geteilt. Und jetzt schützt er göttliches Gebot vor, um seinen Treubruch zu rechtfertigen!" Aus wilden Augen blickte Dido ihn an, als die Entrüstung ihr neue Worte gab: „So geh doch fort!" schrie sie grimmig, „fahr aufs Meer hinaus, dein Italien zu suchen! Wenn es noch gerechte Götter gibt, so sollst du irgendwo an Felsklippen stranden und vergeblich nach deiner Dido rufen! Mein rächender Schatten wird dir nachfolgen, und wenn du deine Untat büßen mußt, so werde ich es in der Tiefe der Unterwelt vernehmen!"

Die Stimme versagte ihr; sie schwankte, als umfinge sie eine Ohnmacht, so daß ihre Dienerinnen sie stützen mußten. Sie führten die Unglückliche in ihr prunkvolles Frauengemach und brachten sie auf ihrem Lager zur Ruhe.

Wohl trieb es Aeneas, Didos Kummer durch tröstende Worte zu lindern, und seine Liebe zu ihr quälte ihn sehr. In seinem Entschlusse aber blieb er fest. Er gehorchte dem göttlichen Gebote und ging zur Flotte hinab. Schon waren die Gefährten dabei, die Schiffe zu Wasser zu lassen, schon schwammen die neuen Fahrzeuge auf der Flut. Von der Stadt her kamen die letzten Trojaner herbeigeeilt, um die Abfahrt nicht zu versäumen.

Von der Zinne der Burg mußte es Dido mit ansehen, wie die Abfahrtsstelle vom Treiben der trojanischen Männer erfüllt war. Längst bedauerte sie die Heftigkeit, mit der sie den Geliebten behandelt hatte. „Geh, Anna“, bat sie die Schwester, „geh zu ihm, sprich demütig mit ihm und bitte ihn, die Abreise nicht zu überstürzen! Ich will nicht, daß er von seinem Plan lasse, nach Italien zu ziehen und dort sein Reich zu gründen. Nur eine Frist verlange ich für mein liebendes Herz, nur eine Frist, bis ich mein Schicksal begreifen und ertragen gelernt habe!“

Aber Aeneas, sonst jeder Bitte zugänglich, hatte kein Gehör für die vermittelnden Reden von Didos Schwester. In seinem edlen Herzen mußte er alle Qualen doppelt tragen – aber er blieb hart und ungerührt.

Jetzt erst erkannte Dido, wie unabänderlich der Wille des Schicksals war. Da ertrug sie es nicht mehr, den Himmel über sich zu sehen.

Dido war entschlossen zu sterben.

Vorher rüstete sie noch ein Opfer am Altar. Da – o Grauen – der helle Wein, den sie aus der Schale goß, verwandelte sich in schwarzes Blut! Dido wußte jetzt, daß ihr Tod unabwendbar sei. Niemandem berichtete sie von dem erschreckenden Vorzeichen, auch der Schwester nicht. Sie war nur darauf bedacht, die Ihrigen über ihre Absicht zu täuschen. Deshalb trat sie heiter und unbekümmert vor die liebende Schwester, erzählte ihr von einer zauberkundigen Äthiopierin, die ein Mittel wisse, ihr den treulosen Aeneas zurückzugeben oder aber sie von ihrer unseligen Liebe zu ihm zu befreien. Anna ahnte nicht, daß hinter Didos Worten nur ihre Absicht stand, aus dem Leben zu scheiden.

Auf ihr Geheiß ließ Anna einen Scheiterhaufen errichten. Dann erschien die Königin selber, bekränzt mit Zypressenzweigen und Blumen. Sie legte

Schwert und Kleidung und Bildnis des Aeneas darauf. Ringsum waren Altäre errichtet. Mit fliegendem Haare trat die fremde Seherin zum Altar, rief alle Götter der Unterwelt an und goß ihren Zaubertrank auf den aufgerichteten Scheiterhaufen.

Dann war Dido in ihren Palast zurückgekehrt – es sollte ihre letzte Nacht auf der Erde sein. Aeneas lag indessen in tiefem Schlummer auf dem Schiffsdeck, als ihm plötzlich Gott Merkur im Traum erschien und ihm seine Säumigkeit vorwarf. „Hörst du nicht die günstigen Winde sausen?“ rief er ihm zu. „Willst du nicht fliehen, solange du noch kannst?“ Erschrocken sprang der Held auf und trieb die Gefährten zu eiliger Flucht an.

Dido hatte mit der anbrechenden Morgenröte die Zinnen ihrer Burg erstiegen, blickte zum Strand hinab und sah nun, daß die Flotte der Troer bereits vom Strande abgelegt hatte. Klagend schlug sie sich an die Brust, raufte sich die blonden Locken und rief mit brechender Stimme nach ihrer Schwester Anna. Wie vom Wahnsinn gepackt, raste sie in den Burghof und bestieg nun den hohen Holzstoß, auf dem Kleider, Schwert und Bildnis des treulosen Geliebten lagen. „Ihr Zeugen meines zerronnenen Glückes“, rief sie in die Lüfte, „nehmt dieses Leben von mir und erlöset mich von aller Qual! Ich habe es ausgelebt, wie es mir vom Schicksal beschieden war. Erhaben werde ich ins Reich der Schatten einziehen, denn eine herrliche Stadt mit mächtigen Mauern habe ich gegründet, ich habe meinen hingemordeten Gemahl gerächt und meinen unbarmherzigen Bruder bestraft. Wie glücklich, vielleicht zu glücklich wäre ich gewesen, wenn der Trojaner niemals mit seiner Flotte an unserer Küste gelandet wäre!“

Sie hatte Aeneas' Schwert aus der Scheide gezogen und stand, den Blick ins Weite gerichtet, auf der Höhe des Scheiterhaufens. Suchten ihre Augen den Geliebten, der sie so grausam verlassen hatte?

Dido hob die Waffe und stieß sie sich in die Brust.

Mit Entsetzen sahen ihre Dienerinnen, wie die Herrin, vom Stahl durchbohrt, zusammenbrach. Lautes Jammergeschrei erfüllte die Gemächer des Palastes; Entsetzen packte auch die Stadt, als die Kunde von Didos Tod ihren Weg durch die Gassen nahm. Als Anna die Schreckenstat vernommen hatte, stürzte sie durch die Volksmenge, die sich vor der Königsburg drängte, in den Burghof. „Schwester, liebe Schwester!“ rief sie der Sterbenden schon von weitem zu, „was hast du getan, wie konntest du mich so täuschen? Warum hast du mich nicht mit dir in den Tod genommen?“ Unter solchen Wehklagen stieg sie die Stufen des Holzstoßes hinauf und umarmte die zu Tode getroffene Schwester. Nur mit Mühe hob Dido den Blick. Dreimal versuchte sie vergeblich sich aufzurichten, dann hauchte sie in den Armen der Schwester ihr Leben aus.

DER VERHEISSENEN HEIMAT ENTGEGEN

Während sich Didos Schicksal erfüllte, stand Aeneas an Deck des Führerschiffes seiner Flotte, die unaufhaltsam das Meer durchpflügte. Immer wieder wandte er den Blick nach Afrikas Küste und nach Karthagos Mauern zurück. Da stieg in der Ferne die Lohe eines mächtigen Feuers zum Himmel. Nicht schwer war es für ihn zu ahnen, daß es Didos Scheiterhaufen war, der dort leuchtete, denn er wußte, zu welcher Verzweiflungstat die Königin fähig war. Bedrückend trat dem Helden dabei wieder die eigene Schuld vor die Seele.

Gar bald sollte es sich zeigen, daß er die Schuld, obgleich er ja die Geliebte auf göttliches Geheiß verlassen hatte, mit neuen Irrfahrten und vielerlei Unglück büßen mußte.

Schon hemmte ein wütender Sturm den Lauf der Schiffe und zwang sie abzudrehen. Sie landeten in Sizilien, aber Aeneas war froh über diese Fügung des Schicksals, denn König Acestes, der dort herrschte, stammte von einer trojanischen Mutter ab und nahm die Seefahrer freundlich auf. Hier war auch der Strand, wo sie im Jahre zuvor den greisen Anchises begraben hatten, und dankbar benutzte Aeneas die Gelegenheit, jetzt zu Ehren des Vaters herrliche Spiele zu veranstalten.

Währenddessen sandte Iuno, die den Trojanern immer noch voll Mißgunst das Ziel ihrer Meerfahrt neidete, ihre Botin Iris zu den trojanischen Frauen. Auf ihrem buntfarbigen Bogen glitt die Göttin zur Erde, trat als Troerin zu den Frauen, die klagend am Ufer saßen, und bestärkte sie klug in ihrem Widerwillen gegenüber weiteren Mühsalen der Seefahrt.

„Wäre es für uns nicht besser gewesen, vor Trojas Mauern dahingerafft zu werden“, rief sie ihnen zu, „als nun schon das siebente Jahr durch Meere und Länder zu irren? Warum wollen wir nicht hier, wo Acestes uns gastfreundlich aufgenommen hat, eine Stadt gründen und endlich eine Heimat finden?“

Die Frauen horchten beglückt auf solche Rede, denn sie sprach aus, was fast jede von ihnen dachte. „Auf“, rief die in eine Troerin Verwandelte, „nehmt Feuerbrände und laßt die unheilbringende Flotte in Flammen aufgehen!“

Iris selber machte den Anfang. Da folgten die Frauen ihr in ihrer Wut, sie rissen das Feuer von den Altären und Herden und schleuderten es in die Schiffe. Rasch fraß sich der Brand über die Ruderbänke und die hölzernen Verdecke hin.

Alle Raserei fiel von den Frauen ab, als Aeneas plötzlich vor ihnen stand. Angsterfüllt und voller Scham über ihr wahnwitziges Tun, verbargen sie sich in den Felsklippen am Strande. Fassungslos und entsetzt stand Aeneas vor dem Bilde der Vernichtung. All ihre Zukunftshoffnungen waren gefährdet, denn das Feuer brannte weiter, ohne daß man es eindämmen konnte.

Flehend hob der Held die Hände zum Himmel. „Iupiter“, rief er, „wenn wir Söhne Trojas dir noch nicht ganz verhaßt sind und wenn du noch etwas Mitleid für uns hast, so stille den Brand und rette unsere Schiffe vor der Zerstörung! Habe ich aber deine Hilfe nicht verdient, dann sende alles, was von uns noch übrig ist, ins Totenreich!“

Kaum hatte Aeneas ausgesprochen, da stürzte ein Unwetter aus schwarzen Regenwolken herab; der Donner ließ die Höhen ringsum erzittern. Bald standen die Decks unter Wasser, schon war der letzte Gluthauch gelöscht, und die Schiffe waren gerettet! Nur vier waren verlorengegangen.

In der folgenden Nacht erlebte Aeneas, niedergedrückt von den vielen Hemmnissen, die sich ihm entgegenstellten, eine Erscheinung. Im Traume stand sein Vater Anchises vor ihm und überbrachte ihm einen Befehl des Göttervaters: Wer weiterer Fahrt überdrüssig sei, den solle er zurücklassen, auch Greise, die zur Meerfahrt untauglich seien, und ältere Frauen.

Dem königlichen Gastgeber zu Ehren gründete Aeneas die Stadt Acesta und siedelte die zurückbleibenden Landsleute dort an. Dann setzte er mit dem Kern seiner Besatzungen die gefahrvolle Reise fort.

Venus selber hatte sich bei Neptun für den Sohn verwendet, und so schenkte der Meeresgott den Auswanderern jetzt ruhige See und glückliche Fahrt. Zuletzt machte der günstige Wind und der wolkenlose Himmel sie so sorglos, daß die Ruderer allen Eifer vergaßen und sich unter die Ruderbänke zum Schlafe legten. Von den hellen Gestirnen des Äthers stieg Hypnos, der verführerische Gott des Schlafes, herab, trat in der Gestalt eines Helden vor Palinurus, den stets wachsamen Steuermann, der auf dem hohen Verdeck am Steuer saß, und überredete ihn, ein Stündlein der Ruhe zu pflegen. Der gewissenhafte Palinurus wehrte sich mit aller Gewalt gegen den aufkommenden Schlaf. „Ich sollte das tückische Element nicht kennen", sagte er, „das Ruhe heuchelt, um dann aus heiterem Himmel Betrug zu üben?" Fest klammerte er sich ans Ruder und zwang sich, seine Augen auf die Sterne zu richten; aber der Gott träufelte ihm Tropfen des Vergessens auf seine Schläfe, so daß sich plötzlich seine Augen schlossen. Da gab der tückische Gott dem Palinurus einen Stoß, daß er mitsamt dem Steuer kopfüber ins Wasser stürzte. Vergeblich rief er, mit den Wellen kämpfend, um Hilfe. Seine Gefährten hatte der Schlaf so übermannt, daß sie sein Rufen nicht hörten. So mußte Palinurus elendiglich im Meer ertrinken.

AUF ITALIENS BODEN

Aber auch ohne den Steuermann fand die Flotte den Weg zur Küste Italiens. Aeneas segelte am Gestade entlang und landete schließlich in einem natürlichen Hafen, der von einem herrlichen Wald umgeben war. Hier bahnte sich, gelb vom Sande, ein Fluß den Weg ins bläuliche Meer. Buntgefiederte Vögel schwebten darüberhin. Lieblicher Gesang erfüllte den Wald. Welch schönes Land bot sich ihnen hier! Ahnten die landflüchtigen Trojaner, wohin das göttliche Geschick sie geführt hatte? Ahnten sie, daß die Flußmündung einst der Hafenstadt Ostia den Namen geben würde und daß der gelbschimmernde Fluß der Tiber war, an dessen Ufern sich einst die verheißene Stadt erheben würde?

Ja, es war der Boden Italiens, auf dem Aeneas mit seinen Gefährten gelandet war! Es war das alte Latium, das Land der Laurenter. Hier herrschte, schon hochbetagt, der König Latinus. Er war göttlichen Ursprungs, denn er war ein Urenkel des Gottes der Saaten, des Saturnus, den die Griechen als den Titanen Kronos verehren; der Vater des Latinus war Faunus, der Gott der Felder und Saaten, der die Latiner den Landbau gelehrt hatte.

Noch wußte der landfremde Aeneas davon nichts. Er ließ die Schiffe an den Strand treiben, ging mit den Gefährten an Land und suchte unter den schattigen Zweigen eines hohen Baumes Ruhe nach der anstrengenden Seefahrt. Um ihn herum lagerten mit seinem Sohne Ascanius die übrigen Anführer der trojanischen Scharen. So groß war aller Verlangen nach Ruhe und Speise, daß man sich nicht einmal die Mühe nahm, die Gerätschaften zum Essen aus den Schiffen zu holen. So buken sie in Eile auf heißen Steinen ihren Kuchen aus dem Weizen, den Ceres ihnen gespendet hatte, legten ihre Fleisch- und Fruchtspeise darauf und aßen davon. Sehr bald war der kleine Vorrat verzehrt, und als sie dann noch hungrig daran gingen, den flachen

Weizenkuchen zu essen, der ihnen als Unterlage gedient hatte, blickte der kleine Ascanius plötzlich auf: „Wir verzehren ja unsere eigenen Tische!" rief er lachend. Es war nur ein Scherz des Jungen. Aber den Vater Aeneas traf es wie ein Blitz. Voll Erregung sprang er auf und hob die Hände zum Himmel. Aus den Worten des Sohnes hatte er die Erfüllung göttlicher Verheißung gehört. „Heil dir, du fremdes Land!" rief er; „hier hat sich erfüllt, was mir einst die Harpyie als Schrecknis geweissagt hat! Der Hunger werde uns zwingen, unsere eigenen Tische aufzuessen – wie gnädig hat Iupiter dies alles gewendet! Wir sind am Ziel!"

Die Gefährten kannten den Spruch. „Wenn dich auf deiner Fahrt durch die Meere einst der Hunger zwingen wird, Tische und Teller zu verspeisen", so hatte einst Vater Anchises dem Sohne geweissagt, „dann gründe dort eine neue Heimat!"

Nun hatte sich der Spruch erfüllt.

Schnell schickte Aeneas seine Späher aus, das Land zu erkunden, und bald kamen sie mit guter Botschaft heim. Sie berichteten von dem gottentsprossenen Latinus, von seiner einzigen Tochter Lavinia und von dem jungen Turnus aus dem Nachbarreiche der Rutuler, der um ihre Liebe warb. Sie berichteten weiter von den bedrohlichen Vorzeichen, die sich einer Verbindung entgegenstellten. In Laurentum nämlich, der Königsburg des Latinus, stand mitten im Saal ein uralter Lorbeerbaum, dem Apollo geweiht, und dort hatte sich plötzlich ein Bienenschwarm niedergelassen. So aber deutete der Seher das Zeichen: Ein Mann ziehe aus weiter Ferne mit bewaffneten Gefährten herbei, und dieser Mann werde einst auf der Höhe von Laurentum herrschen. Und ein anderes Vorzeichen hatte den König erschreckt, als er, mit seiner Tochter opfernd, am Altare stand: Plötzlich war es, als habe ihr Haar Feuer gefangen und als verbreite ihre Krone leuchtende Glut durch den ganzen Königspalast. Auch hier wußten die Seher des Volkes ihre Deutung: Ein herrliches Geschick und strahlender Ruhm erwarte die Königstochter Lavinia, aber dem nur an Frieden gewöhnten Volke drohe fürchterlicher Kriegsbrand. Da wandte sich Latinus, um volle Gewißheit zu erlangen, an das Orakel des Faunus, seines schicksalskundigen Vaters. Wie es der

Brauch gebot, opferte er der Gottheit hundert Schafe und bereitete sich aus den Fellen ein Lager, auf dem er die Nacht zubrachte. Alsbald hörte er eine Stimme erschallen, die sprach: „Laß ab von der Heirat, die du für deine Tochter planst! Aus der Fremde kommt der Eidam, dessen Nachkommen einst die Welt beherrschen werden!"

Aeneas beschloß sofort, eine Gesandtschaft an Latinus, den König des Landes, zu entsenden. Aus den Besatzungen aller Schiffe seiner Flotte wählte er die hervorragendsten Männer, hundert an der Zahl, aus. Ölzweige in den Händen, um ihre friedlichen Absichten zu bekunden, zogen sie zur Stadt der Latiner.

Als sie sich der vieltürmigen Stadt mit den ragenden Dächern näherten, bot sich fröhliches, bewegtes Treiben ihren Blicken. Latiums Jugend übte sich im Wettkampf, zu Pferd und zu Wagen, mit dem Wurfspieß, im Bogenschießen und im Wettlauf.

Staunend sah man die Fremden hervortreten, und in voller Eile jagte ein Bote zum König, ihm die überraschende Nachricht zu bringen: „Eine Schar herrlicher Männer, fremdartig gekleidet, sind zu uns gekommen."

„Führt sie vor meinen Thron!" befahl König Latinus.

Friedlich in Haltung und Gebärde betraten die Abgesandten der Troer den Palast. Groß und herrlich, auf hundert Säulen ruhend, erhob er sich inmitten eines alten heiligen Haines über der Stadt. Auf dem Throne seiner Väter empfing Latinus, umgeben von den Großen seines Reiches, die Fremden; ruhig, mit der Würde des Alters redete der greise König sie an: „Ihr Dardaner seid mir nicht unbekannt, denn durch göttliches Wort seid ihr mir angekündigt, noch ehe ihr euch dem Meere anvertrautet. Ob euch nun der Sturm hierher verschlagen hat oder ob euer Vorsatz euch führte, seid überzeugt, daß ihr an gastlicher Küste gelandet seid! Ihr sollt wissen, daß wir als Volk des Saturnus friedlich gesinnt sind, daß wir ohne Zwang und Gesetze nur der Rechtlichkeit leben und in edler Freiheit den frommen Gebräuchen unseres Gottes folgen. Und mag sich die Sage auch im Dunkel der Jahrhunderte verlieren, so entsinne ich mich doch, daß euer Ahnherr Dardanus aus diesen Bereichen stammt."

Sprecher der Trojaner war Ilioneus, Aeneas' alter Waffengefährte. „Herrlicher König aus Faunus' Geschlecht", begann er, „nicht der Sturm hat uns an deine Küste gezwungen, und kein Gestirn hat uns in der Wegrichtung getäuscht. Mit freiem Vorsatz landeten wir am Gestade deines Reiches. Ein herrliches Reich ist es, das wir verloren haben, Iupiter selber ist unser Ahnherr. Und auch unser Führer und Held Aeneas, der uns zu dir als Boten gesandt hat, ist aus Iupiters Stamm. Durch die ganze Welt ist die Nachricht von dem gewaltigen Kriegsgewitter gedrungen. Nur in geringer Zahl sind wir dem Verderben entflohen, und nun stehen wir bittend vor dir: Gib uns einen Erdenplatz, wo wir unsere heimatlichen Penaten aufstellen können, gib uns ein sicheres Ufer, gib uns Luft und Wasser, die ja gemeinsames Gut aller Menschen sind! Nie wird das italische Land es bereuen, uns aufgenommen zu haben, herrlich wird sein Ruhm sich erheben, und ewig bleibt unser Dank! Dardanus, unser Urahn, der einst von hier aus nach Troia zog, ruft uns wieder hierher zurück. Göttliches Gebot ist es, das uns geführt hat!"

Ilioneus beugte sein Knie und überreichte dem Latinerkönig als Ehrengeschenke, was man noch aus dem Untergange der troischen Heimat gerettet hatte: den goldenen Pokal, mit dem Anchises sein Trankopfer darzubringen pflegte, den Mantel des ehrwürdigen Königs Priamus, den er bei den Gerichtssitzungen vor allem Volke trug, dazu seinen Herrscherstab, den heiligen Kopfschmuck und kostbare Gewänder, die einst trojanische Frauenhände kunstvoll gefertigt hatten.

Während Ilioneus sprach, hielt der greise König Latinus die Augen zu Boden gesenkt und saß in tiefem Sinnen. Nicht die kostbaren Geschenke bewegten ihn, sondern der Gedanke an seine Tochter. Offenbarte sich in der Ankunft der troischen Männer nicht der Orakelspruch seines Vaters Faunus? War es nicht offensichtlich, daß Aeneas der Schwiegersohn war, den der Gott ihm als Gründer eines weltbeherrschenden Geschlechtes verheißen hatte?

Freudig wandte Latinus den Gesandten seinen Blick zu: „Mögen die ewigen Götter unser Beginnen segnen! Deine Bitten, du trojanischer Mann, sollen dir gewährt sein, und gern nehme ich eure Geschenke an. Niemals soll, solange ich lebe, Latiums Reichtum und Trojas Segen euch fehlen. Überbringt meine Antwort eurem Führer Aeneas und heißt ihn zu mir kommen, um den Bund heiliger Gastfreundschaft mit mir zu schließen! Und meldet ihm mein Angebot: Ich habe eine einzige Tochter, doch das Orakel meines göttlichen Vaters hat mir verwehrt, sie einem einheimischen Mann zu vermählen. Aus einem fernen Lande, so lautet die Weissagung, soll mir der Gatte meiner Tochter kommen. Ich glaube und wünsche, daß Aeneas es sei, den das Schicksal für sie bestimmt hat!"

Dankbar nahm Ilioneus die Aufträge des greisen Latinus entgegen, der die Gastgeschenke der Troer königlich erwiderte: Jedem der hundert Boten ließ er aus seinem Marstall ein Pferd zuführen, prächtig mit purpurner Dekke und mit Goldgeschirr ausgestattet. Als Geschenk für Aeneas aber übergab er ihnen einen goldbeschlagenen Wagen mit einem Doppelgespann aus edelster Zucht. So kehrten die Boten hoch zu Roß und reich beschenkt zurück.

TURNUS, DER KÖNIGSSOHN

Voller Freude vernahm Aeneas die gute Botschaft seiner Männer, die ihm und den Seinen nach den Jahren der Irrfahrt Frieden, Ruhe und Wohlergehen in einer herrlichen Zukunft zu verheißen schien.

Iuno, Aeneas' unerbittliche Feindin, ließ jedoch seine frohen Erwartungen nicht in Erfüllung gehen.

Zuerst gelang es der mißgünstigen Göttin, die Gemahlin des Königs Latinus, die Königin Amata, für sich zu gewinnen. Diese dachte schon immer mit Unwillen an den Orakelspruch, der ihrer Tochter einen Gatten aus fernem Auslande verhieß; denn Amatas größter Wunsch war es seit langem, ihre Tochter Lavinia mit Turnus, dem Königssohn der benachbarten Rutuler, vermählt zu sehen, der ihr Schwestersohn war.

Durch eine der Rachegöttinnen, durch die Furie Alecto, hatte Iuno der Königin so böse Gedanken eingeflößt, daß sie ihren Gemahl mit grimmigen

Worten anfuhr: „Du grausamer, herzloser Mann, hast du denn weder mit mir noch mit unserer Lavinia Mitleid? Willst du deine Tochter an einen heimatlosen Flüchtling verschenken?"

Latinus blieb fest in seinem Entschluß, aber die von Iuno gesandte Furie gab ihr Bemühen noch nicht auf. Sie schwebte zur Stadt der Rutuler und zum Palast, wo sie Turnus, den Königssohn, in tiefstem Schlafe antraf. In der Gestalt seiner Tempelpriesterin trat sie vor den Jüngling, um auch ihn aufzureizen: „Kannst du, Turnus, es weiterhin schweigend und ohne Groll mitansehen, wie all deine Hoffnung, Lavinia zu gewinnen, dahinschwindet? Willst du es zulassen, daß das Zepter, auf das du Anspruch hast, an einen landfremden Flüchtling verschenkt wird? Iuno sendet mich zu dir mit dem Auftrage: Laß dein Volk Waffen anlegen, führe du selbst es zum freudigen Kampfe zum Tore hinaus, um die bunten Schiffe der Fremden zu verbrennen und sie selber vom Erdboden zu vertilgen!"

Turnus wollte die Tempelpriesterin im Traume unbekümmert beiseiteschieben, doch da nahm die Furie beleidigt ihre wahre Gestalt an. „Ich bin die Rachegöttin!" schrie sie in rasender Wut und schleuderte ihre Fackel auf den Jüngling, daß er an der Brust verletzt wurde und wütend in die Höhe fuhr.

„Waffen!" schrie Turnus und rüstete sich zum Kriegszug gegen Lavinias Vater, dem er Tatenlosigkeit vorwarf, und gegen Aeneas, in dem er den frechen Eindringling und Thronräuber sah.

Aber noch war die böse Alecto mit ihrem Werke, Streit und Feindschaft zu stiften, nicht zufrieden. Sie flog hinüber zum Tiberstrand, wo die Trojaner in ihrer Freude über die glückhafte Landung eine fröhliche Jagd veranstalteten. Der junge Iulus – mit diesem seinem zweiten Namen rief jetzt Aeneas oft seinen Sohn Ascanius – war eben mit den Freunden auf der Jagd. Da fügte es die Furie so verhängnisvoll, daß seine Spürhunde einen Hirsch stellten, der das Lieblingstier eines latinischen Oberhirten war; das herrliche Tier war nämlich früh gezähmt worden und wurde täglich von Silvia, der Tochter des Oberhirten, gepflegt und abends mit ins Haus genommen.

Iulus ahnte davon natürlich nichts, als er, brennend vor Jagdeifer, die Sehne spannte und das Tier zu Tode verwundete. Es schleppte sich blutüberströmt zum vertrauten Hause seiner Herrin und sank winselnd auf das Stroh des Stalles, als wolle es um menschliches Mitgefühl bitten. Entsetzt stand Silvia vor ihrem Liebling; ihr Klagen rief den Vater mit seinen Hirten herbei; Alecto, die böse Furie, griff selber heimlich ein, und das wirkte, wie wenn man Öl in ein Feuer gießt – und es währte nicht lange, so stand das wilderregte Bauernvolk Latiums den Troern in heftigem Kampfe gegenüber.

Kleine Ursachen hatten eine furchtbare Wirkung. Ein troischer Pfeil, nur in der Abwehr geschossen, traf nun den ältesten Sohn des Oberhirten zu Tode. Immer erbitterter wurde das Gemetzel. Einer der Latiner, der begütertste Bauer jener Gegend, trat vor die Schlachtreihen, um dem sinnlosen Morden ein Ende zu machen. Aber wieder vereitelte Iunos böse Rachegöttin alles Vermitteln: Niemand schenkte ihm Gehör, und sterbend brach der edle Mann unter einem Pfeilregen zusammen. Die latinischen Hirten mußten weichen und retteten nur mit Mühe ihre Gefallenen und Verwundeten in den Schutz der Mauern. Laut riefen sie die Götter um Hilfe an; wehklagend standen sie vor ihrem König Latinus.

Auch Turnus, der Königssohn aus dem Rutulerland, hatte sich eingefunden. „Man hat Reich und Herrschaft Latiums an die landfremden Trojaner verraten!“ schrie er immer wieder, bebend in seinem Zorn.

Stumm blickte der greise König in das wildbewegte Gewimmel. Schließlich erhob er die Stimme. „Ich fühle es wohl“, rief er betrübt, „wie das Geschick uns überwältigt und der Sturm uns fortreißt! Du armes Volk, du wirst dieses Tun mit deinem eigenen Blute büßen müssen! Und auch du, Turnus, wirst dem göttlichen Strafgericht nicht entgehen! Zu spät werden deine reumütigen Gebete kommen. Und ich – ist es mir nicht vergönnt, mein Leben in Ruhe zu beschließen? Nun laßt ihr mir nicht einmal einen friedlichen Tod!“

Der greise König begab sich in seinen Palast und entsagte der Herrschaft.

Dort in der Latinerstadt stand seit Urzeiten ein Tempel, der dem doppelgesichtigen Ianus, dem Gotte allen Anfangs und Beginnens, geweiht war. Ein Doppeltor mit hundert eisernen Riegeln schloß ihn; zog das Volk in den Kampf gegen einen der Nachbarstämme, so schritt der König selber in feierlichem Kriegsgewande zum Tempel und entriegelte die mächtigen Tore. Auch jetzt drang laut und immer lauter die Stimme des Volkes zum König hinein: „Öffne den Ianustempel! Öffne die Tore! Es gilt den Kampf mit den Troern!" Aber Latinus blieb im Innern des Palastes und weigerte sich, den Anstoß zu einem Krieg zu geben, den er verabscheute.

IUNO WILL DEN KRIEG

Unversöhnlich in ihrer Feindschaft gegen die Trojaner, wartete Iuno mit Ungeduld darauf, daß der Krieg zwischen den beiden Völkern voll entbrenne. Zornig fuhr sie schließlich vom Himmel herab, stieß mit eigener Hand an die Pforten und drehte die Angeln, daß die ehernen Doppeltore knarrend aufsprangen – der Krieg war eröffnet!

Ganz Italien, sonst so friedsam und ruhig, stand plötzlich in wildem Aufruhr. Alle Männer griffen zu den Waffen, man glättete die Schilde und spitzte die Speere, man schärfte die Äxte und schmiedete auf dem Amboß neue Waffen. Überall im Lande flatterten die Feldzeichen, aus allen Teilen Italiens strömten die Männer der alten ruhmreichen Heldengeschlechter aus Götterstamm herbei.

Allen voran schritt in strahlender Manneskraft Turnus, der junge Königssohn aus dem benachbarten Rutulerlande. Unter den ausonischen Völkerschaften waren ferner die Aurunker, die Sikaner, die Volsker und viele andere.

Voller Sorgen blickte Aeneas auf die gewaltigen Kriegsrüstungen. Unruhig wälzte er sich im Schlafe. Da zeigte sich ihm ein ehrwürdiger Greis in meerblauem Gewand, die Haare mit Schilf umwunden. Zwischen den grünen Pappeln am Uferrand des Tibers erschien er – es war Tiberinus, der Flußgott selber, der jetzt den Helden tröstete und ihm Mut zusprach: „Du Held aus Göttergeschlecht", begann der Flußgott, „laß dich durch das Kriegsdrohen nicht schrecken! Fest gegründet steht hier dein Haus, fest stehen deine Penaten!“

Diese Worte gaben Aeneas, den schwere Sorgen um das Schicksal der ihm anvertrauten Troer quälte, neuen Mut. Sollte der Zorn der grimmigen Iuno sich endlich von ihm abwenden?

Tiberinus gab ihm ein Zeichen: Unter den Eichen am Ufer werde er ein großes Mutterschwein mit dreißig neugeborenen Frischlingen finden. „Dort ist die Stelle“, sagte der Gott, „wo nach dreißig Jahren dein Sohn Ascanius die Stadt gründen wird, die euch verheißen ist als Roms Mutterstadt, die ‚weiße‘ Stadt Alba.“

Froh vernahm Aeneas im Traum die göttliche Weissagung. „Du darfst mir vertrauen“, fuhr Tiberinus fort, „denn ich rede zu deinem Besten. Doch nun höre, was du zu tun hast, um dich gegen die Gefahr zu schützen: Nicht weit von hier, im Tuskerlande, wohnen Nachkommen des arkadischen Gottes Pallas, die sich unter ihrem König Euander auf italischem Boden angesiedelt haben und sich Pelasger nennen. Sind sie auch Griechen, so wirst du doch in ihnen Kampfgefährten finden, denn sie sind erbitterte Feinde der Latiner. Schließ mit ihnen ein Waffenbündnis! Und noch einen Rat, Aeneas: Wenn die Sterne herabsinken, so bring Iuno, der Göttermutter, ein Opfer dar! Nahe dich ihr in Demut, dann wirst du ihren Zorn und ihre Drohungen überwinden!“

Voll Dankbarkeit blickte Aeneas dem Gotte nach, der sich wieder auf dem Grunde seines Flußbettes barg. Sogleich war der Schlaf von ihm gewichen; in Ehrfurcht trat der Held ans Ufer des Tiber und schöpfte mit der Hand aus den Wellen, um dem Gotte zu huldigen. Während er zwei Schiffe zur Fahrt ins Pelasgerland rüstete, zeigte sich ihm auch schon, was der Flußgott ihm angekündigt hatte: Dort lag unter einer Eiche weißschimmernd das Schwein mit seinen dreißig Jungen. Aeneas folgte dem guten Rat des Tiberinus und brachte die Tiere in feierlichem Opfer der Göttermutter dar. Dann ließ er die beiden Schiffe den Tiber hinaufsteuern. Der Flußgott selber unterstützte ihre Fahrt, denn er milderte den Wogenschwall, so daß die Schiffe fast ohne Ruderschlag auf spiegelglatter Flut flußaufwärts fahren konnten.

KÖNIG EUANDER VON ARKADIEN

Rastlos fuhren die Troer die waldumsäumten Windungen des Flusses hinauf, bis sie am andern Morgen ihre Schiffsschnäbel vor Pallanteum, der Stadt des Königs Euander, dem Lande zuwandten.

Der Arkadierkönig brachte gerade mit seinem Sohne und dem Rate der Stadt ein feierliches Morgenopfer dar. Auf den Altären dampften schon Blut und Weihrauch, als man plötzlich fremde Schiffe auftauchen sah. Schon wollten die arkadischen Männer sich ängstlich zurückziehen, aber Pallas, der Königssohn, verbot ihnen, die Opferfeierlichkeit zu verlassen. Die Lanze in der Hand, trat er den Ankömmlingen mutig entgegen. Vom Hügel am Ufer rief er sie an: „Was führt euch hierher in unser Reich, ihr Fremden? Wer seid ihr, und was ist euer Begehr? Bringt ihr Krieg oder Frieden?"

Auf dem hohen Vorderdeck seines Schiffes stand Aeneas, den Ölzweig als Zeichen des Friedens in der erhobenen Rechten: „Trojaner sind wir!" klang seine Stimme zu dem Königssohn hinüber, „und unsere Waffen gelten nur den Latinern, die uns Landflüchtigen Krieg androhen. Wir wollen zu Euander. Sag ihm, trojanische Fürsten nahen sich ihm, um an seiner Seite zu kämpfen!"

In freudiger Erregung vernahm Pallas, wer vor ihm stand: „Seid uns willkommen, ihr Fremden, als Gäste meines Vaters!" Mit freundlichem Handschlage begrüßte er sie beim Aussteigen.

Bald stand der troische Held vor dem Arkaderkönig und wiederholte seine Bitte um Beistand. Seinen Namen nannte er nicht. Aber König Euander hatte ihn lange gemustert und sprach ihn nun an: „Gern nehme ich dich auf, du tapferer Trojaner, und deutlich erkenne ich, wer du bist. Denn Rede, Stimme und Gestalt deines großen Vaters Anchises treten mir vor die Seele; in meiner Jugend habe ich ihn einst als Gastfreund bei uns gesehen, als ihn sein Weg durch unser heimatliches Arkadien führte, und ich besitze noch jetzt die Gastgeschenke, die er mir beim Abschied verehrte. Nimm hier meine Rechte! Wir fühlen uns mit euch durch ein Bündnis treu verbunden!"

Freundlich hieß der König die Troer an dem unterbrochenen Opferfest teilnehmen. Während die Gefährten in seinem Heim, das eher einer Hütte als einem Königspalaste glich, auf Rasenbänken Platz nahmen, führte Euander den Führer seiner Gäste zu einem prächtigen Polstersessel aus kostbarem Ahorn, über dem ein zottiges Löwenfell ausgebreitet lag. Gemeinsam aß man vom Opferfleisch und von dem Brot aus den aufgestellten Körben, und immer wieder kreisten die Weinbecher.

Der hochbetagte Euander berichtete in bewegter Rede von Hercules, der der Schutzgott seines Reiches war, ließ die Priester das feierliche Opfer vollenden und führte die troischen Gäste dann gegen Abend in die Stadt. Wie bescheiden waren Stadt und Häuser des arkadischen Hirtenvolkes! Was für eine strahlende, weltbeherrschende Stadt sollte sich hier einst erheben!

DER SCHILD DES AENEAS

Zufrieden und den Göttern dankbar für die glückhafte Fügung, die die Arkader zu seinen Bundesgenossen gemacht hatte, lag der Held Aeneas auf seinem Lager, auf das ihm die Gastfreunde das zottige Fell eines Bären gebreitet hatten. Währenddessen war Venus bittend vor ihren Gatten Vulcanus getreten: „Demutvoll komme ich zu dir, dich um Waffen für meinen Sohn zu bitten", sagte sie; „sieh nur, wie alle Völker Italiens sich zum Kampfe gegen ihn rüsten!"

Vulcanus erfüllte den Wunsch seiner schönen Gattin, betrat sogleich in der Morgenfrühe die Ätnahöhlen und rief seine Kyklopen um sich. „Laßt jetzt die zwölfzackigen Blitze, an denen ihr schmiedet, laßt die neuen Räder für den Wagen des Mars und verschiebet auch die Arbeit an Minervas Schild! Geht unverzüglich ans Werk!“

Gehorsam legten die rußigen Kyklopen den halbfertigen Blitzstrahl beiseite, an den sie eben die drei Hagelspitzen, die drei Regenspitzen und die drei Sturmwindspitzen anschweißten, legten auch Minervas Aegisschild fort, dessen Medusenhaupt sie neuen Glanz geben sollten, und die neuen Räder, die für den Wagen des Kriegsgottes bestimmt waren.

Mit seinen Helfern stand Vulcanus dann am Amboß, um für Aeneas die Waffen zu schmieden, die ihm zum Siege über die Latiner verhelfen sollten. Dumpf dröhnten seine Hammerschläge durch das Felsengewölbe, das ganz vom Widerschein der Essen durchflammt war. Aus dem Schmelzofen sprühte unaufhörlich die Glut des zischenden Metalls.

Bald strömten Erz und flüssiges Gold in die bereitgestellten Formen; unter Vulcanus' kunstfertigen Händen erwuchs ein mächtiger Schild, Scheibe auf Scheibe siebenfach geschmiedet. Die riesigen Kyklopen betätigten die Blasebälge und legten das glühende Metall zum Kühlen in die Löschtröge, aus denen das Wasser hoch aufdampfte, sie packten mit gewaltigen Zangen die geschmeidige Masse und schwangen im Takt abwechselnd die schweren Hämmer; laut dröhnte der Amboß, daß die Felsenkluft widerhallte.

Wie ein Wunder war die vollendete Waffenrüstung anzuschauen, Helm und Brustpanzer, Schwert und Schild; dessen oberste Scheibe schmückten kunstvolle Bilder voll göttlicher Weissagung. Gestalten und Taten aus Roms großer Geschichte, die, nur dem Auge der Götter erkennbar, noch im Schoße der Zukunft ruhten; von der Wölfin des Mars, die die Zwillingsknaben Romulus und Remus säugte, bis zu den strahlenden Siegen, die Roms strahlenden Ruhm dereinst durch die weite Welt tragen sollten.

KRIEG MIT TURNUS, DEM RUTULERKÖNIG

Schon am nächsten Morgen stand Aeneas zum Aufbruch bereit. Der greise Euander, so schnell zum Freunde geworden, trat ihm entgegen: „Mein hohes Alter verwehrt mir, selber in den Krieg zu ziehen und die Tapferen anzuführen. Aber ich übergebe dir meinen Sohn Pallas, meinen Trost und meine einzige Hoffnung, zum Kampfgenossen."

Der junge Königssohn brannte vor Eifer, als Gefährte des berühmten Troerhelden in den Streit zu ziehen. Vierhundert arkadische Reiter gab der Vater den scheidenden Freunden, und jedem der Troer schenkte er ein Roß.

Dem hochbetagten Euander wurde der Abschied von dem geliebten Sohne und den Troern, die ihm so schnell liebgeworden waren, unendlich schwer.

Während ein Teil seiner Gefährten die Schiffe zurücksteuerte, führte Aeneas Troer und Arkader zu Pferde zum Lager an der Tibermündung zurück. Gegen Abend streckten sich die Reiter müde zur Ruhe; abseits von den übrigen hielt Aeneas im Schutz einer Eiche Rast.

Diesen Augenblick nützte Venus, die voll mütterlicher Sorge alles Tun ihres Sohnes begleitete. Sie schwebte zur Erde herab, nahte sich in menschlicher Gestalt dem Sohne und legte ihm Vulcanus' kostbare Waffen zu Füßen. „Sieh, mein Sohn", sagte sie kaum hörbar, „hier sind die verheißenen Ehrengeschenke. Unwiderstehliche Waffen sind es, mit denen du das Latinerreich erobern und den grimmigen Turnus mit seinen Rutulern im Kampfe bestehen wirst."

Schon war die Göttin verschwunden. In höchster Freude über die Nähe der göttlichen Mutter und über das kostbare Geschenk blickte Aeneas staunend auf den funkelnden Waffenschmuck, den buschigen Helm und das kostbare Schwert, den undurchdringlichen glutroten Harnisch, den Beinschutz und den scharfen Speer. Ergriffen nahm er den Schild auf, das Meisterwerk aus Vulcanus' kunstreichen Händen; staunend betrachtete er die wunderbaren Bilder, doch ohne ihren Sinn zu verstehen. Nur dunkel ahnte der Held die Schicksalsgröße Roms, die seine Nachkommen einst heraufführen würden. Mit heiligem Schauer legte er die Waffen an und begab sich wieder zu seinen Kriegern.

Inzwischen sandte Iuno, die Aeneas noch immer zürnte, Iris hinab zu Turnus; die Götterbotin traf ihn in dem Haine an, der seinem Ahnen Pilumnus heilig war, und verkündete ihm dort ihre Botschaft: „Der heutige Tag, Turnus, legt dir ein Geschenk in den Schoß, das dir keine Gottheit zu verheißen gewagt hätte, wenn du es von ihr erfleht hättest: Aeneas hat sein Kriegslager verlassen und ist ins Tuskerland zu Euander gezogen. Willst du da noch säumen? Ergreif die günstige Gelegenheit, die führerlosen Troer zu überfallen!"

Turnus ließ sich nicht lange mahnen. Dankbar nahm er den Götterspruch auf. Mit einem mächtigen Heere zog er zum Tiberstrand. Die Troer kämpften tapfer in der Verteidigung, wie Aeneas ihnen geboten hatte. Zornig hörten sie die Schimpfworte der Feinde, die sie Feiglinge nannten, denn viel lieber wären sie zum Angriff vors Lager gezogen. Da entdeckte Turnus plötzlich die Flotte, die an der Lagerseite hinter Dämmen versteckt lag. Jubelnd stürzte er dorthin, gab selbst mit brennender Fackel das Zeichen, Feuerbrände zu schleudern – aber ein göttliches Wunder schützte die Schiffe des Aeneas. Vorzeiten nämlich, als die Flotte aus den Baumstämmen des Idagebirges gebaut worden war, hatte Iupiter den Schiffen versprochen, sie nach der Ankunft in Hesperien aus ihrer sterblichen Form zu lösen und ihnen als Meernymphen neues Leben zu schenken. Diese Zusage ging jetzt in Erfüllung; als die ersten Feuerbrände auf die Schiffe flogen, wurden plötzlich die Holzplanken lebendig, die Haltetaue lösten sich, und wie Delphine tauchten die Schiffe in die Flut. In der Gestalt schöner Meerjungfrauen schwammen sie zum Entsetzen der Rutuler davon.

Zornig und doch seines Sieges sicher, ließ Turnus nun das Kriegslager der Trojaner umstellen. „Was brauchen wir Feuerbrände!" schrie er, „das Land ist in unseren Händen – mit dem Schwerte werde ich dieses verruchte Geschlecht vom Erdboden vertilgen!"

Sehnsüchtig wünschten die eingeschlossenen Trojaner ihren Führer herbei, der fern dem Lager bei den neuen Bundesgenossen war. Da erboten sich zwei junge Troer, die Reihen der Belagerer zu durchbrechen und den Helden durch dringende Botschaft zurückzurufen. Aber ihr tapferer Versuch scheiterte blutig. Die beiden wurden im Walde aufgespürt und fielen unter den Geschossen rutulischer Bundesgenossen. Schreckerregend blickten die abgeschlagenen Häupter der beiden Kundschafter zum Troerlager. „So soll es jedem ergehen, der es wagt, latinischen Boden zu betreten!" klangen die Rufe der Rutuler drohend zu den Eingeschlossenen hinüber.

Dann bliesen die Trompeten der Feinde zum Angriff auf das troische Lager. Unwiderstehlich schien der Ansturm der Rutuler, und mochten die Troer durch die lange Verteidigung ihrer Vaterstadt auch noch so geübt sein im Belagerungskampfe, so erwehrten sie sich doch nur mit letzter Anstrengung der ungestüm herandrängenden Feinde. Da zeigte der junge Ascanius, der bisher nur auf jagdbares Wild angelegt hatte, das erste Beispiel seines Heldenmutes, als er König Turnus' Schwager niederwarf und damit dem Kampfe eine günstige Wendung gab.

In blinder Wut rannte Turnus gegen die Befestigung der Troer an, und es gelang ihm, in das Lager einzudringen; aber hinter ihm schlossen sich die Tore, und mochte er auch unter den Troern ein schreckliches Gemetzel anrichten, so erlahmte doch schließlich seine Heldenkraft; nur mit Mühe brachte er sich schwimmend vor den Geschossen der nachdrängenden Feinde über den Tiber in Sicherheit.

Inzwischen befand sich Aeneas mit den neugewonnenen Freunden auf dem Rückwege. Weitere Stämme Etruriens schlossen sich ihm an, als sie von seiner Feindschaft gegen Latiner und Rutuler vernahmen, und alle etruskischen Bundesstädte folgten dem Ruf zu den Waffen. Aeneas teilte seine Streitmacht und ließ die Reiter den Landweg nach dem Lager an der Tibermündung einschlagen, während er nun selbst die mächtige Flotte, die wieder zu ihm gestoßen war, demselben Ziel zuführte.

Als der Held in der Nacht selber am Steuer des Führerschiffes saß, offenbarten ihm seine anderen Schiffe, die zu Wassernymphen geworden waren, die schwere Gefahr, in der die belagerten Gefährten schwebten. „Mit Tagesanbruch wirst du ihnen nahe sein", sagten sie; „dann nimm Vulcanus' Wundergeschenk, deinen goldfunkelnden Schild, zur Hand und strecke ihn weithin sichtbar den Freunden im Lager entgegen. Vertraue unserer Verheißung, so wird der morgige Tag deinen strahlenden Sieg sehen!"

Pfeilschnell flog jetzt die Flotte stromabwärts. Als der tapfere Sohn des Anchises im Frühlicht das Lager vor sich liegen sah, tat er nach dem Geheiß der Nymphe, stellte sich weit sichtbar aufs Vorderdeck und streckte den Freunden den goldfunkelnden Schild entgegen. Wie die strahlende Sonne, die aus den Wellen emporsteigt, erschien er den Troern, die die Wälle besetzt hielten. Jubelnd begrüßten die Krieger die Hilfe, die in höchster Not nahte, und mit verdoppeltem Kampfeseifer wehrten sie die anrennenden Feinde ab. Erst als die Flotte das Ufer erreicht hatte und der ganze Strand voll von Schiffen und Männern war, erkannten die Rutuler die plötzliche Wendung; mit Entsetzen sahen sie den gefürchteten Aeneas im Schmucke seiner Götterwaffen vor sich: Wie Feuerbrand leuchtete sein Helm, und der goldene Schildbuckel schien glühende Strahlen auszuspeien.

Nur Turnus, riesenhaft an Gestalt und tollkühn in seinem Kampfesmut, behielt sein stolzes Selbstvertrauen. „Vorwärts, ihr Freunde!" schrie er. „Wendet eure Feldzeichen, nutzt die Gelegenheit, die der Kriegsgott selber euch in die Hand gegeben hat, und werft die Eindringlinge in die Fluten des Stromes zurück!"

Aeneas ordnete seine Scharen zum Angriff, und bald standen beide Heere in erbittertem Kampfe. Lange wogte die Schlacht hin und her.

Abseits vom Hauptkampfe stritt der junge Pallas, König Euanders mutiger Sohn. Seine arkadischen Reiter, die auf dem felsigen Boden zu Fuß kämpfen mußten, gerieten ins Wanken, doch tapfer führte er sie ins Treffen zurück und stellte sich den Feinden. Herrliche Taten vollbrachte der junge Königssohn, aber während er im Zweikampf mit einem der italischen Helden stand, flog der riesenhafte Turnus auf seinem Streitwagen herbei: „Laßt mir den Pallas!" rief er, bebend vor Kampfeswut, „mir ist sein Leben verfallen! Möchte doch sein Vater Euander unserm Kampfe zuschauen!"

Furchtlos nahm der tapfere Pallas die Herausforderung an. „Laß dein Drohen!" entgegnete er. „Entweder gewinne ich heute die herrliche Rüstung des Feldherrn zur Beute oder den rühmlichen Tod! Beides wird meinem Vater willkommen sein!" Kühn schritt er Turnus durch die Gasse entgegen, die sich zwischen den beiden Kämpfern geöffnet hatte. Voller Grimm sprang der Rutuler von seinem Kampfwagen.

Nur kurz währte der Streit der beiden Männer, denn Pallas konnte den mächtigen Gegner mit seinem Wurfspeer nicht verwunden.

Höhnisch und voller Überlegenheit wiegte Turnus den seinen in der Hand. „Nun sieh zu, ob meine Waffe nicht besser trifft!" rief er, und tief drang der Speer mit der scharfen Eisenspitze durch Schild und Panzer dem Gegner ins Herz; tot sank der tapfere Jüngling zu Boden! „Bringt ihn seinem Vater Euander zurück!" rief Turnus, „ein Grab verweigere ich dem ritterlichen Gegner nicht!"

Wehklagend trugen die Arkader ihren gefallenen Königssohn aus der Schlacht, Etrusker wie Trojaner folgten ihnen in wirrer Flucht.

Mit größter Sorge vernahm Aeneas die Kunde von dem Weichen der Seinen. Mit dem Schwerte brach er sich Bahn durch die feindlichen Reihen, um Turnus zum Kampfe zu stellen. Vor seinen Augen stand Euanders gastfreies Haus und der herrliche Pallas, den ihm der Vater unter Tränen anvertraut hatte. Eine schmerzerfüllte Rachelust packte den Helden. Wer ihm entgegentrat, fiel unter seinem Schwerte. Zu gleicher Zeit stieß auch der junge Ascanius mit seinen eingeschlossenen Troern aus dem Lager vor, um sich mit dem Vater zu vereinigen.

Bisher hatten die olympischen Götter sich vom Kampfe zurückgehalten. Jetzt aber griff Iuno in ihrer Sorge um Turnus ein; sie gönnte Aeneas nicht den Sieg über ihn. Ein Schattenbild in der Gestalt des Aeneas sandte sie dem Turnus entgegen, ließ ihn den flüchtigen Helden verfolgen und führte den rutulischen Königssohn so aus dem Kampfgetümmel, während Aeneas selbst vergeblich nach seinem Gegner suchte.

Weiter ging der grimmige Kampf; neue Hilfsvölker der Feinde griffen ein, bis die Trojaner schließlich doch die Oberhand behielten. Aeneas' Sieg über König Mezentius, den wildesten Bundesgenossen der Rutuler, und über dessen Sohn beendete den Streit. Als die Morgensonne strahlend aufging, leuchteten weithin die Siegeszeichen der Trojaner über den Kampfplatz.

VERSÖHNUNG MIT LATIUM?

Mit bitterem Schmerz blickte Aeneas dem Trauergeleite nach, das den gefallenen Pallas in die Heimat zurückführte. Zwei golddurchwirkte Kleider, die Dido einst für den Geliebten gearbeitet hatte, schmückten den toten Jüngling; Gefangene, beutebeladene Pferde, wehklagende Diener und zuletzt das Streitroß, das wie ein Mensch Tränen vergoß, folgten dem Zuge.

Freundlich empfing Aeneas die Gesandten der Latiner, die um Erlaubnis baten, die Gefallenen bestatten zu dürfen. Gern gewährte er ihre Bitte. „Wie konntet ihr so verblendet sein", sagte er dann, „unsere Freundschaft zu verschmähen und den Waffengang mit uns zu wagen? Wie gern hätte ich den Frieden, den ihr für die Toten begehrt, den Lebenden gewährt! Niemals wäre ich eurem Lande genaht, wenn nicht göttliches Gebot mich geführt hätte! Nicht mit eurem Volke führe ich Krieg. Nicht euer Volk, sondern nur euer König hat mein Bündnis zurückgewiesen und sich lieber auf die Waffenkraft des Turnus verlassen. Mag Turnus doch um die Entscheidung mit mir kämpfen! Gern bin ich bereit, in dem Ausgang eines solchen Streites göttliche Weisung zu sehen. Mag der recht behalten, dem der Sieg zufällt! Aber nun geht und übergebt eure armen toten Mitbürger dem Scheiterhaufen!"

Die latinischen Gesandten hatten nicht erwartet, Aeneas so versöhnlich zu finden. „Held von Troia", sagte ihr Wortführer Drances, „was soll ich mehr an dir bewundern, deinen Heldenmut oder deine Gerechtigkeit? Hab

Dank für deine Worte! Wir wollen sie unserer Vaterstadt melden und versuchen, unsern König Latinus wieder mit dir zu versöhnen." Gern gewährte Aeneas ihnen einen zwölftägigen Waffenstillstand, und nun schweiften Latiner wie Troer, um ihre Toten zu bergen, ungefährdet durcheinander auf den waldigen Höhen, die eben noch den heißen Kampf gesehen hatten.

Als die Latiner ihre Gefallenen in die Heimatstadt zurückgebracht und unter großem Wehklagen bestattet hatten, regte sich immer mehr der Zorn des Volkes gegen Turnus, in dem man den Anstifter des verhängnisvollen Krieges sah. Mütter und Witwen, Schwestern, Brüder und Kinder weinten um die Söhne und Ehegatten, um Brüder und Väter, die der schreckliche Krieg ihnen entrissen hatte, und verfluchten den Völkerstreit und die Brautwerbung des rutulischen Königssohnes.

Da trat Drances, der greise Wortführer der Latiner, der bei Aeneas gewesen war, um Waffenstillstand zu erbitten, vor das Volk: „Nur um Turnus geht es ja!" rief er. „Mag er selbst doch im Zweikampf die Frage entscheiden, wenn ihn nach der Herrschaft Italiens gelüstet! Soll unser Volk sich aber durch seinen Ehrgeiz ins Verderben reißen lassen?"

Der greise König Latinus selber stimmte ihm zu, als er in der Ratsversammlung der Großen seines Reiches das Wort ergriff. „Unbesiegbare Männer aus Göttergeschlecht sind es, mit denen wir im Kampfe stehen. Keinen von uns trifft ein Vorwurf, denn jeder hat sein Äußerstes im Kampfe geleistet. Höret deshalb, was ich euch zu verkünden habe: Gegen Abend hin besitze ich ein altes Land, das von Rutulern und Aurunkern besiedelt ist. Das will ich den Troern überlassen. Dort mögen sie sich ansiedeln und die Stadt gründen, die die Götter ihnen verheißen haben. Wollen sie zur Gründung ihrer Stadt aber lieber ein anderes Gebiet aufsuchen, so sind wir bereit, sie mit allem Notwendigen auszustatten und ihnen Schiffe zu geben, zwanzig an der Zahl. Um unsern guten Willen zu zeigen und um das Bündnis zu festigen, wollen wir hundert Gesandte aus vornehmem Latinergeschlecht, Ölbaumzweige als Zeichen des Friedens in den Händen, zu ihnen senden und ihnen Gold und Elfenbein, Thron und Herrschermantel als Kleinode des Reiches überbringen!"

Wieder erhob sich Drances. Denn immer war der beredte Mann der erbittertste Gegner des Turnus gewesen. Wieder machte er sich zum Wortführer und lobte König Latinus' Entscheidung. „Eines noch bleibt uns zu tun", setzte er hinzu: „Den herrlichen Geschenken, die du den Troern zu senden gedenkst, füge auch noch deine liebreiche Tochter Lavinia hinzu. Schenk ihre Hand dem Würdigsten der Troer, um so den Friedensbund für immer zu besiegeln!"

Drances wußte nicht, daß Turnus nach seiner Entrückung wieder in der Latinerstadt war. Plötzlich stand der rutulische Königssohn hinter ihm und fuhr den greisen Sprecher zornig an: „Immer bist du nur mit Worten zur Stelle, wo andere mit den Waffen fürs Vaterland streiten! Jetzt aber ist mit geschwinder Zunge nichts getan, wo die Feinde vor den Toren stehen – jetzt gilt es blutigen Kampf! Wenn es aber nur um mich geht, wenn die Troer nur mich und mein Leben verlangen, so bin ich bereit! Und wenn Aeneas mich zum Zweikampf herausfordert, ich, Turnus, werde mich von der Tapferkeit meiner Vorfahren nicht beschämen lassen!"

KAMPF UM LAURENTUM

Noch ging der Streit der Meinungen hin und her, da schlug wie ein Blitz mitten in die Beratungen des Königs mit seinen Getreuen die Kunde: „Mit gewaltiger Heeresmacht naht Aeneas vom Tiber her und steht bereits dicht vor den Toren der Latinerstadt!"

Voller Schrecken fuhr die Ratsversammlung auseinander. In aller Hast stürzte man auf die Mauern, um die Heimatstadt zu schützen. Wie beklagte der greise König diese verhängnisvolle Wendung, die die begonnene Annäherung unterband!

Hätte er doch damals Aeneas' Bitten erfüllt, ihn freiwillig in der Stadt aufgenommen und ihm die Tochter zur Frau gegeben!

Jetzt galt es, die Befestigungen zu verstärken, die Tore mit Gräben zu verschanzen und Palisaden einzurammen.

Turnus selber rüstete sich eilig zum Kampfe und stand bald im vollen Schmuck seiner Waffen bereit. Mit der kühnen Camilla, die die Krieger der Volsker befehligte, besprach er seinen Schlachtplan. Während ihre Kämpfer den Angriff der feindlichen Reiter abfangen sollten, wollte Turnus sich mit seinen Rutulern oberhalb des engen Tals vor der Stadt, durch das Aeneas mit seinen Truppen ziehen würde, in einen Hinterhalt legen. Zwischen der Höhe und dem Felde lagen Wälder, die ihn ganz den Blicken der Durchmarschierenden entzogen.

Immer näher rückte die Heerschar der Trojaner und ihrer etruskischen Bundesgenossen an die Mauern heran. Hoch ragte der Wald ihrer Lanzen empor, Reiterschar reihte sich an Reiterschar und brauste durch die Ebene, daß das ganze Feld von Waffen zu lodern schien.

Auf der andern Seite rückten die Latiner zum Kampfe vor, schon standen die Heere in Wurfweite einander gegenüber, schon brachen sie mit wildem Kampfgeschrei vor, trieben die Pferde an und schleuderten Speere, dicht wie Flocken im Winter. Doch als die beiden Heere ins Handgemenge gerieten, begannen die Reihen der Latiner zu wanken, ihr Rückzug steigerte sich zu regelloser Flucht, sie warfen ihre Schilde auf den Rücken, und mit Triumphgeschrei folgten ihnen die etruskischen Kämpfer. Aber diese Flucht der Latiner war nur trügerisch, denn vor den Toren warfen sie plötzlich die Pferde herum, drangen auf die Verfolger ein und zwangen sie zurückzuweichen. Wieder drängten die troischen Bundesgenossen vor, wieder warfen die Latiner die Schilde zur Flucht auf den Rücken, um sich vor den Toren der Stadt erneut zu stellen.

So wogte der Streit hin und her, bis er schließlich zum Stehen kam und Mann gegen Mann in wildem Handgemenge stand. Ringsum erklang das Schlachtfeld vom schrecklichen Stöhnen der Sterbenden; im Blute lagen die Toten und ihre Waffen, und gleich den Männern niedergefällt wälzten sich todwunde Rosse am Boden – und immer erbitterter noch wurde der Streit.

3 Apollo von Veii

4 Iuno Ludovisi

Furchtbar raste in diesem Männerkampfe die kühne Camilla, die die Streitmacht der Volsker anführte. Keiner der tapferen Gegner war ihr bisher gewachsen. Doch schließlich erreichte auch sie ihr Kriegsschicksal; die Lanze eines der etruskischen Führer traf sie so schwer, daß sie sterbend vom Rosse sank. „Sagt Turnus", stieß sie mit letzter Kraft hervor, „er soll den Kampf leiten und die Stadt vor den Troern schützen!"

Die Trauer um den Tod der herrlichen Jungfrau trieb die Volsker noch erbitterter zum Widerstand. Doch bald brach ihre Kraft; sie zeigten den nachdrängenden Troern den Rücken, und mit Camillas Reitern wandten sich auch die Rutuler zur Flucht. Eine mächtige Wolke von aufgewirbeltem Staub wälzte sich den Stadtmauern zu, und mit Entsetzen sahen die Frauen und Greise Verfolgte wie Verfolger an den Toren. Kämpfend drangen die siegreichen Trojaner in Latiums Hauptstadt ein. An anderen Stellen standen die flüchtenden Latiner vor verschlossenen Stadttoren und wurden eine Beute der anstürmenden Kämpfer des Aeneas.

Unterdessen hatte man dem Turnus in seinem Hinterhalt im Waldtal die Nachricht von der Wendung des Kampfes überbracht. Wut und Schmerz im Herzen, zog er die Krieger aus dem Versteck und ließ sie zur Ebene hinabrücken. Gerade in diesem Augenblicke nahte Aeneas; er ahnte nicht, daß ein gütiges Geschick ihn vor den auflauernden Feinden gerettet hatte. Aber als beide Heerhaufen sich nun gegenüberstanden und die Führer erneut zum Angriff vorgehen wollten, sank die Abendsonne herab und trennte Rutuler und Troer.

UM DIE ENTSCHEIDUNG

Turnus sah, daß alle Hoffnung der gedemütigten Latiner nun auf ihm ruhte. Scham und Stolz zugleich packten den kühnen Jüngling. Mit stürmischen Worten ging er Latinus an: „Genug des Zauderns! Die feigen Troer müssen nun halten, was sie versprochen haben – ich stelle mich zum Zweikampf! Du, Vater, vollzieh das Opfer und schließ den Vertrag! Entweder sendet meine Rechte Aeneas hinab ins Totenreich und ich tilge mit meinem Schwert die Schmach aller, oder er rühme sich des Sieges über die Latiner, und Lavinia folge ihm als Gattin!"

Aber Latinus wollte nichts mehr von Turnus' Zweikampf mit Aeneas wissen. „Laß mich in Offenheit zu dir reden", sagte der greise König ruhig. „Wenn ich dir meine Tochter Lavinia verlobt habe, so ist es auf die Bitten meiner Gemahlin Amata geschehen; nur ihretwegen habe ich dich als Schwiegersohn angenommen und mich zu dem unglückseligen Krieg verleiten lassen. Nun aber siehst du selber, wie sich unser Geschick gewendet hat. Dem Frieden unseres Volkes stehst nur du entgegen. So höret mich alle: Wenn es uns schon bestimmt ist, nach Turnus' Tode ein Bündnis mit Aeneas, dem Troerhelden, zu schließen, warum sollen wir da nicht, solange er lebt, die Feindschaft enden lassen? Denkst du, Turnus, nicht auch an deinen hochbetagten Vater, der sich fern in deiner Heimatstadt in Gram um dich verzehrt?"

Aber der rutulische Königssohn ließ sich durch kein Bitten bewegen, von seinem Verlöbnis mit Lavinia zu lassen und dem Zweikampf mit Aeneas zu entsagen. Vergeblich bat ihn auch die Königin, vergeblich auch seine Braut Lavinia. Turnus blickte auf die Geliebte, und ihr Anblick weckte in ihm noch viel mehr das Verlangen, den verhaßten Nebenbuhler niederzuwerfen.

„Quält mich nicht mehr mit euren Bitten!" rief er dem Königspaare zu. „Mir bleibt keine andere Wahl mehr!"

Damit wandte er sich an Idmon, seinen treuen Mitkämpfer: „Geh zu Aeneas und überbring ihm eine Kunde, die ihm nicht willkommen sein wird! Wenn morgen in der Frühe Aurora am Himmel steht, soll er seine Troer nicht zum Kampfe herausführen. Auch ich werde meinen Rutulern Rast gebieten, denn wir beiden Führer, er und ich, wollen mit unserem Blute den Völkerkampf entscheiden. Dort auf dem Schlachtfeld wollen wir darum kämpfen, wem Lavinia als Gattin folgen soll!"

Mit Freuden hörte Aeneas die Herausforderung seines Gegners. Kaum warf die Morgensonne ihre ersten Strahlen über die Bergeshöhen, da waren Trojaner und Rutuler schon dabei, den Kampfplatz abzustecken und den Altar aus Rasenbänken herzurichten. Wasser und Feuer brachte man zum Bündnisopfer, Kränze für die Priester, dazu die Opfertiere. Aus den Toren drängte sich das Volk von Latium. Auf der anderen Seite strömte die troische Kriegsmacht mit ihren etruskischen Bundesgenossen herbei; alle waren bewaffnet wie zur Schlacht.

Ringsum auf den Türmen und Zinnen der Stadt saßen latinische Frauen und Greise und blickten auf das kriegerische Schauspiel, das den Völkerkampf entscheiden sollte.

Jetzt nahten die Könige: Latinus kam im vierspännigen Wagen, ein Diadem auf dem Haupte, dessen zwölf goldene Strahlen seine Abkunft vom Sonnengotte kundtaten. Turnus lenkte selber sein weißes Doppelgespann, zwei Wurfspeere schwingend.

Aus den Reihen drüben löste sich eilends Aeneas, der göttliche Held: Seine Wunderrüstung strahlte wie überirdischer Glanz der Sterne. Ihm zur Seite ging in der Blüte seiner Jugendkraft Ascanius. Ein Priester in hellem Opfergewand trug ein junges Schwein und ein ungeschorenes Schäflein herbei. Die Fürsten richteten den Blick der Sonne zu, die eben ihren Lauf begonnen hatte, streuten gesalzenes Mehl auf die Opfer, kennzeichneten die Tiere oberhalb der Schläfe und spendeten ihr Trankopfer.

Aeneas hatte sein Schwert gezogen. „Du, Sonnengott, sei mein Zeuge!" begann er, und zugleich rief er Iupiter und die anderen Götter an, den Vertrag zu segnen. „Fällt der Sieg in diesem Zweikampf Turnus zu, so wird mein Sohn Iulus die Trojaner von hier fort ins Reich des Königs Euander führen. Schenken die Götter aber uns den Sieg in diesem Streite – und ich ahne, sie werden es so fügen –, so verlange ich für uns Troer gleichwohl keine unbillige Herrschaft. Nein, Italer und Troer sollen, jedes Volk frei und selbständig, sich vereinigen unter der Oberherrschaft des Latinus. Wir Troer werden uns eine Stadt erbauen und sie nach der Königstochter Lavinia benennen!"

Da trat Latinus vor den Altar, um das Bündnis zu bekräftigen: „Das schwöre ich dir, Aeneas", rief der greise König, „bei Erde, Meer und Sternen, bei Apollo und Diana, beim zwiegesichtigen Ianus, bei der Macht der Unterwelt und ihrem Herrscher Dis; hören möge es der Vater, der mit seinem Blitze die Verträge heiligt: Ich lege meine Hand an den Altar und rufe das Feuer darauf und die Götter zu Zeugen an. Niemals, was auch immer geschehen mag, sollen dieser Friede und dieser Vertrag gebrochen werden, und mit meinem Willen wird keine Macht mich davon abbringen, das Versprechen zu halten – so wahr, wie dieses Zepter in meiner Hand nie mehr Zweige treibt und Schatten spendet!"

Feierlich taten die Opferpriester ihr Werk.

Nicht ohne Besorgnis verglichen die Rutuler die beiden Kämpfer, denn Aeneas schien ihnen ihrem jungen Königssohne, mochte er sich auch schon durch viele Heldentaten ausgezeichnet haben, weit überlegen zu sein. Ihre Sorge wuchs, als sie Turnus mit bleichem Antlitz, mit eingefallenen Wangen und gesenktem Haupte vor den Altar treten sahen. Unter den Zuschauern war auch seine Schwester Iuturna, eine unsterbliche Nymphe. Sie hörte die sorgenvollen Worte ihrer Landsleute, verwandelte sich schnell in die Gestalt eines bekannten Rutulerhelden, der beim Volke in hohem Ansehen stand, und mischte sich unter die Krieger. „Schämt ihr euch denn gar nicht", sagte sie, „einen einzigen Mann für euch, die ihr alle zu streiten fähig seid, dem tödlichen Kampfe auszusetzen? Können wir Rutuler uns mit unseren Feinden nicht bei weitem messen? Zählt doch die Zahl unserer Feinde, die Troer, Arkader und Etrusker! Seht ihr nicht, daß beim Kampfe Mann gegen Mann nicht einmal ein jeder von uns seinen Gegner finden würde? Fällt Turnus im Kampfe, so erntet er ewigen Ruhm und steigt zu den Göttern empor, an deren Altar er sich gerade zum Opfer weiht. Wir aber verlieren unser Vaterland und werden zu Sklaven – nur weil wir uns jetzt untätig verhalten!"

Iuturnas Mahnung blieb nicht ohne Wirkung. Zornige Worte liefen die Reihen der zuschauenden Rutuler hinauf und hinab. „Wir wollen keinen schmählichen Frieden! Wir wollen kein Opferbündnis mit den Troern! Turnus soll nicht allein für uns kämpfen!"

Die Nymphe Iuturna tat noch mehr. Mit ihrer göttlichen Kraft ließ sie plötzlich ein Zeichen am Himmel erscheinen, wie die Italer es noch niemals gesehen hatten: Ein Goldadler Iupiters schwebte im Frührot durch den sonnbeschienenen Äther, scheuchte die Vögel am Ufer auf, ging dann jäh im Sturzflug zum Wasser hinab und packte mit seinen Klauen den schönsten Schwan. Voller Staunen beobachteten Rutuler und Latiner, wie alle Vögel plötzlich von ihrer Flucht abließen, sich mit lautem Geschrei umwandten und den Räuber verfolgten, der mit seiner Beute das Weite suchte; der ganze Himmelsraum war von ihrem mächtigen Schwarme verdunkelt. Schließlich mußte das königliche Tier, durch die Last seiner Beute erschöpft, der Übermacht weichen und den Raub aus den Krallen lassen. Der Schwan stürzte flatternd zum Wasser nieder, während der Adler wieder die Himmelshöhe gewann und in der Ferne verschwand.

Mit lautem Freudengeschrei begrüßten Rutuler und Latiner diese Erscheinung. „Greift nur getrost zu den Waffen!" rief ihnen der Seher zu, der am Altar stand, „denn das Vorzeichen verheißt uns einen glückhaften Ausgang des Kampfes!" Der Seher ließ es nicht bei der Aufforderung bewenden: Jäh ergriff er eine Lanze und schleuderte sie in die Reihen der Feinde, gerade an die Stelle, wo ihm unter den Arkadern neun Brüder gegenüberstanden. Den ältesten traf das Geschoß, daß er tot in den Sand stürzte. Furchtbare Erregung über solchen Treubruch ging durch die Reihen der Troer und ihrer Bundesgenossen; mit den acht Brüdern, die in ihrem Schmerz um den Gefallenen wie wahnsinnig um sich schlugen, warfen sich alle gegen die Rutuler. Im wilden Kampfgedränge wurden die Altäre niedergetrampelt, ein Hagel von Pfeilen schwirrte durch die Luft, und nur mit Mühe brachte sich der greise König Latinus mit den Götterbildern in Sicherheit.

Tief betroffen über solche Wendung, blickte Aeneas in das wilde Handgemenge. Vergebens warf er sich waffenlos den Kämpfenden entgegen, vergebens suchte er seine Krieger von weiterem Kampfe zurückzuhalten. „Der Bund ist doch geschlossen!" rief er ihnen entgegen, „die Bedingungen sind doch festgesetzt! Mir allein ist es erlaubt zu kämpfen!"

Vergebens mahnte der Held zum Frieden. Während er noch sprach, schwirrte ein Pfeil, von unbekannter Hand abgeschossen, daher. Er verwundete den Helden, so daß er das Schlachtfeld verlassen mußte.

Als Turnus sah, daß sein grimmiger Gegner den Kampfplatz räumte, gewann er neue Hoffnung. „Bringt mir die Rosse und Waffen herbei!“ schrie er voller Kampfeswut, sprang auf den Streitwagen und stürzte sich in das Schlachtgewühl. Furchtbar wütete er mit dem Schwerte unter den Feinden; viele wurden von den Rädern seines Kampfwagens zermalmt. Rings um ihn her häuften sich die toten Troer.

Inzwischen ließ Aeneas sich von Ascanius und zwei treuen Kampfgefährten zum Lager zurückführen; blutend stützte er sich auf seinen Speer. Vergebens mühte er sich, den Pfeil aus der Wunde zu ziehen; das Geschoß war am Rohrschaft abgebrochen. „Nehmt das Schwert“, rief Aeneas in seinem Schmerze, der Schlacht fernbleiben zu müssen, „schneidet damit die Wunde auf, ganz tief, und holt mir den tückischen Pfeil heraus! Ich muß zurück in die Feldschlacht!“

Schließlich kam der Arzt Iapyx herbei; auf seine Lanze gestützt, stand der Held Aeneas unbeweglich unter seinen Gefährten, denen die Tränen strömten. Der greise Arzt, wohlerfahren in Apollos Kunst der Heilkunde, wandte helfende Kräuter an, um den eingedrungenen Pfeil zu lockern. Schließlich packte er mit der Zange zu – alles war vergeblich. Das Geschoß ließ sich nicht herausziehen.

Voller Ungeduld blickte Aeneas auf das Tun des Arztes, denn immer bedrohlicher wurde das Kampfgetümmel, immer näher rückte das Verderben; schon sah man die Staubwolke der feindlichen Reiter, schon fielen ihre Geschosse ins Lager selbst.

Da zeigte Venus Erbarmen mit dem Geschick ihres Sohnes. Auf Cretas Idagebirge pflückte sie in Eile geheime Kräuter, schwebte in dichter Wolke ins Troerlager hinab und träufelte heimlich von dem heilenden Saft in den Kessel, in dem Iapyx seine Arznei zubereitete; auch von der göttlichen Ambrosia tat sie hinzu. Der greise Arzt ahnte nichts von dem Eingreifen der Göttin, aber als er mit seinem Heilmittel noch einmal die Wunde bestrich, wich plötzlich aller Schmerz von dem Helden, das Blut gerann, und wie von selbst fiel der Pfeil aus der Wunde heraus.

Im selben Augenblick spürte Aeneas, wie ihm seine alte Heldenkraft zurückkehrte. „Was steht ihr und zaudert?“ rief der Arzt voller Freude. „Bringt Waffen herbei! Nicht Menschenkunst hat die Heilung vollbracht – hier war göttliche Hand am Werke. Zu Großem bist du berufen, Aeneas!“ In Eile legte dieser die Waffenrüstung an und umarmte den jungen Ascanius. „Lerne Tapferkeit von mir, mein Sohn, und redliches Beharren“, sagte er, „das Kriegsglück aber laß andere dich lehren!“ Hochaufgerichtet schritt der gewaltige Held aus dem Lager hinaus, dem Feinde entgegen; alles Volk drängte ihm nach, und mit Schrecken sah Turnus die mächtige Staubwolke, die sich ihm entgegenwälzte. Schon war Aeneas im Kampfgewühl. Viele der Feinde wandten sich zur Flucht, und als einer der ersten fiel der rutulische Seher, der mit seinem verhängnisvollen Schuß den Vertrag gebrochen hatte.

Iuturna, Turnus' göttliche Schwester, die den Anstoß zu dem schnöden Vertragsbruch gegeben hatte, dachte jetzt nur noch an ihre eigene Rettung. In unkenntlicher Gestalt nahm sie den Platz des Lenkers auf dem Kampfwagen ihres Bruders ein, ergriff die Zügel und führte den Wagen in so wilden Kreisen über das Schlachtfeld, daß Aeneas ihn nicht einholen konnte. „Halt ein!“ schrie der Held über das Kampffeld hin, „stell dich zum Kampfe, Turnus!“

Aber Iuturna verstand es, die Rosse zu lenken. Unaufhaltsam trieb sie den Wagen aus dem gefährlichen Bereich. Vergeblich klang Aeneas' Rufen hinter den beiden Flüchtenden her. So bahnte er sich den Weg durch die Feinde und schlug jeden nieder, der sich ihm entgegenzustellen wagte. Sein Ziel waren Turnus und seine Schwester, aber kam er ihnen zu nahe, dann lenkte Iuturna die Rosse bald rechts, bald links und verstand es geschickt, den Helden immer mehr zu ermüden.

DIE STADT IN GEFAHR

In dieser Lage gewährte Venus nochmals ihre Hilfe und gab Aeneas einen kühnen Plan ein. Schnell ließ er seine Heerhaufen zur Seite schwenken und brachte die Latiner dadurch plötzlich in große Bedrängnis. Da fiel sein Blick auf Laurentum, die hochgebaute Stadt der Latiner, die ganz unversehrt im Schutze ihrer mächtigen Ringmauern lag. Er sammelte sein Heer um sich, neue Befehle erteilend: „Höret, ihr Krieger", rief er, „genau meine Weisungen! Gelingt es uns auch nicht, die Feinde heute ganz niederzuwerfen, so soll die Stadt des Latinus das Kriegsschicksal treffen! Soll ich etwa abwarten, bis es Turnus beliebt, sich zum Kampfe zu stellen? Nein, hier vor uns liegt die Entscheidung des Krieges! Bringt Brandfackeln herbei, daß wir ihnen mit lodernden Flammen den Vertrag ins Gedächtnis rufen!"

Sogleich ordnete sich das Heer nach seinen Befehlen und drang in einem festen Kampfkeil gegen die Stadt vor. Leitern wurden angelegt, Sturmfakkeln entzündet, man berannte die Tore. Wer sich den Angreifern entgegenstellte, wurde niedergemäht.

In der ersten Reihe kämpfte Aeneas. Im Angesicht der Königsstadt Laurentum erhob er die Rechte zum Himmel: „Ich rufe euch, ihr Götter, zu Zeugen an, daß ich diesen Kampf nur gezwungen führe. Die Schuld fällt dem König Latinus zu!"

Schreckliche Verwirrung ergriff in dieser plötzlichen Not die ganze Stadt, denn zwei Parteien standen sich gegenüber: Die einen wollten den Troern die Stadt öffnen und König Latinus zwingen, Frieden zu schließen; die anderen rüsteten sich, die Stadt gegen die Angreifer zu verteidigen.

Voll Entsetzen hatte die Königin Amata das Verhängnis nahen sehen. Wo war Turnus, zu dem sie stets aufgeblickt hatte und den sie sich als Schwiegersohn wünschte? Niemand war mehr da, sich den vordringenden

Troern entgegenzustellen. „Ich, nur ich bin schuld an allem Unheil, das unsere Stadt getroffen hat!" schrie die Königin in ihrer Verzweiflung, zerriß ihr königliches Purpurgewand und – gab sich selbst den Tod hoch oben am Gebälk ihres Frauengemaches! Jammernd standen die Dienerinnen vor der Herrin, laut wehklagend raufte sich Lavinia ihre goldenen Locken; der ganze Königspalast hallte wider von dem Wehgeschrei um die tote Königin und um das Geschick des Reiches. Auch Latinus wußte sich nicht zu fassen in seinem Schmerz; ganz verstört und gebrochen über die schreckliche Wendung, die das Schicksal genommen hatte, zerriß er sein Königsgewand, bestreute das greise Haar mit Asche und erging sich in verzweifelten Selbstanklagen: „Warum habe ich die Troer nicht sogleich in die Stadt aufgenommen, warum habe ich nicht sogleich den herrlichen Aeneas zum Schwiegersohn erwählt?"

ZWEIKAMPF DER KÖNIGE

Noch immer kämpfte Turnus auf dem Schlachtfelde und setzte den wenigen Feinden nach, die sich noch zum Kampfe stellten. Aber mehr und mehr ermatteten seine Rosse. Da drang aus der Ferne das wilde Kriegsgeschrei aus der Stadt herüber. Furcht packte ihn bei dem Gedanken, welches Unglück sich dort drüben wohl ereignet habe. Unschlüssig straffte er die Zügel und zwang den Streitwagen zum Halten. Immer noch stand seine Schwester Iuturna, die die Gestalt eines Wagenlenkers angenommen hatte, an seiner Seite. „Was machst du dir für fruchtlose Gedanken?" fuhr sie ihn an. „Auf, laß uns die flüchtigen Troer verfolgen und weiterschreiten auf der Bahn, die die Siegesgöttin uns eröffnet hat! Laß andere für die Verteidigung der Stadt sorgen!"

Betroffen blickte Turnus auf die Gestalt an seiner Seite; er hatte seine Schwester erkannt. „Iuturna!" rief er, „schon vorhin glaubte ich dich zu kennen, als du mit deiner List das Bündnis der Könige trenntest! Jetzt aber verbirgst du dich mir umsonst, du Göttliche! Wer unter den olympischen Göttern hat dich zu mir gesandt, und wer hieß dich für mich so viel Mühsal ertragen? Bist du etwa herabgestiegen, den Tod deines Bruders zu schauen? Ja, meinen Tod, denn gibt es für mich noch einen Ausweg, Rettung zu finden, nachdem so viele meiner treuen Kampfgenossen den Schlachtentod gestorben sind? Soll ich den Feinden den Rücken kehren, soll dieses Land den Turnus fliehen sehen?"

In diesem Augenblick kam mitten durch die Feinde ein Reiter dahergesprengt. Schaum stand dem Rosse vor dem Maul, der Mann blutete von einem Pfeilschuß, der ihn am Kopfe verwundet hatte. „Turnus!" schrie er von weitem, „Turnus!" Es war ein Rutuler, der als Bote aus der Stadt kam.

Dem Zusammenbrechen nahe, stand er vor dem Königssohn. „Turnus", stieß er wieder hervor, „du bist unsere letzte Hoffnung! Aeneas ist in die Stadt eingedrungen, schon steht er vor der Königsburg. Brandfackeln sausen in die Häuser hinein. Die Königin Amata hat Hand an sich gelegt, nur wenige Tapfere halten noch dem grimmigen Feinde stand. König Latinus schwankt, ob er nicht dem Eindringling aus Troia die Tochter geben soll."

Entgeistert starrte Turnus auf den Unglücksboten, dann wieder über die Weite des Schlachtfeldes und zur Stadt hinüber. Wie zerrissen war sein Herz von Scham und wilder Wut, von Trauer und Liebe, von Verzweiflung und Männerstolz. Dort drüben peitschten die Flammen aus den hohen Häusern, bis zum Himmel schlug die Glut, alles übersprühend. Dort brannte auch der Turm, den er, Turnus, selber aus Balken gezimmert, auf Räder gesetzt und mit hohen Zugbrücken versehen hatte.

„Das Schicksal hat gesprochen, Schwester!" stieß er plötzlich hervor. „Das Schicksal ist stärker als wir; ich muß ihm folgen. Halt mich hier nicht länger! Ich will mit Aeneas kämpfen – du wirst mich nicht ruhmlos sehen!"

Damit sprang er vom Streitwagen, stürzte durch die Reihen der Feinde und den Hagel der Geschosse. Wie ein Felsblock, der sich vom Bergesgipfel losgerissen hat, ins Tal stürzt und Wälder, Herden und Menschen im rasenden Laufe unter sich begräbt, so stürmte Turnus durch die versprengten

Haufen der Krieger bis vor die Stadtmauern, wo der Streit am wildesten tobte. „Hört auf zu kämpfen, ihr Latiner!" schrie er schon von weitem. „Meine Sache ist es, für euch den Vertrag einzulösen und die Entscheidung mit dem Schwerte zu erkämpfen!"

Die Streitenden ließen vom Kampfe ab und öffneten ihm eine Gasse. Auch Aeneas hatte vernommen, Turnus sei da. In aller Eile verließ er seinen Platz auf den Wällen. Herrlich war der Held zu schauen, wie er in klirrender Waffenrüstung herbeistürzte. Auch König Latinus blickte mit Staunen und Bewunderung auf die beiden gewaltigen Kämpfer, die einander entgegentraten, gleichsam als Vertreter zweier Weltteile, der Mann aus Troja und der aus Italien, um nun den Völkerstreit durch ihr Schwert zu entscheiden.

Auf beiden Seiten traten die Krieger zurück und gaben dem Kampfe nun freien Raum. Aeneas und Turnus rannten stürmisch aufeinander los, schleuderten ihre Speere und griffen dann zum Schwerte, Hieb auf Hieb austeilend; unter ihren Schlägen erbebte der Boden. Mächtig hob Turnus das Schwert; es kümmerte ihn nicht, daß er sich dabei eine Blöße gab. Sein Schlag fuhr hernieder, doch als Aeneas zur Abwehr sein Schwert vorstreckte, zerbrach die Waffe des Rutulers an dem Wunderwerk des Vulcanus und ließ ihren Herrn mitten im Schlage im Stich.

Da wandte sich Turnus zur Flucht. Er mußte in dieser verhängnisvollen Wendung des Zweikampfes ein schlechtes Vorzeichen sehen, denn versehentlich hatte er vorher sein gutes Schwert, das er vom Vater geerbt hatte, mit der Waffe seines Wagenlenkers vertauscht. Vergeblich versuchte er zu entkommen, denn vor ihm drängten sich die trojanischen Krieger, zur Seite breitete sich ein Sumpf aus, und hinter ihm versperrten die hohen Stadtmauern den Fluchtweg. Unsicher umkreiste er den überlegenen Gegner, aber Aeneas war von der tückischen Pfeilwunde so entkräftet, daß ihm fast die Knie versagten. Doch unnachgiebig blieb er am Feinde, immer näher rückte er dem Flüchtenden. Die Krieger auf beiden Seiten, die dem Kampfe mit atemloser Spannung gefolgt waren, schrien wild durcheinander, daß Ufer und Hügel widerhallten. „Mein Schwert!" rief Turnus immer wieder seinen Rutulern zu. „Reicht mir mein Schwert!" Aber seine Waffe lag ja im Streitwagen, und der war fern. Und niemand wagte, ihm zu nahen, denn immer wieder fuhr Aeneas drohend dazwischen.

Fünfmal umkreisten die beiden Kämpfer den Platz. Dort, wo jetzt der Kampf tobte, hatte ein wilder, dem Faunus heiliger Ölbaum gestanden. Die Schiffer hatten den Baum verehrt; wenn sie glücklich aus Seenot entkommen waren, pflegten sie Weihgeschenke für Faunus an den Stamm zu heften, und an ihm hängten sie die Kleider auf, die sie dem Gotte in der Gefahr gelobt hatten. Die Troer hatten den heiligen Baum achtlos umgehauen, um unbehindert auf freiem Felde kämpfen zu können. An eben dieser Stelle nun stak der Speer des Aeneas in der zähen Wurzel des Baumes, denn dorthin hatte ihn der Schwung seines Wurfes getragen. Aeneas mühte sich, den Speer mit der Hand herauszureißen, um den fliehenden Gegner, den er im Laufe nicht einholen konnte, damit zu treffen.

Mit schreckgeweiteten Augen erkannte Turnus die drohende Gefahr. „O Faunus“, rief er, „und du, segnende Göttin der Erde! Stets habe ich euch die schuldigen Ehren erwiesen an geheiligter Stätte, die nun der fremde Eindringling entweiht, habt darum Erbarmen mit mir und laßt den Speer in der Wurzel haften!“

Die beiden Götter des italischen Bodens erhörten seine Bitte; vergeblich mühte sich Aeneas, die Waffe herauszureißen. In diesem Augenblick der höchsten Not fand Turnus Hilfe: Seine Schwester, die Nymphe Iuturna, hatte wieder die Gestalt seines Wagenlenkers angenommen und kam herbeigestürzt: „Hier, Bruder, dein Schwert!“ rief sie; „dein Schwert, das der Vater dir vererbt hat!“

Wilder Kampfeseifer packte den Rutulerfürsten von neuem, aber als Venus mit göttlichem Unmut sah, daß der Nymphe solch kühne Tat erlaubt sei, da riß sie dem Sohne die Lanze aus dem Holze des Baumes heraus.

Mit neuer Waffe und neugewecktem Mut standen sich die beiden Helden nun gegenüber. Keuchend ging ihr Atem, denn beide wußten, daß es jetzt um die Entscheidung gehe.

Aus dem goldenen Himmelsgewölk des Olymps blickten die Götter auf den Menschenkampf herab. „Wäre es nicht besser“, wandte sich der Vater der Götter an seine Gemahlin, „wenn wir dem unseligen Streit ein Ende machten? Du weißt ja auch, daß Aeneas vom Geschick für den Himmel bestimmt ist und einst göttliche Ehren genießen wird. Warum also hast du seinem Gegner, dem Turnus, wiederum das Schwert in die Hand geben lassen, warum hast du in ihm neue Siegeshoffnung geweckt? Über Meer und Land hast du die Troer gehetzt und wilden Krieg entfesselt – nun schenke ihnen endlich Frieden! Ja, mach Frieden, Iuno, ich gebiete es dir!"

Die Göttin spürte den Zorn, der aus Iupiters Worten sprach, und senkte das Haupt. „So will ich nicht weiterhin Aeneas' Sieg entgegenstehen. Ich werde mich ganz vom Kampfe zurückhalten, doch bitte ich dich um eines: Wenn Aeneas nun als Sieger Lavinia heimführt und wenn ein Völkerbündnis Troer und Latiner eint, dann zwingt nicht die Latiner, den angestammten Namen abzulegen und die Sprache der landfremden Troer und fremde Sitten, Gebräuche und Volkstracht anzunehmen! Latium soll weiterleben! Laß das Römervolk aus italischem Stamm erwachsen! Troia aber ist versunken und mag mit seinem Namen für alle Zeit dahinschwinden!"

Mit olympischem Lächeln blickte der Vater der Götter und Menschen auf die eifernde Gattin: „Warum so zornig, Iuno, und voll unnützen Grolls? Dein Wunsch sei dir erfüllt. Latium soll seinen Namen behalten, auch die heimische Sprache und die angestammten Sitten. Die Troer sollen mit dem alten Volke verwachsen und ganz Latiner werden. Aus Italern und Trojanern soll das Volk der Römer werden, das, fromm an Gesinnung vor allen anderen Völkern, dir die größte Ehre erweisen wird!" Iuno nickte dem Gemahl voller Zufriedenheit zu. Fortan vergaß die Göttin, die sich so lange unerbittlich gezeigt hatte, allen Groll gegen Aeneas und sein Volk.

Sogleich vollzog sich an Turnus das Unheil. Iupiter rief die Rachegöttinnen zu sich, die immer um seinen Thron stehen, und gebot ihnen, in Windeseile zur Erde zu schweben. Während die eine von ihnen die Nymphe Iuturna durch ein Unheil verheißendes Zeichen erschreckte, nahm die andere die schaudererregende Gestalt des Totenvogels an, der Unglück kündend auf Gräbern und verlassenen Häusern zu sitzen pflegt und nachts seinen unheimlichen Gesang vernehmen läßt. In dieser angsterweckenden Gestalt flatterte die Rachegöttin um den Kopf des kämpfenden Turnus und schlug mit den Fittichen nach seinem Schild. Dem Helden sträubten sich die Haare; von Schreck und Entsetzen wie gelähmt, blickte er auf die furchtbare Erscheinung. Aeneas aber drang mit Heldenkraft vor, er schwang seinen mächtigen Speer und rief: „Was zögerst du noch, Turnus? Nicht zum Wettlaufe stehen wir uns hier gegenüber, sondern zum Zweikampf mit der Waffe! Wandle dich in alle Gestalten und nimm alles zusammen, was dein Verstand und deine Kunst vermag; wünsche dir Flügel, um damit zu den Sternen zu enteilen, oder versuche, dich unter der Hülle der schützenden Erde zu verbergen!" So sprach er mit grimmigem Hohne.

Der tapfere Turnus schüttelte das Haupt: „Nicht deine Worte schrecken mich, du trotziger Held, sondern die göttlichen Zeichen und Iupiters erbarmungslose Feindschaft!" Im gleichen Augenblick packte er einen gewaltigen Felsblock, der als Grenzstein im Felde lag, und hob ihn empor, um ihn gegen den anstürmenden Aeneas zu schleudern. Aber mit Entsetzen mußte er erleben, daß seine Arme ihm plötzlich den Dienst versagten, daß die Knie wankten und sein Blut wie zu Eis erstarrte. Ohne sein Ziel zu erreichen, fiel der Stein zu Boden.

Da wußte der Rutulerheld, daß sich die Götter ganz von ihm abgewandt hatten. Vergebens blickte er sich nach Rettung um, vergebens suchte sein Auge die Schwester und den Streitwagen, den sie vorher geführt hatte; er wußte nicht, daß Iuturna längst verzweifelt in den grünen Fluten des Tiberstromes untergetaucht war.

In diesem Augenblick traf ihn der Speer des Aeneas. Unwiderstehlich drang die Waffe durch Schildrand und Panzer und warf den gewaltigen Turnus zu Boden. „Ich gebe mich besiegt. Lavinia sei dein!" Das waren seine letzten Worte, als Aeneas mit dem Schwerte gegen ihn eindrang. Turnus' Seele stieg in die Unterwelt hinab.

PIUS AENEAS

Die Entscheidung war gefallen. In tiefem Schmerz barg man die Gefallenen, die der Sieg gekostet hatte. War Aeneas nach den jahrelangen Irrfahrten nun endlich am Ziel der göttlichen Verheißung?

Latinus, tief gebeugt durch den Tod seiner Gattin, gab dem trojanischen Helden seine Tochter, die schöne Lavinia, zur Frau; der greise König war ja, seit der herrliche Aeneas Italiens Boden betreten hatte, bereit gewesen, sich dem göttlichen Gebote zu fügen. Nun war Aeneas, der siegreiche Held, Erbe des Thrones und Führer des Volkes, das sich aus Troern und Latinern zusammenfügte.

Aber der Tatendrang ließ Aeneas nicht müßig sein; ihn trieb die göttliche Mahnung, für sich eine bleibende Heimstatt und für das junge Volk eine Stadt zu bauen – für sich, für Lavinia und den herangewachsenen Sohn, der einst sein Erbe antreten sollte. An der Küste des Meeres, auf einem Hügel, der sich beherrschend über die Landschaft erhob, ließ er die Mauern nach dem Willen der waltenden Götter erstehen. Lavinium nannte er die Stadt zu Ehren seiner geliebten Gemahlin.

Mächtig blühte die Stadt auf unter der weisen und milden Regierung ihres Königs, den jedermann nur „Pius Aeneas“, den frommen Aeneas nannte. Seiner göttlichen Mutter Venus zu Ehren errichtete der Held einen herrlichen Tempel. Voll Dankbarkeit empfanden es seine Troer, daß sie nach den langen Irrfahrten eine neue Heimat gefunden hatten, denn bald waren sie nach dem göttlichen Gebot mit den einheimischen Latinern ganz zu dem neuen Volke verschmolzen.

Aber gerade die aufblühende Macht der jungen Pflanzstadt ließ die angrenzenden Rutuler und ihre Bundesgenossen nicht ruhen. Ungemindert lebten in ihnen Zorn und Trauer um den Tod des Turnus und um die demütigende Niederlage in der Schlacht vor den Mauern von Laurentum.

„Sollen wir es stillschweigend mit ansehen, daß Aeneas, dieser landfremde Abenteurer, sich ungestraft zum Herren unseres italienischen Landes gemacht hat? Wie hat König Latinus, den wir nur als weisen, ehrwürdigen Herrscher kannten, sich so weit vergessen können, seine schöne Tochter, die Verlobte unseres herrlichen Königssohnes, einem heimatlosen Eindringling zur Frau zu geben? Aeneas soll der Sohn einer Göttin sein? Nun so mögen unsere Waffen es erweisen, ob er unsterblich ist!"

Lauter und lauter wurden im Rutulerlande die Stimmen, die Rache forderten und zum Kampfe gegen Aeneas und das von ihm aus Troern und Latinern geeinte Volk aufriefen.

Ganz unerwartet für den frommen Helden brach ein neuer Krieg aus. Mit ungeheurer Heeresmacht rückte der Feind gegen Lavinium vor. Aeneas war ihm an Zahl weit unterlegen, aber entschlossen sammelte er die Kämpfer seines jungen Volkes und zog den Friedensbrechern entgegen. „Laßt uns auf den Beistand der Götter freuen!" rief er seinen Kriegern zu; „sie werden unsere junge Gründung nicht im Stiche lassen."

Am Flusse Numicus, der beide Gebiete trennt, prallten die Heere aufeinander. Wie immer kämpfte Aeneas in der vordersten Reihe. Wo er sein Schwert schwang, lichtete sich das Schlachtfeld; wer seiner Waffe entrann, wich voller Entsetzen zurück.

Es war, als wollte die göttliche Natur selber in den Kampf eingreifen. Iupiter schleuderte seine Blitze und sandte einen ungeheuren Wolkenbruch, der die Dämme des Numicus zerriß und den Rutulern schweren Schaden zufügte.

Den Latinern wuchs der Mut bei diesem sichtbaren Zeichen des Gottes. Entsetzen aber packte die Rutuler und trieb sie zu wilder Flucht.

Jubelnd behaupteten die siegreichen Latiner das Schlachtfeld. Doch da bot sich plötzlich ein neues Zeichen: Der Himmel hüllte sich in schwarze Finsternis, mit mächtigem Rauschen schwoll der Fluß an und trat über seine Ufer, und als endlich die Tageshelle wieder durchbrach, blickte man vergeblich nach dem Führer aus. Der fromme Aeneas war keinem Auge sichtbar – er war den Seinen entrückt! Hatte der Strudel des Flusses ihn verschlungen? Hatte Iupiter ihn in den Kreis der olympischen Götter erhoben?

So wurde der Krieg um die Erhaltung des jungen Reiches für Aeneas der Abschluß seiner irdischen Taten. In unendlicher Trauer kehrten die Latiner in ihre Stadt zurück, deren Bestand der gütige König ihres Volkes durch seinen Tod erhalten und gesichert hatte.

ALBA LONGA

Ascanius, der längst den Namen Iulus trug, übernahm die Nachfolge seines großen Vaters. Mitten in Lavinium errichtete er ihm ein Heiligtum, denn die dankbaren Latiner brachten Aeneas, dem Gründer ihres Volkes, seit er dem irdischen Dasein entrückt war, göttliche Ehren dar; sie nannten ihn Iupiter Indiges, den eingeborenen Landesgott.

Iulus, gereift in harter Jugend, wußte das Erbe seines unvergeßlichen Vaters wohl zu wahren; in allen seinen Taten war ihm Aeneas ein leuchtendes Vorbild. Unter seiner weisen Herrschaft blühte der junge Stadtstaat immer mehr auf und wurde immer wohlhabender. Weit ins Gebiet der Etrusker dehnte Iulus seine Herrschaft aus. So sehr war die Stadt gewachsen, daß ihre Mauern die Zahl der Einwohner nicht mehr zu fassen vermochten. Erst dreißig Jahre waren seit der Gründung Laviniums verflossen.

Da führte der tatkräftige König einen Entschluß aus, der ihn schon lange bewegte: Er überließ seiner Stiefmutter Lavinia die von seinem Vater Aeneas erbaute Stadt, zog an die Hänge des Albanergebirges und gründete dort eine neue Stadt als Sitz seines Herrschaftsbereiches; er nannte sie Alba Longa, d. i. die „weiße, lange“ Stadt.

Der Sitz der Götterverehrung aber verblieb in der Stadt Lavinium, denn ein seltsames Götterzeichen hatte König Iulus dazu gemahnt. Als er nämlich aus der Stadt auszog, hatte er die altehrwürdigen Penaten, die sein zur Gottheit erhobener Vater einst aus dem heimatlichen Troja gerettet hatte, mit in die neue Stadt geführt. Wie aber erstaunte man, als sie am nächsten Tage verschwunden waren! Sie standen im Venustempel von Lavinium, wo der fromme Aeneas sie einst aufgestellt hatte. Wieder ließ sie Iulus in seine neue Hauptstadt hinüberbringen, doch wieder kehrten sie zur Nachtzeit ohne menschliches Zutun in ihren Tempel in Lavinium zurück. Da erkannte der König den göttlichen Wink und fügte sich ihm: Er ließ die Tempel in Lavinium in prächtigem Glanz erstehen und machte die Stadt hinfort zum heiligen Sitz der Schutzgötter des Latinerlandes.

Seine neue Stadt aber, das junge Alba Longa, mächtig auf den Berghöhen gelegen, wuchs zu ansehnlicher Blüte; die Städte rings im Umkreis beugten sich ihrer Vorherrschaft.

Viele Jahre waren ins Latinerland gegangen. Iulus hatte gehofft, sein Sohn werde ihm auf den Throne folgen, aber die Götter fügten es anders und gaben ihm die höchste priesterliche Würde, die sich auf all seine Nachkommen vererbte. Nach Aeneas' Entrückung hatte Lavinia nämlich einem Sohn das Leben geschenkt; er kam im Walde zur Welt und erhielt darum den Namen Silvius. Auf ihn blickte das Volk mit besonderer Verehrung, weil sich in ihm das Blut des Aeneas mit dem des Königs Latinus verband. Als nun Iulus hochbetagt aus dem Leben schied, wählte man Silvius zu seinem Nachfolger.

So wurde Silvius zum Stammvater des albanischen Königshauses, das bald ganz Latium unter seine Macht brachte und zur Stammutter des weltbeherrschenden Roms wurde.

ROMA AETERNA – DAS EWIGE ROM

NUMITOR – AMULIUS – REA SILVIA

Drei Jahre, drei Jahrzehnte und drei Jahrhunderte hatte einst ein göttlicher Spruch dem Aenas für die Erfüllung des göttlichen Willens vorausgesagt, nach dem die beiden Marssöhne das „Ewige Rom" gründen sollten. Jetzt war in langen Friedensjahren die Zeit gekommen.

Es lebte als Nachkomme des Silvius der Albanerkönig Procas, der zwei Söhne, Numitor und Amulius, hinterließ. Dem Erstgeborenen, Numitor, übergab er Thron und Herrschaft, während Amulius Land und Herden aus dem Besitze seines Vaters erhielt.

Aber Amulius, der Jüngere, besaß brennenden Ehrgeiz. Was kümmerte ihn der Wille des Vaters, was das Recht der Erstgeburt? Gewalttätig stieß er den Bruder vom Thron, und wenn er auch ihn selbst am Leben ließ, so scheute er sich nicht, Numitors Sohn und einzigen Stammhalter hinterrücks auf der Jagd töten zu lassen.

So hatte Amulius von Numitors männlicher Nachkommenschaft nichts zu fürchten. Numitors Tochter Rea Silvia aber machte er zur Priesterin und weihte sie dem Dienste der Vesta, in deren Tempel das ewige Feuer bewahrt wird. Er tat, als erweise er ihr damit eine Ehre, in Wirklichkeit aber trieb ihn nichts als der Gedanke an die Ehelosigkeit der Vestalinnen; durch strenges Gelübde waren sie nämlich gezwungen, für immer der Mutterschaft zu entsagen – so glaubte Amulius seinen Thron gesichert zu haben.

Eines Tages nun schritt die Jungfrau in den heiligen Hain des Mars, um Wasser zum Tempeldienst zu schöpfen. Da stockte ihr Fuß: Bedrohliche Laute wurden vernehmbar, und jäh stand ein Wolf ihr gegenüber! Von Entsetzen gepackt, wandte die Jungfrau sich zur Flucht und suchte in einer Höhle Schutz, die sich plötzlich wie durch göttliche Fügung vor ihr auftat.

Hier in der Höhle hatte Rea Silvia eine göttliche Erscheinung: Gott Mars, dem jener Hain heilig war, erschien ihr und gab ihr ein sichtbares Zeichen seiner Anwesenheit, denn plötzlich verdunkelte sich die Sonne und hüllte den strahlendhellen Tag in Finsternis.

Der Gott erhob die menschengeborene Rea Silvia zu seiner Gemahlin und machte sie zur Mutter von Zwillingen.

Schrecklich war der Zorn des Oberpriesters, als Rea Silvia es wagte, Mars als Vater ihrer Zwillinge zu benennen. Nicht minder wütete der König Amulius, als er von dem Geschehenen erfuhr. Er ließ Rea Silvia in Fesseln legen und befahl, sie in den Tiber zu stoßen.

König Amulius' Diener taten nach seinem Befehl und führten die Unglückliche zum Strande. Da schoß eine gewaltige Welle über das Ufer hin, packte Rea Silvia und zog sie ins Wasser hinein. „Tiberinus!" stießen die Männer, von Entsetzen gepackt, hervor. Sie hatten in der Welle, die ihnen ihr Opfer entriß, den Flußgott erkannt! Wirklich, Tiberinus nahm die Verstoßene zu sich in sein Reich und machte sie zu seiner Gattin.

ROMULUS UND REMUS

Des Königs ärgster Zorn richtete sich gegen Rea Silvias Kinder, denn die Zwillingsknaben waren ja die Enkel und rechtmäßigen Erben seines verstoßenen Bruders Numitor. Amulius befahl, auch sie in den Tiberstrom zu werfen; dort in den Wellen sollten sie den Tod finden. Wieder begaben sich die Diener zum Flußufer.

Aber die Gottheit meinte es gut mit den beiden unmündigen Kindern. War es nicht der Stromgott selber, der sich ihrer annahm? Infolge starker Regenfälle war der Tiber weit über seine Ufer getreten und hatte die sumpfige Umgebung überschwemmt. Nirgends konnten Amulius' Diener an den Strom selber herantreten. Sicherlich war ihnen bei dem unmenschlichen Auftrage ohnehin schwer genug ums Herz. „Hier, im seichten Wasser wollen wir sie aussetzen", sprachen sie zueinander, „es wird für die Kinder tief genug sein!" So setzten sie also die beiden Säuglinge in einer großen Pfütze aus und meldeten dem König, sie hätten seinen Auftrag ausgeführt.

Der Korb mit den beiden unmündigen Kindern aber trieb aus der Lache langsam durch die einsame Gegend weiter. Am Fuße des Palatinus, wo die Höhle des Gottes Lupercus ist, blieb er in den Zweigen eines Feigenbaumes hängen. Nun zog der Flußgott seine Wasser zurück. Die beiden Kinder, wimmernd vor Hunger und Kälte, standen auf trockenem Boden.

Da kam eine Wölfin von den Berghängen zum Flusse herab, um ihren Durst zu löschen, und hörte das klägliche Jammern der Kleinen. Das sonst so wilde Raubtier trug sie in die nahe Höhle, leckte sie mit der Zunge trocken und säugte sie, als seien sie seine eigenen Jungen. Zur kräftigenden Wolfsmilch kam die Fleischnahrung, die der Specht, der heilige Vogel ihres Vaters Mars, ihnen zutrug.

Eines Tages stand ein Mann in höchster Verwunderung vor diesem Schauspiel. Es war Faustulus, der Oberhirt des Königs Amulius. Mitleidig brachte er die beiden Kinder mit nach Hause, und voll Liebe nahm Acca Larentia, seine Frau, sich der Zwillinge an, als seien es ihre leiblichen Kinder. Man gab dem einen den Namen Romulus, dem andern den Namen Remus.

In der ländlichen Freiheit wuchsen die beiden Jungen, gelenkt von der Sorge ihrer Pflegeeltern, zu kräftigen, stattlichen Jünglingen heran und ragten bald aus der Reihe ihrer Altersgenossen hervor. Täglich durchstreiften sie Wald und Feld, waren fleißig bei der Arbeit auf der Viehweide und jagten die wilden Tiere, die den Herden zu nahe kamen.

Bald schon erkannten die andern Hirten die Überlegenheit der beiden prächtig gewachsenen, mutigen Jünglinge an. Jeder der beiden scharte eine

Gruppe von Anhängern um sich, treue Gesellen, die ihnen in allem gehorchten. Häufig konnten sie ihre Kraft bewähren, denn die Gegend war zu jener Zeit nicht sicher. Besonders die Hirten des Numitor, die auf dem Aventin hausten, scheuten sich nicht, auf Straßenraub auszugehen, und zwangen die beiden Brüder oft zu mutigen Taten, sei es zur Abwehr oder gar zum Angriff, wenn es galt, den Räubern wieder die Beute abzujagen.

Schon oft hatte Faustulus seine beiden Pflegesöhne nachdenklich betrachtet. Er wußte, daß Amulius ein Zwillingspaar hatte aussetzen lassen, und auch die Zeit, zu der er die beiden Findlinge angenommen hatte, paßte dazu. Vorläufig aber behielt der ehrliche Viehhirt all diese Gedanken bei sich – so sehr er sich auch mit der Zeit darüber klar wurde, daß er tatsächlich Söhne königlichen Geblütes bei sich aufziehe.

Immer deutlicher wurde ihm diese Abkunft. Die aufrechte, kühne Haltung der beiden Jünglinge, ihr Selbstbewußtsein und ihre herrische Art – alles sprach dafür. Mit ihren Erfolgen wuchs auch das Ansehen unter den Hirten; immer größer wurde die Zahl der Anhänger, die sich um die Brüder scharte.

Aus längstvergangener Zeit, da noch Euander das arkadische Land regierte, stammte das Fest der Luperkalien, das man alljährlich in der Freude am Wiedererwachen der Natur feierte. Jünglinge, halb bekleidet und in heiterer Verzückung, tanzten dem Hirtengott zu Ehren in wilden Bocksprüngen umher und trieben mutwillige Scherze.

Die Frühlingsfeier schien den räuberischen Hirten des Numitor eine günstige Gelegenheit, sich für den Verlust ihrer Beute zu rächen.

Die Feier war auf ihrem Höhepunkt, als sie den Überfall wagten. Die beiden Brüder kämpften wie junge Löwen, aber nur Romulus konnte sich der Übermacht erwehren. Remus wurde gefangen abgeführt und vor Numitor geschleppt. „Wir bringen dir einen Friedensbrecher, der deine Ländereien schwer geschädigt hat!“ riefen sie; „sorge du dafür, daß ihn die gerechte Strafe trifft!“

Jetzt wagte Faustulus sein Geheimnis nicht mehr bei sich zu behalten. Während Romulus, zornig über den hinterlistigen Überfall und traurig über des Bruders Gefangennahme, auf Rache sann, berichtete sein Pflegevater ihm alles, was er über seine Abkunft dachte.

Zur selben Zeit stand der junge Gefangene vor Numitor. Staunend und mit Bestürzung betrachtete der einstige König den herrlichen Jüngling; immer deutlicher wurden ihm die Zusammenhänge, als er die Vorgeschichte vernahm: das Auffinden der Zwillinge durch den treuen Faustulus, das Verhalten der beiden Brüder, die sich keineswegs wie Hirtensöhne aufführten. Als dann auch Romulus kam, den die Unruhe hergetrieben hatte, war dem greisen Numitor alles offenbar. Glückselig schloß er seine beiden Enkel, die Söhne seiner geliebten Tochter, in die Arme.

Zu offener Gewalt gegen Amulius war Numitor bei seinem hohen Alter nicht mehr fähig. Aber mit kluger List verstand er es, einen Teil der Besatzung von Alba Longa abzuziehen und damit die Kampfkraft der Stadt zu schwächen. Die Führung gegen Amulius überließ er seinem Enkel Romulus. Geschickt teilte dieser seine Hirten auf und ließ sie zu verabredeter Stunde auf verschiedenen Wegen zur Königsburg kommen. Als auch Remus, der einen der Haufen führte, zur Stelle war, gab Romulus das Zeichen zum Losschlagen. Ganz überraschend drang man in die Königsburg von Alba Longa ein, überrumpelte die Wache und warf die Besatzung nieder. Romulus selber stürzte, das Schwert in der Faust, ins Gemach des Königs Amulius und streckte den Mörder seiner Mutter nieder.

Jubelnd kamen die jungen Helden an der Spitze ihrer Freunde zurück. Freudig empfing sie der greise Numitor. „Höret, ihr Leute!" rief er und ließ alles Volk sich um ihn scharen. „Höret, was ich lange verschweigen mußte und jetzt endlich aussprechen darf! Ihr wißt, wie mein Bruder gegen mich, den Älteren und rechtmäßigen Inhaber des Königsthrones, gefrevelt hat. Meine Tochter Rea Silvia hat er umbringen lassen und dasselbe Schicksal auch ihren Söhnen zugedacht. Aber die Götter haben es anders beschlossen: Hier stehen die beiden Söhne meiner Tochter, denn ein gütiges Geschick und die Treue des Faustulus haben sie vor dem Tode bewahrt." Alles legte Numitor dem Volke dar, die sicheren Zeichen der Herkunft, den Zusammenstoß mit den Hirten und zuletzt den Tod des thronräuberischen Amulius.

Kaum hatte Numitor ausgesprochen, da traten Romulus und Remus vor ihren Großvater, beugten das Knie und huldigten ihm als ihrem König. „Heil! Heil unserm König Numitor!“ stimmte die ganze Menge mit ein.

Numitor hatte den Thron von Alba Longa bestiegen, der ihm von Rechts wegen gebührte, und herrschte in Weisheit über das Land. Romulus und Remus aber hatten andere große Pläne: An der Stelle, wo sie ausgesetzt und so wunderbar errettet worden waren und wo sie ihre jungen Jahre verbracht hatten, wollten sie eine Stadt gründen. Längst hatte ja Alba, längst auch das Land Latium einen Überschuß an Menschen, die gern die Gelegenheit ergriffen, eine neue Heimat zu finden.

Romulus und Remus blickten unbesorgt in die Zukunft: „Gegen die Stadt, die wir erbauen wollen“, so sagten sie sich, „wird Alba Longa wie auch Lavinium winzig erscheinen; kleine Landstädte werden sie sein gegenüber unserer Gründung, die einmal eine Weltstadt werden wird!“

DIE GRÜNDUNG ROMS

Vielerlei Notwendiges hatten die beiden Brüder in Rechnung gestellt – aber nicht ihre Veranlagung bedacht, die die Götter ihnen mit auf den Lebensweg gegeben hatten. In beiden lebte etwas von der Herrschsucht, die ihrem Großoheim Amulius zum Verhängnis geworden war. Gar bald sollte sich zeigen, wie aus einem unschuldigen Anfang die traurigsten Folgen erwachsen können.

Unter zwei Brüdern wird es immer eine natürliche Achtung vor dem Recht des Erstgeborenen geben. Wie ist es aber bei Zwillingen? Wer von beiden sollte den Vorrang haben? So beschlossen Romulus und Remus, sich an die Götter zu wenden: Diese sollten durch das Orakel des Vogelfluges die Entscheidung treffen, wer von den beiden Brüdern der neuen Stadt den Namen geben und wer sie beherrschen solle.

Darauf bezogen beide mit ihren Freunden ihre Standorte, eine Warte auf den Höhen, um das Schicksal sprechen zu lassen, Romulus auf dem Palatinus, Remus auf dem Aventinus.

Gar bald gaben die Götter ihr sichtbares Zeichen. Remus war der erste, dem die glückbringenden Vögel erschienen. Es waren sechs Geier. Sofort schickte er Boten zum Palatin hinüber, dem Bruder das Ereignis zu verkünden. Gerade in diesem Augenblick sprach das Schicksal zum zweiten Male: Dem Romulus zeigten sich zwölf Geier.

„Heil unserm König Remus!" schrien die Männer, die die erste Meldung vom Aventin her überbracht hatten. „Heil unserm König Romulus!" schrien dessen Anhänger auf dem Palatinus. Wer sollte nun den Vorrang haben? Wer sollte der Herr der neuen Stadt werden ?

War es nicht klar, daß die Götter Romulus den Vorzug gaben? „Nein!" schrien Remus' Anhänger: „Unserm Herrn haben sich die Schicksalsvögel zuerst gezeigt!" Nicht minder kräftig schrien Romulus' Anhänger dagegen: „Nein! Unserm Herrn hat sich die doppelte Zahl gezeigt!"

Zeit oder Zahl, das war die Frage. Aber die Brüder und ihre Anhänger konnten sich nicht einig werden, und nicht lange währte es, so wurde aus dem Zank ein Handgemenge, und – bald floß Blut, Bruderblut!

Wie konnte solche Bluttat geschehen? Romulus hatte sich entschlossen an den Bau der neuen Stadt gemacht, hatte den Platz abgesteckt und die Mauer vorgezeichnet, indem er den Pflug rundherum führte. Das ausgehobene und zugleich aufgeworfene Erdreich sollte Graben und Wall kennzeichnen; an den Stellen, wo die Stadttore Zugang zur neuen Stadt geben sollten, hatte Romulus den Pflug aufgehoben und hinüber getragen.

An der Furche entlang begann Romulus nun den Bau der Stadtmauer; vorerst konnte sie nur niedrig sein und gewährte daher keinen ausreichenden Schutz. Remus scheute sich nicht, dem Bruder das allzudeutlich vor Augen zu führen, indem er über die angefangene Mauer hinübersprang.

Zornig fuhr Romulus auf den Bruder los und streckte ihn mit einem furchtbaren Schwerthiebe tot zu Boden. „So soll jeder dahinfahren", schrie er „der es nach dir noch wagt, über meine Mauern zu steigen!"

So war Romulus alleiniger Herr der jungen Stadt. Aber er selber litt schwer unter dem Frevel, zu dem ihn sein aufbrausendes Wesen getrieben hatte. Auch die Götter zürnten ihm wegen seines schweren Vergehens; sie schlugen die Bewohner der Stadt mit schrecklichen Krankheiten und brachten vernichtende Dürre über die jungen Saaten. Wie sollte Romulus je den Frevel des Brudermordes sühnen können?

Neben seinen Thron stellte er einen zweiten Thron auf, zum Zeichen, daß er mit dem Bruder die Herrschaft zu teilen bereit sei. Wirklich schwanden Dürre und Krankheiten; der Fluch, der dem Brudermord gefolgt war, wich von der jungen Stadt. Romulus konnte getrost daran gehen, sie auszubauen.

Da gab er ihr seinen eigenen Namen, in dem sich die göttliche Verheißung erfüllen sollte; er nannte sie Roma.

KÖNIG ROMULUS

Hoch auf dem Palatium, wo Romulus seine Kindheit verbracht hatte, lag der Kern der jungen Stadt. Tatkräftig ging der junge Herrscher daran, sie zu befestigen, die Mauern zu erhöhen und den Göttern die schuldigen Opfer darzubringen.

Stark und mächtig sollte Rom werden, und so war Romulus darauf bedacht, sie mit vielen Menschen zu bevölkern. Im Blick auf die Zukunft hatte er nach dem Palatin weitere Plätze großzügig ausgebaut, denn die Zahl der Menschen, die den Raum vorläufig bevölkerten, war noch allzu gering. Wie sollte er vorgehen, um nicht vergeblich geplant zu haben?

Romulus ließ im Lande ringsum bekanntgeben: Für Flüchtlinge und Verfolgte, für Wagemutige und Ausgestoßene eröffne er eine Freistatt. Hier finde jeder Sicherheit.

Sein Aufruf blieb nicht ohne Erfolg. Bald strömten aus den Völkern der Nachbarschaft Leute aller Art herbei, gute Menschen und Gesindel, Freie und Sklaven, Unzufriedene und Verbannte, ohne Unterschied – sie alle trieb der Wunsch, in dem neuen Staate eine neue Heimat zu finden. Romulus machte sie alle zu Angehörigen seiner jungen Stadt.

Eine so große Gemeinschaft aber kann nicht ohne strenge Gesetze leben, und so gab Romulus dem jungen Staat eine Verfassung. Er wußte genau, der „rohe Haufen" der Neubürger werde seine Macht und Oberherrschaft nur anerkennen, wenn er auch äußerlich seine Würde kundtue. Wo er sich dem Volke als Herr und höchster Richter zeigte, geleiteten ihn stets zwölf starke Männer als Gerichtsdiener. Diese „Liktoren" trugen Rutenbündel mit eingeschnürten Beilen als Zeichen, daß dem Herrn der Stadt die Gewalt zu strafen und die Macht über Leben und Tod zustehe. Aus dem Volke wählte er hundert ehrwürdige Männer aus, die ihm als Ratsherren bei der Regierung helfen sollten. Patres, Väter, nannte sie das Volk, und ihre Nachkommen, die Patrizier, sollten dereinst den Adel der Weltstadt bilden.

Zufrieden blickte Romulus auf die Macht, die er um sich versammelt hatte, voll Stolz durfte er erleben, wie sie täglich anwuchs. Unbesorgt konnte der junge Herrscher sich sagen, daß er keinen seiner Nachbarn zu fürchten brauche. Er hatte seine junge Gründung in Stadtdrittel, in Tribus, eingeteilt, von denen jedes zum Schutze der Vaterstadt 1000 Mann zu Fuß und hundert Reiter stellen mußte. Diese Streitmacht aus 3000 Mann Fußvolk und dreihundert Reitern nannte Romulus die Legion, die „Auslese".

Aber mit größten Sorgen dachte der junge Herrscher an den Bestand seines Reiches. Alles, was im Laufe der Zeit in Rom zusammengeströmt war, waren Männer; von allem Anfang an gab es in der Stadt fast keine Frauen, keine Ehen, keine Kinder. Was nützte die festgefügte Streitmacht, was die schnell aufblühende Stärke der Stadt, wenn dies weiterhin so blieb? Wie soll ein Staat bestehen können, der keine Nachkommenschaft hat? Romulus wußte genau, daß Rom schon nach einem Menschenalter aussterben mußte, wenn er nicht rechtzeitig Abhilfe schaffte.

DER RAUB DER SABINERINNEN

Romulus versammelte seine Ratsherren um sich und sprach zu ihnen von den schweren Sorgen, die ihn bewegten. „Wir müssen zu den Städten ringsumher Gesandte schicken", riet einer, „um in Freundschaft nachbarliche Eheverträge zu schließen." Das leuchtete allen ein, und sogleich rüstete Romulus Gesandtschaften aus und schickte sie auf Brautwerbung für sein Volk.

Bald standen Romulus' Sendboten in der ersten sabinischen Stadt und ließen sich vor den Rat führen. „Wir kommen aus Rom", sagten sie, „das ihr als eine junge Gründung kennt. Auch Städte wachsen, wie alles im Leben, aus kleinen Anfängen. Große Macht und großen Namen erwerben sich mit der Zeit nur die, die sich durch eigene Tapferkeit und durch die Hilfe der Götter auszeichnen. Wir Römer sind überzeugt, daß die Götter unserer Stadt günstig gesinnt sind und ihr Wachstum gefördert haben. Und wir sind weiter überzeugt, daß Rom durch unsere tapfere Haltung auch künftig wachsen wird. Deshalb kommen wir zu euch, als Menschen zu Menschen: Wollt ihr nicht unsere Blutsfreunde sein, um mit uns zusammen Stammeltern eines neuen Volkes zu werden?"

Es war eine wohlgesetzte Rede, die die Gesandten vorbrachten, und sie war gut und ehrlich gemeint. Aber man nahm sie nicht in gleicher Weise auf. Mit Hochmut und Verachtung blickten die Nachbarn auf die junge Gründung, deren Einwohner, so sagten sie, sich aus Verbrechern und Ausgestoßenen zusammensetzten; und nicht ohne Sorge für sich und ihre Nachkommen blickten sie zugleich auf die machtvoll aufblühende Römerstadt, die sich drohend wie ein feindliches Kriegslager mitten unter ihnen erhob. „Habt ihr etwa auch für Weiber eine Freistatt errichtet?" so scheute man sich nicht, Roms Gesandte zu verhöhnen. Nicht anders erging es denen in anderen Städten.

Als die Boten nach ihrer Rückkehr berichteten, wie schnöde und beleidigend ihre Bitten beantwortet worden seien, gab es für Romulus nur noch einen einzigen Ausweg: Da alle friedlichen Mittel versagt hatten, mußte er seine Zuflucht zur Gewalt nehmen. Er war jedoch klug genug, seinen Zorn über die Abweisung nicht merken zu lassen.

Bald darauf standen Roms Sendboten wieder in den umliegenden Städten: „Wir kommen, um euch zu dem Fest einzuladen", sagten sie, „das wir Neptun zu Ehren veranstalten." Zugleich ging das Gerücht um, welch großartige, ganz ungewöhnliche Vorbereitungen und Zurüstungen für die Feierlichkeiten getroffen seien.

Das alles reizte die Nachbarn zu kommen, und außerdem trieb sie die Unruhe dazu an, die neue Stadt kennenzulernen. Von überallher kamen die Gäste mit Weib und Kind gezogen, von Caenina, von Crustumeria, von Antemnae, besonders aber aus dem Sabinerlande.

Staunend standen sie vor Roms großartiger Stadtanlage, den machtvollen Befestigungswerken und der Menge der Wohnhäuser. Niemand hätte gedacht, daß die junge Siedlung so schnell zu solch ansehnlicher Gestalt habe wachsen können.

Arglos ließen sich die Besucher in allen Häusern gastfreundlich aufnehmen. Noch ahnte niemand, welche Gewalttaten die Römer planten.

Dann begannen die Spiele. In fröhlichem Gewimmel drängte sich alles um den Kampfplatz. Staunend blickten die Gäste auf das glänzende Schauspiel, das die Römer ihnen boten. Niemand wurde gewahr, daß hier und dort einer der Patres durch die Reihen ging und seinen Dienern durch unauffällige Gebärden eine der schönen Besucherinnen bezeichnete.

Plötzlich gab Romulus das verabredete Zeichen. Jäh verwandelte sich das Bild: Die römischen Krieger stürzten sich von der Kampfbahn plötzlich unter die Zuschauer auf die jungen Mädchen, die inmitten ihrer Eltern und Verwandten ganz hingerissen der prächtigen Veranstaltung zuschauten. Scheinbar wahllos packten die Römer zu und schleppten die Jungfrauen fort.

So überraschend war alles gekommen, daß niemand sich ernsthaft widersetzen konnte. „Ihr habt das heilige Gastrecht schmählich verletzt!" riefen die Sabiner, und in ohnmächtiger Wut schrien sie nach Rache. Aber vor der Übermacht der Römer mußten sie aus der Stadt weichen, in die man sie gelockt hatte.

Und die geraubten Jungfrauen? Auch sie waren voller Empörung über die Gewalt, mit der man sie überfallen und ihren Eltern entrissen hatte. Aber Romulus selbst ging in die einzelnen Häuser und suchte sie zu beschwichtigen. „Warum waren eure Väter so hochfahrend gegen unsere Abgesandten?“ sagte er. „Fügt euch in euer Schicksal, so werdet ihr es gut bei uns haben! Wir machen euch zu vollwertigen Mitbürgerinnen, geben euch Anteil an unserem Vermögen und hoffen, daß ihr die Stammütter eines neuen Volkes werdet. Unsere Männer sind gewillt, euch Elternhaus und Heimat zu ersetzen!“

Die jungen Römer taten ein übriges, die Tränen der gewaltsam Entführten bald trocknen zu lassen, denn sie verstanden es, sie von der rechten Seite zu nehmen: Mit Freundlichkeit, mit Liebe und Zärtlichkeit, die ja bei Frauenherzen nicht leicht ihre Wirkung verfehlen, hatten sie bald gewonnenes Spiel.

Inzwischen dachten die beleidigten Völkerstämme an nichts anderes, als ihren Racheschwur wahrzumachen. Einige von ihnen, die Caeniner, die Crustuminer und die Antemnaten, waren so empört, daß die Vorbereitungen der Sabiner ihnen viel zu lange dauerten. Gemeinsam rückten die drei Völker, die Caeniner in blindem Eifer weit voraus, gegen das römische Gebiet vor, plünderten die Landgebiete und – vergaßen dabei die nötige Vorsicht. Plötzlich trat Romulus ihnen mit seinem Heere entgegen und zeigte ihnen, daß der Zorn eines Volkes, hinter dem nicht eine starke Waffengewalt steht, ganz fruchtlos ist. Die drei Völkerstämme mußten weichen, Romulus verfolgte sie, besiegte im Zweikampf mit eigener Hand den König der Caeniner und nahm dem Erschlagenen die Rüstung ab.

Aus der Abwehr eines Angriffes der beleidigten Gegner war ein glänzender Sieg der Römer geworden. Romulus führte seine Krieger vor die Stadt der Feinde und eroberte sie im ersten Ansturm.

An der Spitze seiner siegreichen Truppen zog der Held in die Heimatstadt zurück. Die Rüstung des besiegten Feindes ließ er an einer hohen Stange voraustragen, als er im Triumphzug zum Kapitolinischen Hügel emporzog, um die Trophäen im Iupitertempel niederzulegen.

Nicht anders erging es den Leuten von Crustumeria und Antemnae. Auch ihre Streitmacht zerbrach im Angriff der römischen Legion. Auch ihre Städte berannte Romulus und ließ sie in Schutt und Asche sinken. Aber er zeigte sich als weitschauender und großmütiger Sieger, denn er machte die Unterworfenen nicht zu Sklaven, sondern nahm sie in seine Stadt auf. Das ständig wachsende Rom konnte ja neue Ansiedler brauchen, und viele folgten der Einladung gerne, weil ihre bei den Festspielen entführten Töchter und Schwestern längst in der neuen Stadt eine Heimat gefunden hatten.

Noch aber stand als schwerste und gefährlichste Aufgabe die Auseinandersetzung mit den beleidigten Sabinern bevor. Titus Tatius, der König der Sabinerstadt Cures, hatte gesehen, wie leicht und überlegen Romulus den Angriff der drei Nachbarstädte zerschlagen hatte; klug und besonnen nahm er sich deren Unglück zur Lehre. So sehr sein Volk nach Rache verlangte – Titus Tatius ließ sich zu keiner Übereilung hinreißen.

Erst als alle Vorbereitungen mit voller Sorgfalt getroffen waren, rückte er an der Spitze seines riesigen Heerhaufens gegen die junge Stadt am Tiber. Romulus wußte allzu gut, daß er diesmal nicht so leichtes Spiel haben werde, und erwartete die Gegner in der Verteidigung.

KAMPF UM DAS KAPITOL

Ungehindert kamen die Sabiner bis vor den Kapitolinischen Berg, der mit seiner Burg die Stadt schützte; Befehlshaber der Burg war Spurius Tarpeius, ein tapferer Mann; er wußte, daß das Schicksal der Vaterstadt in seinen Händen lag, und war zum Äußersten entschlossen.

Aber seine Tochter Tarpeia wurde zur Verräterin. Während die Sabiner vor der Burg lagen und sich zum Angriff rüsteten, ging sie vor das Tor, um

Wasser zum Opfer zu holen. Ein paar Krieger des Titus Tatius griffen sie auf, behandelten sie freundlich und wagten schließlich die entscheidende Frage: „Willst du uns heimlich in die Burg einlassen, so geben wir dir einen Wunsch frei!" Tarpeia weigerte sich, etwas zu tun, was den Ihren schaden könne, aber dann blickte sie auf den herrlichen Schmuck, auf goldene Armbänder und edelsteinbesetzte Ringe, die die Sabiner am Arme trugen.

„Gebt mir zum Lohne, was ihr an der Linken tragt", erklärte sie schließlich zögernd, „so will ich euch einlassen!"

Die Sabiner versprachen sogleich, ihre Forderung zu erfüllen. Aber die treulose Tarpeia ahnte nicht, was sie dabei im Schilde führten.

Nachts öffnete sie ein geheimes Tor und ließ die Feinde in die Burg ein. Ein schreckliches Morden begann, als die Römer, völlig überrascht, zu spät zu den Waffen griffen. Bald waren die Sabiner im Besitz der Kapitolinischen Burg.

Aber als die Verräterin kam, um den versprochenen Lohn zu empfangen, rissen die Sabiner ihre Schilde, die sie über den linken Arm gestreift trugen, herunter: „Da hast du den ausbedungenen Lohn!" riefen sie Tarpeia zu und warfen die schweren Schilde auf sie, daß sie unter der Last zusammenbrach. Immer mehr Schilde häuften die Sabiner über sie und erfüllten so ihr Versprechen; die verratene Verräterin aber fand den verdienten Tod.

So waren die Sabiner Herren der Burg und standen in bedrohlicher Nähe der Stadt Rom gegenüber. Tags darauf rückte Romulus aus, um die Burg zurückzugewinnen. Zuerst hielten sich die Sabiner vorsichtig im Schutze ihrer Mauern, stürmten dann aber plötzlich vor und warfen sich auf die Römer. Mettius Curtius war ihr Führer; die Römer befehligte der tapfere Hostius Hostilius, einer der herrlichsten Helden jener Zeit.

Aber allzustark drängten die Sabiner vor, und obgleich Hostius immer wieder die Seinen um seine Feldzeichen sammelte, erlag der tapfere Mann schließlich doch der feindlichen Übermacht.

Als die Römer ihren Führer fallen sahen, ergriff sie Verzweiflung, und es dauerte nicht lange, so gerieten ihre Reihen ins Wanken. Bis auf die alten Tore des Palatinus ließen sie sich zurückwerfen.

5 Die kapitolinische Wölfin

6 Etruskische Totenstadt bei Cerveteri

7 Rest der republikanischen Mauer auf dem Capitol

Mit Entsetzen sah Romulus die verhängnisvolle Wendung. Sollte das das Ende der jungen Stadt sein, die unter so günstigen Aussichten – Auspizien sagten die Römer – emporgeblüht war? Er warf sich den Weichenden entgegen, aber auch ihn riß der Strudel mit fort.

Da hob er in seiner Not die Hände, in denen er seine Waffen hielt, zum Himmel: „Iupiter!" rief er; „Iupiter! Zu dir bete ich. Du hast die glückverheißenden Vögel geschickt, die mich deine Stadt gründen hießen. Laß den Feind, der unsere Burg durch Verrat genommen hat, nicht noch weiter vordringen! Hier gelobe ich, dir als dem Iupiter Stator einen Tempel zu errichten als Denkmal für die Nachwelt, daß deine Hilfe unsere Stadt errettet hat!"

So betete der König. Er war sicher, daß der höchste Gott sein Flehen erhört habe, denn sogleich erhob er die Stimme von neuem und donnerte seine Krieger an: „Steht, ihr Römer! Haltet stand! Iupiter befiehlt euch, den Kampf wieder aufzunehmen!"

Es war wirklich, als habe der Gott selber sein Volk mit himmlischer Stimme aufgerufen. Die Römer standen. Keinen Fußbreit mehr gaben sie preis. In der ersten Kampfreihe stand Romulus, ihr König.

Mettius Curtius, der Feldherr des sabinischen Königs, kam herangestürmt. „Wir haben sie besiegt, die feigen Gegner, die schamlos das Gastrecht verletzten!" schrie er triumphierend. „Wir haben ihnen gezeigt, welcher Unterschied ist zwischen Mädchenraub und Männerkampf!"

Da stieß Romulus mit seiner Truppe vor. So ungeheuer war ihr Ansturm, daß die Sabiner weichen mußten. Mettius Curtius, eben noch siegreich, wurde unterhalb des Tales in den Sumpf geworfen und entrann nur mit äußerster Not dem Tode.

Wieder wogte im Ringen der beiden Völker das Schlachtenglück hin und her. Wem würde es sich endgültig zuwenden? Die Römer schienen im Vorteil.

Da plötzlich stockte das Kampfgetümmel, denn mitten zwischen die Reihen der Kämpfenden und in das Schwirren der Geschosse stürzten sich in Scharen junge Frauen! Die von den Römern geraubten Sabinerinnen waren es, die ja der Anlaß zum Kriege geworden waren. Jetzt ließ die große Sorge sie alle weibliche Scheu vergessen. Mit aufgelösten Haaren und zerrissenen Kleidern drängten sie sich zwischen die Kämpfenden aufs Schlachtfeld und versuchten, sie zu trennen. „Wollt ihr als Schwiegerväter solche Blutschuld auf euch laden, die Väter unserer Kinder zu morden?" schrien sie nach der einen Seite. „Wollt ihr als Schwiegersöhne solche Blutschuld auf euch laden, die Väter eurer Ehefrauen zu morden?" wandten sie sich nach der anderen Seite. Längst hatten sie sich freudig mit ihrem Los abgefunden und waren treue Ehegattinnen der Römer geworden. „Wollt ihr von der Verwandtschaft nichts wissen, die inzwischen entstanden ist", so riefen sie den Kämpfern auf beiden Seiten zu, „dann wendet euren Zorn gegen uns, denn um unsertwillen wird ja der Krieg geführt, um unsertwillen werden hier Väter und Ehemänner erschlagen! Da ist es schon besser, wir selber finden den Tod, als daß wir als Witwen oder als Waisen weiterleben müssen!"

Tiefe Stille legte sich nach diesen Worten auf das Schlachtfeld, das eben noch von Waffenlärm und Kampfgeschrei widergehallt hatte. Beide Kriegsparteien waren im Herzen gerührt über diese Wendung.

Alsbald ruhten die Waffen. Von beiden Seiten traten die Feldherrn vor. „Wollen wir nicht lieber Frieden schließen?" sagten sie gleichzeitig. Sie bekräftigten die Eintracht durch einen Vertrag. Aber aus dem Friedensbündnis der beiden Völker wurde mehr: Man beschloß, Römer und Sabiner für ewige Zeiten zu einem einzigen Volk zu verbinden. Einen Staat und eine Regierung sollten sie haben – und die Hauptstadt solle Rom sein!

Dagegen nannten sich beide Völker von nun an nach der sabinischen Hauptstadt Cures mit dem gemeinsamen Namen Quiriten, um auch den Anteil der Sabiner am Werden des neuen Volkes zu würdigen.

So regierten zwei Könige, Romulus und Titus Tatius, in einträchtiger Doppelherrschaft nebeneinander. Römer und Sabiner waren ganz ineinander aufgegangen, und in bester Eintracht lebten auch die Frauen, die sich einst so sehr über den frechen Raub empört hatten, als Herrinnen und Stammütter des aufblühenden Staates. Romulus gab den dreißig Kurien, in die er die Stadt einteilte, die Namen von Sabinerinnen, um diesen für ihre Friedenstat zu danken und sie dafür zu ehren.

Aber nur kurze Zeit dauerte die gemeinsame Herrschaft der beiden Könige. Verwandte des Titus Tatius hatten Gesandte der Laurenter gekränkt, er aber hatte die Genugtuung verweigert. Aus Rache dafür wurde er ermordet, als er zu einer Opferfeier nach Lavinium gekommen war.

ROMULUS QUIRINUS

Dieser Tod seines Mitkönigs kam Romulus nicht ungelegen, denn nun fiel die Herrschaft ihm wieder allein zu. Das Volk rühmte die Milde und die weise Gerechtigkeit, mit der er regierte. Er war ein wahrer Vater des Vaterlandes. Er wußte, wie wichtig für ein Volk Gesetz und feste Ordnung sind.

Dreihundert der Senatoren, die auf Lebenszeit gewählt waren, walteten an seiner Seite ihres Amtes und waren mitverantwortlich für Roms Geschick.

Unermüdlich war Romulus für das Wohl der von ihm gegründeten Stadt tätig. Wenn sich Gefahr zeigte, stand er immer dort, wo sie am bedrohlichsten war. Bald schon sah er sich wieder gezwungen, um den Bestand seiner Stadt zu kämpfen, denn die Nachbarstadt Fidenae beobachtete mit Neid die großen Fortschritte, die die stetig anwachsende Stadt am Tiber machte. Die Fidenaten hielten es für das beste, den Römern einfach durch einen Krieg zuvorzukommen, und fielen in römisches Gebiet ein.

Romulus erwies sich als überlegener Feldherr, indem er die Feinde in einen Hinterhalt lockte, und seine Krieger zeigten dem Feinde deutlich, daß sie sich von niemandem den Rang ihrer Hauptstadt streitig machen ließen.

Nicht anders erging es den Einwohnern von Veii, die in römisches Gebiet einfielen. Romulus benötigte keine Kriegslist, denn seine Legionäre hatten nun schon so viel Kriegserfahrung, daß der Sieg nicht zweifelhaft war.

In seiner Stadt empfing König Romulus die Gesandten der Vejenter, die durch die verlorene Schlacht ganz gedemütigt waren und um Frieden baten. Er bewilligte ihnen einen Waffenstillstand auf hundert Jahre.

Siebenunddreißig Jahre hatte Romulus mit Kraft und in weiser Gerechtigkeit die von ihm gegründete Stadt regiert. Kein Römer zweifelte daran, daß er göttlicher Abkunft sei, so wunderbar erschienen alle seine Kriegs- und Friedenstaten. Besonders aber die Bürger, die mit ihm im Felde gewesen waren, hingen mit inniger Verehrung an ihm.

Eines Tages befahl König Romulus eine Musterung des Heeres auf dem Marsfelde beim Ziegensumpf. Ob er selber sein Ende herannahen fühlte? Er hatte sich einen Thronsessel aufstellen lassen und mochte wohl die Absicht haben, zu seinen Kriegern zu sprechen. Da entlud sich plötzlich der Himmel in einem furchtbaren Unwetter, die Elemente tobten, und im Zucken der Blitze krachten die Donnerschläge. Sturzregen prasselte hernieder, und im Nu war alles dunkel. Den König umhüllte eine dichte Nebelwolke.

In schrecklicher Bestürzung suchte jeder Schutz zu finden, bis sich endlich das Unwetter legte und der Himmel sich wieder hell und ruhig zeigte. Da, der Thronsessel des Königs war leer!

„In einer Sturmwolke ist er in den Himmel erhoben worden!“ riefen die, die ihm zunächst gestanden hatten. Wohl nahm die große Menge diese Erklärung willig hin, aber einige Mißtrauische glaubten dennoch, es sei bei dem plötzlichen Verschwinden ihres Königs nicht mit rechten Dingen zugegangen. Da trat Iulius Proculus vor die Versammlung, überirdischen Glanz auf seinem Antlitz.

„Romulus ist mir erschienen“, begann er, „schöner und strahlender, als ich ihn je erblickt habe, und im Schmucke flammender Waffenrüstung. Da wußte ich, daß er zu den Göttern entrückt ist, und ich fragte ihn betroffen, warum er uns in unserer Trauer allein lasse. ‚Es ist göttlicher Wille, mein Proculus, daß ich wieder dorthin zurückkehre, woher ich stamme. Mein Werk auf Erden ist vollbracht. Tu meinem Römervolke mein Vermächtnis kund: Es wird zur höchsten Macht emporsteigen, wenn es Tapferkeit und Mäßigung übt. Ich aber werde für immer als Schutzgott Quirinus über meinem Volke walten!‘ “

Da warf sich das Volk auf die Knie und betete zu seinem König, der nun zu den Unsterblichen gehörte, und gelobte ihm einen herrlichen Tempel.

NUMA POMPILIUS, DER FRIEDENSKÖNIG

Zu Romulus' Lebzeiten hatte niemand ihm seine Herrscherstellung streitig gemacht, so sehr überragte der gewaltige Mann, der göttlicher Herkunft war, alle seine Untertanen. Wer sollte nach seinem Tode Thron und Herrschaft übernehmen? Sollte es ein Mann aus latinischem Hause, sollte es einer aus sabinischem Stamme sein?

Roms Neubürger, die von sabinischer Abkunft waren, wollten einen König aus ihrer Mitte, denn nach dem Tode des Titus Tatius hatte Romulus ja viele lange Jahre den Thron allein innegehabt.

Die Patrizier nutzten nun ihre hohe Stellung, indem sie sich ein wertvolles Recht vorbehielten: Wenn das Volk einen König wählte, sollte die Wahl nur dann gelten, wenn sie von den Patriziern bestätigt wurde.

Damals lebte in Cures, der Stadt der Sabiner, ein hochangesehener Mann namens Numa Pompilius. Man achtete seinen frommen, tugendhaften Lebenswandel und sein tiefes Grübeln um den Sinn der Welt, das ihm schon vor der Zeit das Haar hatte ergrauen lassen. Er hatte in gottgefälliger Ehe mit Tatia, der Tochter des einstigen Königs, gelebt, aber seine Gattin war längst gestorben.

Als man diesen gottesfürchtigen Mann als König vorschlug, wagte keiner der Patrizier etwas einzuwenden. Zwar sahen sie es nicht gern, daß ein Sabiner die Herrschaft übernahm, aber es gab niemanden, der sich mit Numa hätte vergleichen können. So beschlossen die Väter einstimmig, ihm den Thron anzubieten.

Numa Pompilius, der seinen Namen nach seinem Vater Pompo trug, kam nach Rom. Aber er wollte das hohe Amt nicht übernehmen, ohne den göttlichen Willen aus dem Vogelflug zu erkunden, wie auch Romulus es einst getan hatte.

So ließ Numa sich von dem Priester, dem der Augurendienst unterstand, auf die Burg führen. Nach feierlichem Opfer wurden die Götter angerufen; Numa Pompilius setzte sich sodann, den Blick nach Mittag gewandt, auf einen Stein, während der priesterliche Vogelschauer mit verhülltem Haupte zu seiner Linken Platz nahm und mit seinem Priesterstab die Grenzen bezeichnete, innerhalb deren die Weissagung gelten sollte. Darauf legte er Numa die Hand aufs Haupt und betete: „Gib uns untrügliche Zeichen, Iupiter, ob dieser Numa Pompilius hier, dessen Haupt ich berühre, nach deinem Willen König von Rom werden soll!"

Wirklich zeigten sich die glückverheißenden Vögel: Die Götter hatten ihren Willen kundgetan!

Da legte der Gewählte das königliche Gewand an und erklärte sich bereit, den Thron zu übernehmen.

Aber Numa war nicht gewillt, nach Art eines Romulus die Herrschaft zu führen. Mochte die Tiberstadt durch Gewalt und Waffen gegründet worden sein: Numa wollte ihr ein zweiter Gründer werden durch die Einführung von Rechten und Gesetzen und ihre Bürger in der Religion und in guten Sitten unterweisen.

Deshalb war seine Hauptsorge, den Sinn seines Volkes auf den Frieden zu lenken. Er wußte, wie das Denken seiner Römer durch das Kriegshandwerk verwildert war und daß es seine Hauptaufgabe sei, seine Mitbürger zu milderer Gesinnung zu führen.

So war eine der ersten Amtshandlungen des neuen Königs, einen prächtigen Tempel für den doppelköpfigen Gott Ianus zu errichten. Eine Weihestätte wie zu den Zeiten des Königs Latinus sollte er sein, denn war der Tempel geschlossen, so besagte das dem Volke, daß Rom mit seinen Nachbarn in Frieden lebe; in Kriegszeiten dagegen solle er geöffnet werden.

Numa war glücklich, daß es ihm sogleich gelang, mit den Völkerstämmen außerhalb seiner Grenzen in Frieden und Eintracht zu leben und diesen Frieden durch Bündnisse und Verträge zu festigen. So konnte er den Ianustempel schließen; während der langen Zeit seiner Königsherrschaft mußte er ihn niemals wieder öffnen.

Mit der Verehrung des Gottes Ianus verband der weise König, der sich so viele Gedanken über den Lauf der Welt, über das Kreisen der Gestirne und das Werden und Vergehen alles Irdischen gemacht hatte, auch Kenntnisse über die Einteilung der Zeit. Er teilte das Jahr nach dem Umlauf des Mondes in zwölf Monate.

Würde das streitgewohnte Volk des Romulus aber ohne den Krieg und seine Gefahren und ohne Furcht vor den Feinden, die die Römer immer geeint hatte, würde es ohne die militärische Disziplin des Feldlagers nicht übermütig werden? Numa, der fromme Mann, wußte genau, daß nur rechte Gottesfurcht seine Römer zusammenhalten könne.

Im Volke raunte man sich ein seltsames Geheimnis zu: Der fromme, gottesfürchtige König habe sich mit einer Quellnymphe vermählt! Wirklich beobachtete man ihn, wie er nachts zum heiligen Hain schritt, und bald wußte jedermann, König Numa habe nächtliche Zusammenkünfte mit der gottgeborenen Quellnymphe Egeria. Von ihr, so sagte man, erhalte er seine Weisungen nach dem Willen der Himmlischen, den Gottesdienst auszubauen und die Priester zu berufen.

Den Gottesdienst leiteten seither die Priester, an deren Spitze der Pontifex Maximus stand. Auch die Beobachter des Vogelfluges, die Auguren, waren eine angesehene Priesterschaft; Numa gab ihnen eine neue Ordnung und lehrte sie, den Willen der Gottheit nach bestimmten Regeln zu erforschen.

Numa wußte, daß die Grundlage jedes Verkehrs der Menschen untereinander die Treue ist. Er weihte der Fides, der Treue, einen eigenen Tempel und ließ ihr zu Ehren jährlich ein großes Fest feiern, bei dem die Priester in würdevollem Umzuge auf einem geweihten Wagen fuhren und Staatsopfer darbrachten. Sie hielten die Hand bis an die Finger eingehüllt, um zu zeigen, daß man Treue bewahren und ihren Wohnsitz, das Innere der rechten Hand, rein und heilig halten müsse.

Auch dem Gotte Terminus errichtete Numa einen Tempel, denn ihm war fremdes Eigentum unverletzlich. Er wußte, was dieser Gott des Grenzsteins für sein Volk bedeutete. Die Grenze war ihm heilig und stand unter seinem besonderen Schutz. Numa führte das Fest der Terminalien ein, an dem die

Feldnachbarn mit ihren Hausgenossen am gemeinsamen Grenzstein zusammenkamen, um die Steine zu bekränzen und um dem Gotte zu opfern. Jeder Römer lernte von seinem König, daß es ein schimpfliches Verbrechen sei, einen Grenzstein heimlich zu versetzen.

Es war nicht verwunderlich, daß das Volk allen Weisungen seines Königs mit ehrfürchtiger Scheu folgte; es wußte ja, daß Numa durch den Mund der ihm anvermählten Nymphe den Willen der Himmlischen erfuhr und ihn verwirklichte. So vollzog sich eine eigenartige Wandlung in dem Römervolke: Die rauhen, an Gewalt und Krieg gewöhnten Menschen, die bisher nur das Recht des Stärkeren hatten gelten lassen, lernten nun, daß eine überirdische Gottheit am Tun und Lassen des Menschen Anteil nehme, sie lernten, daß man dem Lenker des Staates durch Treue und durch freiwilligen Eid verpflichtet sei, und fühlten sich nicht mehr nur durch Furcht vor Gesetzen und durch Strafen gebunden.

Numa Pompilius, ihr König, war ihr unantastbares Vorbild. Und seltsam – so wie das Römervolk sich wandelte in seiner Gesittung, so wandelte sich auch die Meinung der Nachbarn über das Volk des Romulus und des Numa in der Tiberstadt: Sie sahen, dort war nicht ein Kriegslager nur zu dem Zweck angelegt, Unfrieden im weiten Umkreis zu stiften, sondern eine Stadt mit Menschen voll gottesfürchtiger Scheu; sie erkannten, daß es geradezu Frevel sei, sich an einem solchen Volke zu vergreifen, das sich ganz dem Dienste der Götter widmete.

Das war Roms Anfang unter zwei Königen: Der erste ließ es stark werden durch kriegerische Macht, der andere aber durch friedliche Gesittung und Ehrfurcht vor dem Walten der Himmlischen. Unter Numas Herschertaten war die größte, daß er während seiner langen Regierungszeit den Frieden ebenso glückhaft zu bewahren wußte wie den Bestand des jungen Reiches.

Volle dreiundvierzig Jahre führte Numa Pompilius in Weisheit und gerechter Milde die Herrschaft über das Römervolk.

Als er im hohen Alter aus dem Leben schied, hinterließ er einen Staat, der in sich gefestigt war und stark – nicht durch Gewalt, sondern durch die Macht des Guten und des Friedens.

TULLUS HOSTILIUS, EIN ZWEITER ROMULUS

Aber Frieden und friedliche Gesittung scheinen nicht von Bestand zu sein unter den Menschen. Als der milde Numa Pompilius nach segensreicher Regierung verschied, dauerte es wieder eine ganze Weile, bis das Volk sich über die Wahl des neuen Herrschers einig wurde. Schließlich wählte es zu Numas Nachfolger einen Mann, der nichts von dieser milden, friedliebenden Wesensart hatte: Es erhob schließlich Tullus Hostilius auf den Thron, einen Enkel jenes heldenhaften Hostius Hostilius, der einst in der Schlacht gegen die Sabiner am Fuße der Kapitolinischen Burg den Tod gefunden hatte.

Der neue König war wild und aufbrausend wie Romulus, ungestüm in seiner Jugendkraft und voll Stolz auf den berühmten Kriegshelden, der sein Großvater gewesen war. Hatte Numa in seiner friedfertigen Milde das Römervolk zu sanfter Gesittung zu führen versucht, so war Tullus ganz anderer Meinung: „Behäbige, träge Ruhe tut einem Volke niemals gut", erklärte er hochfahrend den Patres, „denn solche Ruhe führt nur zur Kraftlosigkeit, zur Schwäche. Allein der Krieg erhält ein Volk gesund und stark!" Das war für den kraftsprühenden Mann höchste Herrscherweisheit.

Nicht verwunderlich war es also, daß der machtgierige König überall Anlaß zum Kriege suchte. Er sah es nicht ungern, daß seine Römer über die Grenzen vordrangen und auf albanischem Gebiete zu plündern begannen. Natürlich konnte es nicht ausbleiben, daß die Albaner bald zur Selbsthilfe griffen und dabei Gleiches mit Gleichem vergalten.

Nur darauf hatte Tullus gewartet. Denn als bei ihm Boten erschienen und die Plünderungen der Albaner meldeten, rüstete er sogleich mit großer Empörung eine Gesandtschaft aus: „Verlangt von Albas Patres Genugtuung für die Übergriffe", gebot er ihnen, „und entledigt euch meines Auftrages unverzüglich nach eurem Eintreffen in der Stadt!"

Diesen Befehl gab er nicht ohne Grund, denn er sah voraus, daß König Gaius Cluilius, der König von Alba Longa, zur selben Zeit Gesandte mit einer ähnlichen Aufforderung nach Rom senden werde. Mit Recht vermutete Tullus, man werde ihm in Alba die geforderte Genugtuung versagen. Das aber bedeutete Krieg – den Krieg, den er sich wünschte.

Tullus hatte richtig gerechnet. Bald erschienen aus Alba Longa Gesandte in Rom, aber sie nahmen ihren Auftrag nicht sonderlich ernst und ließen sich vom König leicht überlisten. Tullus bewirtete sie mit großer Gastlichkeit, behandelte sie freundlich und veranstaltete Fest auf Fest, daß sie den eigentlichen Zweck ihrer Reise fast vergaßen und sich's bei fröhlichen Schmausereien so wohl sein ließen, daß sie viele Tage lang gar nicht auf den Gedanken kamen, ihren Auftrag vorzubringen.

Inzwischen standen Tullus' Gesandte in Alba Longa vor dem König Gaius Cluilius. „Wir fordern Genugtuung für die frechen Grenzverletzungen eurer albanischen Landsleute", erklärten sie hochfahrend. Gaius Cluilius empfing sie mit königlicher Würde. „Ich habe den Römern nichts abzubitten", sagte er, „warum sollten denn unsere Landsleute mehr Schuld an dem Zwist haben als Roms Bauern?"

Nocheinmal brachten die Gesandten ihre Forderung in der Schärfe vor, wie Tullus es ihnen geboten hatte. „Da ihr uns die schuldige Genugtuung versagt", erklärten sie darauf, „so melden wir euch im Auftrage unseres Königs Tullus Hostilius, daß Krieg ist zwischen Rom und Alba Longa – auf den dreißigsten Tag von heute gerechnet!"

Mit dieser Nachricht kamen Tullus' Sendboten nach Rom zurück. Sogleich ließ er die fremden Gesandten vor sich kommen. „Schon lange haltet ihr euch in unserer Stadt auf und genießt unsere Gastfreundschaft", erklärte er ihnen kalt, „so laßt mich nun hören, welches der Zweck eurer Sendung ist!"

Gaius Cluilius' Gesandte ahnten nicht, was sich inzwischen ereignet hatte, und begannen unter vielen Entschuldigungen: „Sollte in unsern Worten irgend etwas sein, was dir, König Tullus, mißfallen könnte, so würde uns das sehr leid tun. Aber wir haben den Befehlen unseres Königs Folge zu leisten.

Wir sind gekommen, um uns rückerstatten zu lassen, was deine Römer unseren Landsleuten geraubt haben. Wenn du unserer Bitte nicht stattgibst, so haben wir Befehl, dir den Krieg zu erklären!"

Tullus zögerte nicht mit der Antwort: „Meldet eurem Könige folgendes: Roms König bittet die Götter, daß alles Elend, das aus diesem Kriege erwächst, das Volk treffen möge, das die Unterhändler zuerst abgewiesen hat!"

Mit dieser Meldung kamen Alba Longas Gesandte in ihre Stadt zurück.

So war der Krieg unvermeidlich. War es nicht fast ein Bürgerkrieg, solch ein Krieg zwischen Vätern und Söhnen? Beide Völker waren ja aus troischem Stamme, da Lavinium, Alba Longas Mutterstadt, von Aeneas gegründet war, und Rom wiederum seinen Ursprung von Alba aus genommen hatte!

Die Albaner suchten dem kriegslüsternen Tullus zuvorzukommen und fielen mit ihrem Heere ins römische Gebiet ein. Nur eine Meile von Rom entfernt, fast unter den Mauern der Stadt, schlugen sie ihr Kriegslager auf. Aber der greise Gaius Cluilius, der selber die Krieger anführte, war den Anstrengungen des Feldzuges nicht gewachsen und starb dort im Lager. An seiner Stelle übertrugen die Albaner für die Dauer des Krieges den alleinigen Oberbefehl an Mettius Fufetius.

„Die Götter haben ein sichtbarers Zeichen gegeben!" rief Tullus, als er vom Tode des feindlichen Königs hörte; „an dem Schicksal des Königs der Feinde haben sie uns zuerst gezeigt, daß sie das ganze albanische Volk für den ungerechten Krieg bestrafen werden!" Dann schritt er selber zur Tat und griff an. Kühn zog er dicht am Lager der Feinde vorbei – und fiel in ihr Gebiet ein. So blieb Mettius, dem albanischen Feldherrn, nichts übrig, als ebenfalls aufzubrechen und den Römern zu folgen. Er vermied es aber, die Schlacht zu eröffnen. Scheute er den Bruderkrieg?

Als er in Feindnähe war, schickte er Sendboten an den römischen König. „Was soll ich Gesandte anhören!" rief Tullus unwillig, als man ihm die Ankunft der Männer meldete; „ich habe mit den Albanern nichts zu verhandeln!"

Aber dann ließ der krieglüsterne König sich doch herbei, die albanischen Gesandten zu hören. „Unser Feldherr Mettius", begannen sie, „wünscht, sich mit dir zu besprechen, ehe es zu einer Schlacht kommt. Seine Vorschläge, so läßt er dir sagen, werden für die Römer nicht weniger wichtig sein als für uns Albaner."

„Ich bin nicht begierig darauf, Vorschläge eures Feldherrn zu hören", erklärte Tullus Hostilius ungerührt. An seinem Königszelt ließ er das Adlerzeichen aufpflanzen: Das war der Befehl, zur Schlacht auszurücken!

Bald standen die Heere einander kampfbereit gegenüber. Aber keiner entschloß sich, mit dem Blutvergießen zu beginnen. Scheute man auf beiden Seiten den Bruderkrieg?

DER KAMPF DER HORATIER UND DER CURIATIER

Aus den Reihen der Albaner trat Mettius Fufetius vor die Schlachtreihe. Tullus Hostilius schritt ihm entgegen.

„Wir kennen die Ursache dieses Krieges", begann der albanische Feldherr: „Beleidigungen und Grenzverletzungen, Abweisung der Gesandten, die das Geraubte zurückverlangten. Aber sind das nicht nur vorgetäuschte Gründe? Liegt nicht der wirkliche Grund, der zwei blutsverwandte, benachbarte Völker gegeneinander treibt, sehr viel tiefer? Ist es nicht die Herrschsucht, die uns die Waffen in die Hand gibt?"

Die Kämpfer auf beiden Seiten horchten auf, als der Albaner so offene Worte sprach.

Beschwörend fuhr er fort: „Bedenke doch nur eins, Tullus, was zu beherzigen ich dich bitte: Wenn Albaner und Römer sich im Bruderkrieg zerfleischen, so wird es nicht Sieger und Besiegte geben – denn lauernd stehen schon die Etrusker bereit, über die beiden vom Kampfe geschwächten Parteien herzufallen. Gilt es schon eine Auseinandersetzung um die Oberherrschaft, können wir da nicht einen Weg ohne Blutvergießen finden, um zu entscheiden, ob Rom oder Alba Herrin sein soll?"

Der streitsüchtige Tullus ließ nur ungern von der Schlacht; er hatte ja die sichere Hoffnung, der Sieg werde ihm zufallen. Aber einer so verständigen Vermittlung, wie Mettius sie hier vorbrachte, konnte er sich nicht verschließen. „Laßt uns einen Ausweg suchen", erklärte er bereitwillig, „der uns eine blutige Schlacht vermeiden läßt!"

Dieser Ausweg war schnell gefunden, weil der Zufall selber es günstig fügte. In den beiden Heeren dienten nämlich Drillingsbrüder, die sich an Lebensalter und an Kräften etwa entsprachen. Sie sollten als auserlesene Kämpfer der beiden Heere stellvertretend um die Entscheidung kämpfen.

Die „Horatier" nannten sich die römischen Drillinge nach ihrem Vater Horatius, die drei albanischen nach ihrem Vater Curiatius die „Curiatier".

Mit feierlichen Gebräuchen schlossen die Fetialen, die Bundespriester der beiden Parteien, den Vertrag: Wer aus diesem Kampfe als Sieger hervorgehe, dessen Volk solle in Zukunft die Oberherrschaft haben.

Der wortführende Priester stand am Altar. Hoch in der Rechten hielt er einen mächtigen Stein; ein Schwein lag vor ihm, zur Opferung bereit. „Iupiter, blick zu uns herab! So wie ich unser Opfertier, dieses Schwein hier, zu Tode treffe, so triff du mit deiner gewaltigen Hand, wer den Vertrag unserer Völker zu verletzen wagt! Ja, triff ihn noch heftiger!" Damit ließ er die erhobene Faust niedersausen, daß das Tier vor ihm zusammenbrach.

Dann traten die auserwählten Kämpferpaare einander gegenüber. Zu beiden Seiten standen die Heere voll gespannter Erwartung, hüben die Römer, drüben die Albaner. „Auf in den Kampf!" tönte es ringsum. „Auf zum Sieg!"

„Wir blicken auf euch und eure Waffen, auf eure starken Arme!" so rief man ihnen auf der Albanerseite zu. „Alle blicken auf euch – die Götter unserer Stadt, das Vaterland, eure Eltern, alle Bürger, die daheimgeblieben sind!" so riefen die Römer.

Immer lauter wurden die Zurufe, die über das Kampffeld schallten. Ging es doch hier um die Oberherrschaft über beide Völker, die von der Tapferkeit und von dem Kampfglück dieser wenigen Kämpfer abhing.

Die Herolde gaben das Zeichen. Die Speere zum Stoß gesenkt, so stürzten die Kämpfer aufeinander los, in Schlachtreihe geordnet, als stünde hinter ihnen das ganze Heer ihres Volkes. Keiner dachte daran, sich zu decken, keiner dachte an Gefahr – nur an das große Ziel, für das sie kämpften.

Schon war man im Handgemenge, schon blitzten die Schwerter. Den Zuschauern schien der Atem zu stocken; in die unheimliche, lautlose Stille klang des Getöse der Schwerthiebe der Kämpfer.

Da – im Funkeln der Waffen floß Blut! Der erste Albaner war verwundet, jetzt der zweite, jetzt auch der dritte! Voller Erbitterung ging der Kampf schonungslos weiter. Da – der eine Römer warf die Arme in die Höhe und stürzte entseelt zu Boden! Jetzt – jetzt brach sein Bruder, der zweite Horatier, sterbend über seiner Leiche zusammen.

Ein wilder Schrei brach aus dem Munde der Albaner, Freude über den Fall der Gegner, jubelnder Triumph brauste über das Schlachtfeld bei diesem Sieg ihrer Curiatier. Entsetzt blickten die Römer auf ihren Mann, der – wenn auch unverwundet – nun allein den drei curiatischen Brüdern gegenüberstand.

Aber Publius, den überlebenden Horatier, verließ nicht die ruhige Besinnung. Dreien zugleich war er nicht gewachsen, das wußte er, doch jedem einzelnen fühlte er sich an Kampfkraft überlegen. So griff er zu einer List, um die drei Gegner zu teilen: Plötzlich wandte er sich zur Flucht. Es war ja zu erwarten, daß ihn die drei Curiatier in ihrem blinden Kampfeseifer verfolgen würden, soweit es ihnen ihre Verwundungen erlaubten.

Publius Horatius hatte richtig gerechnet, denn als er nach einer Weile hinter sich blickte, folgten ihm die drei Albaner in weiten Abständen; der erste war ihm jedoch dicht auf den Fersen.

Da hielt der Römer im Lauf inne. Wild rannte er gegen den Verfolger an. „Dem Bruder zur Hilfe!" schrien die albanischen Zuschauer den beiden nachfolgenden Curiatiern zu. Aber ihre Wunden hatten sie zu sehr geschwächt. Schon hatte der Horatier seinen ersten Gegner besiegt.

Aus tausend Kehlen brach jetzt das Triumphgeschrei der römischen Legionäre, während sich der siegreiche Horatier unverzüglich auf den zweiten Verfolger stürzte. Vergeblich versuchte dessen Bruder, Hilfe zu bringen – auch der zweite Mann aus Alba fiel unter Publius Horatius' Schwertstreichen.

Nun war die Zahl der Kämpfer gleich – Mann stand gegen Mann. Aber auf der einen Seite stand ein unverwundeter Römer, voller Kampfesmut nach seinem doppelten Siege, auf der andern ein Schwerverwundeter, der sich keuchend mit letzter Kraft heranschleppte. Das war kein gleicher Kampf mehr, das war nur noch heldenhafte Aufopferung.

Triumphierend stand der Römer vor ihm: „Zwei Gegner habe ich den Manen meiner gefallenen Brüder geweiht“, so rief er, „den dritten opfere ich für die Entscheidung dieses Krieges! Damit mache ich die Römer zu Herrschern über Alba!“ Sein Schwert traf auch den letzten Gegner zu Tode; Publius hatte den Curiatier getötet, der mit seiner eigenen Schwester Horatia verlobt war. Aber bittere Pflicht war es ja, die ihm das Schwert geführt hatte für den Sieg seiner Vaterstadt.

Nach dem Recht des Siegers nahm Publius dem Gefallenen die Rüstung.

Unendlicher Jubel brauste in den Römerreihen auf; in tiefer Bedrückung sahen sich die Albaner unter fremde Herrschaft gegeben. Aber getreu dem Vertrage, den man beschworen hatte, trat der Feldherr Mettius vor den siegreichen Gegner. „Die Götter haben sich für Rom entschieden, König Tullus“, erklärte er schlicht; „ich erwarte deine Befehle.“

Tullus Hostilius wollte es dem Unterlegenen nicht zu schwer machen. „Halte dein Heer unter Waffen“, sagte er; „wenn es Krieg gegen Veii geben sollte, so wollen wir Römer und Albaner zusammenstehen!“

Dann ging man an die traurige Aufgabe, die Gefallenen zu bestatten. An der Stelle, wo sie den Tod im Kampfe gefunden hatten, senkte man sie in die Erde, die beiden römischen Helden nebeneinander mit dem Blick auf Alba, die drei albanischen näher nach Rom, aber voneinander entfernt, wie sie den letzten Kampf gekämpft hatten.

Dann rückten die Heere ab. An der Spitze der Römer schritt Publius Horatius mit den erbeuteten Rüstungen seiner drei erschlagenen Gegner. Vor dem Tore warteten freudig die Landsleute, um den Sieger zu empfangen.

Unter ihnen stand auch seine Schwester Horatia. Welche Gefühle mochten die Jungfrau beseelen, deren Verlobter von der Hand ihres eigenen Bruders erschlagen worden war?

Nun sah sie Publius daherschreiten, über der Schulter den blutbefleckten Kriegsmantel des Bräutigams, den sie selber angefertigt hatte. Da brach ihr Schmerz sich Bahn; verzweifelt raufte die Jungfrau sich das Haar. – „Mein geliebter Curiatius, mein Bräutigam!" so schrie sie, während ihre Tränen rannen.

Welch bitterer Gegensatz: diese herzzerreißende Trauerklage inmitten der allgemeinen Freude über den herrlichen Sieg! Außer sich in seinem Zorn riß Publius Horatius sein Schwert aus der Scheide und stürzte sich auf die Schwester. „Fahr dahin mit deiner unseligen Liebe! Wie kannst du deine drei Brüder, die beiden Gefallenen und den Lebenden, darüber vergessen?!" Und dann geschah das Schreckliche. „So soll jede Römerin sterben, die einen Feind betrauert!" schrie Publius – und stieß der Schwester das Schwert ins Herz. Eine furchtbare Bluttat war geschehen.

Die ganze Härte des Gesetzes mußte den Schuldigen treffen. Doch fiel sein großes Verdienst um den Staat nicht zu seinen Gunsten in die Waagschale?

Man stellte den Horatier vor das Gericht des Königs. Aber Tullus sah, wie unendlich schwer hier die Entscheidung war, und ließ das Volk zur Versammlung rufen. „Ich übertrage den Prozeß auf einen Zweimännerrat", erklärte er, „wie das Gesetz es vorschreibt."

Die Duumvirn waren an die Strenge des Gesetzes gebunden. Der eine trat vor: „Publius Horatius", sagte er, „ich klage gegen dich auf Totschlag. Du wirst zum Tode am Galgen verurteilt. Liktor, geh und binde ihm die Hände!"

Schon tat der Liktor, was seines Amtes war, und warf dem Verurteilten den Strick um. Da machte Horatius von dem Einspruchsrecht Gebrauch, das das Gesetz jedem Verurteilten zusprach: Er legte Berufung ein und wandte sich damit an das Volk selbst.

Das Volk von Rom hatte ein Herz für den Mann, der der Stadt einen solch herrlichen Sieg errungen hatte; es ließ sich vollends bestimmen, als der greise Vater vor die Volksversammlung trat.

Herzergreifend waren die Worte, die der Alte vor der Volksversammlung sprach: „Ich erkläre, ihr Quiriten", rief er, „daß meine Tochter zu Recht den

Tod gefunden hat. Wäre das nicht der Fall, so würde ich selbst kraft der väterlichen Gewalt, die über Leben und Tod entscheiden kann, über meinen Sohn zu Gericht sitzen!"

Die Menge blickte voll Bewunderung auf den Mann, der solche Römertugenden zeigte, und voll Teilnahme auf den gramgebeugten Vater. „Noch vor wenigen Stunden", fuhr der alte Horatius fort, „habt ihr mich, gesegnet mit vier trefflichen Kindern, gesehen. Zwei Söhne und eine Tochter habe ich dahingeben müssen. Wollt ihr mir jetzt mein letztes Kind entreißen?"

Weinend umarmte der Vater vor allem Volke seinen verurteilten Sohn und zeigte auf die Beuterüstungen der Curiatier: „Wollt ihr, Quiriten", rief er, „daß der Mann, den ihr eben noch im Glanze des Sieges einherschreiten saht, jetzt schmählich am Galgen endet? Von solch einem Schauspiel würden sich selbst die Albaner abwenden!"

Mit unbewegtem Gesicht folgte der junge Publius Horatius der Verhandlung. Er war sich seiner Schuld bewußt, zu der ihn die Raserei geführt hatte; gefaßt erwartete er das Urteil.

Der Alte aber steigerte sich in immer stärkere Erregung: „Heran, Liktor!" schrie er, „fessele ihn, fessele jene Hände, die eben noch mit den Waffen in der Hand unserm Volke die Freiheit erkämpften! Peitscht ihn aus wie einen Verbrecher und führt ihn zur Hinrichtung – an die Stelle vor dem Tor, wo er seine Heldentat vollbracht hat!"

Das Volk, bei dem die Entscheidung lag, urteilte nicht nach dem Gesetz, sondern nach Herz und Gefühl. Konnte man den Tränen des gramgebeugten Vaters widerstehen? Mußte die mannhafte Haltung des Schuldigen nicht jedermann höchste Achtung abverlangen? „Freispruch!" klang es aus den Reihen der sich drängenden Menge, und immer lauter: „Freispruch für Publius Horatius!"

Aber dem Recht mußte ja Genüge getan werden, und so fand man einen Ausweg. Sinnbildlich wurde die Strafe an Publius Horatius vollzogen. Er mußte mit verhülltem Haupte unter einem Querbalken hindurchschreiten, als handele es sich um den Galgen. So machte diese Verurteilung deutlich, daß auch der hochverdiente Volksheld dem Gesetz untersteht.

Noch lange zeigte man späterhin in Rom dieses Holz, das als „Schwesternbalken“ in der Erinnerung fortlebte. An der Stelle aber, wo die unglückliche Jungfrau zu Tode getroffen niedergesunken war, errichtete man ihr Grabmal.

STETIGES WACHSTUM

Der Friede, der dem Kampf der Horatier gegen die Curiatier folgte, sollte nicht von Dauer sein, denn das stolze Volk von Alba Longa empfand sein Schicksal als Demütigung und war nicht bereit, sich dreinzufügen. „Wie konnte Mettius, unser Feldherr, den Bestand des ganzen Staates in die Hände von nur drei Männern legen?“ Immer wieder konnte man diesen Vorwurf aus den Reihen der Albaner vernehmen.

Mettius tat alles, um die Gunst des Volkes zurückzugewinnen. Wie er sich vorher im Kriege für den Frieden eingesetzt hatte, so betrieb er jetzt im Frieden den Krieg – den Krieg gegen die Römer, denen er durch ein feierlich geschlossenes Bündnis verpflichtet war.

Geschickt wußte er den Schein zu wahren. Während er den Römern gegenüber Vertragstreue heuchelte, hetzte er Veii und Fidenae, die Romulus einst besiegt hatte, gegen die Römer auf und versprach ihnen in geheimen Abmachungen seine Waffenhilfe. Im entscheidenden Augenblick der Schlacht werde er die Römer verlassen und die Waffen gegen sie kehren.

Der treulose Mettius schien mit seinem Plan Erfolg zu haben. Denn bald rückten die beiden Städte Veii und Fidenae mit ihrer Heeresmacht gegen Rom vor. Sogleich schickte Tullus seine Gesandten zu Mettius und ließ die Albaner zum Kampfe aufbieten. Gemeinsam zogen die Krieger von Rom und Alba gegen die Eindringlinge. Noch ahnte Tullus nichts von dem Verrat.

Doch wie entsetzt war er, als im Angesicht der feindlichen Schlachtordnung ein Reiter angejagt kam und ihm die Schreckensbotschaft zurief: „Die

Albaner rücken ab!" Sie hatten wirklich den Platz verlassen, den ihnen Tullus, der den Vejentern gegenüberstand, zugewiesen hatte; denn sie sollten die Fidenaten angreifen.

König Tullus wußte, was jetzt auf dem Spiele stand. Sollte er am Treubruch der Albaner scheitern? „Kehre sogleich auf deinen Platz im Gefecht zurück!" rief er dem Reiter mit Donnerstimme zu, daß selbst die Feinde ihn hören konnten; „das glaubst du mir melden zu müssen! Unsere Bundesgenossen, die Albaner, sind doch auf meinen Befehl hin abgeschwenkt!"

Die Geistesgegenwart des Königs rettete die Lage. Denn nun glaubten die Feinde wiederum, Mettius mit seinen Albanern habe sie betrogen, und verloren allen Mut. Nicht lange dauerte es, so zogen sie sich in wilder Flucht zurück. Die Römer verfolgten sie und hielten blutige Ernte unter den Feinden.

Schrecklich aber war die Rache, die Tullus an dem treulosen Mettius vollzog. Denn als dieser den Römerkönig heuchlerisch zu seinem Siege beglückwünschte, wurde er auf Tullus' Befehl ergriffen und zum Tode verurteilt. „Mettius ist der Anstifter des ganzen Verrates!" rief Tullus in seinem Zorne; „wie er zwischen Rom und Fidenae geschwankt hat, so soll jetzt sein Leib nach entgegengesetzten Seiten gezerrt werden!" Mettius wurde von acht Pferden zerrissen.

Inzwischen waren schon Tullus' Reiter nach Alba unterwegs, um die Bewohner umzusiedeln. Alle erhielten Befehl, ihre Heimatstadt zu verlassen und mit Weib und Kind nach Rom zu ziehen. Die stolze Bergstadt Alba Longa, die vier Jahrhunderte geblüht hatte, ging unter in Brand und Asche.

Rom war jetzt Herr über ganz Latium. Alba Longas Einwohner bezogen den Hügel Caelius, der bisher unbewohnt geblieben war. Wieder wurde Roms Ringmauer größer, wieder hatte die Stadt des Romulus an Stärke und Macht zugenommen. Die Zahl der Bevölkerung verdoppelte sich, und der Zuwachs kam besonders der Kriegsmacht zugute, denn Tullus brachte die Reiter auf die doppelte Zahl, indem er zu den bisherigen zehn Schwadronen zehn neue albanische hinzufügte. Auch die patrizischen Familien vermehrte er, denn er nahm die vornehmsten albanischen Geschlechter mit in das Patriziat auf.

Über drei Jahrzehnte hatte der starke Tullus Hostilius das Zepter geführt. Hatte er recht getan, auf Numas milde Regierungszeit des Friedens wieder die Waffen sprechen zu lassen? Als eine schwere Seuche das Land befiel, begann das Volk zu murren, weil es darin ein göttliches Strafgericht sah. Auch den König selber erfaßte die Seuche. Immer größer wurde die Sehnsucht des Volkes nach den Zuständen, wie sie einst unter Numa geherrscht hatten.

Tullus Hostilius, von der Krankheit geheilt, bemühte sich nun in seinem hohen Alter, es dem vom Volke so sehr verehrten Numa gleichzutun und der Gottheit zu dienen. Aber Iupiter sah in solchem Unterfangen eine Lästerung seines göttlichen Wesens, und in seinem Zorne schleuderte er auf König Tullus Hostilius, der ein Leben lang dem Krieg gedient hatte, einen Blitz, der ihn mitsamt seinem Hause verbrennen ließ.

ANCUS MARCIUS

Es ist schon seltsam, wie das Leben in Wellen verläuft. Auf den kriegerischen Romulus war Numa, der milde Friedensfürst, gefolgt, auf diesen wiederum das Ebenbild des Romulus, der kampflüsterne, aufbrausende Tullus Hostilius. Und sein Nachfolger?

Das Volk wählte nach der Zeit der Zwischenherrschaft Numas Enkel Ancus Marcius, der wiederum ganz in Numas Geiste regierte. Wie Roms zweiter König war er gerade das Gegenteil seines Vorgängers, war friedlich und gottergeben und darauf bedacht, das Volk zum rechten Lebenswandel zu führen.

Aber die politischen Verhältnisse waren stärker als sein ehrlicher Friedenswille. Vejenter und Latiner, Sabinerstämme und Fidenaten glaubten, leichtes Spiel mit ihm zu haben, und zwangen ihm das Schwert in die Hand. Schnell zeigte er ihnen, daß Milde und Gottesfurcht nicht Schwäche bedeuten. Die Götter waren mit dem friedliebenden König, der nur widerwillig Gewalt der Gewalt entgegensetzte, und schenkten ihm Schlachtenglück und Sieg. Ancus wollte keine fortdauernde Feindschaft, und nach dem Beispiel seiner Vorgänger behandelte er die Besiegten mit Milde. Aber sie mußten sich in Rom ansiedeln und Römer werden. So entstand auf dem Aventinischen Hügel ein neues Stadtviertel, und damit wurde ein fünfter Hügel in Roms mächtige Ringmauer einbezogen.

Jenseits des Tibers lag der Berg Ianiculus. „Wir dürfen es nicht so weit kommen lassen", erklärte der König in klarer Voraussicht, „daß sich auf dieser Anhöhe einmal Feinde festsetzen." So verband er den Berg mit der Stadt, nicht nur durch eine Mauer, sondern auch durch eine kunstvolle Balkenbrücke.

Aber mit der mächtig wachsenden Volkszahl wuchs für den König auch die Sorge um die Ernährung so vieler Menschen. Das Land allein konnte nicht genug Nahrung spenden. Längst gingen Ancus' Blicke über die Grenzen der Hügelstadt in weitere Ferne: Roms Zukunft, so erkannte er, lag auf dem Tiber und auf dem Meer. So tat er einen kühnen Schritt: An der Tibermündung, wo einst Aeneas seine Irrfahrt beendet hatte, erbaute er eine Hafenstadt; Ostia nannte er sie nach ihrer Lage, denn „Ostium" heißt „die Mündung". Immer zielsicherer wuchs die Tiberstadt des Romulus ihrer Sendung entgegen, wie einst Iupiter dem göttlichen Aeneas verheißen hatte: Rom solle das Haupt der Welt werden.

LUCUMO UND TANAQUIL

Um jene Zeit stand in der Stadt Tarquinii im Etruskerlande der reiche Lucumo vor seiner schönen Frau. „Ich ertrage nicht länger diese Nichtachtung, die man dir entgegenbringt!" rief sie erregt; „ich ertrage nicht länger die Demütigung, daß meine etruskischen Landsleute in dir immer nur den landfremden Flüchtling sehen!"

Die schöne Tanaquil stammte aus ältestem, vornehmem Etruskergeschlecht. Brennender Ehrgeiz erfüllte die Frau, und nie würde sie sich damit abfinden, daß die Stellung des Mannes, den sie geheiratet hatte, geringer war als ihr eigener Familienadel.

Lucumo war zwar in Tarquinii geboren und hatte eine Etruskerin zur Mutter, aber die Einheimischen ließen es ihn allzusehr fühlen, daß sein Vater Demaratus als Flüchtling aus der griechischen Stadt Korinth eingewandert war, um hier eine neue Heimat zu suchen. Gewaltig war das Vermögen, das Demaratus seinem Sohn als Erbe hinterließ, mächtig auch das stolze Selbstvertrauen, das er ihm durch diesen Reichtum verlieh. Die schöne, vornehme Tanaquil, die Lucumo die Hand zum Ehebund reichte, würde ihm helfen, seine hochfliegenden Pläne zu verwirklichen.

So hatte der ehrgeizige Mann gedacht. Den Etruskern aber war Lucumo auch als Sohn einer Etruskerin und als Gatte einer Etruskerin der Fremde, der Zugewanderte geblieben.

„So sehr ich meine Heimat liebe“, rief Tanaquil, „uns bleibt nichts übrig, als sie zu verlassen, wenn du zu Ruhm und Ehren aufsteigen willst! Wir müssen von Tarquinii fortziehen.“

Lucumo nickte. Auch er sah keinen anderen Ausweg, als in der Fremde sein Glück zu versuchen.

„Rom erscheint mir der beste Platz für unsere Absichten“, fuhr Tanaquil voll Eifer fort; „in einem neuen Volke, wo aller Adel noch jung ist und nur durch Verdienst erworben wird, da wird ein tatkräftiger, tüchtiger Mann, wie du es bist, sich schon durchsetzen. Sieh doch nur: Tatius kam aus dem Sabinerlande und wurde König in Rom, Numa hat man von Cures auf den Thron gerufen, und selbst Ancus, der jetzt König ist, ist der Sohn einer Sabinerin. Warum soll dir, mein Lucumo, dort nicht das Glück blühen?“

Das Ehepaar war sich einig in seinen ehrgeizigen Plänen. Bald waren die beiden auf dem Wege nach Rom, wo sie sich ihr Lebensglück erhofften.

Der Reisewagen rollte durch die italische Landschaft. Schon tauchte vor ihnen Roms Vorwerk, der Ianiculus, auf. Jenseits des Tiberstromes lag die junge Stadt. In diesem Augenblicke stieß ein Adler aus der Höhe hernieder, schwebte leicht über den Wagen hin und entführte dem Manne, der darin saß, den Hut. Unter gellendem Schreien flog der majestätische Vogel dann hin und her, kreiste in weiten Bogen über dem Reisewagen und – setzte dem Manne den Hut wieder aufs Haupt. Dann stieß der Adler in die Luft empor und entschwand den Blicken der beiden Reisenden.

So natürlich war alles geschehen, als sei der Vogel Iupiters nur zu diesem seltsamen Tun vom Himmel gesandt.

Lucumo blickte in fassungslosem Staunen auf seine Begleiterin. Aber Tanaquil erwiderte diesen fragenden Blick voller Freude. „Der Himmel offenbart dir Großes mit dieser Erscheinung, mein Lucumo!" rief sie und umarmte den Gatten innig. „Iupiters Vogel will in dir die Hoffnung auf die höchste Würde erwecken, die es unter den Menschen gibt, denn er ist als der Bote des Gottes gekommen."

Glücklich und voller Vertrauen vernahm Lucumo diese Auslegung, denn er wußte ja, daß seine Frau wie viele Etruskerinnen die Gabe besaß, göttliche Offenbarungen zu deuten.

In solchem Bewußtsein und voller Zukunftshoffnungen fuhren die beiden in Rom ein. Dort, in der jungen, aufblühenden Stadt gab es keinen demütigenden Unterschied zwischen Einheimischen und Fremden, dort war jede helfende Hand willkommen, und Tatkraft bahnte jedem den Weg. Aber nicht weniger wichtig war das ungeheure Vermögen an Gold und kostbaren Münzen, das der Zugewanderte mit nach Rom brachte. Sogleich kaufte er wertvollen Landbesitz in der Stadt. Als man ihn nach seinem Namen fragte, gab er selbstbewußt zur Antwort: „Lucius Tarquinius!" So hatte er auf Tanaquils Anraten seinem griechischen Namen die römisch klingende Form gegeben. Er sollte bald einen besonderen Klang in der Tiberstadt gewinnen. Es konnte nicht fehlen, daß Ancus Marcius auf den begüterten Neubürger schon nach kurzer Zeit aufmerksam wurde, der seinen Wohlstand voll Uneigennützigkeit dazu verwendetete, anderen zu helfen. Jedermann rühmte Tarquinius' entgegenkommendes Wesen, jedermann wußte Gutes von ihm zu berichten, und bald war er ein gerngesehener Gast am königlichen Hofe – bald sah Ancus Marcius in ihm einen vertrauten Freund. An allen Staatsberatungen, ob sie öffentlich oder geheim waren, nahm der gewandte, kluge und feingebildete Lucius teil, und als der König aus dem Leben schied, hatte er im Testament seinen besten Freund zum Vormund seiner Söhne eingesetzt.

Vierundzwanzig Jahre hatte Ancus Marcius über das Römervolk regiert. Wunderbar hatte er es verstanden, verdienten Kriegsruhm mit den Wohltaten des Friedens zu Roms Verherrlichung zu verbinden.

Wer sollte nun Nachfolger des verstorbenen Königs werden?

Tarquinius erwies sich nicht als redlicher Vormund. Als man zur Wahl schritt, waren wohl viele Stimmen vernehmbar, die sich für den freigebigen, vielgewandten Tarquinier einsetzten, doch die Kurien waren dafür, einem der beiden Königssöhne das Reich anzuvertrauen. Aber Lucius verstand es, die Wahl zu seinen Gunsten zu wenden. Er hatte darauf gedrängt, die Wahlen so früh wie möglich abzuhalten. Um aber die beiden Königssöhne davon fernzuhalten, sandte er sie unmittelbar vorher auf die Jagd. Die List gelang, und während sich die beiden Jünglinge draußen vor den Toren ahnungslos vergnügten, verstand es Tarquinius, das Volk auf den geeignetsten Bewerber für den verwaisten Königsthron hinzuweisen, und dieser Bewerber war er selber, Lucius Tarquinius!

Einstimmig wählte ihn das Volk zum Herrscher der Tiberstadt, zum fünften König Roms nach Romulus.

KÖNIG TARQUINIUS

Hatte Tarquinius auch durch unredliche Mittel den Thron gewonnen, so sollte das Römervolk diese Wahl doch nie zu bereuen brauchen. Denn in den Abwehrkämpfen, die Rom wieder einmal gegen die Nachbarn zu bestehen hatte, führte Tarquinius seine Krieger wie ein vielerfahrener Feldherr. Am Anio wurden die Sabiner ihm einmal durch die Truppen gefährlich, die über die Brücke des Flusses nachrückten; da schickte der König eine Abteilung seiner Krieger stromaufwärts, wo gefälltes Holz in Fülle lag, ließ dieses auf Flöße werfen, in Brand stecken und gegen die feindliche Brükke treiben. Der Wind kam den Flammen zu Hilfe, zerstörte die Brücke und zeigte den Römern, daß die Götter auf ihrer Seite standen. Jubelnd begrüßten die Krieger die wohlgelungene List ihres Königs.

So führte Tarquinius seine Truppen von Sieg zu Sieg, und als er dann an die Friedensaufgaben ging, in denen er schon dem Ancus Marcius beratend zur Seite gestanden hatte, offenbarte er auch hier seinen hochfliegenden Geist.

Wo vorher zwischen den Hügeln der Tiberstadt fieberbergende Sümpfe sich ausbreiteten, schuf der kühne, der Zukunft zugewandte König trockenes, gesundes Land und bannte damit die gefährlichen Krankheiten. Gewaltige Abzugskanäle ließ er anlegen, mit mächtigen unterirdischen Gewölben, deren Hauptkanal man die Cloaca Maxima nennt.

Wie Tarquinius bald nach seinem Einzug in Rom die Bürger durch seine Freigebigkeit zu gewinnen verstand, so jetzt als König durch seine Prachtbauten. Er wußte, wie sehr das Volk nach des Tages Arbeit fröhliche Entspannung verlangt, und schuf ihm hier die öffentlichen Spiele, eine großartige Stätte der Belustigung. Circus Maximus nannte man die gewaltige Rundanlage, die in Kreisform und nach hinten ansteigend angelegt war und mehr als sechzigtausend Zuschauern Platz bot. Groß war der Jubel, wenn hier die Wettkämpfer um die Arena jagten und wenn die Schwertkämpfer, die er aus dem Etruskerlande kommen ließ, einander auf Tod und Leben gegenüberstanden.

Im Sabinerkriege hatte Tarquinius dem Iupiter einen Tempel gelobt, wenn er ihm den Sieg schenke. Er führte sein Gelübde getreulich aus: Auf dem Kapitol erhob sich, hoch über die Tiberstadt hinwegblickend, der Tempel – so gewaltig, wie es der künftigen Weltstadt entsprach; Tarquinius ahnte prophetisch Roms majestätische Größe voraus.

DER JUNGE SERVIUS

Als der König eines Tages an Tanaquils Seite durch die Vorhalle seines Palastes schritt, sah er dort einen Jungen schlafend liegen. Aber – welch ein Wunder! – aus dem Haar schlugen plötzlich helle Flammen, die dem Schläfer jedoch kein Leid antaten.

„Wer ist der Junge?" fragte Tarquinius betroffen, während ein Diener Wasser zum Löschen herbeibrachte.

„Er heißt Servius Tullius und ist der Sohn einer Sklavin", versetzte Tanaquil schnell. Aber dann hielt sie den Diener zurück. „Laßt euer Geschrei!" gebot sie, „und laßt den Jungen ungestört, bis er von selber erwacht!" In diesem Augenblick öffnete der junge Sklave die Augen und blickte verwirrt um sich; da erloschen auch schon die züngelnden Flammen.

Tanaquil, die als Etruskerin die Gabe besaß, die Vorzeichen zu deuten, trat neben ihren Gatten: „Tun wir nicht Unrecht, diesen begnadeten Jungen in solch demütigender Sklavenstellung zu belassen? Das Zeichen, das wir an ihm sahen, offenbart mir Großes: Er wird uns ein Licht werden in dunklen Tagen und dem Königshause ein Retter in der Not!"

Tarquinius folgte dem Rate seiner Gattin und ließ den Sohn der Sklavin – am Hofe raunte man sich zu, sie sei in Wirklichkeit eine Königstochter aus einer der besiegten latinischen Städte – wie sein eigenes Kind halten und gab ihm eine sorgfältige Erziehung und Ausbildung in den Weisheiten des Römervolkes und in der Kunst der Staatsführung.

Der junge Servius lohnte diese Wohltat aufs beste, denn er zeigte in allem echt königliche Eigenschaften. Für König Tarquinius war es nicht zweifelhaft, wer einst sein Nachfolger werden würde.

Auch die Väter und das Volk blickten voller Achtung auf den Schwiegersohn des Königs. Das war Servius nämlich inzwischen geworden, denn

König Tarquinius, dessen Tochter herangewachsen war, hatte für sie keinen besseren Gatten finden können als seinen angenommenen Sohn Servius.

DIE SIBYLLINISCHEN BÜCHER

In jener Zeit geschah es, daß eine alte Frau – niemand in der Stadt hatte sie jemals vorher gesehen – zu Tarquinius kam. Sie bot ihm neun Bücherrollen zum Kaufe an. Als der König aber den hohen Preis erfuhr, wollte er von dem Angebot nichts wissen. Die abgewiesene Frau ging fort. Draußen verbrannte sie drei der Bücher, ging darauf wieder zum König hinein und bot ihm die übrigen sechs zum Kaufe an.

„Und welchen Preis verlangst du ?" fragte er.

Die Alte nannte denselben Preis wie vorher. Da schüttelte der König unwillig den Kopf und ließ die alte Frau wieder gehen. Wiederum verbrannte sie draußen drei Bücher, erschien zum dritten Male beim König und bot ihm die letzten drei zum Kaufe an.

„Und welchen Preis verlangst du?" fragte er wieder.

Auch diesmal nannte sie dieselbe Forderung wie vorher. „Wenn du sie nicht kaufst, König Tarquinius", rief sie, „so verbrenne ich auch die letzten drei!"

Da stutzte der König. „Laßt die Auguren kommen!" befahl er seiner Begleitung, und von diesen Männern ließ er die drei seltsamen Bücher untersuchen, die in griechischer Sprache abgefaßt waren; sie lasen die dunklen, rätselhaften Sprüche. „Es sind wahrsagende Worte der Sibylle von Cumae", erklärten sie.

„Und der Preis?" fragte Tarquinius.

„Kein Preis ist zu hoch", erklärten die Auguren einstimmig.

Da gab er der Alten, was sie verlangte, und im selben Augenblick war sie verschwunden; niemand sah sie jemals wieder.

König Tarquinius aber vertraute die geheimnisvollen Schriftrollen der Obhut zweier Priester an und ließ die wahrsagenden Bücher befragen, wenn Notzeiten über die Stadt kamen oder wenn die Götter durch erschreckende Wunder ihren Zorn kundgetan hatten.

TOD DES TARQUINIUS

So sehr Servius es auch verstanden hatte, sich Anerkennung und Achtung zu verschaffen, unter Roms Bürgern war die Meinung über ihn doch nicht ganz ungeteilt.

Es lebten noch die Söhne des Ancus Marcius; durch die schnöde List ihres Vormunds hatten sie ja den Thron verloren, der ihnen beim Tode ihres Vaters hätte zufallen sollen.

Konnten die beiden Königssöhne untätig zusehen, daß man sie weiterhin um ihr Recht betrog, wenn Tarquinius einst abtreten würde? Bald hatten sie eine Schar Gleichgesinnter um sich gesammelt.

„Ist es nicht empörend", rief der eine der Söhne im Kreise seiner Anhänger, „daß hier in unserem Rom ein Fremdling regiert? Er ist nicht von römischer, nein, nicht einmal von italischer Herkunft! Und nach ihm soll – auf den Thron des göttlichen Romulus Quirinus – ein Sklave folgen, der von einer Sklavin geboren ist! Ist es für den römischen Namen wie auch für unser Haus nicht eine Schande, daß der Thron unseres Reiches Zugewanderten und gar Sklaven offenstehen soll – und das zu einer Zeit, wo noch Erben unseres unvergeßlichen Ancus Marcius am Leben sind?"

Die beiden Königssöhne und ihre Freunde meinten, nur Gewalt könne zum Ziele führen. Ihr Zorn richtete sich besonders gegen Tarquinius, denn er hatte ihnen ja den Thron vorenthalten; außerdem glaubten sie, daß sie von Tarquinius mehr zu fürchten hätten als von Servius, der noch über kein Staatsamt verfügte.

Ihr Plan war sehr geschickt ausgeklügelt. Zwei verwegene Hirten ließen sich zur Tat dingen. Ihre schweren Feldhacken in der Hand, trafen sie sich wie verabredet auf dem Vorhof der Königsburg und begannen wie von ungefähr einen Streit. Immer lauter wurde ihre Auseinandersetzung, immer bedrohlicher die Reden, die bis in Tarquinius' Gemächer drangen. Vergebens versuchten die Wachen, den Streit zu schlichten und die Streitenden abzudrängen. Da gab der König den Befehl, die Männer vor seinen Thron zu führen. Darauf hatten die beiden nur gewartet. Wieder erhoben sie trotz der Gegenwart des Königs ihre Stimmen, überschrien sich gegenseitig und ließen sich kaum mit Gewalt zur Ruhe bringen.

„Sprecht doch nicht zugleich, sondern einer nach dem andern!" rief Tarquinius schließlich unwillig. Und er zeigte auf den einen der beiden Streitenden: „Du, rede du zuerst!"

Da gehorchte der Mann, trat vor den Thron und brachte seine Klage vor, während der andere unbemerkt beiseite trat, an den Thronsessel heran, und plötzlich dem König die schwere Hacke auf den Kopf schlug; eine tödliche Wunde klaffte, in der die Mordwaffe steckenblieb.

Was half es, daß des Königs Begleiter, die Liktoren, die beiden fliehenden Verbrecher ergriffen und in Ketten legten – Tarquinius war zu Tode getroffen.

In der allgemeinen Verwirrung, während die Diener voller Erregung durcheinanderliefen und das Volk draußen vor dem Tor der Burg entsetzt herbeistürmte, behielt nur Tanaquil ruhige Besonnenheit. Schnell ließ sie die Tore schließen, entfernte sämtliche Zeugen, und in aller Eile ließ sie Verbandzeug herbeiholen, als sei noch Hoffnung auf Heilung.

„Schafft mir meinen Sohn Servius herbei!" befahl sie den Dienern. Kühl und entschlossen überlegte die mannhafte Frau, wie die schwierige Lage zu meistern sei.

Als dann Servius vor ihr stand, nahm sie ihn bei der Hand: „Auf deinen Schultern ruht jetzt Roms Zukunft", erklärte sie ihm mit fester Stimme. „Du wirst den Tod deines Schwiegervaters zu rächen wissen. Du wirst deine Schwiegermutter niemals zum Spott ihrer Feinde werden lassen!"

Voller Bestürzung hörte der Jüngling vom Tode des Tarquinius. „Wenn du ein Mann bist, Servius“, stieß Tanaquil hervor, „so gehört der Thron dir – nicht denen, die durch fremde Hand die Schandtat verübten. Sei ein Mann, Servius! Folge den Göttern, die einst Flammen aus deinem Haar schlagen ließen! Jetzt muß jene himmlische Flamme dich wecken!“

Die Menge, die draußen vor dem geschlossenen Tore stand, ließ sich nicht mehr beruhigen. Da trat Tanaquil kühn ans Fenster des oberen Palastes und zeigte sich dem Volke. Augenblicklich trat Stille ein. „Seid guten Mutes, ihr Leute!“ rief sie weit über den Platz hin. „Der plötzliche Schlag mit der schweren Waffe hat unsern König zwar betäubt, aber sie ist – dem Iupiter sei Dank! – nicht tief eingedrungen. Tarquinius ist schon wieder zur Besinnung gekommen. Wir haben das Blut abgewaschen und die Wunde untersucht: Es steht gut um König Tarquinius. Schon in den nächsten Tagen, so hofft er, wird er sich euch selber zeigen!“

Beruhigt blickten die Versammelten auf Tanaquil; sie liebten ihren König ja abgöttisch.

„Für die wenigen Tage der Übergangszeit aber“, fuhr Tarquinius' willensstarke Frau fort, „bitte ich euch, den Befehlen des Servius Tullius Folge zu leisten. Er wird für euch Recht sprechen und die Staatsgeschäfte versehen!“

Dann erschien Servius im Schmucke des Königsgewandes. Er hatte die Liktoren um sich, nahm auf dem Königsstuhle, der Sella curulis, Platz und fällte seine Entscheidungen. „Ich werde den König fragen“, pflegte er von Zeit zu Zeit zu sagen. So verhehlte er vor den Leuten, daß Tarquinius in Wahrheit schon lange verstorben war, und andererseits fand er immer mehr Gelegenheit, als Stellvertreter des Königs seine eigene Macht zu festigen.

Schließlich gab er das betrügerische Spiel auf. Er glaubte, es jetzt wagen zu können. „König Tarquinius ist den schweren Wunden erlegen“, so hieß es in der amtlichen Veröffentlichung.

Ringsum in der Stadt erhob sich furchtbare Klage um den König, der das Volk so väterlich regiert hatte. Aber Servius hatte schon so viel Beliebtheit erworben und hatte sich dazu durch eine starke Leibwache gedeckt, daß niemand wagte, ihm den Thron streitig zu machen. Längst waren die Söhne des Ancus Marcius, deren Umsturzversuch gescheitert war, außer Landes geflohen.

KÖNIG SERVIUS TULLIUS

Servius Tullius war der erste König in Rom, der nicht vom Volke ernannt war; er regierte nur mit der Zustimmung der Patres, der Väter. Aber auch zu ihm blickten die Römer bald voller Anerkennung und Ehrfurcht auf, denn was er schuf, war unvergänglich und richtungweisend für die fernsten Jahrhunderte. Servius plante ein gewaltiges Erneuerungswerk für den gesamten Aufbau des römischen Staates. Er hatte in seiner Jugend selber erlebt, was es bedeutet, wenn die Menschen nur nach ihrer Herkunft beurteilt werden und nicht nach Verdienst und Leistung. Jedem Bürger wollte er Gelegenheit geben, sich durch eigene Leistung emporzuarbeiten; wieviel der Einzelne zum gesamten Staatswohl beitrug, so viel Anteil sollte er selber auch an der Lenkung des Staates haben.

Was der einzelne zum Wohle des Staates beiträgt, das zeigt sich zum guten Teile in den Steuern, die er für den Staatshaushalt zahlt, und in seinen Kriegsleistungen. So hielt Servius es für richtig, die Bürger auch danach zu bewerten. Nach ihrem Vermögen ließ er sie einschätzen und teilte sie in sechs Klassen ein. Alle Angehörigen dieser Klassen hatten das Recht, mit abzustimmen. Das bedeutete einen gewaltigen Schritt auf dem Wege der Gleichberechtigung aller römischen Bürger.

Längst war Rom aber so gewachsen, daß nicht mehr jeder Bürger bei den Staatsentscheidungen mitreden konnte. Servius Tullius führte daher die Wahl von Abgeordneten ein. Gewählt wurde innerhalb der Zenturien, und in der Wahlversammlung, den „Zenturiatkomitien“, hatten die einzelnen Zenturien je eine Stimme.

Servius erkannte, daß man ein Volksheer nur aufstellen konnte, wenn alle Bürger politisch gleichberechtigt waren. Zwar bewahrten sich die Patres noch einige Vorrechte, wie die Besetzung des Senates nur durch Adlige, und die höheren Ämter in der Staatsführung; nur die Adligen hatten damals auch das Recht, das im Kriege eroberte Land – und zwar steuerfrei – zu nutzen.

Und hier lag der Unterschied: Denn jede Stimme wurde ja immer nur nach der Größe des Vermögens gewertet; das Vermögen wurde eingeschätzt, und danach richtete sich die Einweisung in die verschiedenen Klassen – so ergab es sich, daß das niedere Volk, die Plebejer, sich im Wahlkampf nie gegen die Überlegenheit der Patres durchsetzen konnte. Trotzdem blieb die Servianische Verfassung eine große Tat, denn sie bahnte die politischen Freiheitsbestrebungen an, die sich dann viele Jahrhunderte später durchsetzten.

Auf dem riesigen Felde, das nach dem Kriegsgott Mars benannt und auf dem einst Romulus nach seiner großen Heerschau zum Himmel entrückt worden war, sammelte nun Servius Tullius seine Krieger zu einer gewaltigen Musterung. Über achtzigtausend waffenfähige Bürger waren es, die man dort zählte. „Ich will euch Rechenschaft geben“, erklärte der König seinem Volke, und er legte ihm dann in ehrlicher Offenheit dar, was er bisher für Rom geleistet habe und was er plane.

Stolz thronte Roma, die mächtige Hauptstadt, jetzt auf sieben Hügeln.

DIE MACHTGIERIGE TULLIA

Zum Dank an die Götter, die seinem Lebenswerk so gnädig gewesen waren, hatte Servius der Göttin Fortuna zwei mächtige Tempel errichtet. Und doch blieb ihm das Glück nicht treu. Er dachte die beiden spätgeborenen Söhne des Tarquinius wegen der verlorenen Herrschaft zu trösten und sie freundlich zu stimmen, als er sie mit seinen beiden Töchtern vermählte.

8 Das Kolosseum in Rom

9 Tempel des Antoninus und der Faustina, Phokassäule und Castortempel

10 Tempel von Castor und Pollux auf dem Forum in Rom

Er hatte auch gedacht, sein Herrscherhaus durch diese eheliche Verbindung für immer zu festigen – und ahnte nicht, wie verhängnisvoll dieser Schritt einmal für ihn werden sollte.

Seine Tochter Tullia, die mit dem zweiten der Tarquinier verheiratet war, hatte nichts von des Vaters milder, gerechter Denkweise. Wild und aufbrausend war sie, grausam und von ungezügeltem Ehrgeiz. Darum empfand sie es mit umso größerer Bitterkeit, daß der Mann, dem ihr Vater sie vermählt hatte, gar nichts von ihrer eigenen Gesinnung hatte; er war sanft und friedfertig, ganz ohne die Herrschsucht, die sie antrieb – in ihren Augen ein Schwächling. Zugleich aber hatte das Geschick es gefügt, daß ihre Schwester von ganz anderer Sinnesart war, ruhig und zuchtvoll und voll weiblicher Bescheidenheit, friedlich und ohne falschen Ehrgeiz. Doch der Ehemann, den der Vater ihr gegeben hatte, Lucius Tarquinius, war wiederum ganz das Gegenteil seines friedfertigen Bruders und also auch von ihr selbst. Er war wild – verwegen und heftig in seiner Gemütsart; er brannte vor Ehrgeiz, die Macht zu ergreifen, die einst sein Vater in Händen gehabt hatte.

Zwei seltsam ungleiche Ehepaare also waren es. So wurde Tullia in ihrer glühenden Leidenschaft bald ihres Gemahls überdrüssig, der nichts von dem Wagemut und von der Entschlossenheit zeigte, wovon sie sich getrieben fühlte.

Bewundernd blickte sie auf ihren Schwager Lucius Tarquinius, den Ehegatten ihrer Schwester. „Warum bist du nicht wie dein Bruder?“ fuhr sie eines Tages wieder ihren Gatten an, „das ist ein Mann! Bei ihm erkennt man die königliche Abkunft!“

Immer deutlicher zeigte sich Tullias Zügellosigkeit, immer offener ließ sie ihre Herrschaftsgelüste spüren. „Wie verachte ich dich!“ fuhr sie eines Tages ihre Schwester an; „du hast einen Ehegatten, der ein Mann ist, aber was zeigst du selber an Unternehmungsgeist?“

Gleich und gleich gesellt sich gern, sagt das Sprichwort. So konnte es nicht ausbleiben, daß die zueinander fanden, die zu Streit und Gewalttat neigten und nach Umsturz trachteten. Den Anstoß dazu gab die Frau. „Hätte ich doch niemals geheiratet!“ stieß Tullia eines Tages hervor, als sie wieder einmal mit ihrem Schwager beisammen war; „wie unglücklich bin ich in dieser Ehe, in der ich an der Mutlosigkeit meines Ehemannes dahinwelken muß! Hätten die Götter mir den Mann gegeben, den ich verdiene, so trüge ich bald die Königskrone, in deren Besitz ich jetzt meinen Vater sehen muß!"

Nur kurze Zeit brauchte sie mit solch aufwühlenden Hetzworten auf den leicht entflammbaren Schwager einzureden. Das verbrecherische Paar war sich einig: Beide scheuten sich nicht, durch grausigen Mord ihrer Ehe ein Ende zu machen, deren Bindungen sie nur als Fesseln empfanden: Lucius Tarquinius tötete seine Gattin, Tullia aber ihren Gemahl.

Durch diese schreckliche Bluttat war der Weg frei für eine neue Vermählung – und für eine noch grausigere Freveltat.

Nur zögernd hatte König Servius Tullius, der die wahren Gründe nicht kannte, seine Zustimmung zu der neuen Ehe gegeben. Das sollte für ihn der Anfang vom Ende sein.

Tag und Nacht ließ Tullia, dieses frevelhafte Weib, ihrem Mann keine Ruhe. „Sollen wir uns nur deshalb von Bruder und Schwester befreit haben", fuhr sie ihn eines Tages an, „um nun hier im Nichtstun zu verharren? Wozu habe ich dich zum Manne genommen? Etwa, um einen Gatten zu haben, der zu nichts anderem taugt, als daß ich mein Leben an seiner Seite in stummer Dienstbarkeit hinbringe? Nein, ich will einen Gatten, der des Thrones würdig ist! Einen Mann, der sich daran erinnert, daß er der Sohn jenes Tarquinius ist, der damals den Thron zu erwerben wußte! Wenn du der bist, den ich zu heiraten glaubte, so zeige, daß du ein Mann bist! Daß du ein König bist! Warum gehst du nicht unverzüglich ans Werk?!"

Mit solchen Reden wußte das ehrvergessene Weib ihren Gatten immer wieder anzustacheln. Sie hielt ihm vor, wie viel schwerer sein Vater es als Einwanderer gehabt habe, Thron und Herrschaft an sich zu reißen. Dann wieder warf sie ihm Mutlosigkeit vor. „Denkst du denn gar nicht an deine Anhänger, die nur darauf warten, daß du endlich losschlägst?"

Wirklich gab es in Rom genug Menschen, die – besonders in Adelskreisen – mit Servius' neuen Gesetzen nicht zufrieden waren, weil sie sich in ihrem Besitz und in ihren Rechten beeinträchtigt glaubten. Lucius Tarquinius wußte diesen Unwillen zu schüren, die jungen Leute durch Geschenke an sich zu ziehen und sich allenthalben durch verlockende Versprechungen Anhang zu verschaffen. Geschickt verstand er es immer wieder, König Servius zu verleumden, und Tullia scheute sich nicht, das Ansehen ihres eigenen Vaters durch häßliche Reden und Verhetzung zu untergraben.

Endlich war es soweit. Von einer Schar seiner bewaffneten Anhänger umgeben, stürmte Lucius Tarquinius auf den Markt. Bestürzt stob die Menge auseinander, als der freche Thronräuber auf dem königlichen Stuhl im Rathaus Platz nahm. Schon eilte ein Liktor vor die Häuser der Stadtväter: „Alle Patres sollen sofort vor den König Tarquinius zum Rathaus kommen!"

Die Gerufenen waren sogleich zur Stelle, einige als Mitverschworene schon auf den Umsturz vorbereitet, andere voller Furcht, daß man ihnen ihr Ausbleiben vielleicht zum Vorwurf machen könne. Aber alle waren von dem unerhörten Auftritt erschüttert und glaubten, um Servius sei es bereits geschehen.

Tarquinius wußte seine angemaßte Rolle gut zu spielen. „Ihr wißt, ihr Patres", rief er die Versammelten an, „wer ich bin – ich, Tarquinius, der Sohn jenes Tarquinius, den ihr einst abgöttisch geliebt habt. Und ihr wißt auch, wer euer König Servius ist – ein Sklave, der von einer Sklavin geboren worden ist! Und wie ist er zur Regierung gekommen? Nach meines Vaters traurigem Tode hat er sie widerrechtlich an sich gerissen, ohne die Zwischenregierung, die sonst üblich war, ohne die vorgeschriebene Volkswahl und ohne Genehmigung unserer Patres! Und seine Neuerungen? Hat er sie nicht durchgesetzt auf Kosten der Adligen, denen er die Ländereien entrissen hat, um sie unter dem Abschaum des Volkes zu verteilen?"

Immer heftiger wurden Tarquinius' Vorwürfe gegen König Servius, und immer wilder der Beifall seiner herumstehenden Anhänger.

Da plötzlich hörte man vom Eingang des Rathauses her eine erregte Stimme rufen: „Was geht hier vor, Tarquinius? Wie kannst du dich erkühnen, die Stadtväter ohne meinen Befehl zusammenzurufen? Wie kannst du es wagen, auf meinem Königssessel Platz zu nehmen?" Es war der greise König Servius, den ein Bote herbeigerufen hatte.

Tarquinius rührte sich nicht von der Stelle. „Ich behaupte hier den Sitz, der mir als dem Thronerben meines Vaters zusteht!" erklärte er trotzig und entschlossen. „Ich bin Königssohn und habe weit mehr Anspruch auf den Thron als ein Sklave. Lange genug hat dieser Sklave es gewagt, seine Herren zu verhöhnen, ohne daß jemand seiner Frechheit entgegentrat – –" Wildes Geschrei unterbrach diese verwegenen Worte, die Anhänger der beiden Gegner schrien durcheinander, das Volk strömte zusammen. – Jedermann sah, daß der Sieg demjenigen zufallen werde, der in diesem Augenblick sich durchzusetzen und den Platz zu behaupten verstand.

Tarquinius war zum Äußersten entschlossen. Plötzlich stürzte er auf den greisen Servius los, packte ihn um den Leib, schleppte ihn vor das Tor und – warf ihn die Treppe hinab! Dann kehrte er ins Rathaus zurück, um die dort versammelten Väter im Zaum zu halten.

Die Begleiter des alten Königs hatten bei dieser unwürdigen Szene voller Entsetzen die Flucht ergriffen. Ganz gebrochen erhob sich Servius und wankte heim zu seinem Königspalast.

Während er sich durch die Straßen schleppte, hatte Tarquinius schon einem seiner Helfershelfer einen Wink gegeben: „Folge dem Alten und vollende, was noch zu tun ist!" Wenige Augenblicke später traf den König Servius, als er die Cyprische Straße durchquerte, die Mordwaffe. Tot sank der Herrscher, der vierundvierzig Jahre segensreich über Rom regiert hatte, in den Staub der Straße. Keine Hand rührte sich zu seinem Schutze, niemand wagte, ihn aufzuheben.

Aber noch war das Maß der Freveltaten nicht voll. Drüben auf dem Markt kam ein prächtiger Wagen vors Rathaus gebraust. „Man rufe mir meinen Mann heraus!" rief die Frau, die im Rücksitz des Wagens lehnte, in herrischem Tone. Es war Tullia, die Gattin des Tarquinius. Jedermann wußte, welchen Anteil diese zügellose Frau an der Vertreibung und Ermordung des Königs Servius hatte, der doch ihr eigener Vater war.

Tarquinius war auf Tullias Ruf aus dem Rathaus getreten. „Ich grüße dich, mein König!" rief sie ihm in wildem Triumph entgegen; sie war die erste, die Tarquinius diese Anrede gab.

Dankend neigte er das Haupt. „Aber nun entferne dich aus diesem unruhvollen Gedränge!“ mahnte er die Frau besorgt. Da gab sie dem Kutscher ein Zeichen und jagte davon, dem Esquilinischen Hügel zu. Plötzlich zog der Wagenlenker jäh die Zügel an und wies entsetzt vor sich auf die Straße: Dort lag der ermordete Servius!

Waren es die Rachegöttinnen, die zur Vergeltung für den Mord am Gatten und an der Schwester die unnatürliche Tochter zu dieser schauerlichen Tat trieben? Die Sündenstraße nennt man die Stätte, wo nunmehr Tullia ihre Verbrechen ins Maßlose steigerte. „Fahr zu, Mann!“ schrie sie wie von Sinnen und – jagte mit dem Fahrzeug über die Leiche des Vaters, daß die Räder sich vom Blute röteten. Auch sie selbst wurde von dem Blute des Ermordeten befleckt und brachte das Blut mit in ihr Haus. Der Zorn der heimischen Penaten aber, die sie dadurch beleidigte, fügte es, daß es schließlich zu einem Ende kam, wie es dem schmählichen Beginn dieser Herrschaft gebührte.

TARQUINIUS SUPERBUS

Ein König, der mit Furcht und Schrecken den Thron an sich reißt und eine Herrschaft der Gewalt errichtet, kann nicht Liebe und Vertrauen seines Volkes erringen.

Zu dem Verbrechen, durch das er auf den Thron gekommen war, fügte Tarquinius alsbald eine noch ärgere Freveltat: Voll Hohn verweigerte er dem ermordeten Servius das Begräbnis!

„Superbus“ nannten die Römer ihren herrischen König – den Hochfahrenden, Übermütigen. Tarquinius selbst nahm den Beinamen mit Genugtuung auf; ihm war es eine Ehre, vom Volke so genannt zu werden, für ihn bedeutete sein Beiname Superbus „der Stolze“.

Die Römer duckten sich unter seinen Gewalttätigkeiten. Die Väter, die zu Servius gehalten hatten, ließ Tarquinius kaltblütig umbringen, und weil er wußte, wie wenig er mit der Liebe seiner Untertanen rechnen konnte, umgab er sich mit einer starken Leibwache und gründete so seine Machtstellung noch mehr auf Gewalt.

Alle fortschrittlichen Gesetze des Servius wurden abgeschafft. Immer tyrannischer wurde die Herrschaft des grausamen Thronräubers. Über Leib und Leben richtete er allein. Verbannungen, Einziehung des Vermögens sprach er allein aus und ganz nach Willkür; nicht nur, wer ihm verdächtig oder mißliebig war, hatte solche Strafe zu fürchten, nicht weniger auch derjenige, der des Königs Habsucht durch ein beträchtliches Vermögen reizte. Tarquinius Superbus war der erste der römischen Könige, der ganz ohne den Senat regierte. Über Krieg und Frieden, Verträge und Staatsbündnisse wollte er nur aus eigener Machtvollkommenheit entscheiden.

Niemand in Rom wagte, offen gegen die Tyrannei aufzubegehren, so sehr man auch im geheimen gegen die Gewaltherrschaft murrte.

Tarquinius wußte allzu gut,was er wollte. Nachdem er die Römer unterdrückt hatte, verstand er es, die auswärtigen Völker Latiums zu gewinnen. Er band sie durch Gastfreundschaft und Verwandtschaft. Einem der Mächtigen zu Tusculum gab er seine Tochter zur Frau. Als jedoch auch diese des Königs wahre Herrschergelüste erkannten und sich aufzulehnen begannen, zeigte sich Tarquinius wiederum von der grausamsten Seite: Rücksichtslos ließ er Turnus, den Wortführer der Unzufriedenen, in falschen Verdacht bringen; er gewann einen verräterischen Sklaven, der bei Turnus heimlich Waffen unterbrachte. Nun fiel es dem gewissenlosen Tarquinius nicht mehr schwer, dem ihm Mißliebigen hochverräterische Absichten zu unterschieben. Krieger des Königs drangen zur Nachtzeit bei Turnus ein, rissen ihn aus dem Schlafe und brachten die Schwerter zum Vorschein. „Brauchen wir weitere Beweise?“ rief ihr Anführer. Turnus nahm man jede Möglichkeit, sich zu verteidigen.

Die Strafe folgte auf dem Fuße. „Führt ihn zum Tode!“ klang es aus der aufgewiegelten Menge, die sich inzwischen angesammelt hatte. Man schleppte den Unglücklichen zur Quelle der Aqua Ferentina, stieß ihn hinein und bedeckte die Stelle mit Flechtwerk, über das Steine gehäuft wurden. –

Prächtige Bauten wuchsen in jener Zeit in der Tiberstadt aus dem Boden – Tyrannen lieben es, durch äußere Prachtentfaltung den Unwillen des Volkes abzulenken – Unter Tarquinius wurde auch der Bau des Kapitols beendet mit dem dreifachen Tempel des Iupiter, der Iuno und der Minerva.

Immer wieder hatte Tarquinius mit den Nachbarn Krieg zu führen. Ihn reizte die reiche Beute, die er für seine verschwenderische Lebensführung und für die Prachtbauten benötigte, ihn reizte zugleich aber auch der Ruhm, den er sich mit seinen Feldzügen erwarb, denn niemand konnte bestreiten, daß Tarquinius ein hervorragender Feldherr war.

Wo seine überlegene Kriegskunst sich an den starken Mauern der Städte festrannte, mußten Verrat und Betrug helfen. Als sich die Stadt Gabii gegen seine Angriffe wehrte, verstand er es, sie ohne einen Schwertstreich einzunehmen: Sein Sohn Sextus Tarquinius nämlich war als Überläufer – aber von seinem Vater dazu angehalten – zum Feinde gegangen, hatte schließlich dessen Vertrauen gewonnen und bald darauf sogar die Führung des Heeres – er öffnete seinem Vater die Tore.

Immer glanzvoller wurden die Bauten, die Tarquinius errichtete, unermeßlich die Geldsummen, die er verschwendete. Sollten die Götter ihm wirklich überall nur Erfolg schenken?

Eines Tages geschah es, daß ein paar Leute, die an den königlichen Bauten beschäftigt waren, schreckensbleich in die Königsburg gestürzt kamen. „Warum verlaßt ihr ohne meinen Befehl und ohne Erlaubnis eure Arbeitsstätte?“ fuhr Tarquinius, der gerade zur Stelle war, sie an.

„Herr, ein furchtbares Wunder hat uns erschreckt“, antwortete ihm einer der Arbeiter. Und dann berichtete er: „Wir waren gerade damit beschäftigt, eine hölzerne Säule aufzurichten, da schlüpfte aus ihr eine Schlange hervor!“

„Und das haltet ihr für Grund genug, eure Arbeit im Stich zu lassen und hierher zu flüchten?“ fuhr der König sie böse an.

Er tat, als könne ihn ein solches Vorzeichen nicht schrecken, in Wirklichkeit aber war er voller Besorgnis. Was für ein göttlicher Wille mochte sich in der Erscheinung kundtun?

Sonst hatte er bei solchen Vorzeichen etruskische Wahrsager zu Rate gezogen, denen er sich durch die Herkunft seines Vaters noch verbunden fühlte. Diese Erscheinung, die sein Haus betreffen mochte, schien ihm aber von so ungewöhnlicher Bedeutung zu sein, daß er beschloß, das bedeutendste Orakel, das die Welt kannte, zu befragen. Dieses Orakel war das apollinische zu Delphi.

Tarquinius wagte nicht, den bedeutsamen Götterspruch, den er als Antwort auf seine Frage erhoffte, fremden Menschen anzuvertrauen, und sandte deshalb zwei seiner Söhne auf die weite Reise. Als Begleiter gab er ihnen seinen Neffen Lucius mit.

Dieser Schwestersohn des Tarquinius war ein seltsamer Mensch. Er schien schwerfällig und tölpelhaft in all seinem Denken und Handeln, zeigte keine männliche Entschlossenheit und galt überall als geistig beschränkt und ungeschickt. Aber niemand ahnte, wie es im Innern dieses jungen Menschen aussah und daß es ihm gar nichts ausmachte, überall nicht ernst genommen und „Brutus", der Dummkopf, genannt zu werden.

Brutus hatte schon früh erfahren, daß sein Bruder und viele Adlige durch seinen königlichen Oheim den Tod gefunden hatten.

So spielte der junge Mensch ganz bewußt die Rolle, die er sich selber gewählt hatte, ließ es ohne Widerstand zu, daß Tarquinius ihm sein Erbe raubte – und wartete darauf, daß seine Zeit einmal kommen werde. Auch als der Befehl des Königs ihn zum Begleiter auf der Reise nach Delphi bestimmte, wußte er, daß es nur geschah, damit die beiden Königssöhne unterwegs ihren Spott und Übermut an ihm auslassen könnten. Brutus fügte sich auch hier schweigend. Er wußte, was er wollte: Im ausgehöhlten Innern seines Reisestockes führte er einen goldenen Stab mit, mit dem er den delphischen Apoll günstig zu stimmen gedachte. Die schlichte Hülle war ein treffendes Bild für Brutus' eigenes Wesen, hinter dessen scheinbarer Torheit sich ein scharfer, umsichtig planender Verstand verbarg.

Glücklich gelangten die drei Reisenden durch die unbekannten Länder und über noch unbekanntere Meere nach Griechenland und nach Delphi. Als sie die Aufträge des Königs Tarquinius ausgerichtet hatten, trieb es

11 Saturntempel auf dem Forum in Rom

12 Aufgang zum Palatin

die beiden Königssöhne, an das Orakel eine Frage zu richten, die sie beide bewegte: „Wem von uns wird einst die Herrschaft über Rom zufallen?"

Die Antwort ließ nicht auf sich warten; tief aus dem Innern des Heiligtums scholl die Antwort hervor: „Die Herrschaft über Rom wird demjenigen von euch zufallen, der zuerst seine Mutter küßt!"

Die beiden Tarquinier, die die Antwort nur auf sich bezogen, gelobten einander tiefstes Stillschweigen, damit ihr dritter Bruder, Sextus Tarquinius, der in Rom zurückgeblieben war, nichts davon erfahre. „So bleibt er von der Regierung ausgeschlossen", sagten sie sich; „und wir selber wollen es dem Schicksal überlassen, wer von uns beiden nach unserer Rückkehr nach Rom die Mutter zuerst küssen wird."

An den „dummen" Brutus dachte keiner von ihnen. Aber er hatte sogleich erkannt, daß der Spruch der Pythia einen ganz anderen Sinn berge. Als er mit den beiden Vettern den Tempel verließ, stolperte er plötzlich und fiel mit dem Gesicht auf den Boden. Die Königssöhne ahnten nicht, daß er mit Absicht gestürzt war und daß er dabei die Erde geküßt hatte – die gemeinsame Mutter aller Sterblichen.

LUCRETIA

Bei ihrem Eintreffen in Rom fanden die drei Abgesandten den König nicht mehr in der Stadt. Schon wieder stand Tarquinius im Kriege, diesmal gegen die rutulische Stadt Ardea, deren Reichtum weit über ihre Grenzen hinaus bekannt war.

Solcher Ruf bedeutete dem habgierigen König Kriegsgrund genug, denn er war ja dauernd in Geldnot: Die öffentlichen Prachtgebäude verschlangen große Summen. Für sie benötigte er Geld, aber auch um die Bürger zu beschwichtigen, die über die harten Zwangsarbeiten an den königlichen Bauten murrten.

Aber Tarquinius hatte seine Kräfte weit überschätzt, denn Ardea setzte seinem Angriff erbitterten Widerstand entgegen. Ganz gegen seinen Willen mußte der König sich daher auf eine langwierige Belagerung einlassen.

Das eintönige Lagerleben, das nun begann, behagte vielen der jungen Herren, die in Tarquinius' Heer Kriegsdienste leisteten, nicht sonderlich, und sie suchten nach ihrer Art über die Langeweile hinwegzukommen: Sie luden einander reihum zur Tafel ein, praßten und schlemmten und trieben es so bis spät in die Nachtstunden. Unter ihnen taten sich besonders die Königssöhne hervor.

Einst zechten sie wieder bei Sextus Tarquinius. Unter ihnen war auch Collatinus, ihr Vetter. Bald kam die Rede auf ihre Frauen, die sie daheim in Rom hatten zurücklassen müssen. Dabei lobte jeder die seine über alle Maßen. Immer hitziger wurde der Wortstreit, bis Collatinus schließlich voll Unwillen rief: „Was bedarf es denn eigentlich so vieler Worte, um den Beweis zu erbringen? In wenigen Stunden können wir ja in Rom sein – und dann dürft ihr euch alle davon überzeugen, wie hoch meine Lucretia über allen andern steht! Warum steigen wir nicht zu Pferde und überzeugen uns mit eigenen Augen?"

Sie waren alle vom Wein erhitzt. „Es gilt!" schrien sie angeheitert laut durcheinander und ließen sich die Pferde vorführen. In verwegenem Ritt ging es nach Rom, um die Frauen zu überraschen.

Der Tag neigte sich schon dem Abend zu, als sie in der Stadt eintrafen. Als sie den Königspalast betraten, ruhten dort die Frauen der drei Königssöhne an üppig besetzter Tafel, die sich unter den kostbaren Speisen und Getränken zu biegen schien; fremde Männer tänzelten um die Damen herum und halfen ihnen, die Zeit zu verkürzen.

Die vier Gefährten hatten genug gesehen. Sogleich bestiegen sie wieder ihre Rosse und ritten hinaus nach Collatia, dem Wohnsitze Lucretias. Es war Nacht geworden, als sie dort eintrafen. Lucretia war aber noch nicht zur Ruhe gegangen: Inmitten ihrer Mägde saß sie emsig tätig am Spinnrad. Freundlich hieß sie ihren Gatten und dessen Gefährten willkommen, und es gab keinen Zweifel darüber, welcher der vier Frauen der Preis gebührte.

Stolz auf seinen Sieg, lud Collatinus seine Weggenossen zu Gaste. Nach dem Mahle schwangen sie sich wieder auf ihre Rosse und kehrten von ihrem nächtlichen Unternehmen ins Lager zurück.

Sextus Tarquinius aber hatte einen abscheulichen Plan gefaßt. Wenige Tage vergingen, da machte er sich wieder auf den Weg nach Collatia – diesmal aber allein. Als Lucretia den Kriegsgefährten ihres Gatten eintreten sah, begrüßte sie ihn mit argloser Freundlichkeit. Nachts jedoch drang Sextus in Lucretias Gemach ein, wo sie, die nichts Böses ahnte, sich seiner nicht erwehren konnte. Frohlockend über den gelungenen Anschlag, verließ er dann das Haus, Lucretia in schwerem Gram zurücklassend.

Die Empörung über die ihr angetane Schmach ließ sie jedoch nicht zusammenbrechen, sondern trieb sie zum Handeln an. Sie sandte alsbald Boten zu ihrem Vater und ins Feldlager nach Ardea zu ihrem Gatten mit der Aufforderung, sie sollten sie, jeder von einem treuen Freunde begleitet, unverzüglich aufsuchen.

Spurius Lucretius folgte sofort ihrer Bitte; auch ihr Gatte Collatinus, der Lucius Iunius Brutus mitbrachte, kam in aller Eile und voller Bestürzung. In Tränen gebadet, trat Lucretia ihnen entgegen und berichtete, was sich in ihrem Hause ereignet hatte.

„Versprecht mir, den ehrlosen Mann nicht ungestraft zu lassen!“ rief sie in wilder Erregung und – stieß sich einen Dolch, den sie unterm Kleide verborgen gehalten hatte, ins Herz. Tödlich getroffen, sank sie zur Erde.

LIBERA RES PUBLICA

Während Vater und Ehegatte sich ihrem Schmerz hingaben, sprang Brutus herbei. Urplötzlich hatte er alles abgelegt, was nur Maske und Verstellung gewesen war. Hoch in der Rechten hielt er den bluttriefenden Dolch, den er aus Lucretias Wunde gezogen hatte, und tat einen schrecklichen

Schwur: „Ihr Götter, euch rufe ich zu Zeugen an, daß ich Lucius Tarquinius, diesen unmenschlichen Tyrannen, sein gottloses Weib und alle Kinder seines Stammes hinfort mit Feuer und Schwert und aller Gewalt verfolgen werde. Weder Tarquinius noch sonst jemand soll König in Rom sein!"

Staunend blickten Vater und Gatte der Toten auf die seltsame Wandlung in Brutus' Wesen. Auf den blutigen Dolch schwuren auch sie dem Tyrannen Tod und Verderben.

Auf dem Forum von Rom bahrten sie Lucretias Leiche in aller Öffentlichkeit auf. Immer mehr Menschen strömten dort zusammen, immer mehr empörten sich über die grausige Tat.

Brutus schwang sich auf die Rostra: „Was weint ihr? Was klagt ihr?" So fuhr er sie an. „Tränen und Klagen fruchten nichts! Nur die Tat kann uns helfen! Wollt ihr euch nicht als Römer zeigen und gegen jeden, der euch als Feind gegenübertritt, eure Waffen gebrauchen?"

Immer mehr beherzte Männer scharten sich um Brutus, immer mehr schwoll die Zahl der Bewaffneten an, die dem Tyrannen blutige Rache schwuren.

Dann brach der Aufstand los. Als Roms Bürger die Schandtat des Königssohnes vernahmen, gab es für sie kein Halten mehr. Brutus war der Anführer der Tyrannengegner; aus allen Stadtteilen strömten sie ihm zu.

„Sichert die Tore!" befahl Brutus seinen Anhängern. „Stellt Wachen auf, damit niemand den König und seine Familie über den Aufstand unterrichten kann!"

Staunend blickte alles auf Brutus, der alle Maßnahmen leitete; staunend sah man, wie sehr er es so lange verstanden hatte, sich zu verstellen. Nun enthüllte er vor dem ganzen Volke mit schonungsloser Härte die freche Zuchtlosigkeit des Sextus Tarquinius und verkündete als die schlimmste aller Schandtaten die Schmach, die er Lucretia angetan und die der Unglücklichen keine andere Wahl gelassen hatte als den Tod. „Seht auf Lucretius, ihren gramgebeugten Vater", rief er, „der nun kinderlos ist! Weit schmerzlicher aber für ihn als selbst der Tod seiner Tochter ist die Entehrung, die der Schuldlosen widerfahren ist!"

Immer mehr wuchs die Erregung des Volkes bei Brutus' großer Freiheitsrede. „Wollt ihr dem Despoten noch länger hörig sein?“ schrie Brutus. „Wollt ihr das Elend und die Mühseligkeiten noch länger ertragen? Euch noch länger für Sklavenarbeit an Kloaken mißbrauchen lassen? Denn zu Sklaven hat Tarquinius euch, die Sieger über die Völker rings um uns her, gemacht!“

Mit Rufen des Unwillens und der Empörung stimmte man dem kühnen Redner zu. „Denkt an die Ermordung unseres Königs Servius Tullius!“ begann Brutus wieder, „denkt an die entmenschte Tochter, die mit ihrem Wagen über die Leiche des Vaters fuhr! Muß nicht der Fluch der Götter sie treffen? Ihr Himmlischen alle, wollt ihr diesen Frevel ungerächt lassen?“

„Hinweg mit dem Tyrannen!“ erscholl es von allen Seiten. „Nie wieder Königsherrschaft in Rom!“

Lucretius blieb als Statthalter in der Stadt und übernahm mit ausgewählten Männern die Verteidigung, während Brutus die Aufständischen zum Marsch gegen Tarquinius' Feldlager vor Ardea aufbot, um das Heer gegen den König aufzuwiegeln.

Mitten im Toben des Aufruhrs floh Tullia aus ihrem Hause. Niemand legte Hand an sie, aber wohin sie ging, folgten ihr die Flüche des Volkes. Männer und Frauen riefen die Rachegöttinnen zur Vergeltung gegen sie auf, die sich so schwer an ihrem eigenen Vater vergangen hatte.

Inzwischen hatte die Kunde von den Vorgängen in Rom den König erreicht. In aller Eile rückte Tarquinius nun mit einem Teil seines Heeres gegen die Hauptstadt, um den Aufstand niederzuschlagen. Brutus, der bereits auf dem Marsche war, vermied eine Begegnung, und so zogen beide Heere aneinander vorbei und standen gleichzeitig vor ihrem Ziel, Brutus vor Ardea und Tarquinius vor Rom. Aber dort war Lucretius auf seinem Posten. Tarquinius fand die Tore verschlossen; niemand dachte daran, dem König zu öffnen. „Für alle Zeiten bist du aus Rom verbannt!“ rief Lucretius ihm von der Mauer herab entgegen.

Währenddessen hatte Brutus im Kriegslager bei Ardea ganze Arbeit geleistet. Als er vor die Legionäre trat und von Lucretias erschütterndem

Schicksal sprach, als er von dem Aufstand in der Stadt berichtete und von dem wilden Freiheitsverlangen aller ehrliebenden Römer, da antwortete ihm ein einziger Schrei begeisterter Zustimmung. „Nieder mit dem Tyrannen! Fort mit allen Tarquiniern!" So scholl es durchs Lager. Nur mit Mühe konnten sich die Königssöhne vor der Wut der Krieger retten.

Fünfundzwanzig Jahre hatte Tarquinius Superbus seine Gewaltherrschaft ausgeübt. Zweihundertdreiundvierzig Jahre, fast ein Vierteljahrtausend, hatten seit der Gründung der Stadt bis zu diesem Tag Könige, sieben an der Zahl, das Zepter geführt. Nun hatte Rom seine Freiheit erlangt. Das Volk selber entschied darüber, wer die Regierung führen solle; nach der Wahlordnung, die einst Servius Tullius aufgestellt hatte, wählte es in einer nach Zenturien gebildeten Versammlung – für jeweils ein Jahr, damit die Macht nicht mißbraucht werden könne – zwei Konsuln, die mit königlichen Rechten regieren sollten.

Aus Dankbarkeit übertrug das römische Volk das hohe Amt erstmalig den beiden Männern, denen es seine Selbständigkeit verdankte, Lucius Brutus, dem Befreier Roms, und Lucius Collatinus, dem Gatten der unglücklichen Lucretia.

Die Tarquinier hatten sich in Sicherheit bringen können. Zwei der Söhne zogen mit dem verbannten König ins Etruskerland. Sextus Tarquinius glaubte, in der Stadt Gabii Schutz finden zu können. Aber dort hatte man ihm seinen Treubruch von einst nicht vergessen. Man nahm ihn gefangen, und Sextus Tarquinius, der Roms Königsherrschaft den Todesstoß versetzt hatte, endete durch die Hand des Henkers.

Rom aber war jetzt – man rechnet jene Zeit der Vertreibung der Könige als das Jahr fünfhundertundzehn vor Christi Geburt – eine libera res publica, eine Republik.

Die erste Amtshandlung der beiden Konsuln war es gewesen, die Verbannung der Tarquinierfamilie zu bestätigen und das Volk durch einen Eid zu verpflichten, niemals wieder einen König über Rom zu dulden. Die ganze Civitas sollte für die Lenkung des Staates verantwortlich sein, und so nahm man, wie die Verfassung von Servius Tullius es gefordert hatte, nun auch Plebejer in den Senat auf und machte ihn damit zu einer echten Volksvertretung. Er war jetzt wieder auf die volle Zahl von dreihundert Mitgliedern gebracht worden, denn Tarquinius in seinem selbstherrlichen Machtanspruch hatte den Senat stark verkleinert. Die neuen Mitglieder, die man zu den Patres, den patrizischen Senatoren, in die Senatsliste aufgenommen hatte, nannte man conscripti, das heißt „Hinzugeschriebene“; darum lautete die Anrede des Senats künftig: Patres (et) conscripti.

ANSCHLAG AUF DIE REPUBLIK

Aber Tarquinius gab seine Sache noch nicht verloren und sann auf Mittel und Wege, den verlorenen Thron zurückzugewinnen. Viele der jüngeren Patrizier, die unter der Königsherrschaft ein zügelloses Leben hatten führen können, fühlten sich ihm weiterhin verbunden, und selbst Brutus' Söhne Titus und Tiberius, die am Königshofe aufgewachsen waren, gehörten zu den Anhängern des verbannten Königs, auch die Brüder Aquillius, zwei Neffen des Konsuls Collatinus, und mehrere vornehme Patriziersöhne. Alle diese jungen, unerfahrenen Menschen, die sich leichtgläubig vom Glanz der einstigen Königsherrschaft und der prächtigen Hofhaltung hatten blenden lassen, wünschten die Rückkehr der Tarquinier; mit der nüchternen Strenge der Republik, die ihnen die Aussicht auf Ruhm, Ehre und Wohlleben nahm, konnten sie sich nur schwer abfinden.

Darauf baute Tarquinius mit hinterhältiger Klugheit seinen Plan. Die Römer, die ihn vertrieben hatten, wußten die Verdienste des Königshauses wohl zu schätzen, und so waren sie gerecht genug, ihm sein persönliches Vermögen zurückzuerstatten, das er in Rom hatte lassen müssen. Aber der verbannte König gab seinen Unterhändlern, die er nach Rom schickte, geheime Aufträge mit: Sie sollten seine Anhänger ganz auf seine Seite ziehen und jede Möglichkeit suchen, das Konsulat zu beseitigen.

Anfangs verlief alles nach den Plänen des machtgierigen Tarquiniers. Die Abgesandten überbrachten seine Botschaft an den Senat, und während dieser Beratungen über die Abfindung des einstigen Herrschers abhielt, versammelten sich die Boten mit Tarquinius' heimlichen Anhängern in einem abgelegenen Hause der Aquillier. Die ganze Dienerschaft hatte man weggeschickt – aber die Verschworenen ahnten nicht, daß ein junger Sklave sich noch zufällig im Hause befand und sich, zu Tode erschrocken über die unerwartete Zusammenkunft, in einem Wandschrank versteckt hielt. So wurde er ganz wider seinen Willen Zeuge der geheimen Pläne.

Mit Entsetzen vernahm der junge Mensch, was die Verschwörer planten: Sie wollten die beiden Konsuln umbringen, bei der entstehenden Verwirrung den Senat in ihre Gewalt bekommen und ihn zwingen, den vertriebenen König wieder zurückzurufen und auf den Thron zu setzen! Feierlich wurden alle Abmachungen zwischen den Verschwörern bekräftigt: Gemeinsam tranken sie Wein aus einem Pokal; jeder hatte sich die Ader angeritzt und einen Tropfen Blut hineinfallen lassen.

Ganz verstört durch das, was seine Ohren vernommen hatten, kroch der Sklave aus seinem Versteck, sobald die Verschwörer das Haus verlassen hatten. Was sollte er mit dem ungeheuerlichen Geheimnis beginnen? Sollte er dem Konsul Brutus selber das Vorhaben seiner Söhne und ihrer Freunde offenbaren? In seiner Ratlosigkeit vertraute der Sklave sich dem Publius Valerius an, den jedermann als Freund des einfachen Volkes kannte und der stets ein offenes Ohr für die Armen zeigte.

Valerius, sonst stets zu gütlichem Vermitteln geneigt, hörte mit Entsetzen die umstürzlerischen Pläne und wußte, daß es hier nur einen Weg gab: Er meldete dem Konsul Brutus, was er erfahren hatte.

Mit Erschütterung vernahm dieser das Vorhaben: Seine eigenen Söhne hatten sich des Hochverrats schuldig gemacht und planten Vatermord!

Er selber leitete sogleich die Untersuchung ein und sah die Angaben des Sklaven bestätigt, denn man fand bei den etruskischen Gesandten die Briefe, in denen sich die Verschworenen eidlich für die Sache der Tarquinier verpflichtet hatten. Nun ließ Brutus schlagartig alle Verschworenen verhaften und eröffnete persönlich auf dem Forum die Gerichtsverhandlung.

Schaudernd war das Volk von Rom Zeuge, wie der Konsul seinen eigenen Söhnen den Prozeß machte und sie ins Verhör nahm. Ruhig und klar klangen seine Worte: „Titus und Tiberius Brutus, Söhne des Lucius Iunius Brutus", begann er, „ihr seht, daß ihr des Hochverrats schuldig seid – eure eigene Unterschrift überführt euch. Gesteht ihr euer Verbrechen ein?"

Starr, wie versteinert blickte er auf Titus, dann auf Tiberius. Aber aus ihrem Munde kam keine Antwort. Die vorgefundenen Briefe machten ja jedes Leugnen unmöglich.

„Euer Schweigen sagt genug!" rief der Konsul; „es bedeutet das Eingeständnis eurer Schuld. Und eure Schuld heißt Hochverrat!" Schweigend und tief ergriffen stand das Volk von Rom, als der Konsul, unbewegt wie ein Standbild, das Urteil sprach: „Auf Hochverrat steht nach den Gesetzen der römischen Republik die Strafe schimpflicher Geißelung und Tod durch das Schwert!"

Wie gelähmt war das Volk, als es Roms höchsten Würdenträger, der hier über seine eigenen Söhne richtete, so sprechen hörte. Aber Brutus' Stimme zitterte nicht; in seinem Antlitz zuckte kein Muskel. Das Volk von Rom sollte an einem einzigartigen Beispiel erleben, daß hoch über Vatergefühl und natürlicher Elternliebe die Strenge des Amtes und die Majestät des Volkes stehen.

Der Konsul wandte auch nicht den Blick von dem schrecklichen Schauspiel, als die Liktoren ihres grausamen Amtes walteten: Wie es der harte Gebrauch vorschrieb, banden sie ihre Rutenbündel los, rissen den Verurteilten die Kleider herab und peitschten die nackten Leiber aus, bis blutige Fetzen herabhingen. Dann schleppten sie die beiden Jünglinge aufs Blutgerüst, und unter dem Beile des Henkers rollten die Köpfe der beiden irregeleiteten jungen Hochverräter auf das Pflaster des Forum Romanum.

Alle Farbe war dem Konsul aus den Wangen gewichen, doch er zuckte mit keiner Wimper. Mit gleicher Strenge wandte er sich mitleidlos an die nächsten Angeklagten, die Brüder Aquillius, und fragte sie, ob sie ihre Tat eingeständen.

Da sprang Collatinus, der zweite Konsul, von seinem kurulischen Sessel auf und trat für seine Neffen ein, die Söhne seiner geliebten Schwester. Vergeblich! „Hier gilt nur, was unserm Staate frommt", erklärte Brutus hart und unerbittlich. Collatinus wandte sich an das Volk, wie es sein Recht war, und bat die Quiriten um Gnade für seine Neffen. Wohl war die Menge gerührt, doch Brutus erhob wieder die Stimme: „Über allem steht unsere Res publica Romana!"

Nun zeigte sich die Wirkung des Beispiels unerbittlicher Strenge, das er gegeben hatte: Keinem der Mitschuldigen wurde Gnade gewährt; alle wurden auf dem Forum enthauptet.

Nur wenige Bürger waren Zeuge, wie den Konsul Brutus nun der Vaterschmerz packte, und nur wer ihn jetzt in seiner Trauer sein Gewand zerreißen sah, konnte die Seelengröße des Mannes ermessen, der seine zwei einzigen Söhne dem Vaterland geopfert hatte. Auch Collatinus, sein Mitkonsul, blickte voll Bewunderung auf ihn, aber er bekannte offen, daß er sich solcher Seelenkraft und Selbstentäußerung nicht fähig fühle. „Ich bin nicht hart genug, die Republik zu schützen", erklärte er und bat um Entlassung aus seinem hohen Amt. Man gewährte diese Bitte und wählte den Volksfreund Publius Valerius zu seinem Nachfolger. Der Sklave aber, dem man die Errettung des Staates aus dieser gefährlichen Lage verdankte, erhielt feierlich vor allem Volk seine Freiheit; er war der erste freigelassene Bürger der jungen römischen Republik.

BEWÄHRUNG DER FREIHEIT

Hatte die Siebenhügelstadt sich vorher bereit erklärt, mit Tarquinius sich rechtlich auseinanderzusetzen, so packte jetzt unerbittlicher Zorn das ganze Volk gegen den Mann, der in solch hinterhältiger Weise Zwietracht und Aufruhr zu stiften versucht hatte. Niemand dachte jetzt mehr daran, ihm sein Vermögen herauszugeben. Was Tarquinius an Grund und Boden besessen hatte, wurde zum Staatseigentum erklärt. Seinen sonstigen Besitz gab man dem Volke preis, um es zugleich für immer mit dem einstigen Herrscherhaus zu entzweien; tagelang wurde der Königspalast geplündert, dann riß man ihn nieder bis auf die Grundmauern, daß kein Stein mehr auf dem andern blieb. Ein Gesetz zum Schutze des Vaterlandes verbot den Tarquiniern für alle Zeiten das Betreten des Bodens von Rom.

Der König, der in der etruskischen Stadt Clusium, nördlich von Rom gelegen, in der Verbannung lebte, vernahm voll Grimm, daß seine Anschläge gescheitert waren und Roms Tore ihm für alle Zeiten verschlossen sein sollten. Aber noch ließ er die Hoffnung, die Königswürde zurückzuerlangen, nicht fahren. Zum Ziele führen konnte ihn nur noch offener Krieg gegen die Stadt, in der er einst in strahlender Macht regiert hatte. Zwar besaß er die Freundschaft des Königs Porsenna, des mächtigen Herrschers der Etrusker, doch schien es ihm zu gewagt, diesen um Hilfe zu bitten; er fürchtete, sich damit in Abhängigkeit von Porsenna zu begeben.

So wandte sich der Verbannte an die Stadt Tarquinii, aus der einst sein Vater nach Rom gekommen war, und bat um Waffenhilfe. Gern ergriff man dort die Gelegenheit, gegen Rom zu ziehen, und auch die Stadt Veii schloß sich dem Feldzug an.

Als die beiden feindlichen Heere in die römische Landschaft einfielen, traten ihnen Roms Truppen, geführt von ihren Konsuln, entschlossen entgegen: Valerius an der Spitze des Fußvolkes, während Brutus, der die Reiterei führte, die erste Berührung mit den Eindringlingen suchte. Auch bei den Feinden bildete die Reiterei die Spitze; sie stand unter dem Befehl von Arruns Tarquinius, dem Sohne des Königs, der selber die nachfolgende Hauptmacht des Fußvolkes führte.

Als die beiden feindlichen Reitergeschwader aufeinanderprallten, war unschwer der Standort des römischen Konsuls zu erkennen, denn die Rutenbeile, die die Liktoren ihm voraustrugen, blitzten hell in der Sonne über das Schlachtfeld hin. Voller Grimm beschimpfte Arruns Tarquinius ihn als Verräter, als Thronräuber und stellte ihn zum Entscheidungskampfe – nicht weniger heftig war der Zorn, der Brutus erfüllte, als er dem Gegner entgegensprengte. Beide dachten nicht daran, sich zu schützen, beide trafen einander tödlich mit der Lanze und sanken zugleich sterbend vom Pferde, dort der junge Tarquinier, der sich als Rächer seines vertriebenen Vaters fühlte, hier der Volksheld Brutus, der für die junge Freiheit seiner römischen Republik das Leben einsetzte.

Römer und Tarquinier, die ihre Führer fallen sahen, setzten den Kampf erbittert fort. Bald war auch das nachrückende Fußvolk zur Stelle und griff ein. Mehr als zehntausend Kämpfer waren auf beiden Seiten gefallen, als endlich die Nacht dem Morden ein Ende setzte. Beide Parteien zogen sich in ihr Lager zurück; zwischen ihnen lag der Wald Arsia.

Wem war der Erfolg in dem blutigen Treffen zuzusprechen?

Die Nacht senkte sich über das Schlachtfeld – plötzlich fuhren die zu Tode ermatteten Krieger auf: Eine Stimme, allen laut vernehmlich, scholl aus dem Walde über beide Lager hin: „Der Sieg gehört dem Römervolke, denn im Heere des Tarquinius ist ein Mann mehr gefallen.“

Betroffen vernahmen die Männer die Worte. War es nicht eine Gottheit, die zu ihnen sprach – war es nicht die Stimme des Waldgottes Silvanus, der hier das Urteil über den Ausgang der Schlacht verkündete?

Freude und neuer Kampfeswille packte die römischen Legionäre, Schrecken aber die Krieger des Königs. Wie sollten sie es wagen, den Kampf fortzusetzen, wenn die Gottheit selber sich gegen sie erklärte? Tarquinius konnte nicht verhindern, daß seine Truppen zum Aufbruch drängten; noch vor Tagesanbruch war das mächtige Heer der Etrusker, auf das Tarquinius so viel Hoffnung gesetzt hatte, vom römischen Boden verschwunden, es hatte den siegreichen Legionen das Schlachtfeld überlassen, ohne nochmals zum Kampfe anzutreten.

Als Valerius die Gefallenen zur ehrenvollen Bestattung sammeln ließ, ergab es sich in der Tat, daß elftausenddreihundert Feinde ihr Leben gelassen hatten, auf römischer Seite jedoch ein Mann weniger.

Im Triumph kehrte Valerius in die Siebenhügelstadt zurück, doch unendlicher Schmerz hielt das Römervolk gefangen über den Tod des hochverdienten Volkshelden Brutus, des glorreichen Rächers gekränkter Frauenehre, dem Rom seine staatliche Freiheit verdankte. Ein volles Jahr gingen Roms Frauen in Trauerkleidung einher; in späterer Zeit setzten die dankbaren Quiriten Brutus, dem Gründer der Republik, ein Standbild auf dem Kapitol, um ihm für alle Zeiten ein ehrendes Andenken zu sichern.

HORATIUS COCLES

Auch nach dem Scheitern seines Feldzuges gab Tarquinius seine Bemühungen nicht auf, den verlorenen Thron zurückzugewinnen. So wandte er sich nun an Porsenna, den Etruskerkönig, und bat ihn um Hilfe. Sehr geschickt redete Tarquinius, der ja selber etruskischen Stammes war, Porsenna zu, um ihn zu überzeugen, daß er hier für seine eigene Sache kämpfe. „Denk daran", sagte er eindringlich, „wohin es kommen wird in der Welt, wenn andere Völker Roms Beispiel nachahmen! Sollen sie ungestraft ihre Könige vertreiben dürfen und damit das Ende der Königswürde herbeiführen?"

König Porsenna ließ sich überzeugen und für den Feldzug gewinnen. Doch die Volkskraft der neuen Republik war ihm nicht recht geheuer, und so bereitete er den Feldzug mit ganz ungewöhnlicher Sorgfalt vor, verstärkte die Truppen und gab ihnen eine hervorragende Ausrüstung. Noch nie war ein Heer von solcher Stärke gegen Roms Mauern vorgerückt.

Denn nicht in offener Feldschlacht traten die Römer dem mächtigen Feinde entgegen, sondern sie hielten es für richtiger, seinen Ansturm in der Verteidigung abzuwarten, geschützt durch die Verschanzungen, die die mächtigen Mauern der Siebenhügelstadt auf der einen, der Tiberstrom auf der anderen Seite bildeten.

Ohne Widerstand zu finden, konnte der gewaltige Porsenna deshalb bis vor die Stadt rücken und sie einschließen. Und fast wäre es ihm sogar gelungen, im ersten Anlauf in den Bereich der Mauern einzudringen, wenn der Stadt nicht wieder ein Retter in der Gestalt einer jener Volkshelden erstanden wäre, an denen die Überlieferung Roms so reich ist.

Als nämlich die Feinde überraschend zum Angriff gegen den Ianiculus ansetzten, gerieten die Römer in ärgste Bedrängnis, denn gerade auf dieser Seite hatte man nicht mit einem Angriff gerechnet und deshalb nur geringe Streitkräfte auf der kleinen Anhöhe aufgestellt.

Als sich dort ganz unerwartet feindliche Truppen zeigten, ließ sich die Besatzung der Bergkuppe in ihrem ersten Schrecken leicht überrennen und wich bis zur hölzernen Pfahlbrücke zurück, die über den Tiberstrom unmittelbar in das Herz der Stadt hineinführte. Angespornt durch ihren ersten Erfolg, stürmten die Etrusker mit starker Übermacht nach. Schon wollten sich die Römer in zügelloser Flucht nach Rom hinein ergießen. Das hätte das Ende der Stadt und das Ende ihrer Freiheit bedeutet, denn der Besitz der Tiberbrücke entschied über den Sieg.

Horatius hieß der entschlossene Mann, der die unheilvolle Lage im letzten Augenblick so tapfer meisterte. Er war ein alter Legionssoldat, der bereits in vielen Schlachten sein Leben für Roms Freiheit eingesetzt hatte. Sein Beiname „Cocles“, d. h. „der Einäugige“, war ein Ehrenname, denn in der Schlacht bei Gabii hatte er einst ein Auge eingebüßt.

„Steht, ihr Quiriten!“ schrie er seine Landsleute an; „wollt ihr durch feige Flucht Roms Bestand und Freiheit preisgeben?“ Betroffen hielten die Männer, die sich schon zur Flucht wenden wollten, im Laufe inne. „In euren

Händen haltet ihr das Kapitol, das Palatium, ja, ganz Rom und das Leben eurer Frauen und Kinder!" fuhr Horatius Cocles fort. Er gebot ihnen, die Tiberbrücke abzureißen, um den Feinden den Übergang zu verwehren. „Ich selber werde sie so lange aufhalten!" schloß er; „tut ihr, was Rom von euch verlangt!"

Wirklich gelang es Horatius' mutigen Worten, die Flüchtenden zum Stehen zu bringen. „Wir lassen dich nicht allein!" riefen zwei Legionäre, gepackt durch sein tapferes Vorbild, und traten zur Abwehr neben ihn. Unerschütterlich trotzten die drei Kühnen mit Schwert und Schild dem Ansturm der feindlichen Übermacht, während die Gefährten in ihrem Rücken in rasender Eile bestrebt waren, die Verbindung zwischen den beiden Tiberufern zu zerstören.

Immer höher wurde der Berg von Leichen, immer wilder rannten die Feinde an, aber ungebrochen standen die drei Römer, um vereint die Arbeit ihrer Landsleute zu decken.

Nun mahnten diese sie zum Rückzug. „Rettet euer Leben", klang es ihnen hinter ihrem Rücken zu, „ehe die letzte Verbindung abreißt!" Da gebot der tapfere Horatius Cocles seinen beiden Mitkämpfern, sich über die Pfahlreste des letzten Brückensteges zurückzuziehen. „Ich werde allein die Feinde abwehren", erklärte er ihnen entschlossen, „bis alle Gefahr behoben ist."

Staunend blickten Freund und Feind auf den Tapferen, der hier als ein lebendes Bollwerk das Herz der Vaterstadt schützte. Erst als die letzten Balken krachend in den Strom hinabfielen, sah er seinen selbstlosen Einsatz als beendet an. Vorsichtig wich er bis zum Flußufer zurück, wandte sich dann plötzlich um und stürzte sich in die Fluten des Tibers. Wütend drangen die Feinde nach, schleuderten ihre Geschosse und ließen den Hagel ihrer Pfeile auf den Gegner niederprasseln, der in voller Waffenrüstung nun dem jenseitigen Ufer zustrebte. Vater Tiberinus, der Gott des Stromes, zeigte sich dem tapferen Horatius gnädig, denn wirklich gelang es dem Helden, sich unversehrt in Sicherheit zu bringen. Jubelnd zogen ihn die Seinen ans rettende Land.

Auf dem Kapitol errichteten die Römer dem Volkshelden Horatius Cocles später ein Standbild aus Erz, das seine tapfere Tat ehrte. Auf Volksbeschluß schenkte man ihm so viel Land, wie er an einem Tage umpflügen konnte.

MUCIUS SCAEVOLA

So war dem König Porsenna im Augenblick der höchsten Not verwehrt worden, in Rom einzudringen. Doch er gab seinen Plan nicht auf und schritt zur Belagerung. Immer enger wurde der Ring, den er um die Stadt legte; er sperrte den Fluß, beherrschte mit seinen plündernd umherstreifenden Reitern Roms Umgebung und unterband so jeden Nachschub.

Nicht lange dauerte es, bis der Mangel an Lebensmitteln in der Stadt immer unerträglicher wurde. Eine Hungersnot stand bevor – und damit der Fall der Stadt.

In dieser Zeit schwerster Bedrängnis entschloß sich Gaius Mucius, ein Jüngling aus vornehmem Patriziergeschlecht, zu einer verwegenen Tat. Er hoffte, das Etruskerheer werde dann die Belagerung aufgeben und abrücken.

Um nicht als Überläufer verdächtigt und von den römischen Feldwachen zurückgeschleppt zu werden, wenn er sich ohne Wissen der Konsuln auf den Weg machte, wandte er sich zunächst an den Senat, um ihm sein Vorhaben zu unterbreiten. „Ihr Patres", sagte er, „ich will über den Tiber ins Lager der Feinde gehen und bitte euch um eure Einwilligung. Mit der Hilfe unserer Götter will ich dort meinen Plan verwirklichen!" Die Väter versagten ihm ihre Zustimmung zu der verwegenen Tat nicht.

In etruskischem Gewand, den Dolch darunter verborgen, machte sich Mucius auf den Weg, passierte ungehindert die römischen Wachen und schlich sich ins feindliche Feldlager. Dort ließ er sich von dem Strom der Krieger mitziehen, die sich in dichten Scharen zum Königszelt drängten. Es war nämlich gerade der Tag, an dem die Etrusker ihren Sold erhielten.

Mucius gelangte unauffällig in das Innere des prächtigen Raumes und sah dort zwei prunkvoll gekleidete Männer auf erhöhtem Sitze thronen, von denen der eine den herandrängenden Kriegern der Reihe nach den Sold auszahlte.

Wer von beiden mochte der König sein? Mucius konnte nicht wagen, einen der umstehenden Krieger zu fragen, denn durch solche Unkenntnis hätte er sich verraten. In seiner Unschuld hielt er den Mann, der über die unermeßlichen Geldsummen verfügte, für den Etruskerkönig, drängte sich kurz entschlossen in dem Gewühl an ihn heran und – stieß ihm den Dolch ins Herz. Doch sein Opfer war nicht König Porsenna, sondern der königliche Schreiber. Zu Tode getroffen sank dieser zu Boden.

Den blutigen Dolch in der erhobenen Rechten, suchte Mucius den rettenden Weg ins Freie. Doch bald hatte die Wache des Königs ihn überwältigt und schleppte ihn vor dessen Thronsessel.

„Wer bist du?" fuhr Porsenna den Mörder in etruskischem Gewande an.

„Ein Römer", versetzte dieser ruhig; „ich heiße Mucius." Unerschrocken bekannte er sich zu seinem Vorhaben: „Ein Etrusker, der meine Vaterstadt belagert, ist mein Feind, und ich bin fest entschlossen, diesen Feind zu töten!"

Voller Ingrimm blickte Porsenna auf den kühnen Mann; hinter dem Thronsessel standen die Schergen, ihre Folterwerkzeuge in der Hand. „Ich fürchte den Tod so wenig, wie ich entschlossen war, dem Landesfeind das Leben zu rauben", fuhr Mucius fort; „römische Art ist es, tapfer zu sein im Handeln wie im Ertragen. Und glaube nicht, König Porsenna, daß ich etwa allein sei; viele römische Jünglinge sind von derselben Entschlossenheit erfüllt wie ich!"

Des Königs Zorn wuchs gewaltig, als er solche Worte vernahm; zugleich aber war er nach den herausfordernden Worten des Römers nicht frei von Angst. „Bringt ein Feuerbecken", rief er befehlend, „damit wir den anmaßenden Mann zwingen, deutlicher zu reden!"

Doch Mucius ließ sich nicht erschüttern. „Du sollst sehen, wie wenig deine Drohungen mich einschüchtern können", sagte er. „Wer eine große

Tat begehen will, achtet Leib und Leben gering." Mit diesen Worten streckte er seine rechte Hand in das Feuer des Opferbeckens, das neben ihm brannte.

Wie vom Blitz getroffen schrak König Porsenna von seinem Thronsessel auf und starrte schaudernd auf ihn, als sähe er ein Wunder. „Bist du von Sinnen?" fuhr er ihn an. Und als Mucius noch weiter ohne Schmerzenslaut und ohne sich zu rühren dastand, schrie der König befehlend: „Reißt ihn vom Altar weg!"

Noch immer unbewegt, hatte der Römer sich vom Opferbecken wegziehen lassen. König Porsennas Zorn aber wandelte sich in Bewunderung. „Ich gebe dir die Freiheit zurück!" rief er. „Du bist beim Iupiter härter gegen dich selber vorgegangen als gegen mich. Wärest du ein Etrusker, so wollte ich deine Tapferkeit hoch preisen! Aber frei darfst du heimkehren."

Mucius blickte den König freimütig an. „Um dir für deine Großmut zu danken", sagte er sodann, „will ich dir offenbaren, was du mir durch Drohungen niemals hättest erpressen können: Dreihundert römische Jünglinge vornehmer Herkunft haben sich zur selben Tat verschworen, wie ich sie vergeblich versucht habe. Jeder von ihnen wird nicht ruhen noch rasten, bis das Schicksal ihm Erfolg geschenkt hat."

Dieser kühnen, todverachtenden Haltung war der Etruskerkönig, der sich nun unaufhörlich von Gefahren bedroht sah, nicht gewachsen; er mußte erkennen, daß er die Tarquinier nicht wieder in ihre Herrschaft einsetzen könne, und hob die Belagerung auf. Porsenna räumte das römische Gebiet und zog auch seine Besatzung vom Ianiculus zurück. In dem Frieden, den er mit den Römern schloß, traten sie das Gebiet rechts des Tibers ab und stellten zwölf Jünglinge und ebensoviele Jungfrauen als Geiseln.

So hatte Mucius Scaevolas beispiellose Opfertat wirklich Roms Freiheit erkämpft. Ihm aber, der wegen des Verlustes seiner rechten Hand den ehrenden Beinamen Scaevola, das heißt „Linkhand", erhielt, übereigneten sie zum Lohne ein großes Stück Wiesenland am Tiber, das fortan Mucia Prata hieß und noch lange nach seinem Tode von der mutigen Tat des freiheitliebenden Mannes kündete.

CLOELIA

Eine der edlen Jungfrauen, die Rom als Geiseln zu stellen hatte, war Cloelia. Für sie war es unerträglich, in Gefangenschaft sein zu müssen. Gar bald gelang es ihr, die Leidensgefährtinnen für ihren Plan zu gewinnen: Sie wollte sie alle in die Freiheit zurückführen, die ihnen am andern Tiberufer winkte. Wirklich gelang es ihr mit kluger List, die Wachen zu täuschen. Als erste sprang Cloelia in den Strom, die Gefährtinnen ihr nach. Erst jetzt wurden die Etrusker aufmerksam. Ein Pfeilhagel ging über die Jungfrauen nieder, um sie zur Rückkehr zu zwingen, doch unbeirrt folgten die Flüchtigen der voranschwimmenden Cloelia, und wohlbehalten führte sie alle ans rettende Ufer.

Glückstrahlend traten die jungen Mädchen vor ihre Eltern und Mitbürger, und jedermann sprach bewundernd von ihrer tapferen Tat. Der Konsul wie der Senat aber waren nicht ohne Bedenken: „Unredlich erscheint uns der Wortbruch“, sagte Valerius, „und unredlich, das Vertrauen des Feindes zu täuschen, der uns gegenüber Ritterlichkeit gezeigt hat.“

Römische Seelengröße sprach aus den Worten des Konsuls, denn auch seine Tochter Valeria war unter den Geiseln, die sich so tapfer gerettet hatten.

Wieder erlebte Rom, daß seine höchsten Würdenträger über Familienglück und Elternliebe die Forderungen des Staates stellten: Der Konsul gab Cloelia und den anderen Mädchen den Befehl, ins Etruskerlager zurückzukehren.

Gehorsam folgten die entflohenen Geiseln dem Gebot und meldeten sich bei Porsenna als Gefangene zurück. Voller Bewunderung würdigte der Etruskerkönig die Haltung der römischen Obrigkeit wie die kühne Tat der Jungfrau. Sie schien ihm gleichwertig dem heldenhaften Handeln, mit dem

Horatius und Mucius sich für die Befreiung der Stadt eingesetzt hatten. „Ich schenke dir die Freiheit, du tapferes Mädchen", sagte er, „und erlaube dir, noch drei deiner Gefährtinnen mitzunehmen."

Da wählte Cloelia die Jüngsten unter den Geiseln aus, deren zartes Alter am meisten der Freiheit bedurfte, und kehrte mit ihnen, von den Feinden bewundert und von ihren Landsleuten freudig begrüßt, in die Heimat zurück.

Auf der Höhe der Via Sacra, der Heiligen Straße, setzte man der Cloelia, die als „virago", als Heldenjungfrau, fortlebte, ein Standbild, das sie zu Pferde darstellte; das war die Ehrung einer Frau, wie sie in der römischen Überlieferung ohne Beispiel war.

So ging der Krieg, der die junge Republik in den ersten Jahren ihres Bestehens an den Rand des Abgrunds gebracht hatte, friedlich zu Ende. Bevor Porsenna ins Etruskerland zurückkehrte, erwies er den Römern ehrende Anerkennung für die Tapferkeit, mit der sie für ihre Sache gekämpft hatten: Er wußte von dem Mangel an Lebensmitteln, dem die eingeschlossene Stadt so lange ausgesetzt gewesen war, und überließ ihr großmütig sein Lager am Ianiculus, das übervoll war an Vorräten aller Art. Auf dem Platz vor der Kurie errichteten die Römer ihrem einstigen Gegner ein schlichtes Denkmal zum Dank für seine ritterliche Gesinnung.

DIE DIOSKUREN AM REGILLUS-SEE

Tarquinius, der zum zweiten Male seine Hoffnung auf den Thron dahinschwinden sah, wollte sich trotzdem nicht zu einer Einigung bereit zeigen. Noch immer gab er seine Sache nicht verloren und wandte sich nun hilfesuchend an die Landstädte Latiums, die ihm einst den Treueid geschworen hatten. Sie standen noch immer zu ihrer Verpflichtung und ließen sich von Tarquinius zum Krieg gegen die Tiberstadt verleiten.

Am Regillus-See prallten die Heere aufeinander, hier die Tarquinier und die Latiner, auf der anderen Seite die Legionen der jungen Republik. Den Oberbefehl führte zum ersten Male ein Diktator, Aulus Postumius, denn man wußte, die Doppelherrschaft, die in der Hand der Konsuln lag, war in Notzeiten nicht ohne Nachteile, besonders wenn beide nicht sich einig waren oder wenn der eine sich durch übermäßigen Ehrgeiz hervortun wollte, und so hatte man für besondere Fälle das Amt des Diktators geschaffen, um – für die Höchstdauer von sechs Monaten – die oberste Staatsgewalt in einer Hand zu vereinigen.

Roms Truppen, die schon wieder für den Bestand ihres Freistaates eintreten mußten, kämpften mit größter Tapferkeit gegen die feindliche Übermacht des Latinischen Bundes. Wohl taten der Diktator wie auch die Söhne des Konsuls Valerius Wunder an Tapferkeit, doch lange wogte das Ringen unentschieden hin und her. Sollten die Römer diesmal unterliegen?

„Da!" rief plötzlich einer wie entgeistert und zeigte in die Höhe. Alles folgte seinem Fingerzeig, und ein Raunen ging durch alle Reihen – das ganze Heer sah die göttliche Erscheinung: Aus der Wolkenhöhe kamen zwei Reiter auf blütenweißen Rossen dahergesprengt, auf das feindliche Lager zu, und mit leichtem Sprung überwanden sie den Lagerwall.

„Es sind Castor und Pollux, die Dioskuren", rief eine Stimme, „sie zeigen uns den Weg zum Sieg!" Alle riefen begeistert Beifall. „Auf, ihnen nach! Folget Iupiters Söhnen!" erscholl es von allen Seiten, und unwiderstehlich stürmte nun das Römerheer gegen den Wall des feindlichen Lagers, wie das göttliche Brüderpaar es ihm gewiesen hatte. Welch ein Jubel ging durch die Reihen der Römer, als sie den Sieg in ihren Händen hielten!

Zur selben Stunde wartete man in Rom voller Bangen auf den Ausgang des Kampfes, der die junge Republik auf eine neue, harte Probe stellte. Noch war die Entscheidung ungewiß. Da plötzlich wies einer der Greise, die wartend von der Mauer aus auf das latinische Land hinaus blickten, zum Himmel. Allen sichtbar kam ein Schimmelpaar angesprengt; die beiden Reiter schwangen die Schwerter und winkten frohlockend. „Sieg! Sieg!" klang es über die Stadt hin. Freude ergriff alle Bewohner.

Die beiden Dioskuren aber nahmen ihren Weg zum Hain der Vesta und reinigten ihre Schwerter am Quell des Tempels; dann kehrten sie in das Reich der Götter zurück.

Noch heute künden die herrlichen Reste des Dioskurentempels auf dem Forum Romanum von dem Dank, den die Römer nach jenem Siege Castor und Pollux, den beiden Göttersöhnen, errichtet haben.

Voll Verzweiflung hatte Tarquinius, sechs Jahre nach seiner Vertreibung, seine letzte Hoffnung zerbrechen sehen. Er floh nach Cumae und wußte, daß für ihn nun jede Aussicht geschwunden war, jemals wieder als König in Rom einziehen und den alten Thron besteigen zu können. Als verbitterter Greis starb er dort, von seinen einstigen Anhängern bald vergessen, in der Einsamkeit. Den römischen Staat sollte künftig kein Freiheitsräuber mehr beunruhigen.

SCHULDRECHT GEGEN DIE PLEBEJER

Hatte die Siebenhügelstadt auch die Könige vertrieben und sich zur libera res publica, zur Republik, gemacht, so war damit noch nicht der Weg frei für das Rom, von dem schon Iupiters Prophezeiung an Aeneas und von dem Romulus' letzte Worte gekündet hatten. Drohend erhob sich nun in seinem Innern eine neue Gefahr, denn immer verderblicher wurde der Gegensatz zwischen den Patriziern und den Plebejern und damit die offene Feindschaft zwischen dem Stande der Adligen und dem einfachen Volke. Trotz des fortschrittlichen Geistes der Servianischen Verfassung blieben weiterhin die bedrückenden Belastungen bestehen: Die Zinsen betrugen jährlich ein Viertel des entliehenen Kapitals, und wer mit seiner Zahlung säumig blieb, verfiel dem Schuldrecht, nach dem er samt seiner Familie in harte Strafe genommen wurde. Vergeblich wandten sich die Plebejer gegen diesen Mißbrauch der Gesetze, vergeblich war ihr Einspruch gegen die grausamen

Marterungen im Schuldturm, wo die Häftlinge in Ketten geschlossen und sogar ausgepeitscht wurden. Das gleiche Volk aber hatte immer wieder mit der Waffe in der Hand seinen Mann zu stehen, wenn es den Schutz des Vaterlandes galt: gegen die Latiner, die immer wieder den Freistaat zu stören suchten, und gegen die Volsker, die der jungen Republik nicht die glückliche Entwicklung gönnten. Schwer war der Blutzoll, den die tapferen, vaterlandstreuen Plebejer in diesen Kämpfen zu entrichten hatten. Aber kehrten sie dann aus dem Krieg zurück, mußten sie immer wieder erleben, daß die Stadtväter alle Versprechungen vergessen hatten, die sie beim Auszug in den Kampf gaben.

Immer bedrohlicher wurde das Murren des einfachen Bürgerstandes, immer spürbarer der Groll, der nach Taten verlangte. Eines Tages war es so weit: Ein hochbetagter Mann, elend gekleidet, verkommen und ausgehungert, wankte auf das Forum und zog durch sein erbärmliches, verwildertes Aussehen und seine kläglichen Hilferufe die Aufmerksamkeit der Menge auf sich.

„Ich kenne ihn“, hörte man einen der Umstehenden sagen, „er war Centurio in unserem Heere.“

„Jawohl“, schrie der Mann, „Hauptmann war ich im römischen Bürgerheere, und ich habe gestanden, wo das Kampfgewühl am dichtesten war. Wollt ihr Beweise?“ Er riß sich die schmutzige Tunika herunter und zeigte der Menge seine von Narben bedeckte Brust.

Immer mehr Menschen scharten sich um den Unglücklichen. „Gegen die Sabiner habe ich gekämpft und geblutet“, rief der Mann, „aber in den Wirren des Krieges ist inzwischen mein Hof, den schon mein Großvater bewirtschaftet hat, vom Feinde ausgeplündert worden und ist in Flammen aufgegangen; alles Vieh, das ich mir herangezogen habe, ist weggetrieben. Trotzdem hat man nach meiner Rückkehr von mir Steuern und Abgaben verlangt und mich gezwungen, Schulden zu machen gegen hohen Zins!“

Unruhiger und aufgeregter wurde die Menge, die immer mehr anwuchs, immer wilder wurden die Anklagen des verhärmten Mannes. „Hab und Gut habe ich unter der Schuldenlast eingebüßt“, schrie er, „ich wurde zum

Leibeigenen meiner erbarmungslosen Gläubiger und in den Schuldturm geworfen. Wollt ihr sehen, wie man mich dort gemartert hat?"

Entsetzt wich die Menge zurück, als er seinen Rücken zeigte, der von den frischen Spuren der Auspeitschungen scheußlich entstellt war. Doch dann gellte wie aus einem Munde ein Schrei der Empörung über das Forum hin. Er scholl bald über die ganze Stadt. Durch alle Straßen sah man hier und dort schreiende Haufen zum Markte eilen. Immer wilder wurde das Getümmel. Gefangene stürzten herbei, die das aufgebrachte Volk gewaltsam aus dem Schuldturm befreit hatte.

Vergeblich versuchten mehrere Senatoren des wachsenden Aufstandes Herr zu werden. Schon wollte die erbitterte Menge gegen sie tätlich vorgehen, als Publius Servilius und Appius Claudius, die beiden Konsuln, herbeigeeilt kamen.

Mit drohendem Murren, mit Hohnrufen und mit Haßgeschrei empfing sie die Menge. „Seht diese Fesseln!" klang es aus den Reihen; „seht diese blutigen Striemen! Haben wir dafür in den Kriegen Leib und Leben aufs Spiel gesetzt – ist das der Dank des Vaterlandes für unser tapferes Streiten?"

Hilflos standen die beiden Konsuln vor der aufgebrachten Volksmenge. „Laßt den Senat zusammentreten!" klang es aus den Reihen, und das Rufen war mehr drohend als bittend.

Es wurde schwer, den Senat einzuberufen, denn viele der Väter hielt die Furcht vor dem entfesselten Volke fern. Immer ernster wurde die Lage, und als die Senatoren sich endlich vollzählig versammelt hatten, waren die Meinungen so geteilt, daß es unmöglich schien, Einigkeit zu erzielen.

„Wir müssen mit konsularischer Strenge gegen diese aufrührerischen Friedensbrecher vorgehen", forderte Appius Claudius. „Nehmt nur ein paar der lautesten Schreier fest, so werden die übrigen schon still werden!"

Servilius, sein Mitkonsul, trat für mildere Maßnahmen ein. „Sicherer und leichter wird es sein", sagte er, „den Zorn des Volkes umzustimmen, als ihn zu brechen."

Noch fand er wenig Gehör. Doch da wurden die Verhandlungen jäh unterbrochen. Reitende Boten kamen in die Stadt gesprengt, drängten sich staubbedeckt in den Senat und riefen ihre Schreckensbotschaft den Vätern zu: „Die Volsker rücken mit einem mächtigen Heere gegen unsere Stadt vor!"

Jetzt zeigte es sich, wie sehr die Uneinigkeit das römische Volk entzweit hatte, denn die Plebejer begrüßten diese Nachricht fast mit Freude, weil die drohende Gefahr nunmehr die Väter zwang, ihren Wünschen nachzugeben.

Wirklich mußten sich die Konsuln zu Verhandlungen bereit erklären; die Patrizier sahen keinen anderen Weg, als sich den Forderungen des Volkes zu beugen: Die in den Schuldturm Geworfenen sollten freigelassen, die Schuldverpflichtungen gestrichen und der viel zu hohe Zinssatz herabgesetzt werden.

Da ließ sich das Volk zum Kriege führen und wandte erneut die Gefahr von der Vaterstadt ab. Weitere Kriege entbrannten, denn auch die Sabiner, die Aurunker und die Aequer griffen gegen Rom zu den Waffen. Sieggekrönt kehrten die Legionäre aus all diesen Kämpfen heim.

AUSZUG AUF DEN HEILIGEN BERG

Aber Appius Claudius mit seinem Stolz auf die patrizischen Vorrechte verachtete das einfache Volk und dachte nicht daran, die Versprechungen einzulösen, die sein Mitkonsul Servilius gegeben hatte.

Da war die Geduld der Plebs zu Ende. Mit Entschlossenheit schritt sie zu gewaltsamer Selbsthilfe. Sicinius, ein Mann aus ihren Reihen, machte sich zum Wortführer: „Uns bleibt jetzt kein anderes Mittel", rief er, „als unserem eigenen Befehl zu folgen! Was kümmert uns noch das Wort der Konsuln!"

So kam es zu dem Entschluß der Plebs, aus der Heimatstadt auszuwandern. Mit Frauen und Kindern und aller beweglichen Habe zogen die Plebejer zum Tor hinaus, überquerten den Anio und ließen sich, dreitausend Schritt von der Stadt entfernt, auf dem Heiligen Berge nieder.

In Rom herrschte allgemeine Bestürzung. Die Plebejer, die sich dem Zuge nicht angeschlossen hatten, fürchteten die Rache des Adels, die Patrizier wiederum waren voller Sorge, die ganze Plebs werde auswandern. Denn was sollte geschehen, wenn wieder ein Feind vor Roms Mauern zöge?

Jedermann im Senat sah jetzt ein, daß nur die Einigkeit unter den Mitbürgern noch Hoffnung für den Bestand des Staats geben könne.

„Wir müssen einen Unterhändler auf den Heiligen Berg schicken", regte einer der Patres an. „Ich schlage für solche Mission den Menenius Agrippa vor", rief ein anderer; „er ist wortgewandt und beim Volke beliebt!"

Menenius Agrippa stammte selber aus dem Volke und schien in der Tat für solch schwierigen Auftrag geeignet. Sogleich machte er sich auf den Weg zum Heiligen Berge.

Die Plebejer hatten ihren Lagerplatz mit Wall und Graben umgeben, wie die in vielen Kriegen bewährten Männer es gelernt hatten; an den Toren standen Wachen. Zwar hatte niemand Bedenken, den Abgesandten des Senates einzulassen und mit ihm zu verhandeln; doch von einer Rückkehr in die Stadt wollten die Plebejer nichts wissen. Stimmen des Unwillens wurden laut: „Sollen wir nur für die Reichen arbeiten? Sollen wir uns nur von den Mächtigen auspressen lassen? Wer tut denn etwas für uns und für unsere Rechte?"

Für Menenius Agrippa war es nicht leicht, sich Gehör zu verschaffen. „Laßt mich einmal zu Worte kommen, ihr Freunde!" rief er, „versucht einmal, auch die andere Seite zu verstehen!" Und dann begann er: „Ich will es euch an einem Beispiel klarzumachen versuchen; hört einmal folgende Geschichte: Vorzeiten war im Wesen des Menschen noch nicht alles in solcher Harmonie wie jetzt: Jedes Glied hatte seinen eigenen Willen und redete seine eigene Sprache. Damals verdroß es die Glieder, daß all ihre Sorge und all ihre Dienstleistung nur dem Magen gelten sollten. Es kam zu einer regelrechten Verschwörung. ‚Soll der Magen', so murrten sie, ‚faul daliegen und nichts weiter tun, als sich genießerisch an dem sättigen, was wir ihm zuführen?' So wurden sie sich darin einig, daß die Hände keine Speise mehr zum Munde führen, der Mund nichts mehr aufnehmen und die Zähne nichts mehr zerkauen sollten. ‚So werden wir den Magen, diesen faulen Dickwanst, schon durch Hunger bezwingen', meinten sie.

Doch was geschah, als sie den Vorsatz ausführten? Im Nu ließen ihre Kräfte nach, und bald verfiel der ganze Körper!

Da lernten sie schnell einsehen, daß der Magen nicht untätig und unnütz sei; ebenso wie er sich selbst nähren lasse, sei er ja selber ein Helfer des Ganzen. Sehr schnell leuchtete den Gliedern ein, daß der Mensch die Kräfte, durch die er lebt und gedeiht, durch die stille Arbeit des Magens erhält, und sie beeilten sich, mit dem Quell ihrer Körperkraft sich wieder auszusöhnen."

Mit wachsender Aufmerksamkeit hatten die Plebejer dem klugen Agrippa zugehört. Sie verstanden den Sinn seines Gleichnisses und erkannten, wie unrecht sie täten, unversöhnlichen Trotz gegen die Väter zu zeigen. Der Senat wiederum war einsichtig genug, den Forderungen der Plebs nachzugeben. Sie konnte aus ihren Reihen Volkstribunen wählen, die unverletzlich waren und das Recht besaßen, gegen die senatorische Obrigkeit einzuschreiten. Einer dieser Tribuni plebis war Sicinius, der den Anstoß zur Auswanderung auf den Heiligen Berg gegeben hatte.

CORIOLANUS

In jener Zeit des erbitterten Bürgerzwistes, der den Staat hart an den Rand des Abgrundes brachte, hatten die römischen Truppen wieder jenseits der Grenzen Krieg zu führen. Mit Latium kam es zu einem Bündnis, das den Grund für die Ausweitung Roms an Macht und Größe legte. Mit den Volskern jedoch, die sich an der Meeresküste entlang ausbreiteten und von Antium aus das römische Gebiet bedrohten, gab es schwere Kämpfe; doch der Konsul eroberte eine Stadt nach der andern und setzte sodann zum Stoß auf die befestigte Stadt Corioli an.

In diesen Kämpfen zeichnete sich ganz besonders ein Patrizier, der junge Gaius Marcius aus. Plötzlich nahte nämlich ein Entsatzheer der Volsker, um die Stadt zu befreien, und zur gleichen Zeit machten die Belagerten einen Ausfall. Da war es der junge, tapfere Patrizier, der geistesgegenwärtig die Lage meisterte. Mit einer Handvoll entschlossener Römer schlug er nicht nur den Ausfall der Eingeschlossenen zurück; voll kühnen Wagemutes drang er den Weichenden nach und stürmte mit brennender Fackel durch das offene Tor in die Stadt hinein. Im Nu stand Corioli in hellen Flammen – die Römer gewannen neuen Mut und schlugen das feindliche Entsatzheer, ehe es sich mit den Eingeschlossenen vereinigen konnte.

Marcius war der Held des Tages; sein Ruhm verdunkelte gar den des Konsuls Comminius. Auf dem Lagerplatz empfing der Feldherr den Tapferen, um ihm den Dank des Heeres auszusprechen. „Zur Belohnung für deine Verdienste“, rief er, „erlaube ich dir, vor der allgemeinen Verteilung der Beute den zehnten Teil für dich auszusuchen, und als besonderes Zeichen meiner Anerkennung schenke ich dir dieses Pferd!“ Auf einen Wink des Konsuls führte ein Soldat das Tier herbei, ein herrliches Schlachtroß mit prächtigem Sattel- und Zaumzeug.

„Ich danke dir“, versetzte Marcius, „und freue mich, die Zufriedenheit meines Feldherrn errungen zu haben. Dein Geschenk nehme ich mit Freuden an. Auf den Beuteanteil aber verzichte ich, denn ich sehe meinen Stolz darin, den Feind unseres Volkes im Kampfe zu schlagen, nicht aber, Beute zu machen. Wenn du glaubst, Feldherr, ich habe mich einer Auszeichnung würdig erwiesen, so bitte ich dich um eine Gunst: Unter den Gefangenen ist ein Gastfreund von mir. Willst du mir einen Gefallen erweisen, so laß ihn frei!“

Lauter Beifall brandete auf, als der tapfere Krieger diesen edelmütigen Wunsch aussprach. „Ihr Legionäre!“ rief Comminius in den Lärm hinein, „Wir können den tapferen Marcius nicht zwingen, ein Geschenk anzunehmen. Eines aber können wir ihm schenken, das er nicht zurückweisen wird: Von heute ab soll er zur Erinnerung an seine Heldentaten im Volskerkrieg den Ehrennamen Coriolanus führen.“

Nun gab es keinen Feind mehr, der Rom von außen gefährden konnte, und im Innern schien die Zwietracht beseitigt. Doch nun drohte eine neue Gefahr. Die Nahrungsmittel wurden knapp, weil durch den Auszug der Plebs die Felder nicht bestellt worden waren und weil die Volskerkriege viel Land verwüstet hatten. Teuerung setzte ein, und bald drohte das Gespenst einer Hungersnot.

Erst nach langen Mühen hatten die Konsuln einen großen Vorrat Getreide einkaufen können; nun verhandelte man darüber, zu welchem Preis man es den Plebejern überlassen solle.

„Jetzt ist es an der Zeit, sie wieder in die Schranken zu weisen; jetzt gilt es, uns die Rechte zurückzugewinnen, die die Plebs uns damals durch ihre Auswanderung gewaltsam entwunden hat!" So ging es durch die Reihen der Patrizier, und einer der eifrigsten Wortführer war Coriolan; er haßte die Volkstribunen, die durch ihr Einspruchsrecht die alten Rechte der Patrizier so stark beschränkt hatten. „Wenn sie den alten Getreidepreis wollen", rief er, „so mögen sie den Vätern die alten Rechte zurückgeben! Seit wir diese Vertreter des Volkes, die Tribunen, haben, ist Zwietracht über unsern Staat gekommen. Stellt die alte Einheit wieder her, und alle Not unseres Staates hat ein Ende!" Begeisterter Beifall seiner Standesgenossen unterbrach den heißblütigen, adelsstolzen Mann. „Sollen wir es uns gefallenlassen", fuhr Coriolan heftig fort, „daß ein Mann wie Sicinius, der einst den Aufruhr angestiftet hat, uns gefangensetzen kann?"

In Adelskreisen stimmte man Coriolan zu, denn man glaubte an die göttliche Berufung des Patrizierstandes. „Tarquinius haben wir als König nicht geduldet, und nun sollen wir dem Gebot eines Mannes wie Sicinius folgen?"

Immer lauter und unwilliger wurde das Murren der Adligen, die am Althergebrachten hingen und den Machtanspruch der Plebs haßten.

Ebenso laut aber wurde das Murren der Plebs. „Jetzt will man uns, als seien wir Feinde des Staates, gar durch Hunger gefügig machen", so klang es voller Zorn aus ihren Reihen, und ganz besonders richtete sich die Volkswut gegen Coriolan, in dem sie ihren Hauptgegner erkannten. „Wie ein Henker ist er aufgetreten", hörte man in den Reihen der Plebs sagen. „Wenn man uns die Tribunen, die Vertreter unseres Rechtes, nimmt, dann sind wir unfrei wie zuvor. Nur zwischen Tod und Knechtschaft läßt Coriolan uns also die Wahl!“

Immer erregter wurde die Volksstimmung. Die Menge rottete sich zusammen, und als Coriolan es wagte, sich mit seinen Gesinnungsgenossen in der Öffentlichkeit auf dem Forum zu zeigen, war der Zorn der Plebs nicht mehr zu dämmen. „Nieder mit dem Feind des Volkes!“ so klang es. „Nieder mit Marcius Coriolanus!“

Da warfen sich die Tribunen, die vorher die Menge aufgehetzt hatten, dazwischen: „Keine unbedachte und keine ungesetzliche Handlung!“ riefen sie. „Nach unserm Recht soll entschieden werden. Wir erheben Anklage gegen Coriolanus wegen Hochverrats!“

Die Tribunen brachten ihre Klage vor den Senat. Voller Verachtung hörte sich Coriolan die Drohungen der Volksvertreter an. „Eurem Amte nach“, sagte er kalt, „habt ihr das Recht, den Bürgern Beistand zu leisten. Es steht euch aber nicht zu, einen Patrizier zu bestrafen!“

Doch immer lauter wurde das Drängen des Volkes. Mochten die Patres auch vor Zorn beben, so blieb ihnen doch keine andere Wahl in diesem Prozeß: Sie mußten sich den Forderungen der Plebs fügen und ihr Coriolan zur Aburteilung vor der Volksversammlung ausliefern.

Die Verhandlung wurde ein großer Erfolg für die Plebs. Der Tribun Sicinius, der die Anklage vertrat, war derselbe, der einst beim Auszug auf den Heiligen Berg der Anführer gewesen war. Aber die riesige Menschenmenge, die sich auf dem Forum angesammelt hatte, wunderte sich sehr über seine Beschuldigungen. Sicinius warf dem angeklagten Coriolan nichts von dem vor, was ursprünglich zu der Gerichtsverhandlung geführt hatte. Nicht die Beseitigung des Tribunals kam zur Sprache. Der kluge Redner wußte allzu gut, daß man Coriolans Anträge, die dieser nach republikanischem Recht in der Volksversammlung vorgebracht hatte, niemals als ungesetzliche Handlung bezeichnen konnte.

„Ich erhebe Anklage gegen Coriolanus“, rief Sicinius, „der sich im Volskerfeldzug ungerechtfertigt bereichert hat. Kriegsbeute, die dem Staatsschatz anheimfällt, hat er sich widerrechtlich angeeignet!" Die Menge, in ihrem Haß gegen den Volksfeind leicht zu lenken, rief begeistert Beifall.

Als Verteidiger trat Menenius Agrippa auf, der einst am Heiligen Berg sein Geschick für Verhandlungen bewiesen hatte. Aber vergeblich versuchte er alle Anklagen zu widerlegen und zu entkräften. Die Stimmung des Volkes war so sehr gegen den verhaßten Coriolan, daß das Urteil gegen ihn ausfiel: Er wurde auf Lebzeiten verbannt.

In jener Nacht, so wird berichtet, sah man viele Römer weinen, weil die Gerechtigkeit aus der Stadt des Romulus verbannt sei.

Unter den Plebejern aber herrschte laute Freudenstimmung, denn mit Coriolans Verbannung hatten sie einen großen Sieg errungen, und dadurch war auch die Macht der Tribunen gewachsen.

Coriolan fügte sich empört dem schmachvollen Machtspruch. Ausgestoßen wie ein Bettler, mußte der doch so hochverdiente Held seine Frau Volumnia, sein Kind und seine greise Mutter Veturia verlassen. Er floh ins Land der Volsker, seiner einstigen Feinde. In der Stadt Antium fand er gastfreundliche Aufnahme, und besonders Attius Tullius, der einer der einflußreichsten Volsker und ein erbitterter Feind der Römer war, erwies ihm großes Entgegenkommen; denn er erkannte sogleich, daß er Nutzen aus Coriolans Haß gegen seine Vaterstadt ziehen könne.

Der Vertriebene konnte die schmachvolle Ungerechtigkeit nicht vergessen, die man ihm angetan hatte, und in seinem Haß gegen die Plebejer wartete er darauf, sich an ihnen zu rächen.

Geschickt nährten seine volskischen Gastfreunde diesen Haß. Denn sie brannten ja darauf, die Niederlage, die die Römer ihnen erst unlängst zugefügt hatten, zu rächen.

So wurde es für Coriolan nicht schwer, die Volsker zum Kriege gegen seine eigene Vaterstadt zu bewegen, und bereitwillig vertrauten sie dem kriegserfahrenen Mann die Führung ihres Heeres an.

Ein Kriegsgrund war schnell gefunden, denn der Senat hatte volskische Besucher, die sich zu den Zirkusspielen in Rom aufhielten und dem gebotenen Gottesfrieden vertrauten, aus der Stadt ausweisen lassen. Solche Verletzung der heiligen Gesetze des Gastrechtes erforderte blutige Sühne; so erklärten die Volsker den Römern sogleich den Krieg.

An der Spitze eines starken Volskerheeres fiel Coriolan in römisches Gebiet ein und drang bis in die Nähe der Hauptstadt vor. Nur wenige Meilen von Rom entfernt schlug er sein Heerlager am Kluilischen Graben auf. Was an Ländereien der Plebejer vor den Stadttoren lag, ließ er verwüsten; viele Dörfer sanken in Schutt und Asche. Die Besitzungen der Patrizier aber tastete er nicht an. Nicht daß er ihnen, die ihn, ihren Standesgenossen, im Stich gelassen hatten, nicht gram gewesen wäre; aber gerade dadurch dachte er, den Haß zwischen den zwei römischen Parteien zu schüren und die Kluft, die Roms Bevölkerung spaltete, noch mehr zu vertiefen.

Dieser verhängnisvolle Riß zeigte sich schon allzu deutlich, als es galt, den gefährlichen Angreifer, dessen Kriegserfahrung jeder kannte, abzuwehren. „Die Patrizier stehen mit den Feinden im Einverständnis und wollen uns an sie verraten", so klang es voller Mißtrauen aus den Reihen der Plebs. Sie weigerten sich, zum Schutze der Vaterstadt die Waffen zu ergreifen.

In dieser Lage sah Roms Senat keinen anderen Ausweg, als den Verbannten in Ehren zurückzurufen. So sandte man fünf Senatoren, Freunde Coriolans, ins feindliche Lager, um ihm den Beschluß zu überbringen. Aber der Abtrünnige wollte von der Genugtuung nichts wissen, die man ihm anbot. „Erst wenn die anmaßenden Ansprüche der Plebejer für immer zurückgewiesen sind, bin ich zu Verhandlungen bereit", erklärte er hochfahrend.

Betrübt und bestürzt kehrten die Abgesandten nach diesem fruchtlosen Mühen zurück. Immer ernster wurde die Lage in der eingeschlossenen Stadt. Noch einen letzten Versuch unternahm der Senat: Alle Priester, die Hüter der heiligen Opfer, und die Augurn, denen die Beobachtung und Deutung des Vogelfluges oblag, zogen feierlich, angetan mit allen Zeichen ihrer Würde und die heiligen Geräte vor sich hintragend, ins Kriegslager zu Coriolan, um ihn zur Milde zu stimmen. Auch sie kehrten unverrichteterdinge zurück.

In dieser Stunde der größten Not wurde der Stadt Rettung durch die Treuesten ihrer Einwohner, durch die Frauen: Volumnia, Coriolans Gattin,

13 Knabenkopf

14 Weiblicher Kopf mit Diadem

und seine greise Mutter Veturia, dazu mehrere edle Frauen Roms machten sich auf, um den unbeugsamen Vaterlandsfeind in seinem Lager aufzusuchen und ihn um Gnade zu bitten.

Als Coriolan von der Ankunft der Frauen hörte, eilte er ihnen voller Bestürzung entgegen. Er wollte die Mutter in seine Arme schließen, aber sie wies ihn zurück. „Ehe ich dich umarme“, rief sie „will ich wissen, ob ich zu meinem Sohne oder aber zu einem Feinde gekommen bin! Bin ich deine Mutter oder deine Gefangene?“ Bittere Klagen stieß sie dann aus über den frevelhaften Krieg des abtrünnigen Sohnes, über die Not des Vaterlandes und über ihr eigenes Unglück, die Mutter eines solchen Sohnes zu sein. „So brich doch mit dem fremden Heere in deine Vaterstadt ein!“ rief sie. „Sei dir aber gewiß, daß du sie über die Leiche deiner Mutter hinweg betreten mußt!“

Auch Coriolans Gattin schloß sich diesen Worten an und hielt ihm flehend den unmündigen Sohn entgegen.

Da brach der Trotz des Verräters. „Mutter!“ schrie er wild auf, „Rom hast du gerettet – aber deinen Sohn hast du auf ewig verloren!“

Sogleich hob er die Belagerung der Vaterstadt auf und zog das Volskerheer von Rom ab. Er kehrte nach Antium zurück und setzte sich unerschrocken den Vorwürfen der Volsker aus, die ihm den Bruch seines Kriegseides vorwarfen. Das Volk, das sich um seinen endgültigen Sieg über die verhaßten Römer gebracht sah, erschlug ihn schließlich auf offenem Markt.

Allzusehr hatte Coriolan, der in seinem Haß gegen die Plebejer zum Vaterlandsfeind geworden war, sich ins Unrecht gesetzt. So hatte die würdige Veturia mit ihren mütterlichen Bitten nicht nur dem Vaterlande, sondern auch der Plebs einen großen Dienst erwiesen. Immer hartnäckiger schritt nun die Volkspartei auf dem begonnenen Wege weiter, immer erbitterter wurde ihr Kampf mit der Adelspartei, die ihre alten Vorrechte starrköpfig als etwas Gottgegebenes für sich beanspruchte.

ABTRÜNNIGE PATRIZIER?

Noch wollten die alten Patriziergeschlechter nicht einsehen, daß ihre Vaterstadt nur dann zu der vorherbestimmten Größe emporwachsen könne, wenn es zwischen beiden Ständen, der Adels- und der Volkspartei, zu aufrichtiger und dauernder Versöhnung käme, und noch wollten sie nicht einsehen, daß die notwendige Versöhnung nur möglich wäre, wenn sie, die patrizischen Altbürger, sich bereit erklärten, Opfer zu bringen.

Besonders deutlich zeigten sich die Standesunterschiede bei der Benutzung des ager publicus; das war das Acker- und Weideland, das Rom in siegreichen Kriegen den Gegnern abgenommen hatte und das nun Staatsbesitz war. Nach uraltem Herkommen durften die Patrizier es benutzen, dazu noch ganz steuerfrei – dem Volke aber, das in den Kriegen die schwersten Opfer zu tragen hatte, gewährte man keinerlei Anteil an der Bewirtschaftung der Staatsländereien.

Doch nicht alle Angehörigen der Senatspartei waren so uneinsichtig, der Plebs alle Nutzung des öffentlichen Besitzes zu verweigern. Damals war Spurius Cassius die Konsulwürde übertragen worden, und dieser Mann aus altem Patriziergeschlecht hatte in seinem Gerechtigkeitssinn viel Verständnis für die Ansprüche der Plebs auf Gleichberechtigung.

Eines Tages gab es in der Senatssitzung einen Aufruhr, wie das Kapitol noch keinen erlebt hatte. Der Konsul war nämlich vor die Versammlung der Patres getreten und hatte ein „Ackergesetz“ eingebracht. „Die Gerechtigkeit gegenüber unseren Mitbürgern verlangt es, daß wir hinfort den ager publicus nicht mehr ohne Gegengabe für uns beanspruchen“, erklärte er. „In Zukunft müssen die Staatsländereien auch dem Volke zugänglich sein, und jeder Patrizier soll eine Nutzungsgebühr entrichten. So haben wir es der Plebs versprochen, als wir sie vom Heiligen Berge zurückholten.“

Ein solcher Antrag schien der Senatspartei als ein Eingriff in die göttlichen Bestimmungen. „Spurius Cassius ist unserem Stande untreu geworden, er treibt Verrat am Patriziat", das war die allgemeine Ansicht der Angehörigen der Alteingesessenen; sie beanspruchten die unentgeltliche Nutzung des ager publicus auch weiterhin als ein Recht, das ihnen durch die Geburt zukomme.

Der Gesetzesantrag war ordnungsmäßig gestellt, und es mußte darüber verhandelt werden; aber die Patrizier wußten die Abstimmungen so lange hinauszuschieben, daß sie in Cassius' Amtszeit nicht zum Abschluß kamen.

Kaum aber war sein Konsulat abgelaufen, da erfolgte der Gegenschlag. Spurius Cassius hatte eben seine Toga praetexta, das goldgestickte Gewand des Konsuls, abgelegt und sich zu Fuß in sein Haus zurückbegeben, da erschienen bei ihm die Gerichtsbeamten, die Quaestoren, und erklärten ihn für verhaftet.

Sehr sorgfältig hatte die Adelspartei diesen Gegenschlag vorbereitet, denn sie mußte ja mit dem Widerstand der Plebs rechnen: Alle beherrschenden Punkte in Rom waren von zuverlässigen Angehörigen der Patrizier besetzt.

Ohne sich zu widersetzen, ließ sich der einstige Konsul ins Gefängnis schleppen.

Wieder fand ein Prozeß statt, und fast wörtlich stimmte die Anklage mit der überein, die erst vor so kurzer Zeit Coriolan zum Verhängnis geworden war. Doch diesmal war die Senatspartei stärker, und sie scheute sich nicht, gegen den einstigen Konsul Hochverratsanklage wegen seiner lex agraria, seines Ackergesetzes, zu erheben. Wie einst bei Coriolan war nun auch bei Spurius Cassius ein von ihm ordnungsgemäß eingebrachter Antrag Ursache für das Vorgehen gegen ihn – auch in diesem Falle wider alles Recht! Aber der Senatspartei galten ihre alten Vorrechte mehr als jede andere Rücksicht, und so ging sie unerbittlich vor.

Spurius bekannte sich bei seiner Verteidigung unbeirrt zu den Grundsätzen, von denen er ausgegangen war, als er das für ihn so verhängnisvolle Gesetz eingebracht hatte. „Nur wenn wir die beiden Volksgruppen unseres Staates miteinander versöhnen", erklärte er mit Festigkeit, „werden wir weiterhin das Gedeihen unserer libera res publica gewährleisten. Nur aus diesem Bestreben heraus habe ich die Ackergesetze vorgeschlagen.“

Seine Prozeßgegner hörten aus seinen Worten nur das heraus, was zu ihren eigenen Absichten paßte. Ganz ohne Grund und ohne alle Beweise wurde ihm sogar vorgeworfen, er strebe nach der Alleinherrschaft.

Wieder kam ein schwarzer Tag in Roms Rechtsgeschichte, denn das Urteil des Bluttribunals gegen Spurius Cassius lautete auf Todesstrafe wegen Hochverrats, und wie in blutigem Hohn gewährte man dem Unglückseligen als Vergünstigung, daß er nicht öffentlich durch das Schwert des Henkers hingerichtet werden solle, sondern in seinem eigenen Hause sterben durfte.

Aber der Haß der Patrizier ging über das Grab hinaus, und in zügellosem Zorn zerschlugen sie, ohne Rücksicht auf die unschuldigen Kinder, Habe und Haus des Verurteilten, daß kein Stein über dem andern blieb.

Für Cassius' Söhne aber, die fest von der Unschuld ihres Vaters überzeugt waren, wurde dieses Beispiel gehässiger Ungerechtigkeit ein so furchtbares Erlebnis, daß es ihnen unerträglich erschien, weiterhin dem Patrizierstande anzugehören. Aus freiem Entschluß erklärten sie sich fortan zur Plebs gehörig; hatte ihr Vater doch sein Leben dafür eingebüßt, daß er sich in aufrichtigem Wollen bemüht hatte, die Gegensätze zwischen Patriziat und Plebs auszugleichen.

KLASSENKAMPF

Die ungerechtfertigte Verurteilung des Spurius Cassius verschärfte diese Gegensätze, und der verderbliche Parteienhader steigerte sich zu erbitterter Heftigkeit. Denn die Patrizier, kühn geworden durch ihren Erfolg, scheuten sich nicht, den Richter in dem Blutprozeß gegen Spurius Cassius zum Konsul zu machen, gleichsam als wollten sie ihn dafür belohnen, daß er der verhaßten Plebs eine solche Niederlage zugefügt hatte.

Aber mochten die Plebejer sich auch für den Augenblick zurückgedrängt sehen, bald konnten sie ihren Machtanteil im Staatsgefüge für sich ausnutzen, als sich neue Kriegsgefahr erhob. Die Volkstribunen redeten in den Versammlungen leidenschaftlich auf die Menge ein: „Kein Angehöriger unseres Standes wird sich für den Kriegsdienst ausheben lassen, solange uns nicht unser Recht zuteil wird! Jeder wird den Kriegsdienst verweigern, bis die Ackergesetze beschlossen sind!"

Der Mann, den das Vertrauen der Patrizier zum Konsul berufen hatte, hieß Caeso Fabius und entstammte aus Roms ältestem Adel; seine Vorfahren, so hieß es, waren die Anhänger des Remus gewesen, der in dem unglückseligen Bruderzwist sein Leben eingebüßt hatte.

So schien Caeso Fabius berufen, die Ansprüche der Patrizier mit Nachdruck zu vertreten, aber der verantwortungsbewußte Mann wuchs gar bald in die Pflichten hinein, die sein hohes Amt von ihm verlangte; er betrachtete sich nicht mehr als eigennützigen Vorkämpfer der Rechte seines Standes, sondern als Sachwalter des ganzen Volkes, dem er sich verpflichtet fühlte.

Kraft der Macht, mit der sein Amt ausgestattet war, führte der Konsul Caeso die Plebejer in den Krieg, als die Einwohner von Veii die Grenzen bedrohten. Zwar folgten die Legionäre anfangs dem Befehle, aber im Angesicht des Feindes geschah dann etwas in Roms Überlieferung Unerhörtes: Die Fußtruppen verweigerten den Gehorsam!

In ohnmächtigem Zorn ging der tapfere Konsul zum Angriff vor, obwohl nur die Reiter, die patrizischen Standes waren, ihm zu folgen bereit waren. Die Vejenter konnten dem wütenden Ungestüm nicht widerstehen und wandten sich zur Flucht, aber den Römern blieb es versagt, den Sieg auszunutzen, weil die aus der Plebs bestehenden Fußtruppen immer noch untätig verharrten.

Verbittert kehrte der Konsul heim. Er wollte nichts davon wissen, daß man ihn als Sieger feierte, denn längst hatte er erkannt, daß Roms Macht nur auf Einigkeit, auf der Aussöhnung der beiden Stände beruhen könne.

Sein Nachfolger war ebenfalls aus der Familie der Fabier. Er wußte, daß die Bestrebungen seines Vaters zukunftweisend waren, und führte sie zielbewußt fort; aber sein Mühen fand anfangs wenig Gegenliebe bei den Plebejern, und in dem weiteren Krieg gegen Veii verlangten sie gar, daß man die Angehörigen der Plebs gesondert in einem Heere zusammenfasse.

Da war es, als halte es Iupiter selber für an der Zeit, dem verderblichen Ständekampf Einhalt zu gebieten, denn mit seinem Blitzstrahl traf er das Zelt des Feldherrn des plebejischen Kriegshaufens, erschlug dessen Schlachtroß und zerschmetterte den Opferaltar.

Nun erkannten die Plebejer, daß nur die Einigkeit ihnen den Sieg bringen könne und jede Zersplitterung Verrat darstelle, einsichtsvoll vereinigten sie sich mit den anderen Teilen des Heeres.

Die Schlacht, die dann entbrannte, sollte ihnen zeigen, was solche Weisheit bedeutet, denn die Vejenter hatten auf die Uneinigkeit der Römer gebaut und gedacht, sie leicht überwältigen zu können. Wie entsetzt aber waren sie, als sie sich dem vereinigten Römerheere gegenüber sahen! So erbittert war der Ansturm der römischen Krieger, daß keiner der Feinde standhalten konnte. Allen voran erstrahlte die Tapferkeit der Fabier. Quintus Fabius, Marcus Fabius und sein Vorgänger, der Prokonsul Caeso Fabius, verrichteten Wunder an Tapferkeit, so daß ihr Vorbild die Legionäre mitriß und zum Siege führte.

DAS VORBILD DER FABIER

Nur durch Beispiel, nicht durch Worte könne man die Plebs gewinnen, so sagten sich die Fabier. Der Konsul Marcus Fabius, dessen Bruder tapfer kämpfend den Schlachtentod gestorben war, lehnte den Triumphzug ab, den der Senat ihm nach dem Kriege zusprach. „Wenn meine Soldaten ohne Feldherrn im Triumph in Rom einziehen wollen, so will ich es ihnen gönnen“, erklärte er voll Großherzigkeit, „denn sie haben eine Anerkennung wohl verdient.“

Solche Haltung ließ ihn die Herzen der Plebejer gewinnen. In echter Kriegsverbundenheit sorgte Marcus auch für seine verwundeten Mitstreiter: Er gab sie bei Patrizierfamilien zur Ausheilung in Pflege. Seine eigene Sippe aber, die Gens Fabia, übernahm opferbereit die meisten der Pflegebedürftigen, und nirgends waren sie in besseren Händen.

Nichts lag dem Fabier mehr am Herzen, als die widerstreitenden Parteien endlich zur Aussöhnung zu bringen. Das im Krieg gegen die Vejenter eroberte Land überließ er sogleich der Plebs. „Es ist doch nicht mehr als billig", erklärte er, „daß die in den Besitz dieser Ländereien kommen, die es mit ihrem Blut und mit ihrem Schweiß für unsern Staat erworben haben!"

Jahr um Jahr, nun schon zum siebenten Male, wurde das hohe Amt des Konsuls von Fabiern besetzt. Da wagte Caeso Fabius – derselbe, der einst als Blutrichter über Spurius Cassius geurteilt hatte – den entscheidenden Vorstoß. Er wollte jetzt endlich die Lex agraria, das Ackergesetz, durchsetzen.

Aber immer noch war Roms herrschende Schicht, das Patriziat, nicht bereit, von seinen Vorrechten zu lassen. Voller Entrüstung traten die Patrizier ihm im Senat entgegen: „Ist das der Feuergeist, den wir an dir erlebt haben, als du gegen den Landesfeind im Felde standest? Bist du durch den Ruhm, mit dem ganz Rom dich überhäuft hat, so matt und kraftlos geworden?"

Wieder glaubten die auswärtigen Feinde, den Parteienzwist, der in Roms Mauern herrschte, zu einem Einfall ausnutzen zu können, und wieder stellte die Plebs in dieser Stunde vaterländischer Not ihre Forderung: „Keiner von uns wird sich zum Kriegsdienst pressen lassen, ehe nicht endlich die Landverteilung gerecht geregelt ist!"

Das war das Schicksal des Caeso und seiner Sippe: Von seinen Standesgenossen wurde er als Abtrünniger geschmäht, und die Plebejer, die ihn anfangs als Sachwalter ihrer Interessen begrüßt hatten, rückten von ihm ab, als er gewaltsame Maßnahmen für den Kriegsdienst ankündigte.

Verlassen von beiden Parteien, entschloß sich Caeso Fabius mit seiner Sippe zu einer beispiellosen Tat für das Vaterland: Ganz auf sich gestellt, sammelte sich die Gens Fabia, dreihundertundsechs an der Zahl, zum Abwehrkampf gegen die vordringenden Feinde. Jeder der opferbereiten, entschlossenen Männer wußte, was in diesem ungleichen, aussichtslosen Ringen auf ihn wartete.

Zusammen mit ihren Klienten, die der Sippe die Treue wahrten, warfen sich die tapferen Fabier dann der Übermacht der Vejenter entgegen. Ein mörderischer Kampf entspann sich, dem keiner der todesmutigen Fabier entkam. Nur ein Knabe von zehn Jahren, der für die Schlacht zu jung war, hatte die Ausrottung seiner Sippe an jenem „schwarzen Tage" überlebt; er wurde zum Ahnherrn des neuen Stammes der ruhmvollen Familie, die durch ihren Opfertod ein so glänzendes Beispiel von Vaterlandsliebe gegeben hatte.

Trotzdem dauerten die Parteienkämpfe, die das Volk zerfleischten, unvermindert an. Aber wie die Fabier sich als leuchtende Vorbilder höchsten Opfermutes gezeigt hatten, so heben sich später immer wieder Gestalten echt römischer Tugend ab, die alle Düsterkeit überstrahlen.

CINCINNATUS

Der Krieg, den der Opfertod der Gens Fabia nicht hatte bannen können, rückte bedrohlich nahe. Dazu kamen verheerende Krankheiten, erschreckende Himmelserscheinungen sowie Erdbeben und Vulkanausbrüche. Jedermann glaubte, die Stunde des Weltunterganges sei nahe.

Sollte nicht alle Ordnung zusammenbrechen, so blieb nichts übrig, als in Rom den Notstand auszurufen. Nur ein Diktator, so wußte man, würde die Lage meistern können, und nur von einem einzigen Mann erhoffte man sich Rettung. Dieser Mann, den man in die hohe Machtstellung berief, war Quinctius Cincinnatus, ein echter Bürger von altrömischer Art, von jedermann wegen seiner Rechtlichkeit hoch geachtet. Und alle hatten die Hoffnung, daß bei ihm die uneingeschränkte Amtsgewalt in rechten Händen liegen werde.

Er war patrizischer Herkunft, aber er hielt es nicht für unter seiner Würde, mit eigener Hand den kleinen Landbesitz, den er ererbt hatte, zu bewirtschaften.

Als die Senatsboten bei ihm eintrafen, fanden sie ihn beim Pflügen seines Ackers. „Einen wichtigen Staatsauftrag haben wir dir auszurichten“, sagten sie; „leg die Toga an, wie es der Würde der Stunde entspricht!“

„Steht es etwa nicht gut um den Staat?“ fragte er besorgt. Und dann rief er seiner Frau zu, die in der einfachen Hütte ihren Pflichten nachging: „Bring mir sogleich die Toga herbei!“

Mit dem Arbeitskittel wischte er sich Staub und Schweiß aus der Stirn, legte dann die Toga an und trat vor die kurulischen Gesandten: „Jetzt stehe ich bereit, eure Aufträge zu hören, ihr Quiriten!“

Da hoben sie die Hände zum Heilruf und begrüßten ihn als Roms Diktator: „Im Auftrage der Konsuln überbringen wir dir deine Berufung in das höchste Amt des Staates. Rom erblickt in dir seinen Retter, der uns von der drohenden Gefahr befreien wird!“

„Mich verlangt nicht nach Ehre und Macht“, wollte der bescheidene Mann abwehren. Aber die Gesandten ließen seinen Einwand nicht gelten. „In dieser Stunde der Not“, erklärten sie, „erwartet das Vaterland von dir Treue und Opferwillen.“

Da stimmte er zu, ließ sich von den Liktoren nach Rom führen und übernahm die Amtsgewalt.

Sogleich traf er die erforderlichen Maßnahmen, stellte Wachen aus, ließ die Krambuden schließen und befahl Prozeßfrieden. Er ließ Truppen ausheben und hatte in aller Kürze ein schlagkräftiges Heer unter seinem Befehl. Da wagten die Sabiner, die Roms Grenzen bedrohten, keine Schlachtentscheidung und zogen sich kampflos zurück.

Cincinnatus führte seine Truppen sogleich gegen die Aequer, denn die Lage hatte sich inzwischen bedrohlich zugespitzt: Einer der römischen Konsuln war mit seiner Heeresabteilung vom Feind eingekreist worden. In der Nacht traf der Diktator eine kühne Maßnahme: Rings um die Aequer, die seine römischen Landsleute eingeschlossen hielten, ließ er einen Zaun aus

Schanzpfählen errichten, die die Legionäre mit sich führten. So nahm er den Feinden das Gesetz des Handelns, denn nun sahen sie, die den Gegner einschließen wollten, sich selber eingekreist und mußten nach zwei Seiten kämpfen. Nach seinem klugen Plan errang der Diktator einen glänzenden Sieg. Wieder einmal war Rom aus einer drohenden Gefahr gerettet.

Als Cincinnatus, von den Römern jubelnd begrüßt, zum Marktplatz zog, waren erst sechzehn Tage vergangen, seit er die Diktatur übernommen hatte. Er hob den Arm, um Ruhe zu gebieten, und unter dem achtungsvollen Schweigen seiner Mitbürger sprach der schlichte, bescheidene Mann nur wenige Worte: „Der Auftrag, zu dem mich das Vertrauen des Volkes berufen hat, ist erfüllt“, erklärte er; „so lege ich die Amtsgewalt in die Hände der Konsuln zurück.“

Das war echte Römertugend. Dem rechtlichen Mann ging es nicht um die Macht, die man ihm übertragen hatte. Er dachte nicht daran, sie für seine Person zu beanspruchen und länger zu behalten, als es der Auftrag erforderte. Nur im Dienste seiner Vaterstadt wollte Cincinnatus handeln.

DIE ZWÖLFTAFELGESETZE

In jener Zeit der erbitterten Standeskämpfe fand der Staat keine Ruhe. Wie die Plebs nach gerechter Landverteilung verlangte, so wehrte sie sich auch dagegen, daß die patrizischen Richter nach Gutdünken das Recht auslegten und dabei ihre Standesgenossen zum Nachteil der Plebejer begünstigten. Denn immer noch wurde das Gesetz nur mündlich von Generation zu Generation überliefert. Immer lauter wurde die Forderung nach geschriebenen und für alle gültigen Gesetzen.

„Wir müssen uns an das Vorbild anderer Völker halten“, erklärten die Tribunen und setzten es durch, daß Gesandte nach Unteritalien geschickt wurden, wo von altersher griechische Gemeinwesen blühten.

Das Verlangen nach geschriebenen Gesetzen übertönte sogar den Kampf um die Forderung nach Land, die lex agraria, und Unterstützung fand die Plebs dabei von einem Mann aus Patrizierkreisen, der sich bisher stets als heftiger Gegner des Volkes erwiesen hatte. Es war Appius Claudius, dessen Ahnherr Appius Claudius einst mit seinem Standesstolz und seiner Unbeugsamkeit mit schuld daran gewesen, daß die Plebs zum Heiligen Berg ausgewandert war.

Wieder drohten die Aequer und die Sabiner, und wieder verweigerte das Volk, das man so lange mit leeren Versprechungen hingehalten hatte, den Kriegsdienst.

Nun endlich wählte man – auch Appius Claudius trat dafür ein – zehn Männer, die aus den überlieferten Satzungen und den Bestimmungen der fremden Gesetze, die sie im griechischen Unteritalien kennengelernt hatten, ein für Rom gültiges Gesetzeswerk ausarbeiten sollten. Um sie bei dieser Arbeit von allen Hemmungen zu befreien, die von dem unseligen Parteienzwist her drohten, wurde ihnen auf ein Jahr die unumschränkte Macht übertragen; die Konsuln und alle Obrigkeiten traten von ihren Machtbefugnissen zurück. Unter diesen „Zehn Männern", den Dezemvirn, war Appius Claudius der angesehenste, aber auch der ehrgeizigste.

Am Ende der festgesetzten Amtszeit erwies es sich, daß die Dezemvirn gute Arbeit geleistet hatten; das große Werk war nahezu vollendet.

Zwar sah das Volk seine Forderungen in der Frage der Landverteilung noch nicht voll erfüllt, und das Eheverbot zwischen Patriziern und Plebejern zeigte immer noch die verhängnisvolle Spaltung zwischen den beiden Ständen auf. Aber die Plebs erkannte schon viele Vorteile darin, daß die Staatsgesetze nun schriftlich festgehalten waren, und so nahmen auch die Plebejer in ihren Volksversammlungen die neuen Gesetze an.

Auf zwölf Bronzetafeln wurde das nunmehr gültige Gesetz, für jedermann zugänglich, auf dem Forum aufgestellt. Es hatte viele Jahrhunderte lang Gültigkeit und bildete die Grundlage des gesamten abendländischen Rechtes.

APPIUS CLAUDIUS

Fast dreihundert Jahre waren seit Roms Gründung im Jahre 753 vergangen. Es war das Jahr vierhundertundeinundfünfzig vor Beginn unserer Zeitrechnung. Hatten Roms verhängnisvolle Ständekämpfe nun ein Ende gefunden?

Den Dezemvirn und besonders Appius Claudius ging es jedoch bald nicht mehr darum, dem Volke Gerechtigkeit werden zu lassen. Die Konsulgewalt, die das Volk ihnen für die Abfassung der Gesetze eingeräumt hatte, war auf ein Jahr, dann auf zwei Jahre befristet. Aber sie zeigten keine Neigung, ihr Amt, durch das sie zu Herren in Rom geworden waren, niederzulegen und das Volk zur Neuwahl von Konsuln aufzurufen.

Appius Claudius, der sich so sehr als Volksfreund gezeigt hatte, ließ jetzt seine Maske fallen und offenbarte seine wahre Gesinnung. Ohne sich um die Zustimmung des Volkes und des Senates zu kümmern, blieb er mit den ihm treu ergebenen Anhängern, die auch der Machtrausch gepackt hatte, im Amte, nützte seine Stellung ohne jede Rücksicht aus und warf sich zum Gewaltherrscher von Rom auf.

Patrizier wie Plebejer drängten ungestüm auf seinen Rücktritt, doch Claudius, stets umgeben von zwölf Liktoren, die drohend in den Rutenbündeln die aufgestellten Beile zur Schau trugen, hielt die Macht fest in der Hand; wer sich widersetzte, mußte dies mit Kerkerhaft büßen.

Rom zitterte unter der Schreckensherrschaft. Was nützte das neue Gesetz, wenn Willkür und zügellose Ungerechtigkeit regierten?

Diese traurige Lage glaubten Roms Feinde ausnützen zu können. Wieder standen Aequer und Sabiner drohend an den Grenzen, und nicht verwunderlich schien es, daß die Legionen, von den Dezemvirn zum Kampfe gezwungen, mißmutig und lustlos dem Feinde entgegentraten.

In dem Heere, das gegen die Sabiner ausgerückt war, stand Lucius Siccius Dentatus, ein in unzähligen Schlachten bewährter ergrauter Krieger; kaum einer trug so viele ehrenvolle Narben, keiner hatte so viele Auszeichnungen erworben wie er. Freimütig erhob er seine Stimme gegen die angemaßte Amtsgewalt der neuen Machthaber. „Sollen wir, fast fünfzig Jahre nach dem Auszug unserer Plebs auf den Heiligen Berg, noch länger solche Gesetzwidrigkeit dulden?“ rief er mutig seinen Kriegsgefährten zu.

Immer bedrohlicher wurde die Volksstimmung gegen Appius Claudius und seine Dezemvirn. Da scheuten diese auch vor dem Ärgsten nicht zurück und beschlossen, den freimütigen Siccius meuchlings beseitigen zu lassen. Durch ergebene Anhänger ließ Appius den unerschrockenen Mann in eine Falle locken. Unter dem Vorwand, er solle einen neuen Lagerplatz erkunden, wurde er ausgeschickt und in einer einsamen Schlucht von den bestellten Mördern überfallen. Zwar wehrte sich der tapfere Krieger, und mehr als zehn der gedungenen Mörder mußten ihre feige Untat mit dem Tode büßen. Doch zuletzt erlag er ihrer Überzahl.

Mit furchtbarer Erbitterung vernahmen die Legionäre im Feldlager von dem ungeheuren Verbrechen, aber noch fehlte es an der Entschlossenheit, die verbrecherischen Mitglieder des Dezemvirats zur Rechenschaft zu ziehen.

Das stärkte deren Zügellosigkeit und ließ sie ihren Frevel immer weiter treiben.

Als Appius Claudius eines Tages, geleitet von den Liktoren, durch Roms Straßen schritt, sah er die junge Virginia und fühlte sich bei dem Anblick des lieblichen Mädchens von so heftiger Leidenschaft gepackt, daß er keinen anderen Wunsch kannte, als sie zu besitzen. Doch vergeblich warb er um die Gunst der Jungfrau, die aus altem plebejischem Geschlecht stammte, vergeblich überhäufte er sie mit Geschenken, um sie zu gewinnen. „Wie du weißt, bin ich mit Lucius Icilius verlobt“, versetzte sie kurz und wies ihm den Rücken.

Da ließ Claudius sich von seiner Leidenschaft aufs neue auf den Weg des Verbrechens führen. Daß Virginias Vater, der ehrbare und beim Volke geachtete Hauptmann Virginius, bei seiner Legion im Feldlager war, erschien dem ruchlosen Appius Claudius für sein Vorhaben besonders förderlich: Er gab einem seiner ihm treu ergebenen Klienten, Marcus Claudius, den Befehl, die schöne und sittsame Jungfrau als seine Sklavin zu beanspruchen. „Wenn sie sich weigert", gebot der herrische Dezemvir dem Manne, „so erkläre, sie sei die Tochter deiner Sklavin und dem Virginius zu Unrecht als Kind zugesprochen!"

Der Klient tat nach dem Geheiß seines Herrn. Als Virginia tags darauf auf dem Forum erschien, trat Marcus Claudius ihr entgegen und befahl ihr, ihm zu folgen. „Weil du die Tochter meiner Sklavin bist", erklärte er frech auf ihre betroffene Frage. „Und wenn du dich weigerst, so werde ich mir mein Recht zu verschaffen wissen!"

Trotz ihrer Bitten wurde sie von dem Manne gewaltsam vor den Richterstuhl des schändlichen Appius Claudius geführt. In tiefer Bestürzung kam Icilius, ihr Verlobter, herbeigeeilt; tapfer trat er für seine Braut ein. Daraufhin mußte der trügerische Dezemvir sich bereiterklären zu warten, bis Virginias Vater, der Hauptmann Virginius, aus seinem Feldlager herbeigeholt wäre.

Drohende Stille lag über dem Forum von Rom, als Appius Claudius dann auf seinem Richterstuhl Platz nahm und die Verhandlung eröffnete. Ruhig stand vor ihm Virginia an der Seite ihres Vaters und ihres Verlobten. Dann trat Marcus Claudius, der Klient, vor und erhob seine Anklage.

Appius Claudius hörte ihn ruhig an, doch ließ er wider alles Recht weder Virginia noch ihrem Vater das Wort zur Rechtfertigung. „Der Anspruch des Klägers besteht zu Recht", entschied er, „ich spreche Virginia dem Marcus Claudius als seine rechtmäßige Sklavin zu!"

Wie gelähmt hörten die Betroffenen diese Entscheidung, die allem Recht Hohn sprach; voller Bestürzung stand das Volk, das längst das falsche Spiel durchschaut hatte.

Schon griffen die Liktoren nach der Jungfrau, da bat Virginius mit scheinbarer Ruhe um eine letzte Gunst: Er wolle seiner Tochter noch ein Wort des Abschieds und des Trostes sagen.

Nachsichtig ließ Appius Claudius ihn seine tiefgebeugte Tochter beiseite führen. Von einer der nahen Buden, wo Fleisch verkauft wurde, ergriff Virginius dann plötzlich ein Schlachtermesser und hob es hoch empor: „Nur auf solche Weise, meine Virginia, kann ich dir Ehre und Freiheit retten!" schrie er und – stieß ihr das Messer in die Brust. Dann hielt er es wieder in die Höhe und rief: „Und mit diesem Blut, das schuldlos fließen mußte, weihe ich dein Leben, Appius, den Unterirdischen!"

Niemand wagte es, dem Virginius entgegenzutreten, als er sich das blutige Messer in der Hand einen Weg durch die Menge bahnte.

Ein wildes Getümmel erfüllte Roms Marktplatz. Während Virginius ins Feldlager sprengte, um die Legionäre zum Kampf gegen die schändlichen Gewalthaber aufzurufen, drang die erregte Menge auf Appius Claudius ein. Nur mit Mühe rettete er sich vor der Wut des aufgebrachten Volkes.

So nahm die unrechtmäßige Herrschaft der Zehnmänner ein Ende. Valerius und Horatius, zwei volksfreundliche Senatoren, verhandelten mit dem Volk, das zum zweiten Mal auf den Heiligen Berg ausgezogen war, doch es erklärte sich dieses Mal nicht eher zur Rückkehr bereit, als bis man ihm die Erfüllung seiner Forderungen zugestand: Es verlangte die Wiedereinführung der tribunizischen Gewalt mit dem Rechte, Berufung beim Volke einlegen zu dürfen.

Das Volk hatte auch strenge Bestrafung der Dezemvirn verlangt, ebenso wie es Straffreiheit forderte für jeden, der am Aufstand teilgenommen hatte. In großer Nachsicht ließ das Volk dann von seiner Forderung gegen die Zehnmänner, als man vernahm, daß Appius Claudius sich das Leben genommen habe; die andern Dezemvirn gingen freiwillig in die Verbannung.

Wie die Schandtat, die zu Lucretias Tod geführt hatte, einst Rom von der Herrschaft der Könige befreit hatte, so war Virginias Name unlöslich verbunden mit dem Sturz der gewalttätigen Dezemvirn, dem dann endlich die Versöhnung zwischen Patriziern und Plebejern folgte. Denn die neuen Gesetze, die man die „valerisch-horazischen" nannte, schufen für Jahrhunderte die Grundlage der plebejischen Freiheit: Es war das Provokationsrecht, das Recht der Berufung im Falle einer Bestrafung, und die Unverletzlichkeit der Volkstribunen. Schwere Strafen schützten das neue Recht.

Im Schutze der neuen Gesetze und nach der Wiederherstellung der alten Verfassung trat Rom nun aus dem engen Kreis seiner latinischen Stammesheimat heraus und schritt hinein in seine große Zukunft, wie sie Iupiter einst dem Aeneas verheißen hatte:

„Herrschaft ohne Ende habe ich dir gegeben – –“

VEII

Lange bevor Romulus und Remus die Tiberstadt gegründet hatten, lebte auf Italiens Halbinsel das Volk der Etrusker, reich an uralter Überlieferung, gefestigter Kultur und bewährtem Kunstfleiß, dazu machtvoll im Schutze seiner Burgen und festen Städte. Oberhalb des Flußlaufes lag Veii, mit hochragenden Tempeln und prunkvollen Palästen. Seit jeher war diese stolze Stadt den Bewohnern der Siebenhügelstadt ein Dorn im Auge, seit jeher schon waren Römer und Vejenter im Streit um die Grenzrechte aneinandergeraten, und allzuoft waren dabei die mächtigen Vejenter die Angreifer – nun, da Rom nach dem Ende des verderblichen Ständezwistes sich im Innern stark wußte, drängte alles hin auf eine Entscheidung mit den Volskern und den Aequern, besonders aber mit dem verhaßten Veii.

Etwa auf der Hälfte der Wegstrecke zwischen Rom und dem Gebiet des Nebenbuhlers lag am linken Tiberufer die Stadt Fidenae, schon seit Jahren eine römische Kolonie; aber die Bewohner hatten sich von Rom losgerissen und bei dem mächtigen Veii Schutz gesucht.

Vergeblich suchte Roms Senat, die Abtrünnigen zur Umkehr zu bewegen. Die Gesandten der Römer, vier Patrizier vornehmer Abkunft, wurden von den Fidenaten gegen jedes Völkerrecht in Fesseln gelegt; dann schickten sie Boten zu Tolumnius, dem König der Vejenter, um seine Weisung zu erbitten. Er saß gerade beim Würfelspiel, ließ sich darin durchaus nicht stören und rief den Gesandten auf ihre Anfrage zu: „Laßt die Römer das Henkerschwert spüren!" Die Bevölkerung von Fidenae tat nach seinem Rate.

So war der Krieg unausbleiblich. Roms Legionen rückten zum Kampfe aus, und bald standen sie dem Heere der Fidenaten und Vejenter in erbitterter Feldschlacht gegenüber. Mit Ingrimm sah Cornelius Cossus, ein tapferer Mann aus altadeligem Geschlecht, wie König Tolumnius seine römischen Landsleute vor sich hertrieb; da drang er auf den König ein, stieß ihn im kühnen Anlauf vom Streitroß und traf ihn mit seinem Schwerte zu Tode. Das Haupt des Feindes auf der Lanzenspitze, so jagte der Römer dann durch die Reihen der Feinde, daß sie voller Entsetzen zurückwichen.

Fidenae bat um Frieden, aber Veii, die mit ihm verbündete Stadt, die anfangs auch auf Beendigung der Kriegshandlungen gedrängt hatte, erneuerte bald die alten Feindseligkeiten, überfiel die römischen Grenzgebiete und zwang die Stadt des Romulus von neuem zum Kriege. Auch die Fidenaten hatten sich im Schutze ihrer mächtigen Verbündeten wiederum gegen Rom erhoben; alle Römer, die sich in ihrer Stadt angesiedelt hatten, wurden von der erregten Menge hingemordet.

Wieder standen sich vor Fidenae die Heere in erbitterter Feldschlacht gegenüber. Da plötzlich öffneten sich die Stadttore, und mitten hinein in die Reihen der Römer sprengte eine furiengleiche Schar, Feuerbrände und giftige Schlangen in den Händen schwingend. Wieder war es Cornelius Cossus, der die Lage meisterte. Um den Geisterspuk zu bannen, riß er von seinem Pferde Zaumzeug und Sattel herab und sprengte auf nacktem Pferderücken mitten hinein in die Horde der Fackelträger. Ihm folgten seine Reiter, und in wildem Ritt jagten sie den fliehenden Feinden nach, die in der Stadt Schutz suchten. Fidenaes weitgeöffnete Tore nahmen Fidenaten und Römer auf, und dort in der Stadt erhob sich ein Gemetzel grausiger Art; denn die Römer übten blutige Rache für die Treulosigkeit der Fidenaten. Wer dem Morden entrann, den traf das nicht weniger bittere Los der Sklaverei. Die ganze Stadt wurde den Soldaten zur Plünderung überlassen und dann zerstört. Das einst blühende Fidenae hatte aufgehört zu bestehen.

An die zwei Jahrzehnte hielt Veii jetzt Frieden. Doch noch immer war die Verletzung des Völkerrechts, der Mord an Roms Gesandten, nicht gesühnt. Aber als seine Unterhändler in der Etruskerstadt ihre Forderung vorbrachten, begegnete man ihnen mit Hohn und wies sie ab. Jedermann in Rom wußte nun, daß nur ein Krieg auf Leben und Tod die alte Nebenbuhlerschaft aus der Welt schaffen könne. Aber sollte man in einen Kampf, der um den Bestand Roms ging, mit Legionären ziehen, die in der Sorge um Weib und Kind nur ungern die Heimat verließen und sich zudem nur widerwillig von der Feldarbeit entfernten, weil sie nach der Rückkehr die Schuldenlast fürchteten?

Volk und Senat von Rom wußten, was für ein Krieg ihnen bevorstand, denn längst hatte es sich erwiesen, daß für Rom und Veii zugleich in Italien kein Raum war. „Was wir benötigen", so sprach man im Senat, „ist ein ständiges Heer, das nicht mit dem Gedanken bei der unversorgten Familie ist und das sich nicht auf eigene Kosten ausrüsten muß – wir brauchen ein Heer, das ständig unter den Feldzeichen steht."

„Und dem der Staat zeigt, daß er den Kampf für Volk und Heimat zu würdigen weiß", klangen andere Stimmen dazwischen.

Damals faßte Roms Senat einen großen Entschluß von weittragender Bedeutung: Ein ständiges Heer wurde eingeführt, das aus der Staatskasse seinen Sold erhielt und von nun ab immer unter Waffen stand. Willig ertrugen Patrizier wie Plebejer die erhöhte Steuerlast, die diese hochbedeutsame Maßnahme ihnen aufbürdete.

So war das römische Heer, das nun gegen Veii, die größte und mächtigste Stadt Etruriens, zu Felde zog, erfüllt von einheitlichem Siegeswillen – und nur mit solcher Gesinnung konnten die Römer in einen Krieg gehen, der sie vor die bisher schwerste Entscheidung im Leben ihres Volkes stellte.

Veii lag auf einer Anhöhe unweit dem rechten Tiberufer. Hochragende Felsen und Mauern schienen die Stadt gegen jeden feindlichen Angriff hinreichend zu schirmen. Dennoch wagten die Römer die Belagerung, als die Vejenter hinter den festen Mauern Schutz suchten. Roms Legionäre zogen einen riesigen Wall rings um die Stadt, um ihr den Nachschub abzuschneiden, errichteten Sturmdächer und bedrängten die Eingeschlossenen von allen Seiten.

Trotzdem aber hielten sich die Vejenter in der eingeschlossenen Stadt, störten die Belagerer durch kühne Ausfälle und zogen den Krieg über viele Jahre hin. Schon neigte sich – wie einst in dem zermürbenden Trojanischen Kriege – das erste Jahrzehnt seinem Ende zu, ohne daß das wechselnde Kriegsglück einem der beiden Gegner den Sieg schenkte.

In dieser Stunde, die auf die Entscheidung hindrängte, ernannte Rom wieder einen Diktator, um die Not zu wenden. Es war Marcus Furius Camillus, ein hochbewährter Kriegsmann.

Damals begab sich das Wunderzeichen des Albanersees. Trotz der trokkenen Sommerzeit hatte er sich so gehoben, daß sein Wasser sich über den Kraterrand hinweg in die Ebene ergoß; blühende Felder und fruchtbare Wiesen wurden zerstört. Was mochte dieses seltsame Ereignis bedeuten? In ihrer Ratlosigkeit schickten die Römer Gesandte nach Griechenland, nach Delphi zum Orakel des Apollo; sie hofften, der Gott werde ihnen Auskunft geben, was in dieser Notzeit das Gebot der Stunde sei.

Vor den Belagerungswällen zeigte sich damals ein Greis mit langem, wallendem Haar: „Spart euch alle Mühe, ihr Römer“, rief er höhnend mit weithin schallender Stimme, „denn der Krieg ist für euch verloren!“

Die römischen Vorposten ließen den Mann gewähren. Doch am nächsten Tage erschien er aufs neue: „Gebt euch keine Mühe, ihr Römer, denn nimmermehr werdet ihr Veii zu Fall bringen, solange der Albanersee mit seinen Fluten die weite Ebene überschwemmt!“

Da packte einen römischen Zenturio erbitterter Zorn. Er näherte sich geschickt dem Alten, umschlang ihn dann plötzlich mit seinen starken Armen und trug ihn trotz der empörten Rufe der Etrusker ins Römerlager. Es war ein Haruspex, ein Opferschauer, und der Feldherr, der die Bedeutung dieses Mannes erkannte, ließ ihn sogleich nach Rom zum Senate führen. Dort stellte man den Greis in feierlicher Senatssitzung zur Rede.

„Die Götter müssen an jenem Tage Böses mit Veii im Sinn gehabt haben, als sie mir den Gedanken eingaben, euch die beschlossene Zerstörung meiner Vaterstadt kundzutun." So begann der Greis nach langem Schweigen. „Jetzt kann ich nicht widerrufen, was ich damals geweissagt habe", fuhr er fort. „Vielleicht ist es ja auch der Wille der unsterblichen Götter, daß ich das Bevorstehende offenbare: Wenn einmal der Albaner See ansteigt und die Römer ihn ableiten, dann ist ihnen der Sieg über die Vejenter beschieden. Solange aber die Fluten über den Kraterrand fließen und sich ins Land ergießen, werden die Götter die Mauern der Stadt nicht verlassen."

Noch zögerten die Römer, der seltsamen Rede des etruskischen Opferschauers Vertrauen zu schenken. Konnten seine Worte nicht eine List bergen, um die Belagerer zu unüberlegten Handlungen zu verleiten?

„Laßt uns den Ausspruch des Pythischen Apollo abwarten!" kamen mahnend die Stimmen einiger vorsichtiger Senatoren, doch gerade zu dieser Stunde kehrten die Gesandten zurück und – o Wunder! – ihre Botschaft stimmte genau überein mit den Worten des etruskischen Alten!

Da gab es für die Römer keinen Zweifel mehr. Sie leiteten den Albanersee so ab, daß sein Wasser nicht mehr in ungeregeltem Strome ins Meer floß, sondern, kunstvoll in Bäche zerteilt, die Gefilde bewässerte.

Neugestärkt durch die göttliche Vorhersage und durch das Vertrauen, das jeder im Belagerungsheere dem neuen Diktator Marcus Furius Camillus entgegenbrachte, traten die Römer dann zum Sturme an. Sturmleitern und Widder, die mächtigen Rammböcke, standen bereit, die gewaltigen Mauern zu bezwingen.

CAMILLUS

Größer noch als die Siegeszuversicht der Soldaten war die des Feldherrn. Denn Camillus plante etwas bisher noch nie Dagewesenes: Nicht nur von vorn und von oben wollte er die hochragende Stadt bezwingen, sondern von unten – aus der Tiefe der Erde. Er ließ nämlich vom römischen Lager aus einen Gang graben, der unter Veiis Stadtmauer hindurch in die Stadt hinein führte.

Längst hatten die Götter sich gegen die herrliche Stadt der Etrusker entschieden. Veiis Untergang war nicht mehr aufzuhalten. Voller Überzeugung schrieb Camillus an den Senat, daß der Fall der feindlichen Stadt bevorstehe. Der Senat möge über die Beute entscheiden.

Da ließ Roms Obrigkeit überall bekanntgeben: „Jeder Bürger, der in Veii Beute machen will, soll zum Diktator ins Lager gehen!"

In unübersehbarer Menge zog nun Roms Bevölkerung zum Belagerungsheer, um an der Beute teilzuhaben. Bevor Camillus den Angriff befahl, hob er die Hände zum Gebet: „Pythischer Apollo", rief er, „unter deiner Führung mache ich mich auf, die Stadt Veii zu zerstören! Dir, Göttlicher, gelobe ich den zehnten Teil der Beute! Dich aber, hehre Göttin Iuno, die du jetzt in Veii wohnst, bitte ich: Folge uns nach unserm Siege in unsere Stadt, die bald auch die deine werden soll; ein Tempel soll dich dort aufnehmen, der deiner Hoheit würdig ist!"

Tags darauf ließ Camillus zum Sturme blasen. Unaufhaltsam ergossen sich die tapferen Legionäre gegen die hochragenden Mauern der so lange unbezwungenen Stadt, setzten die Rammböcke zum Stoße an und versuchten, Sturmleitern anzulegen. Mit erbitterter Verzweiflung wehrten die Vejenter die ersten Angriffe ab und ließen Speere und Brandpfeile auf die Anstürmenden niedersausen. Noch war ihre Hoffnung ungebrochen, denn niemand von ihnen ahnte, daß die schweren Angriffe nur den überraschenden Vorstoß decken sollten, den Camillus selber ins Herz der Stadt vortrug.

An der Spitze einer auserlesenen Schar nämlich war er in den unterirdischen Gang gestiegen und bis zu dessen Ende vorgedrungen, das sich gerade unter dem Iunotempel auf Veiis Burg befand. In diesem Augenblick vernahmen die römischen Männer über sich die Stimme des Opferschauers: „Dem werden die Götter den Sieg schenken, der die Eingeweide dieses Opfertieres zerschneidet." Da stieß Camillus die Steinplatte des Fußbodens mit seinen Schultern empor und sprang in den Tempelraum; seine Krieger folgten ihm. Entsetzt fuhr der vejentische Priester zurück, als der römische

Feldherr ihm das Opfertier entriß und es den Göttern weihte: „Verleiht mir nun den Sieg, ihr Himmlischen, denn mir steht er zu!“ rief er aus.

Immer mehr Bewaffnete hatte der unterirdische Gang ausgespien. Ein Teil von ihnen griff die Feinde, die die Mauern besetzt hielten, von hinten an, andere brachen die Tore auf, um die herandrängenden Römer hereinzulassen, andere schleuderten Feuerbrände in die Häuser.

Furchtbar war das Getümmel, das die Stadt erfüllte, das Geschrei der Angreifenden und der Abwehrenden, das Wehklagen der Verwundeten und der Sterbenden – niemand dachte an Nachsicht und Erbarmen! Endlich schickte Camillus seine Herolde aus, um dem Morden Einhalt zu gebieten.

Unermeßlich war die Beute, die die reiche Stadt den Legionären und den ihnen folgenden Römern und Römerinnen bot.

Über alles bisherige Maß gingen auch die Siegesfeiern hinaus. In einem von vier weißen Rossen bespannten Wagen fuhr der Diktator zum Kapitol hinan; vielen schien das als sträfliche Hoffart, denn weiße Rosse waren dem Iupiter und der Iuno heilig.

Das war der Untergang des herrlichen Veii, der mächtigsten Stadt Etruriens. Noch im Untergang hatte sie ihre Größe kundgetan, denn zehn Sommer und zehn Winter hatte sie den Römern getrotzt und ihnen dabei mehr Schaden zugefügt als selber erlitten. Nur durch List, nicht durch Gewalt hatten die Römer den Sieg über die tuskische Stadt erringen können.

Die Gefangenen wurden in die Sklaverei verkauft, und getreu seinem Gelübde gedachte Camillus sodann, die Götterbilder nach Rom zu bringen. Als auserlesene Jünglinge das Bild der erhabenen Iuno, der Schutzherrin der heiligen Ehe, von ihrem Sockel hoben, fragten sie die Göttin: „Bist du bereit, nach Rom zu gehen?“ Und mit ehrfürchtigem Schauder beobachteten alle, die zu dem frommen Dienst abgeordnet waren, daß Iuno durch Kopfnicken ihre Zustimmung gab. In Rom nahm das ganze Volk sie ehrfürchtig auf, als sie auf dem Aventin ihre Heimstatt fand.

„Ihr Götter, wenn euch mein und des römischen Volkes Glück zu groß erscheint“, hatte Camillus nach der Einnahme der Stadt im Gebete den Himmlischen zugerufen, „so laßt uns dieses Glück nicht durch Strafe büßen!“

Als er sich nach diesem Gebete umwandte, strauchelte er und fiel zu Boden. War dies ein ungünstiges Vorzeichen?

Seine Landsleute dankten Camillus seine große Tat nicht nach Gebühr, denn bald schon ging ein Murren durch das Volk, als Camillus einen Teil der unermeßlichen Beute verlangte, um sein Gelübde Apollo gegenüber zu erfüllen. Auch daß der Ertrag, den der Verkauf der Gefangenen eingebracht hatte, der Staatskasse und nicht den Beutemachern zugeflossen war, brachte schwere Verstimmung in die Reihen der Römer.

Doch noch sollte Camillus den Undank des Volkes nicht erleben, denn noch benötigte es den großen Feldherrn. Ein anderer etruskischer Stamm nämlich, die Falisker, stießen mit ihren Truppen gegen Veii vor, um es den Siegern zu entreißen. Wieder beriefen die Römer den bewährten Camillus in das Amt eines Diktators, und wieder zog er gegen die feindliche Stadt; Falerii lag wie Veii auf einem abschüssigen Bergkegel.

Schon rüstete Camillus mit seinem Belagerungsheere zum Sturm, als ein Ereignis besonderer Art die feste Stadt bezwang. Ein Paedagogus nämlich, ein Lehrer und Erzieher vornehmer Knaben aus Falerii, pflegte seine jungen Schüler vor die Stadt zu führen, wo sie Spiel und sportlichen Wettkampf betrieben. Auch die Belagerung durch die Römer hatte ihn nicht von dieser Gewohnheit abbringen können. Doch dann zeigte der Mann plötzlich seine treulose Gesinnung, näherte sich mit seinen Zöglingen den römischen Vorposten und ließ sich vor den Feldherrn führen. „Edler Camillus", sagte er dort, „ich gebe dir hier die Kinder unserer Vornehmsten in deine Hände. Nimmst du sie als Geiseln, so hast du damit die Stadt, die zu belagern du dich anschickst, in deiner Gewalt, denn in der Sorge um ihre Kinder werden die Machthaber dir zu Willen sein!"

Da zeigte Camillus seine wahre Größe. „Wir führen Krieg mit der uns feindlichen Stadt Falerii", fuhr er zornbebend auf, „nicht aber gegen unmündige Kinder. Auch der Krieg kennt göttliche und menschliche Rechte. Nur durch Mittel, die eines Römers würdig sind, will ich Falerii bezwingen."

Seinen Dienern gebot Camillus dann, den Knaben Ruten auszuhändigen. „Reißt dem Verräter die Kleider vom Leibe und fesselt ihm die Hände auf den Rücken!“ befahl er. Und dann wandte er sich an die Knaben, denen der Treulose ein so böses Schicksal zugedacht hatte: „Peitscht ihn mit euren Ruten in die Stadt zurück!“

Mit Erstaunen sah man in der Stadt das seltsame Bild, und voller Betroffenheit vernahmen die Falisker, was sich im Römerlager zugetragen habe. „Wer hätte gedacht, daß uns ein so edelmütiger Feind gegenübersteht!“ So ging es durch die Reihen der Bürger von Falerii, und dieselben Männer, die eben noch zum Kampfe bis auf den letzten Mann entschlossen gewesen waren, drangen jetzt einstimmig auf Frieden. Gesandte wurden zu Camillus ins Lager geschickt, um ihm die Ergebung von Falerii anzubieten.

Dem großen Manne verdankte Rom damit zwei gewaltige Siege, die den Weg für seinen weiteren Aufstieg freimachten

Aber der Undank des Volkes ließ nicht auf sich warten. Noch hatte man dem stolzen Manne nicht vergessen, daß er mit einem Viergespann schneeweißer Pferde, wie sie nur dem höchsten Gotte zustanden, seinen Triumphzug gehalten hatte. Auch daß er den zehnten Teil der Beute, den er dem Apollo gelobt hatte, von den Bürgern zurückverlangte, verdroß die Quiriten sehr.

Immer stärker wurde das Murren des Volkes, und die Bürger scheuten sich nicht, den Retter Roms zu beschuldigen, er habe einen Teil der Beute widerrechtlich für sich behalten.

Es war unter der Würde des Camillus, sich gegen solche Vorwürfe zu verteidigen. Freiwillig wandte er dem Vaterlande, das ihm so viel verdankte und ihm nun Undank zollte, den Rücken und ging in die Verbannung nach Ardea, der Hauptstadt Rutuliens. Bevor er schied, rief er die Götter an: „So wahr ich unschuldig leide, ihr Himmlischen, bitte ich euch: Fügt es, daß meine undankbaren Mitbürger sich gar bald wieder nach mir sehnen, weil sie meine Hilfe nötig haben!“

Mochte dieses Gebet auch nicht edel gewesen sein – es sollte allzurasch in Erfüllung gehen. Denn bald darauf geschah es, daß ein Mann, der zu nächtlicher Stunde am Vestatempel in Rom vorbeischritt, eine seltsame Stimme vernahm: „Geh und melde der Obrigkeit, daß die Gallier heranrücken!“

Wer sollte solchen Worten eines einfachen Mannes Glauben schenken, da jenes Volk der Gallier doch so weit entfernt – im Tale des Padus und gar jenseits der Alpen – hauste?

Doch nicht lange währte es, da standen vor Roms Toren Gesandte aus Clusium und baten um Hilfe – gegen den wilden Ansturm der Gallier.

DIE GALLIER IN ROM

Die Römer schickten sogleich eine Gesandtschaft zu Brennus, dem König der Gallier, ins Feldlager vor Clusium. Nicht bittend, sondern fordernd traten die Gesandten der Tiberstadt vor den König der gallischen Scharen: „Senat und Volk von Rom verlangen von dir, daß du die Clusiner, die unsere Bundesgenossen sind, unbehelligt läßt; wir Römer werden sie, wenn es nötig ist, mit dem Schwerte verteidigen. Doch besser erscheint es uns, du verläßt dieses Gebiet und führst deine Truppen in eure Heimat am Fuße der Alpen zurück!"

Solche trotzigen Worte waren nicht klug gewählt, denn sie forderten die Gallier zum Widerspruch heraus. „Zwar hören wir den Namen der Römer zum ersten Male", erwiderte ihnen Brennus, „aber ihr müßt wohl tapfere Männer sein, da sich die Clusiner in ihrer Not an euch gewandt haben. Trotzdem sind wir bereit, uns auf friedlichem Wege zu einigen, wenn die Clusiner uns von ihrem Lande abtreten, was wir benötigen."

„Welches Recht habt ihr denn, fremdes Land für euch zu beanspruchen?" fuhr der römische Gesandte auf.

König Brennus lachte laut und wies auf sein breites Schwert: „Hier, in unseren Waffen liegt unser Recht. Tapferen Männern ist alles zu eigen, so weit die Spitze ihres Schwertes reicht!"

Da gab es für Roms Gesandte kein Verhandeln mehr. Sie wandten sich ab, während die Gallier sich zur Schlacht rüsteten. „Zieht noch nicht heim, ihr Römer", rief Brennus ihnen höhnend nach, „sondern schaut unserm Kampfe gegen Clusium zu, damit ihr in Rom bezeugen könnt, wie weit wir Gallier alle übrigen Sterblichen an Tapferkeit übertreffen!"

Die römischen Gesandten folgten dieser Weisung jedoch nicht. In ihrer Erbitterung griffen sie sogleich in den Kampf ein, und die Tapferkeit, mit der sie stritten, machte den Galliern gar bald den Unterschied zwischen Clusinern und Römern deutlich. Aber mit ihrem Verstoß gegen das Völkerrecht hatten sie selber das Verhängnis heraufbeschworen.

Vergeblich forderte Brennus vom römischen Senate die Auslieferung der Männer, die das Gesandtenrecht so schwer verletzt hatten. Als die Römer sich weigerten, kannte Brennus' Zorn keine Grenzen. „Reißt die Feldzeichen aus der Erde!" rief er wütend und befahl damit den sofortigen Abmarsch. Sogleich wälzte sich der unendliche Zug der gallischen Heerhaufen dem Tibertale zu; unübersehbar war die Menge der streitbaren Männer, der Wagen mit den Frauen und Kindern, der Beutekarren.

Der „Schwarze Tag"

In Rom ahnte man immer noch nicht, welches Verhängnis hereinzubrechen begann. Nur gering war die Sorgfalt, mit der die Vorbereitungen zur Abwehr getroffen wurden. Niemand dachte daran, wie sonst in Notzeiten, einen Diktator zu bestimmen, und bei der Aufstellung der Truppen waltete eine Sorglosigkeit, wie Rom sie noch gegen keinen Gegner gezeigt hatte.

An der Allia, kaum zehn Meilen von Rom entfernt, prallten die beiden Heere zusammen. Selten haben die Römer einen Feind so gering eingeschätzt wie damals die Gallier – und selten haben sie dafür schwerer büßen müssen. Denn schon der Anblick der furchterregenden Gestalten mit dem wirr flatternden Haar und ihr kriegerisches Ungestüm ließen die Quiriten jäh erzittern, und als Brennus mit sicherem Feldherrnblick sogleich den schwachen Punkt in der Aufstellung der Römer erkannte und ihren rechten Flügel zurückwarf, geriet die ganze Schlachtordnung der Römer ins Wanken. Bald setzte eine regellose Flucht ein, in die alle Teile des Heeres hineingerissen wurden. Schrecklich war das Durcheinander, in dem jeder nur auf Leben und Rettung bedacht war. Viele der römischen Legionäre fanden den Tod in den Wellen des Tibers, auf dessen Gegenufer sie sich zu neuem Widerstand zu sammeln gedachten.

Ein „dies ater", ein schwarzer Tag im Leben des Römervolkes wurde diese Schlacht an der Allia, in der Rom den Galliern unterlag.

Selten hat eine Nachricht in Rom so niederschmetternd gewirkt wie diese von der Niederlage an der Allia. „Unmöglich ist es, die Stadt gegen die Horden der Feinde zu halten", erklärten die Konsuln. Nur tausend Mann ließen sie das Kapitol besetzen; die ganze Bevölkerung mußte Rom verlassen.

Da ergoß sich ein nie gesehener Strom von Flüchtenden über die Straßen nach Süden und Westen; sie suchten Schutz bei den Nachbarvölkern. Fast nichts von den überlieferten Heiligtümern, nicht die Tafeln mit den alten Kultgesetzen des Numa Pompilius, nicht die Zwölftafelgesetze, nicht die Heiligtümer aus den Tempeln noch der Staatsschatz oder das Vermögen der reichen Bürger waren zu retten. Nur die Priesterinnen der Vesta dachten daran, das heilige Feuer, das sie zu wahren hatten, in Sicherheit zu bringen.

Opfertod der Senatoren

Schon zeigte sich in der Ferne die riesige Staubwolke, die das Nahen des gewaltigen Heerwurmes ankündigte. „Nur deshalb haben die Götter uns die furchtbare Niederlage beschert", erklärten einige der vornehmsten Senatoren, „weil wir vor der Schlacht unterlassen haben, ihnen ein Sühnopfer darzubringen!" So schritten sie in feierlichem Zuge, geführt vom Oberpriester, dem Pontifex Maximus, vom Kapitol hinab aufs Forum und ließen sich, angetan mit ihren Amtsgewändern und den Elfenbeinstab in den Händen, auf den kurulischen Sitzen nieder.

Nur zögernd wagten sich die Vortrupps der Gallier, die auf Pferden herangesprengt kamen, in die offenen Tore hinein. Wartete ihrer ein Hinterhalt? Vorsichtig und zaudernd ritten sie durch die unheimlich stillen Straßen. Nirgends zeigte sich ein Mensch. Erst auf dem Marktplatz bot sich ihnen das Bild der Greise in den kurulischen Sesseln. Waren es leblose Gestalten aus Marmor? Waren es Götterbilder? Schließlich zupfte ein Gallier fürwitzig einen der Senatoren, den ehrwürdigen Marcus Papirius, am Barte, um zu sehen, was er vor sich habe. Da hob der Römer zornig sein elfenbeinernes Zepter und schlug dem Mann aufs Haupt.

Jetzt löste sich der Bann, der die Gallier gefangengehalten hatte; sie schlugen auf die würdigen Senatoren ein, bis keiner mehr am Leben war.

In ohnmächtigem Zorn mußten Roms Krieger, die das Kapitol besetzt hielten, nun mitansehen, wie die hereinbrechenden Gallier die herrliche Tiberstadt ausplünderten. Was nicht auf den Packwagen und auf den Rükken der Lastpferde Platz fand, warfen die barbarischen Männer ins Feuer, und herrliche Bauten fielen ihrer sinnlosen Wut zum Opfer.

Vergeblich aber mühte sich Brennus, das Kapitol mit Gewalt einzunehmen. Tapfere Männer hielten es besetzt, und Marcus Manlius, ihr Anführer, wußte die Gunst der Lage zu nutzen: Keinem der immer wieder nachdrängenden Gallier gelang es, den Mauerrand zu erklimmen!

Trotz dieser Einschließung, die die Römer in die Verteidigung zwang, gab es immer wieder Beispiele, die unbeugsamen Mut zum Handeln bewiesen. So wollte Gaius Dorso, ein junger Krieger aus der hochangesehenen Familie der Fabier, es in seinem altrömischen Ahnenstolz nicht zulassen, daß die schuldigen Opfer für seine Familie unterlassen würden. Voller Kühnheit wagte er sich in einer Nachtstunde die steile Mauer des Kapitols hinab und schlich durch die feindlichen Wachen auf den Quirinalischen Hügel, um das festgesetzte Opfer darzubringen. Wie im tiefsten Frieden vollzog der junge Fabier die heilige Handlung, durchbrach sodann wieder unerschrocken den Ring der Belagerer und meldete sich bei dem Befehlshaber zurück.

Hilferuf an Camillus

Inzwischen hatten sich in Veii die Reste der an der Allia geschlagenen römischen Truppen gesammelt. Nur ein Mittel gäbe es, der Not Herr zu werden, das war aller Meinung: Es galt, einen Diktator zu bestimmen. Und jeder wußte auch, daß keiner für dieses Amt so geeignet war wie Furius Camillus, der einstige Sieger von Veii und Fidenae.

Camillus hatte im Rutulerlande gastfreundliche Aufnahme gefunden, und dort erfuhr er, daß die Gallier so gefährlich näherrückten. Da übernahm er bereitwillig den Befehl über einen Heerhaufen der Rutuler, griff die ihr Land bedrohenden Truppen der plündernden Gallier an und befreite die Stadt, die ihm neues Heimatrecht gegeben hatte. Würde sich erfüllen, was er einst als Wunsch ausgesprochen hatte, daß seine römischen Landsleute ihn benötigten und ihn um Hilfe bitten würden?

Bald war diese Stunde gekommen. Die nach Veii geflüchteten Römer waren überzeugt, daß nur Camillus, der mit seinem Sieg über die Gallier als Führer der Rutuler von neuem seine große Feldherrnkunst bewiesen hatte, die Not wenden könne.

Noch aber befand sich die Regierungsgewalt in den Händen der Konsuln, mochten sie auch auf dem Kapitol eingeschlossen sein, und bei ihnen lag es auch, den Diktator zu ernennen. So beschloß man, einen Krieger zu entsenden, der durch das Belagerungsheer der Gallier hindurch die Botschaft an die Konsuln bringen sollte.

Der Bote entledigte sich seiner schwierigen Aufgabe mit Kühnheit und Geschick, ließ sich auf einem Korkgürtel den Tiber hinabtreiben und gelangte ungesehen durch den Ring der Belagerer. Auf einem geheimen Pfad stieg er dann zum Kapitolinischen Burgberg hinauf. Neue Hoffnung erwachte im Herzen der Eingeschlossenen, die bereits bittere Not zu leiden hatten, und mit den Weisungen der Konsuln machte der tapfere Bote sich auf den Rückweg; sie hatten dem Vorschlag der in Veii vereinten Truppen zugestimmt und Furius Camillus zum Diktator ernannt.

Die Gänse auf dem Kapitol

Aber die Gallier entdeckten die Fußspur des wagemutigen Boten und fanden bald die Stelle, wo er hinaufgestiegen war. Da hieß Brennus sogleich ausgewählte Krieger sich bereitstellen, die in der Nacht auf dem geheimen Pfad den Anstieg wagen sollten, um die Burg zu überrumpeln.

So leise stieg der Trupp der Gallier zur Höhe des Tarpejischen Felsens hinauf, daß sie von den Wachen nicht bemerkt wurden; nicht einmal die Hunde schlugen an. Auf dem Kapitol wurden zu Ehren der Göttin Iuno Gänse gehalten; auch in der größten Hungersnot hatte niemand gewagt, sich an den Vögeln zu vergreifen, die der Göttin heilig waren.

Diese Gänse retteten Rom. Denn als sie das Herannahen der Gallier spürten, schlugen sie wütend mit den Flügeln und erhoben ein solches Geschnatter, daß Marcus Manlius, der Befehlshaber des Kapitols, aus dem Schlafe fuhr. Sogleich eilte der tapfere Mann, nur den Schild in der Faust, zur Burgmauer, die eben der erste Gallier zu übersteigen versuchte. Manlius stürzte auf ihn los und stieß ihm seinen Schild vor die Brust, daß der Mann taumelnd zurückfuhr und die Felswand hinab in die Tiefe fiel. Im Sturze riß er die hinter ihm Emporgestiegenen mit, und schon waren auch die römischen Krieger zur Stelle, die nun den Feind mit Pfeilen und Steinen vertrieben.

Vae victis?

Doch immer stärker wurde die Bedrückung der Eingeschlossenen, immer nagender der Hunger. Aber auch die Gallier hatten schwer zu leiden, denn eine Seuche breitete sich in ihrem Heere aus. Da schlossen sie mit den Römern einen Waffenstillstand. „Wir sind in der besseren Lage", sagte Brennus, der ihnen die Bedingungen diktieren wollte, voller Stolz, „denn der Hunger zwingt euch Römer bald, der Übergabe zuzustimmen!"

„Wir müssen die Gallier davon überzeugen, daß bei uns kein Mangel herrsche!" rief Marcus Manlius, der seit seiner rettenden Heldentat den Beinamen Capitolinus trug, seinen Mitverteidigern zu, als die Unterhändler aus dem Lager des Brennus zurückkamen. Und wirklich griffen die vom Hunger entkräfteten Römer zum äußersten Mittel, um gute Bedingungen zu erzwingen: An mehreren Stellen warfen sie vom Kapitol Brot – ihr letztes Brot! – unter die feindlichen Posten, um die Gallier über ihre Lage zu täuschen.

Doch auch diese Verzweiflungstat blieb wirkungslos; die Gallier setzten die Belagerung fort. Vergeblich starrten die Wachen, von den Entbehrungen zu Tode erschöpft, zum Horizont hinüber, ob sich nicht das Entsatzheer des Camillus zeige. Vergeblich schien alles Warten und Hoffen. Da blieb den Römern nichts als der bittere Weg, mit den Feinden unter jeder Bedingung über den Frieden zu verhandeln. Aber auch die Gallier waren kriegsmüde, und sie zeigten sich bereit, gegen Zahlung von tausend Pfund Gold die Belagerung aufzugeben.

Das war eine harte Bedingung für das Römervolk, das doch berufen schien, einmal die ganze Welt zu beherrschen. Erhöht wurde diese Schande, gegen welche die von der Not entkräfteten Römer sich nicht wehren konnten, durch eine häßliche Tat der Gallier. Denn als die Römer, der Abmachung getreu, ihr Gold zur Waagschale schleppten, fuhr Marcus Manlius plötzlich auf: „Deine Leute verwenden falsche Gewichte, König Brennus! Ich erhebe Einspruch!“

Voller Hohn blickte der Gallierkönig auf den aufgebrachten Römer. „Einspruch?“ rief er voller Ingrimm und warf sein Schwert auf die Waagschale: „Vae victis!“ schrie er. „Wehe den Besiegten!“

Jetzt endlich zeigten die Götter ein Einsehen mit dem so schwer gedemütigten Römervolk. Sie ersparten ihm die Schande, von der Gnade der gallischen Barbaren leben zu müssen, denn gerade in diesem Augenblicke erschien das Entsatzheer in Rom.

Noch hing Brennus' bitteres Wort „Wehe den Besiegten!“ in der Luft, da trat Camillus unter die Überraschten: „Nicht mit Gold, sondern mit Eisen pflegen die Römer zu bezahlen!“ rief er stolz; „der Vertrag gilt nicht, denn er ist ohne den Diktator geschlossen worden!“

Da rüsteten sich beide Heere zur Schlacht, und wieder zeigte sich Camillus als großer Feldherr: Rom verdankte ihm einen herrlichen Sieg; es nannte ihn voller Dankbarkeit den zweiten Romulus, den Vater des Vaterlandes.

Sieg über das Unglück

Zwar war Rom befreit, aber angesichts der furchtbaren Zerstörungen regten sich Stimmen von Verzagten, die rieten, man solle die Ruinenstadt verlassen und sich in Veii ansiedeln.

Wieder war es Camillus, der dem Volk frischen Lebensmut gab, als es galt, die so schwer zerstörte Heimatstadt zu neuem Glanz emporzuführen. In einer großen Rede trat er vor die Quiriten: „Unsere Vorfahren haben an dieser Stelle, wo es einst nichts als Wald und Sümpfe gegeben hat, in ganz kurzer Zeit eine neue Stadt errichtet, und wir, die wir das Kapitol, die Burg und die Tempel unserer Götter unversehrt stehen sehen, wir sind zu mutlos und unentschlossen, um das Niedergebrannte wieder aufzubauen?"

Solchen starken Worten konnte sich keiner verschließen. „Nicht ohne Ursache", fuhr Camillus fort, „haben Götter und Menschen für die Anlage unserer Stadt diesen Platz gewählt: Diese gesunden Hügel, diesen Strom, der so günstig liegt, daß er uns aus dem Mittellande die Früchte zuführt und die Zufuhr von der See aufnimmt, das Meer, das zu unserem Nutzen und Vorteil nahe genug ist und doch nicht zu nah, um uns der Gefahr fremder Flotten auszusetzen – wirklich ein Platz, der als Mittelpunkt der Landschaft Italiens zum Wachstum einer Stadt wie geschaffen ist. Hier steht das Kapitol, das nach göttlicher Weissagung einst das Haupt der ganzen Welt werden soll, hier steht der Tempel der Vesta, die das heilige Feuer wahrt."

Niemand dachte mehr daran, zaghaft und mutlos zu sein. Und während noch auf dem Hostilischen Rathause der Senat tagte, gaben die Götter ein besonderes Zeichen. Ein Hauptmann führte nämlich eine Kohorte von der Wache zurück, und gerade auf dem Markt gab er Befehl zu halten. „Hier, Fahnenträger, pflanze dein Feldzeichen auf! Hier ist der beste Platz, um zu bleiben!" rief er.

15 Relief mit Opferszene (lat. suovetaurilia)

16 Opfer an Mars

17 Etruskischer Krieger

18 Etruskischer Krieger

19 »Kindersarkophag« mit Darstellungen aus dem Menschenleben

Jedermann faßte diesen zufälligen Befehl als göttliche Weisung auf, und mit Eifer und Entschlossenheit machten sich nun Roms Einwohner daran, die Stadt wieder aufzubauen.

Aber so viel Verdienste sich Camillus auch um die Vaterstadt erworben hatte, sein Wesen war hart und unbeugsam geblieben, wie es ihm schon vorher den Unwillen des Volkes eingebracht hatte. Voller Unduldsamkeit blickte er auf Marcus Manlius, den Retter des Kapitols, der sich der Plebs gegenüber als wahrer Volksfreund zeigte und voller Edelmut sein großes Vermögen zum Freikauf von Schuldgefangenen opferte. Camillus, zum dritten Male Diktator, sah in ihm einen Nebenbuhler, und bald geschah es, daß den Capitolinus eine schwere Anklage traf: Er sei das Haupt einer Verschwörung und strebe nach Alleinherrschaft.

Wieder kam ein schwarzer Tag für Roms Rechtsprechung, denn das Gericht verurteilte den Unschuldigen zum Tode, und genau an der Stelle, wo er einst zur Rettung Roms den Gallier in die nächtliche Tiefe hinabgestoßen hatte, wurde Marcus Manlius Capitolinus nun vom Tarpejischen Felsen in den Tod gestürzt.

DIE LICINISCHEN GESETZE

Noch immer fühlte sich die Plebs in ihren Rechten geschmälert. In dieser Notzeit, als die Plebejer unter dem drückenden Schuldrecht stöhnten und sich in Mengen in Schuldhaft führen lassen mußten, erstanden dem Volke zwei Retter, die eine große, heilsame Wandlung herbeiführten. Es waren die beiden Volkstribunen Gaius Licinius Stolo und Lucius Sextius Lateranus.

Den beiden gelang es, das Gefüge des römischen Staates ohne Blutvergießen von Grund auf zu erneuern und damit Rom in sich zu festigen. Den äußeren Anstoß für diese Maßnahme, die die gesamte Zukunft der Stadt bestimmen sollte, gab weibliche Eitelkeit.

Und das kam so: Fabia, des Licinius Frau, die aus patrizischem Geschlechte stammte, wurde auf ihre Schwester neidisch, die mit einem Patrizier, einem Kriegstribunen, verheiratet war. Voller Mißvergnügen kam sie vom Besuch ihrer Schwester heim. „Warum bist du nur ein Plebejer?" rief sie unter Tränen, als Licinius sie nach dem Grunde ihres Kummers fragte. „Meine Schwester genießt täglich die Ehren, die man ihrem Manne, dem Kriegstribunen, erweist; Liktoren geleiten ihn heim, donnern mit ihren Beilen und Rutenbündeln an die Türe und fragen beim Abschied, ob er noch Befehle für sie habe – meinem Ehegemahl aber, der nur ein Plebejer ist, erweist niemand Ehren, denn nie kann er Kriegstribun werden!"

Wirklich gab solche weibliche Unzufriedenheit den Anstoß zur Gesetzesänderung, denn der Vater der gekränkten Fabia, der reiche Patrizier Marcus Fabius Ambustus, trat selber dafür ein. Auch der Plebejer Lucius Sextius Lateranus ergriff seine Partei.

Es war das Jahr 376 vor der Geburt Christi, als die Gesetzesreform zum Vorteil der Plebs eingeleitet wurde. Endlich hatte der Senat erkannt, daß es Zeit sei, den Plebejern nachzugeben. So kam das Gesetz zur Geltung, daß sie von den drückenden Schulden nur das Kapital, nicht aber die überhöhten Zinsen zurückzuzahlen hätten.

Bei den Landverteilungen sollte künftig niemand mehr als 500 Joch erhalten dürfen, und auch die Plebejer sollten gerechten Anteil daran haben.

Der dritte Punkt der neuen Gesetze war der bedeutsamste: Von den beiden Konsuln sollte einer künftig aus dem Stande der Plebejer sein.

Zwar suchte sich Camillus, der trotz seines hohen Alters wiederum zum Diktator ernannt worden war, den Forderungen der Plebs zu widersetzen, aber die Zeit war mächtiger als er. Im Bewußtsein ihres Rechtes erklärten ihm die Volkstribunen, sie würden ihn in Strafe nehmen, wenn er den Gesetzen weiterhin zuwiderhandele. Da legte Camillus seine Diktatur nieder.

Die licinischen Gesetze bedeuteten einen Wendepunkt, denn sie waren das Ende der Ständekämpfe, die das Römervolk so lange zerrissen hatten. Unendlich viel Blut war in diesem Kampf um das Recht der Plebejer geflossen, viele Tribunen und Freunde des Volkes hatten den Tod gefunden, und auch im Kampf mit den Nachbarn hatten die Römer, weil sie untereinander uneinig waren, schwere Niederlagen erlitten. Nun aber, da im Innern Friede und Eintracht herrschten, war der Weg frei für die große Zukunft.

Glücklich in diesem Bewußtsein und in der Freude über die Versöhnung bauten die Römer der Concordia, der Göttin der Eintracht, einen Tempel.

TITUS MANLIUS

Um jene Zeit wütete in Rom eine Pest, die große Opfer forderte. Auch der greise Camillus erlag der schrecklichen Krankheit, die so viele Bürger dahinraffte.

Vergeblich versuchte das Römervolk, die Gottheit mit Opfern und feierlichen Tänzen zu versöhnen, aber die Pest wütete weiter. Lucius Manlius wurde zum Diktator gewählt, um die schreckliche Not zu wenden. Er benützte seine Macht, um das Volk zum Kriege gegen die Herniker, ein abgehärtetes Bergvolk sabinischen Stammes, zu rüsten, das im nordöstlichen Bergland seine Wohnsitze hatte. Er ging mit unnachsichtiger Härte gegen die zum Kriegsdienst Aufgerufenen vor und scheute auch nicht vor Rutenhieben und Gefängnisstrafen gegen die Widerspenstigen zurück. Da empörte sich das Volk und zwang ihn, seine Diktatur niederzulegen. Von den Tribunen wurde er vor Gericht gestellt: Besonders Pomponius machte sich zum Wortführer der schweren Anklagen gegen Lucius Manlius. Dabei erfuhr das Volk, wie dieser herrische Mann seinen eigenen Sohn behandelte.

Lucius Manlius hatte nämlich einen Sohn Titus Manlius, kräftig und wohlgewachsen, doch er litt an einem Gebrechen: Er stotterte. Und der Vater, anstatt dem Sohne zu helfen, den Fehler zu überwinden, schämte sich des Sohnes und behandelte ihn verständnislos und hart. Titus litt schwer unter dem lieblosen Vater, aber aufgewachsen in strengem Gehorsam, murrte er nicht.

In seiner Anklagerede gegen den Diktator trug Pomponius nun auch die Vorwürfe vor, die er gegen ihn als Vater zu erheben hatte: daß er seinen trefflichen Sohn aus der Stadt aufs Land verbannt habe, um nicht täglich seinen Anblick ertragen zu müssen; daß der junge Manlius als Sohn eines Diktators wie ein Sklave auf dem väterlichen Landgute arbeiten müsse, während andere Jünglinge seines Standes gleichgesinnten Umgang hätten und ritterliche Spiele auf dem Marsfelde pflegten.

„Und welches Verbrechen hat der Sohn begangen?“ rief Pomponius, der Volkstribun, voll Heftigkeit. „Ihm fehlt die fließende Rede, die geläufige Zunge. Muß Manlius als Vater, wenn er nur einen Funken Menschlichkeit besitzt, diesen Fehler nicht durch schonende Nachsicht zu mildern suchen, anstatt ihn durch Strafe und Mißhandlung noch zu verstärken?“

Alle Zuhörer wurden durch diese Beschuldigung aufs schwerste gegen den Vater aufgebracht – nur Titus Manlius nicht, der von dem Vorgehen des Volkstribunen hörte. Er wollte nicht zum Vorwande für Haß und Verleumdung gegen seinen Vater dienen, auch wenn dieser ihn so schmählich behandelt hatte. Und so faßte Titus einen Entschluß, der seine Kindesliebe im hellsten Licht erstrahlen ließ.

Ohne daß jemand davon wußte, ging er, einen Dolch unter dem Gewande, in aller Frühe nach Rom und vor das Haus des Tribunen Pomponius. „Ich muß sogleich deinen Herrn sprechen“, erklärte er dem Türhüter. „Melde ihm, Titus Manlius, der Sohn des Lucius Manlius, sei hier!“

Sogleich wurde er vorgelassen, denn der Tribun dachte nicht anders, als daß der Jüngling gekommen sei, neue Klagen gegen seinen Vater vorzubringen.

„Ich habe etwas ohne Zeugen mit dir zu besprechen“, erklärte der junge Mensch nach der Begrüßung. Da winkte der Tribun den Anwesenden, sich zu entfernen. „Nun?“ wandte er sich sodann an den Besucher. Da riß Titus Manlius den Dolch hervor und näherte sich drohend dem Tribunen. „Du hast dich zum Ankläger gegen meinen Vater aufgeworfen“, stieß er hervor, „ohne daß ich dich darum gebeten habe. Schwöre mir, daß du von deiner Anklage zurücktrittst und künftig keine Volksversammlung mehr in dieser Sache einberufen willst!“ Der blanke Dolch unterstützte unmißverständlich die Forderung des Jünglings.

„Gewalttat hat mich gezwungen, die Sache aufzugeben“, erklärte dann Pomponius vor dem Volke. Mit Staunen vernahmen die Quiriten, was geschehen war. Zwar hätten sie es gern gesehen, daß sie ihr Stimmrecht gegen den herrischen Mann hätten ausüben können, aber niemand verargte dem Sohne sein kühnes Eingreifen. „Muß man solch einen Jüngling nicht hochachten, der des Vaters Härte mit solchen Beweisen kindlicher Liebe vergilt?“ So konnte man überall reden hören, und Titus Manlius stand plötzlich in höchstem Ansehen.

Zum erstenmal wurden gerade jetzt die Kriegstribunen, die bisher von den Feldherren ernannt waren, durch Abstimmung der Legionäre gewählt, und dabei erhielt die zweite der sechs Stellen der junge Diktatorsohn, der sich bisher weder im Kriege noch im Frieden ausgezeichnet hatte.

Bald aber sollte er beweisen, daß die Wahl den Rechten getroffen hatte.

MARCUS CURTIUS

Um jene Zeit wurde die Siebenhügelstadt durch ein grausiges Wunder aufgescheucht, das alle Einwohner in Angst und Schrecken versetzte. Denn mitten auf dem Marktplatz klaffte plötzlich aus unerklärlicher Ursache ein weiter Riß von unermeßlicher Tiefe. Die Bürger schafften mit allen Kräften Erde herbei, um ihn zu füllen; aber alle Mühe blieb vergeblich.

Man betete zu den Göttern um Abhilfe, und aus dem Munde der Augurn klang unheilverkündend der Spruch: „Erst dann wird der Abgrund sich schließen, wenn ihr ihn anfüllt mit dem, was Rom an Wertvollstem besitzt!“

Da eilte arm und reich herbei, um den Götterspruch zu erfüllen. Aber vergeblich opferten die Frauen Gold und Geschmeide, vergeblich wurde kostbarer Schmuck in die gähnende Tiefe geworfen.

Besorgnis erfüllte die Bürger der ganzen Stadt. Da mischte sich Marcus Curtius, ein junger Römer, der sich schon oft im Kriege ausgezeichnet hatte, unter die ratlosen Mitbürger. „Was gibt es für uns Römer Wertvolleres als kriegerische Tapferkeit?“ rief er. „Ich weiß, worauf die Götter warten.“

Sogleich wappnete er sich mit seiner strahlendsten Rüstung, bestieg sein Streitroß und sprengte auf das Forum.

Er hob die Hand, um die erregte Menge um Stille zu bitten, blickte dann zu den Tempeln, zum Kapitol und zu den Götterbildern empor, die den Markt überragten, und bat die Himmlischen, sein Opfer zu segnen. Dann gab er dem Roß die Sporen und stürzte sich in den Abgrund hinab.

Weinend drängten sich Frauen und Männer, Kinder und Greise herbei und warfen Blumen und Früchte in die Tiefe, dem Helden nach.

Und wirklich geschah das Wunder! Der unermeßliche Schlund schloß sich langsam. Nur ein kleines Gewässer blieb, das seither Lacus Curtius, der Curtische See, heißt und an den Opfertod des vaterlandsliebenden Mannes gemahnt.

TITUS MANLIUS TORQUATUS

Die Gefahr der Gallier, die nach der Niederlage durch Camillus den Weg zurück in ihre nördliche Heimat genommen hatten, war indessen nicht gebannt. Wieder rückten sie gegen Rom vor, lagerten drohend auf der Via Salaria, jenseits des Anio, und zeigten keine Furcht vor dem römischen Heer, das sich unter dem Konsul Quinctius Pennius ihnen entgegenstellte. Noch verband die Brücke beide Ufer, denn keiner der Feldherren war bereit, sie abzubrechen, um sich nicht dem Vorwurfe der Feigheit auszusetzen.

Eines Tages trat ein riesiger Gallier auf die Brücke. „Ihr Römer!“ rief er mit weithin schallender Stimme zum Lager hinüber. Die Quiriten horchten auf. „Wer der Tapferste unter euch ist, der mag sich mir zum Kampfe stellen! Der Ausgang soll dann entscheiden, welches der beiden Völker im Streite besser ist!"

Titus Manlius befand sich mit seinen Kriegern gerade auf Wache. Er kümmerte sich nicht um die römischen Jünglinge, die sich schämten, den Kampf auszuschlagen, aber auch keine Neigung zeigten, ihn zu wagen. Kühn trat er vor den Feldherrn und bat ihn um die Erlaubnis, die Herausforderung annehmen zu dürfen. „Ich werde diesem Frechen zeigen", erklärte er fest, „daß ich aus dem Stamm eines Mannes entsprossen bin, der einst eine ganze Schar Gallier den Tarpejischen Felsen hinabgeschleudert hat!"

Erleichtert gab der Diktator seine Zustimmung. Die Kriegsgefährten waffneten den Jüngling in aller Eile, gaben ihm den rechteckigen Schild in die Linke und in die Rechte das kurze Römerschwert, das sich besonders für den Nahkampf eignete.

Siegesbewußt, die Zunge spottend herausgestreckt, erwartete der Gallier seinen Gegner und überschüttete ihn mit Schmähreden. Manlius würdigte ihn keiner Antwort. Geschickt wich er den Hieben des ungefügen Gegners aus, hob dann blitzschnell sein kurzes Schwert und jagte es dem andern zwischen die Ringe des Kettenpanzers! Mit einem furchtbaren Aufschrei stürzte der Riese gefällt zu Boden.

Titus Manlius war Sieger! Mit Jauchzen beglückwünschten ihn die Römer zu seiner Heldentat. Nach dem Recht des Siegers nahm er dem Unterlegenen die Rüstung ab, dazu die Torques, eine gallische Halskette, die er sich umhängte.

Unter dem Jubel seiner Landsleute schritt er ins Lager zurück, trat vor den Feldherrn und ließ sich mit dem goldenen Siegerkranz ehren. „Torquatus! Torquatus!" riefen die Umstehenden voller Begeisterung, und dieser Ehrenname, den ihm seine stolze Siegesbeute eingebracht hatte, blieb fortan mit Manlius' Namen verbunden.

Die Gallier aber waren von der Niederlage ihres besten Kriegers so betroffen, daß ihnen der Mut entsank. Ungesäumt brachen sie ihr Lager ab und entwichen nach Norden.

VALERIUS CORVUS

Zwölf Jahre später wagte sich von neuem ein gallisches Heer nach Süden vor und lagerte in der Nähe der Pontinischen Sümpfe. Der Konsul Furius Camillus, ein Sohn des großen Camillus, führte das Heer der Römer und hatte vorerst genug Mühe, den Plünderungen der Eindringlinge entgegenzutreten.

Eines Tages wiederholte sich der Vorgang am Anio, denn wieder trat ein riesiger Gallier vor das Römerlager hin. Laut schlug er an seinen Schild und forderte mit Donnerstimme den Tapfersten der Römer zum Zweikampf heraus. Da trat Marcus Valerius, der damals Militärtribun war, vor den Konsul und bat ihn um seine Erlaubnis, den Kampf aufnehmen zu dürfen.

Bald standen sich die beiden Streiter gegenüber. Valerius ging zum Angriff vor. Da flatterte plötzlich ein Rabe herbei und ließ sich, dem Feinde zugewendet, auf dem Helm des Römers nieder. „Bleib mir weiterhin gnädig!" rief Valerius der unbekannten Gottheit zu, die sich ihm durch dieses Zeichen offenbart hatte. Und wirklich begab sich das Wunder! Der Vogel blieb nicht auf dem Helm sitzen, sondern bei jedem Vordringen des Römers schwang er sich empor und fuhr mit Schnabel und Krallen dem Feinde ins Gesicht und in die Augen, bis der Gallier, verwirrt und seiner Sinne kaum noch mächtig, von einem Schwertstreich des Römers niedergestreckt wurde. Da erhob sich der Rabe mit heiserem Krächzen in die Luft und entschwebte nach Osten.

Siegesfroh trat Valerius auf den Feind zu, ihm nach Kriegsbrauch die Rüstung abzunehmen. Doch da stürmten die Gallier, aus ihrer Bestürzung erwachend, herbei; ebenso schnell griffen die römischen Rotten in den Kampf ein, und bald standen sich beide Heerhaufen in erbittertem Ringen gegenüber. Die Römer fühlten, daß die Götter auf ihrer Seite standen.

„Macht es wie jener Tapfere!" rief Camillus und wies auf Valerius, den Tribunen, der im Schmucke der Feindesbeute dastand.

Da wagten die Gallier keinen Widerstand mehr. Sie wandten sich zur Flucht, die nicht eher endete, bis sie Apulien erreicht hatten.

Der Konsul hatte die Legionäre zu Ehren des Valerius in Reih und Glied antreten lassen. In einer Rede würdigte er seine Heldentat und schenkte ihm zehn Ochsen und einen goldenen Kranz. Die Legionäre aber gaben ihm die Benennung Corvus, das ist „der Rabe", und unter diesem Namen übernahm Marcus Valerius Corvus, geliebt und geachtet von allen Mitbürgern, das Konsulat. Erst dreiundzwanzig Jahre war er damals alt.

Immer weiter schritt Rom auf dem Wege voran, den ihm einst die Götter gewiesen hatten. Mit zwei tapferen, freiheitsliebenden Volksstämmen Mittelitaliens hatten die Quiriten sich noch auseinanderzusetzen, besonders mit dem stolzen, rauhen Bergvolk der Samniter, die zum Stamme der Sabiner gehörten. Schreckliche Kriege gingen zwei Menschenalter lang über Italiens Boden hin, bis Rom die Gegner niedergezwungen hatte. Unter der Herrschaft der mächtigen Stadt stand jetzt auch die reiche Landschaft Campania, fruchtbar und von den Göttern so gesegnet, daß der Bauer dreimal im Jahre Getreide und köstliches Obst erntete und der Weingärtner die herrlichsten Weine. Überquellend an Reichtum war auch Capua, die Hauptstadt von Campania, die die Römer von der Bedrückung der Sabiner befreit hatten.

RÖMERSTRENGE

Um jene Zeit, da die Samniter niedergezwungen waren, erhoben die Latiner die Waffen gegen Rom. Sie wollten nicht länger dulden, daß Rom sich die Vorherrschaft im Latinischen Bunde anmaßte, denn trotz aller Eroberungen, an denen sie in den letzten Kriegen Anteil hatten, waren sie leer ausgegangen: Rom hatte alle Beute für sich beansprucht.

So entbrannte der „latinische Krieg“, in dem die Latinerstämme um ihre Selbständigkeit stritten.

Konsuln waren Publius Decius Mus, der sich im Samniterkrieg durch Tapferkeit und Umsicht ausgezeichnet hatte, und Titus Manlius Torquatus, der wegen seines ruhmvollen Sieges im Zweikampf gegen den riesigen Gallier immer noch in hohem Ansehen stand.

Sein Sohn Titus Manlius führte eine Reiterabteilung und wurde mit seiner leichtbeweglichen Truppe oft zur Aufklärung ausgeschickt, auch um den Gegner in seinen Bewegungen zu stören. Bei Todesstrafe aber war jedem Römer untersagt, sich ohne Befehl auf einen Kampf einzulassen, denn immer noch hofften die Befehlshaber, man werde die blutige Entscheidung mit dem Brudervolk vermeiden können.

Da geschah es nun, daß der junge Manlius, auf Kundschaft ausgeschickt, auf einen tuskulanischen Reiterposten stieß, den Geminus Maecius, ein Mann aus vornehmem Geschlecht, befehligte. „Wollt ihr Römer etwa nur mit einer Schwadron den Krieg gegen uns Latiner führen?“ rief er höhnisch, als er die kleine Schar, geführt vom Sohne des Konsuls, dahersprengen sah. „Wo sind denn die Konsuln mit ihren Heeren?“

„Sie werden schon zur rechten Zeit zur Stelle sein“, versetzte Manlius grimmig, „und mit ihnen Iupiter, der Meineid und Rechtsbruch zu rächen weiß!“

„Willst du, Titus Manlius, dich nicht mit mir im Kampfe messen?“ rief Geminus wieder. „So wird schon vorher offenbar, daß ein latinischer Reiter einem römischen weit überlegen ist!“

In einen schweren Zwiespalt wurde der junge Reiterführer durch diese Herausforderung gestürzt: Sollte er als Feigling erscheinen – sollte er dem Gebot des Konsuls zuwiderhandeln? Ob dieser Waffengang mit seinem Sieg oder mit seiner Niederlage endete, in beiden Fällen war ihm der Tod gewiß.

Da nahm Manlius den Kampf an, sprengte auf den Herausforderer zu und warf ihn nach hartem Streit zu Boden; seine Lanze traf den Latiner zu Tode.

Mit der erbeuteten Rüstung, umjubelt von den Waffengefährten, ritt Manlius ins Römerlager zurück und trat vor den Vater. „Damit die Welt mich mit Recht als deinen ebenbürtigen Sohn gelten lasse", rief er mit strahlendem Blick, „bringe ich dir diese Beute, die ich, zum Kampfe herausgefordert, dem erlegten Feinde abgenommen habe!"

Aber der Konsul wies seinen Sohn von sich. Sogleich ließ er das Heer zusammenrufen. „Titus Manlius", sprach er sodann vor der Soldatenversammlung zu seinem Sohn, „weil du entgegen dem Befehl des Konsuls gegen den Feind gefochten und damit die Kriegszucht aufs schwerste gefährdet hast, muß dich die Strafe des Staates treffen! Wenn in dir auch nur ein Tropfen meines Blutes fließt, so wirst du dich nicht weigern, die Kriegszucht durch deine Strafe wieder herzustellen. Geh, Liktor, und binde ihn an den Pfahl!"

Wie erstarrt standen die Soldaten ringsum, die eben noch dem jungen Sieger zugejubelt hatten. Unnachsichtig wurde die Todesstrafe vollzogen, und erst jetzt löste sich die Erstarrung der Umstehenden. Unter Tränen küßten sie den Hingerichteten, und feierlich verbrannten sie seinen Leichnam und die Siegesbeute, die er – im erlaubten Streite erstritten – als ehrenvolles Zeichen im Triumphzug seines Vaters hätte mitführen dürfen.

Für alle Zeiten aber waren für die Römer Manliana imperia, „Manlianische Befehle", zu einem Sinnbild für unnatürlich grausame Gebote geworden.

DECIUS MUS

Noch ein zweites Opfer forderten die Götter, ehe sie dem Römervolke den Sieg in diesem Entscheidungskriege zuerkannten.

In der Nacht zeigte sich beiden Konsuln ein Traumgesicht, und sie hörten eine Stimme, die sprach: „Von den beiden gegnerischen Heeren wird eines den Todesgöttern verfallen sein, von dem andern Heere aber der Feldherr!"

Mit Staunen erkannten beide Konsuln am Morgen die Übereinstimmung ihrer Traumgesichte. Auch die Opferschauer bestätigten aus den Eingeweiden den Willen der Götter. Da wurden sich beide Konsuln einig, daß der Konsul, auf dessen Flügel das römische Heer ins Wanken gerate, für den Sieg des Vaterlandes sein Leben weihen solle.

Decius Mus befehligte den linken Flügel. Anfangs kämpften seine Krieger mit gutem Erfolge, doch bald mußte die vordere Linie sich zurückziehen, weil sie dem Ansturm der Latiner nicht standhalten konnte. In diesem Augenblick erkannte der tapfere Konsul seine Pflicht. Vom Oberpriester ließ er das Gebet sprechen, das ihn den Unterirdischen weihte, und hoch zu Roß stürzte er sich dann wie der Geist des Verderbens mitten unter die Feinde.

Entsetzen breitete sich aus, wo Decius Mus erschien. Bald sank er, von Pfeilen durchbohrt, entseelt zu Boden. Doch die Latiner mußten weichen, und die Römer, angefeuert vom heldenhaften Opfertod ihres Konsuls, drangen erbittert nach und vollendeten den herrlichen Sieg über die Latiner, der zugleich den Bruderkrieg beendete.

PAPIRIUS CURSOR

Aber als die Römer ganz Latium und die fruchtbare Campania unter ihre Herrschaft gebracht hatten, erhoben sich die tapferen Samniter von neuem zum Krieg gegen die Stadt des Romulus. Wieder benötigten die Römer einen Diktator; der Konsul, der selber durch Krankheit verhindert war, ernannte Lucius Papirius, der an Willenskraft wie an Tapferkeit alle Mitbürger übertraf und wegen seiner behenden Schnelligkeit, in der keiner der Krieger es ihm gleichtat, den ehrenvollen Beinamen Cursor, „der Läufer“, trug. Auch im Schwertkampf konnte sich keiner mit Papirius messen, und den Anstrengungen des Krieges zeigte sich keiner so gewachsen wie er. Den Magister equitum, den Führer der Reiterei, hatte der neue Diktator selber zu bestimmen; seine Entscheidung fiel auf Quintus Fabius Rullianus, einen Sproß aus jenem Fabiergeschlecht, das sich einst in seinem freiwilligen Heldenkampf für das Vaterland aufgeopfert hatte.

Diese beiden Männer, in deren Händen Roms Geschick lag, schienen die beste Gewähr für einen glückhaften Ausgang des Kampfes zu bieten. Bald aber, als das Heer in Samnium eingerückt war, sollte zwischen ihnen ein Zwist entbrennen, der das ganze Vertrauensverhältnis zwischen Heer und Führung aufs schwerste gefährdete.

Schon die Götterzeichen, von denen man glückbringende Verheißung für den Krieg gegen Samnium erhofft hatte, waren voll düsterer, drohender Ungewißheit. „Die göttlichen Hühner, die ich befragt habe, verheißen mir Ungutes", erklärte der Opferpriester dem Feldherrn; „günstig wird es sein, wenn du, um dich der Hilfe der Götter zu versichern, nach Rom eilst."

Gegen das Gebot des Diktators

Papirius ließ sich von dem Priester bestimmen, nach seinem Geheiß zu tun. Er befahl Fabius, den Reiterobersten, zu sich und teilte ihm sein Vorhaben mit. „Ich übergebe dir hiermit an meiner Statt den Oberbefehl über unser ganzes Heer", sagte er ihm, „und ich befehle dir kraft meiner Amtsgewalt, unser Kriegslager während meiner Abwesenheit an dieser Stelle zu belassen und keinen Kampf mit den Samnitern zu wagen."

Fabius nahm die Weisung seines Befehlshabers entgegen, doch er war nicht gesonnen, sich in seinem Handeln einengen zu lassen. Er schickte seine Kundschafter aus, die die Lage beim Feinde beobachten sollten, und mit Freude vernahm er deren Botschaft: „Die Samniter zeigen in allen Stücken eine solche Sorglosigkeit, als stünde kein einziger Römer auf ihrem Boden."

Was galt dem jungen Führer nun der Befehl des Diktators? „Hat Papirius eine solche Kriegslage voraussehen können?" rief er trotzig im Rate seiner Freunde. „Soll ich etwa solche günstigen Glücksumstände ungenutzt lassen? Laßt das Heer sich zum Angriff bereit machen!"

Niemand kam auf den Gedanken, dem stürmischen Fabius zu widersprechen. Begeistert stimmten alle ihm zu, und auch in der Schlacht, die nun entbrannte, zeigte sich diese Einmütigkeit. Der junge, ungestüme Fabius erwies sich als unübertrefflicher Führer seiner Legionen, und die Krieger wetteiferten darin, es ihrem Feldherrn an Tapferkeit gleichzutun. Besonders die Reiterei vollbrachte Wunder an Tapferkeit: Kein Samniter konnte ihr widerstehen, und angespornt von solchem Beispiel, folgte das Fußvolk dem wilden Ansturm gegen die wankenden Feinde. Zwanzigtausend Samniter büßten bei diesem herrlichen Siege, den die Römer unter der Führung des Fabiers errangen, ihr Leben ein. „Auch Papirius, wäre er zugegen gewesen, hätte keinen besseren Erfolg davontragen können", das war das Urteil des ganzen Römerheeres.

Fabius ließ die Fülle der erbeuteten Waffen zusammentragen und gab Befehl, sie zu verbrennen. Nicht ohne Bedenken führten die Legionäre diesen Befehl aus. Wollte Fabius damit ein Gelübde erfüllen, das er irgendeiner Gottheit getan hatte? Handelte er etwa aus Mißgunst gegenüber dem abwesenden Diktator, den er nicht die Früchte eines solchen herrlichen Sieges ernten lassen wollte und dem er nicht gönnte, die ungeheure Beute in seinem Triumphzuge prunken zu lassen?

Vielleicht hatten die Stimmen recht, die sich in solchem Sinne aussprachen, denn auffällig erschien auch das weitere Verhalten des Quintus Fabius: Den Brief mit seiner Meldung von dem gewaltigen Sieg richtete er nämlich nicht an den Diktator, den er in der Führung des Heeres vertrat, sondern an den Senat der Stadt. Jetzt war es allzu offenbar: Er war nicht gewillt, seinen Ruhm mit Papirius Cursor zu teilen.

Auch der Diktator mußte die Handlung des Fabiers so beurteilen. Er hatte gerade den Senat zu einer Beratung einberufen, als die Botschaft aus dem Kriegslager eintraf: „Sieg! Sieg!" jubelten alle ringsum, aber jäh verstummten sie vor den zornigen Mienen des Diktators. „Wenn wir dem Magister equitum das Recht zugestehen, ungestraft meinen Befehl zu mißachten", rief er, „dann wird bald jede Befehlsgewalt des Diktators schwinden, und unsere Kriegszucht wird ins Wanken geraten wie die Scharen der Samniter."

Voller Unwillen hieß Papirius die Senatoren das Rathaus verlassen. „Meine Pflichten als oberster Feldherr erlauben mir nicht, noch länger in der

Stadt zu bleiben!" erklärte er zornig. „Ich kehre ins Kriegslager nach Samnium zurück, um dort die Ordnung wiederherzustellen. Manchem Römer, so scheint es, muß man das Beispiel des Titus Manlius gewaltsam in Erinnerung rufen!"

Die Freunde des Fabius in Rom wußten, was die Drohung bedeutete. Zwar strebte Papirius mit höchster Eile zum Heere im Samnitergebiet, aber sie waren schneller als er und trafen vor ihm ein, um ihren Freund Fabius vor dem Zorne des Diktators zu warnen. Immer wieder hatte er das Vorbild des Titus Manlius genannt.

Fabius, der eben noch so tapfer die Legionen zum Siege geführt hatte, befiel fürchterlicher Schrecken. In seiner Not rief er die Soldaten zu einer Versammlung zusammen und schilderte ihnen die drohende Gefahr. „Steht mir bei, ich bitte euch!" rief er flehend, „und schützt mich vor der Grausamkeit des Diktators! Tut es mit demselben Mute, mit dem ihr den Staat gegen seine bittersten Feinde verteidigt habt!"

Betroffen blickten die Krieger auf den jungen Führer, der sie zu so herrlichem Siege geführt hatte. Fabius scheute nicht vor bitteren Anwürfen gegen Papirius zurück: „Er spricht nur davon, daß sein Oberbefehl mißachtet worden sei. Warum hat er mir denn verboten, mich auf eine Schlacht einzulassen? Nichts als Neid spricht aus ihm! Er gönnt mir und euch nicht den Erfolg!"

Geschickt suchte Fabius die Legionäre, die schon ihre Zustimmung murmelten, ganz für sich zu gewinnen. „Nicht nur gegen mich richtet sich die Erbitterung des Diktators", fuhr er stürmisch fort, „sondern auch gegen die Führer meiner Legionäre, gegen die Tribunen und die Zenturionen – ja, gegen das ganze Heer, gegen jeden einzelnen von euch!"

Gebannt folgten die Legionäre seinen Worten. „Wenn Papirius, der Diktator, erkennt", fuhr Fabius voller Erregung fort, „daß das Heer mit derselben Einigkeit, die es im Kampfe bewiesen hat, auch für seinen Sieg eintritt, und wenn er erkennt, daß die Rettung des einen die Rettung aller bedeutet, so wird er sich zur Milde bestimmen lassen. Ihr Kriegsgefährten", rief Fabius aus, „ich lege mein Leben und mein ganzes Schicksal in eure treuen Hände!"

Laute, begeisterte Zustimmung folgte seinen Worten. Einer der Zenturionen machte sich zum Sprecher der Krieger. „Hab guten Mut, Quintus Fabius! Solange es noch römische Legionen gibt, soll niemand es wagen, sich an dir zu vergreifen."

Unbeugsame Amtsstrenge

Bald darauf traf auch der Diktator ein und ließ sogleich durch die Trompete zur Lagerversammlung rufen.

„Ich gebiete Stille", erklang sodann die Stimme des Herolds. Auf kurulischem Sessel thronte Papirius Cursor, umgeben von den Liktoren, die die Rutenbündel mit den verschnürten Beilen trugen.

„Quintus Fabius Rullianus!" erklang von neuem die Stimme des Herolds, „ich fordere dich vor das Tribunal des Diktators."

Der Aufgerufene trat vor. Voller Anteilnahme ruhten die Augen des ganzen Heeres auf dem jungen Kriegshelden, der ruhig vor dem Inhaber der höchsten Macht des Staates stand. Papirius' Antlitz war von eiserner Unbeweglichkeit. „Ich will von dir wissen, Quintus Fabius", begann er, „ob deiner Meinung nach der Magister equitum dem mächtigsten Manne unseres Landes, dem Diktator, Gehorsam zu leisten habe. Ferner: Durften wir die Sache des Vaterlandes aufs Spiel setzen, da doch die Götter ihren Willen nicht kundgetan hatten? Gerade darum war ich ja nach Rom gereist, um mir neue Zustimmung der Himmlischen einzuholen. Darf ein Magister equitum sich über solche Bedenken seines Diktators hinwegsetzen? Und beantworte mir vor allem folgende Frage: Hatte ich dir nicht verboten, in meiner Abwesenheit irgendetwas zu unternehmen? Hatte ich dir nicht verboten, dich in irgendeinen Kampf einzulassen? Wie konntest du ohne Zustimmung des Himmels eine Entscheidung wagen, wie konntest du die Kriegssitte, die uralte Zucht, wie konntest du meinen Befehl so mißachten? Antworte auf diese Fragen, und hüte dich, außerdem ein Wort zu sagen."

Auf den Wink des Papirius war ein Liktor vorgetreten. In drohender Haltung stand er neben dem so schwer beschuldigten Fabius.

Dieser suchte sich zu rechtfertigen, bald bittend, bald fordernd. „Nimm mir das Leben, Papirius, die Ehre kannst du mir nicht rauben!“ stieß er dann hervor.

Da übermannte den Diktator neu aufwallende Wut: „Heran, Liktoren!“ rief er. „Reißt dem Schuldigen die Kleider vom Leibe und laßt ihn die Rute spüren! Und dann die Beile zur Hand!“

Die Männer bemühten sich, nach seinem Geheiß zu tun. „Zu Hilfe, meine Kriegsgefährten!“ rief Fabius den Legionären zu, und während die Liktoren ihm die Kleidung herabzureißen suchten, entwand er sich ihren Händen und suchte Schutz bei den Triariern, den tapfersten der Legionäre. Lautes Geschrei erhob sich, Bitten wurden laut und Drohungen.

„Papirius, zeig dich nachsichtig gegenüber deinem Magister equitum!“ riefen die Krieger, die dem Thronsessel des Diktators am nächsten standen.

„Was bittet ihr diesen Mann, der kein Herz besitzt?“ riefen andere wild dazwischen. Ringsum gärte der Aufruhr. Selbst die hohen Offiziere, die in der Nähe des Diktators standen, mischten sich ein. „Verschieb die Angelegenheit auf morgen, Papirius!“ baten sie, „es ist nicht recht, im Zorne zu urteilen. Ist Fabius für seine unbesonnene Tat nicht hinreichend gestraft? Ist sein herrlicher Sieg nicht genug herabgezerrt? Dring nicht auf die äußerste Strafe, Papirius! Tu nicht dem jungen Fabius, der sich so oft als tapferer Krieger bewährt hat, tu nicht seinem hochangesehenen Vater und dem ganzen Geschlecht der Fabier solchen Schimpf an!“

Aber der Diktator zeigte sich von unbeugsamer Härte. „Gebiete Ruhe!“ befahl er dem Herold. Doch in dem wachsenden Lärm und dem wilden Getöse war dessen Stimme nicht vernehmbar.

Erst die hereinbrechende Nacht machte dem allgemeinen Aufruhr ein Ende. Fabius aber hatte erkannt, daß auch die Anhänglichkeit der Krieger ihn nicht vor der Wut des Diktators, die durch den Widerstand umso mehr entfacht war, werde schützen können; heimlich verließ er das Lager und eilte nach Rom.

Sein Vater, Marcus Fabius, der Nachkomme aus dem ruhmgekrönten Geschlecht der Fabier, war jener hochangesehene Bürger, der einst die Gesetzesreform zum Vorteil der Plebs eingeleitet und dreimal die Konsulwürde innegehabt hatte; auch Diktator war er einst gewesen. Auf dessen Rat nun wurde der Senat einberufen, und Quintus Fabius trug den Vätern in bewegten Worten seine Klage über die Gewalttätigkeit und Ungerechtigkeit des Papirius vor.

„Platz für den Diktator!“ erscholl es in diesem Augenblick draußen vor den Türen. Es war die Stimme der Liktoren, die dem Papirius einen Weg durch die Menge bahnten. Als ihm die unerlaubte Abreise des Fabius gemeldet worden war, hatte er sogleich mit ein paar Reitern die Verfolgung des Flüchtigen aufgenommen.

Fabius verstummte jäh in seiner Rede und blickte voller Entsetzen auf den gefürchteten Mann; tief betroffen waren auch die Senatoren, als der Diktator so unerwartet vor ihnen stand.

„Verhaftet diesen Mann!“ rief Papirius in befehlendem Tone und wies auf den jungen Menschen, der soeben noch wilde Anklagen gegen ihn ausgestoßen hatte.

Mehrere der angesehensten Patrizier suchten den hartherzigen Mann zur Milde zu stimmen, doch Papirius zeigte sich unnachgiebig. Da stellte sich Marcus Fabius, der angesehene Vater des Magister equitum, vor seinen so schwer bedrohten Sohn: „Da du, Papirius, dich nicht durch Gründe noch durch inständige Bitten bewegen läßt, deinem Reiterführer Gnade zu erweisen, so wende ich mich an das Volk von Rom. Mag Roms civitas meine Berufung entscheiden!“

Papirius fügte sich, obwohl er, der die Machtbefugnisse eines Diktators hatte, mit seinen Rechten über dem Volke stand.

Alle begaben sich nun vom Rathause in die Volksversammlung. Papirius ließ seinen Gegner vor die Gerichtsschranken treten, aber lange Zeit verlor sich jede Stimme in dem erregten Durcheinander.

Schließlich gelang es dem tapferen Marcus Fabius, dem Vater des angeklagten Magister equitum, sich durchzusetzen. „Ich habe ein Recht, hier das Wort zu ergreifen“, rief er, „denn ich bin selbst einst Diktator gewesen. Wer kann mir nachsagen, es sei jemals ein Mann aus dem Volke oder ein

Soldat oder ein Hauptmann von mir mißhandelt worden? Papirius aber verschafft sich einen Sieg, einen Triumph über einen römischen Feldherrn, als habe er feindliche Heerführer vor sich."

Mit so klugen Worten wußte der hochbetagte Vater die Männer in der Volksversammlung für sich zu gewinnen, daß alle wie gebannt an seinem Munde hingen. „Wenn sich einmal das Kriegsglück gegen einen unserer Feldherren gewendet hat und ihm der Sieg versagt geblieben ist", rief er, „selbst dann hat noch niemand im Staate gewagt, ihm den Prozeß auf Tod und Leben zu machen. Und heute? Gegen einen Feldherrn, der einen herrlichen Sieg erfochten hat und einen Triumphzug verdient, erheben die Liktoren ihre Ruten und machen die Henkerbeile frei."

Atemlose Stille lag über der Volksversammlung. „Wie stimmt das zusammen?" rief der Vater, der hier so mutig für seinen Sohn eintrat: „Unser Staat ist voller Freude und ergeht sich in Siegesfeiern und Dankfesten – und der Mann, dem wir das alles verdanken, um dessenwillen die Tempel der Götter offenstehen und die Altäre von Opfern dampfen und mit Weihrauch und mit Gaben überladen werden, der soll vor den Augen des römischen Volkes unwürdig entblößt, zerfleischt von entehrenden Rutenhieben stehen? Er hebt verzweifelt seine Augen zum Kapitol empor und zu den Göttern dort oben, die er in zwei großen Schlachten wahrlich nicht vergebens angerufen hat!"

Die Vorwürfe und Klagen des Alten, der so mannhaft die Sache seines Sohnes führte, seine Anrufung der Götter und der Menschen verfehlten ihre Wirkung nicht. Unter Tränen schloß Marcus Fabius seinen unglücklichen Sohn in die Arme.

Heiligkeit der Manneszucht

Die Stimmung des Volkes schien sich ganz dem Beschuldigten zuzuwenden. Da erhob sich Papirius, der Diktator, und ergriff das Wort. „Ihr Quiriten!" begann er in das Gewirr der Stimmen hinein, die die Freilassung des Quintus Fabius verlangten. Sogleich trat Ruhe ein.

„Ihr Quiriten!" klang wieder machtvoll die Stimme des Papirius über die Menge hin. „Ihr kennt mein hohes Amt, und ihr wißt alle, warum unser Volk in Notzeiten einen Diktator ernennen läßt. Ihr wißt, daß mein Amt unverletzlich ist und daß der Befehl des Diktators für unser Volk stets wie ein Wink der Götter gegolten hat. Denkt an die Manneszucht des Manlius! Für ihn gab es keinerlei Zweifel, das Wohl des Staates über seine Liebe zu seinem eigenen Sohn zu stellen. Und die Väter von heute? Liebevoll, wie diese gutmütigen Greise sind, halten sie die Mißachtung des Oberbefehls nur für ein kleines Vergehen und sind sogleich bereit, diesen ‚geringfügigen' Verstoß, der in Wirklichkeit den Beginn des Endes unserer römischen Kriegszucht darstellt, zu verzeihen. Nein, ihr Quiriten: Ich bin nicht zur Nachsicht bereit gegenüber einem Mann, der so eigenmächtig unser Kriegsglück aufs Spiel gesetzt hat. Die Rechte meines hohen Amtes lasse ich nimmermehr schmälern."

Die Menge kannte die unbeugsame Härte dieses trotzigen Altrömers.

„Ihr Tribunen!" wandte sich Papirius jetzt an die Vorsteher des Tribus, „niemand von euch, so denke ich, wird durch seine Einsprache das höchste Amt, das unsere Stadt kennt, zu Fall bringen, und ich möchte wünschen, daß diese Wahlversammlung hier nicht ausgerechnet in meiner Person die Rechte der Diktatur vernichten will. Wenn es aber so kommen sollte, so höret: Die Nachwelt wird dann nicht über mich, euren Diktator Lucius Papirius, Klage erheben, aber über euch Tribunen und über den Urteilsspruch des Volkes. Und wißt ihr, wann das geschieht? Wenn einmal der Soldat seinem Hauptmann, der Hauptmann seinem Obersten, der Oberst dem Legaten, der Legat dem Konsul, der Magister equitum dem Diktator nicht mehr Gehorsam leistet, so wie ihr es hier erlaubt habt!"

Solche Worte konnten nicht ohne Wirkung bleiben. Die Tribunen wie das Volk erkannten, was sie der altbewährten Kriegszucht, auf der Roms Macht und Größe beruhte, schuldig waren; sie erkannten, daß sie nicht das Recht hatten, Forderungen zu stellen, und daß sie sich nur mit Bitten dem Diktator nahen durften. Mit erhobenen Händen traten sie nun vor ihn und flehten ihn an, dem Magister equitum die Strafe zu erlassen. „Zeig Nachsicht gegenüber seinem Fehltritt!" baten sie. „Halt ihn seiner Jugend zugute! Ist Quintus Fabius nicht inzwischen gestraft genug?"

Nun wandte sich auch dieser bittend an den Diktator, und zusammen mit seinem Vater, der ebenfalls nicht mehr an Widerspruch dachte, warf er sich dem Diktator zu Füßen. „Zürne nicht länger, Papirius, und laß Gnade walten!" baten sie mit erhobenen Händen.

Da glitt es wie ein Schimmer über das Gesicht des strengen Diktators. Er hob die Hand, um Stille zu gebieten, und augenblicks schwieg das erregte Gemurmel der Menge: „Es ist genug, ihr Quiriten! Die Kriegszucht hat gesiegt und die Heiligkeit des Oberbefehls, die beide in Gefahr waren, mit dem heutigen Tage aufzuhören. Rom hat heute einen Sieg errungen – weit größer als der, den Quintus Fabius im Felde erstritten hat. So lebe denn, Quintus Fabius, in dem Bewußtsein, dein Leben dem römischen Volke zu verdanken! Du kannst ihm dafür keinen größeren Dienst erweisen, als wenn du vom heutigen Tage die bleibende Lehre mitnimmst: Römerart ist es, Manneszucht zu zeigen und sich dem gesetzmäßigen Oberbefehl zu unterwerfen."

Ein Sturm begeisterten Beifalls folgte seinen Worten. Mit Freude scharte sich der Senat und mit noch größerer das Volk um den Diktator und seinen nun wieder in Ehren aufgenommenen Magister equitum, und jubelnd geleitete man sie die geweihte Stätte hinab. Jeder war sich bewußt, daß die Unantastbarkeit des Oberbefehls im Kriege hier ebensoviel an Festigkeit gewonnen habe wie einst durch die Hinrichtung des jungen Manlius.

Mit seinem starken Heer trat Papirius dann den Feinden erneut entgegen und warf sie siegreich zurück. So schnell drang er auf ihrer Verfolgung in die Abruzzentäler ein, daß sie um Waffenstillstand baten.

DIE ENGPÄSSE VON CAUDIUM

„Wir müssen den Feldzug bis zur Vernichtung Samniums fortsetzen", erklärten Postumius und Veturius, Roms neugewählte Konsuln, die die Nachfolge des Papirius angetreten hatten, und lehnten das Freundschafts- und Friedensangebot der Samniter ab. Sie zwangen das tapfere Bergvolk damit zu verzweifeltem Widerstand. Sein Führer war Gaius Pontius. „Ihr Volksgenossen!" hatte er in der allgemeinen Ratsversammlung ausgerufen, als die zurückgekehrten Gesandten von ihrem vergeblichen Besuch in Rom berichteten. „Wir haben wirklich getan, was in unseren Kräften stand, den Frieden zu erhalten. Aber unsere Gegner, die Römer, haben nicht gewollt. Seid überzeugt, daß die Götter keinen Gefallen an ihrer hochmütigen Ablehnung finden werden!"

Die ganze Nation der Samniter stand einmütig bereit in dem Abwehrkampf gegen die vordringenden Römer. „Wer einen notwendigen Krieg führt, ihr Landsleute, der führt einen gerechten Krieg", erklärte der ehrenwerte Pontius, „und heilig sind die Waffen dessen, der für sich keine andere Rettung als durch die Waffen erhoffen kann."

Überlistet

Nur in dem wald- und schluchtenreichen unübersichtlichen Bergland hatten die Samniter eine Siegesaussicht gegenüber den in der offenen Feldschlacht überlegenen Römern.

Darauf baute der kluge Pontius seinen Plan, als er in der Gegend von Caudium sein Lager in einem kaum zugänglichen Versteck errichtete: Es galt, die Römer in die Berge zu locken.

Titus Veturius und Spurius Postumius, die beiden römischen Feldherrn, ahnten nichts von der Gefahr, die sich drohend über ihrem Haupt zusammenzog. In Eile betrieben sie den Vormarsch, denn Gerüchte waren ihnen zu Ohren gekommen, die Samniter stünden in Apulien und belagerten Luceria, die Stadt der Bundesgenossen.

Auf Gerüchten allein dürfen verantwortungsbewußte Führer keinen Plan aufbauen. Eifrig durchstreiften daher die Kundschafter der römischen Führer die weite Landschaft, um verbürgte Nachrichten einzuholen.

Erfolgreich kehrten sie zurück. „Wir sind auf Hirten gestoßen, die am Westrande der weiten Ebene ihre Herden trieben“, meldete der Führer der ersten Kundschaftergruppe, „und haben sichere Kunde gewonnen: Die Legionen der Samniter stehen fern von hier in Apulien; sie belagern Luceria mit ihrer ganzen Macht und werden es in kurzer Zeit im Sturme erobern.“

Bald darauf kehrte ein anderer Trupp von ausgesandten Spähern zurück; er kam aus dem Ostteil der weiten Landschaft, aber seine Berichte stimmten ganz mit den bereits gegebenen überein. Weitere Kundschafter trafen ein, auch Plünderer, die sich weit in die verschiedensten Richtungen hinausgewagt hatten – und alle brachten dieselben Nachrichten.

„Es besteht kein Grund, an der Richtigkeit zu zweifeln“, erklärten die beiden Konsuln; „auch die Gerüchte, die wir bereits vorher vernahmen, decken sich mit den Meldungen unserer Späher.“

So geschickt hatte Gaius Pontius seinen listigen Plan gesponnen. Denn die arglosen Römer ahnten nicht, daß schon die ersten Gerüchte von dem schlauen Feinde absichtlich ausgestreut waren, und sie ahnten auch nicht, daß es sich bei den Hirten, die ihren Kundschaftern Auskunft gegeben hatten, um zuverlässige Samniterkrieger handelte. Pontius hatte sie mit Vorbedacht in ihrer Verkleidung auf ein weites Gebiet verteilt, um ihre Aussagen, die alle genau übereinstimmten, glaubwürdiger erscheinen zu lassen.

So ließen sich die Römer überlisten. Eilig befahlen die Konsuln den Weitermarsch ihrer beiden Heere, und so sehr trieb sie die Eile, den schwerbedrängten Bundesgenossen Hilfe zu bringen, daß sie alle gebotene Vorsicht außer acht ließen. Den nördlichen Weg schlugen sie aus, weil er, wenn auch sicherer, doch zu lang erschien, und arglos wählten sie den kürzeren Weg durch die Kaudinischen Pässe, die tief und schmal in die bewaldeten Höhen einschneiden und in eine weite grasbestandene Ebene führten.

Durch ein enges Felsentor rückte der schwerfällige Heerwurm in die bergumsäumte Landschaft ein; doch als die Spitze auf der anderen Seite den zweiten Paß durchqueren wollte, stieß sie auf undurchdringliche Wegsperren. Umgehauene Bäume und mächtige Felsstücke machten jeden Weitermarsch unmöglich.

„Verrat!“ ging es durch die Reihen des Vortrupps. „Dort! Dort!“ riefen andere voller Entsetzen, denn auf den Paßhöhen zeigten sich feindliche Bewaffnete. Alles drängte durch die weite Ebene zurück, und ringsum waren die Höhen von Feinden besetzt.

Wilde Bestürzung ergriff alle; lähmendes Entsetzen lag über den Kriegern des ganzen Heeres, als sie sich so plötzlich umzingelt und eingeschlossen sahen und weder vorwärts noch rückwärts dringen konnten.

Die Konsuln ließen ihr Feldherrnzelt aufschlagen, und um nicht untätig zu erscheinen, griffen die Legionäre zum Schanzspaten, um Wall und Graben zur Verteidigung zu errichten. Aber alles Tun mußte sinnlos erscheinen, und in ohnmächtiger Wut ließen die Krieger davon ab, als die höhnischen Zurufe der Feinde von der Höhe herabdrangen. In ihrer ausweglosen Lage wagten die Konsuln nicht einmal, einen Kriegsrat einzuberufen. Verzweifelt blickten die Männer zu den Hauptzelten hinüber, als verlangten sie von ihren Feldherrn Rettung, die ihnen aber kaum die unsterblichen Götter gewähren konnten.

Was bedeutete in dieser Lage Tapferkeit oder Feigheit, was nützten Beratungen, wie man der Einschließung entrinnen könne? Steil ragten die Höhen empor und machten jeden Ansturm gegen den Einschließungsring der Feinde unmöglich.

Wußten die Samniter ihre Überlegenheit nicht zu nutzen? Jeden Augenblick konnten ihre Hörner zum Angriff blasen – aber nichts geschah.

Schlaflos und ohne an Speise und Trank zu denken, brachten die eingeschlossenen Römer die Nacht hin. Auch der nächste Tag bot keine Besserung der Lage, denn immer lastender und bedrückender wurde die Zurückhaltung der Feinde auf den Höhen ringsum. Was mochten sie mit dem Römerheere, das sich in ihrer Gewalt befand, im Sinne haben?

Freiheit oder Vernichtung?

Die Männer ahnten nicht, daß die Samniter sich selber keine Antwort auf diese Frage wußten. Zu groß war der Erfolg, den das Schicksal ihnen gebracht hatte.

In seiner Ratlosigkeit ließ sich Gaius Pontius bestimmen, seinen Vater, den greisen Herennius Pontius, um Rat zu fragen; er hatte sich längst von allen kriegerischen und bürgerlichen Ämtern zurückgezogen, galt aber als ein Mann von großer Geisteskraft und Entschlossenheit.

Bald waren die Boten zurück. „Zeige dich den eingeschlossenen Feinden gegenüber großmütig!“ ließ der hochbetagte Vater dem Feldherrn ausrichten. „Ja, schenke ihnen die Freiheit!“

Pontius schüttelte ablehnend das Haupt: „Wer wird einen einmaligen Glückszufall so leichtfertig ungenutzt lassen?“ Wieder schickte er Boten mit der Anfrage an den Vater, und bald hielt er dessen Antwort in Händen: „Laß die Feinde, die ein wohlgesinntes Schicksal dir in die Hand gegeben hat, bis auf den letzten Mann erschlagen!“

„Meines Vaters Geist mag durch sein hohes Alter gelitten haben, daß er so widersprechende Ratschläge erteilt“, stieß der Feldheer unwillig aus.

Doch die Krieger seiner Umgebung waren anderer Meinung: „Die Äußerungen des alten Herennius sind wie ein Orakel“, sagten sie. „Laß ihn ins Lager rufen, denn seine Stimme wird dir im Kriegsrat von Nutzen sein!“

Wenig überzeugt fügte sich der Feldherr diesem Verlangen, und trotz seines hohen Alters und trotz der Beschwerlichkeit der Reise kam der Greis ins Feldlager.

„Meine Ratschläge mögen euch widersprüchlich erschienen sein“, sagte er im Kriegsrat; „laßt mich sie begründen!“

Gespannt blickten alle auf den Alten. „Befolgt ihr meinen ersten Rat“, begann er, „so wird das Römervolk eure Großmut anerkennen müssen, und ihr sichert euch für alle Zeiten Frieden und Freundschaft mit einem der mächtigsten Völker. Auch der zweite Rat wird euch Frieden bringen, denn mehrere Menschenalter lang wird der römische Staat nicht die Kraft haben, einen Krieg zu führen, wenn er zwei so große Heere verloren hat."

Die Worte des klugen Alten schienen einleuchtend, aber Gaius Pontius wie auch vornehme Samniter seiner Umgebung scheuten solche Entscheidung. „Könnte man nicht eine Zwischenlösung wählen?" gab er zu bedenken. „Ich meine, man könnte sie zwar unangefochten abziehen lassen, ihnen aber als Besiegte die Bedingungen unseres Kriegsrechtes auferlegen."

Der Alte schüttelte unwillig das greise Haupt: „Einen dritten Weg gibt es nicht!" rief er. „Mit der Maßnahme, die du treffen willst, mein Sohn, erwirbst du dir weder Freunde noch beseitigst du die drohende Feindschaft. Versuch es nur, Menschen die Freiheit zu schenken, die du vorher durch Beschimpfung entehrt und erbittert hast! Kennst du die Römer nicht? Sie sind ein Volk, das, wenn es besiegt ist, keine Ruhe kennt!"

Unter das Joch!

So überzeugend auch der Alte seine Worte zu setzen wußte, Gaius Pontius war nicht bereit, ihnen zu folgen. Betrübt fuhr Herennius aus dem Kriegslager in die Heimatstadt zurück.

Inzwischen begaben sich die beiden Konsuln selber auf die Höhe, um mit Pontius zu verhandeln. Vergeblich hatten die Legionäre immer wieder versucht, sich durchzuschlagen. Ihre Lage war hoffnungslos, zumal der Mangel an Lebensmitteln immer fühlbarer wurde.

„Ich bin bereit", erwiderte Pontius den Römern, „den Krieg als beendet anzusehen und euch Friedensbedingungen zu gewähren, die Besiegten und Siegern gleiche Vorteile bieten. Wenn ihr Römer das samnitische Gebiet räumt und eure Siedler wieder von hier abzieht, dann können Römer und Samniter für alle Zukunft nach ihren eigenen Gesetzen nebeneinander leben. Eine Bedingung füge ich jedoch an: Entwaffnet und ohne Rüstung haben eure Krieger unter dem Joch hindurchzugehen!"

Die beiden Konsuln wollten zornig aufbegehren, aber Pontius winkte abwehrend mit der Hand: „Auf ein Verhandeln lasse ich mich nicht ein. Sechshundert Geiseln verlange ich als Bürgschaft. Seid ihr nicht bereit, meine Bedingungen Punkt für Punkt anzunehmen, so werde ich keinen römischen Unterhändler mehr anhören!"

Wut und Trauer im Herzen, vernahm das Römerheer diese demütigenden Bedingungen der Feinde. Für viele von ihnen hätte eine Nachricht, die ihnen den sofortigen Tod ankündigte, nicht niederschmetternder wirken können.

Auch die Konsuln waren so betroffen, daß sie nicht ein Wort fanden, den schimpflichen Vergleich zu empfehlen oder voller Entrüstung zurückzuweisen.

Da ergriff Lucius Lentulus, einer der Tapfersten unter den Legaten, das Wort. „Ihr wißt selber", begann er, „daß mein Vater einst, als die Gallier unsere Stadt genommen und das Kapitol umzingelt hatten, als einziger dafür eintrat, einen entschlossenen Durchbruch durch den Einschließungsring der Feinde zu wagen. So habe ich das Recht, hier meinen Vorschlag zu nennen. Wir können uns zum Verzweiflungskampfe rüsten, und – ihr kennt mich – ich selber, das erkläre ich, werde unter den Tapfersten sein. Aber jeder von uns weiß, daß es ein auswegloser Kampf sein wird. Was also erreichen wir mit ihm? Was erreichen wir mit unserem Tode? Die Rettung unserer Vaterstadt? Nein, beim Iupiter, mit unserm Opfertode geben wir sie preis, denn wer soll sie weiterhin schützen, wenn unsere kampfgeübten Truppen vernichtet sind? Alle Hoffnung für die Zukunft, alle Rettung können wir nur von diesen beiden Heeren erwarten, die ihr jetzt in so verzweifelter Lage, aber gesund seht. Durch ihre Rettung retten wir das Vaterland. Überlassen wir sie dem Tode, so geben wir unser Vaterland preis. Die Liebe, die wir dem Ewigen Rom schulden, stellt diesmal eine große Forderung: Wie wir sonst ohne Bedenken bereit sind, den Tod auf uns zu nehmen, müssen wir heute eine viel schwerere Bereitschaft zeigen: Für das Vaterland müssen wir Schande auf uns nehmen."

Da entschlossen sich die Konsuln nach schweren inneren Kämpfen, den entehrenden Vertrag anzunehmen. Eine Welle des Unwillens, des Zornes, entschlossener Ablehnung ging durch das ganze Römerlager, und nicht viel hätte daran gefehlt, so hätten Krieger sich in ihrer Erbitterung an den beiden Konsuln vergriffen, die das Heer in diese verhängnisvolle Lage gebracht hatten.

Die Erfüllung des Vertrages bot ein Schauspiel tiefster Erniedrigung - weit schlimmer als die kampf- und sieggewohnten Legionäre es sich in ihren ärgsten Befürchtungen ausgemalt hatten.

Beauftragte des Pontius erschienen vor dem Römerlager: „Legt die Waffen auf die Erde, entledigt euch eurer Rüstung und tretet in bloßem Hemde vor den Lagerwall!" so riefen sie befehlend.

Verbissen führten die Römer die Weisung aus. Aber das Herz krampfte sich ihnen zusammen bei dem Anblick, der sich ihnen nun bot: Auf Geheiß der Abgesandten des Pontius traten die Liktoren von den Konsuln zurück, und nun mußten die Legionäre mit ansehen, wie man ihren Feldherren Gewänder und Zeichen ihrer Würde abnahm. Viele der Krieger, die sich eben noch fast zu Gewalttätigkeiten gegenüber den beiden Konsuln hätten hinreißen lassen, wandten von diesem entwürdigenden Schauspiel, ihr eigenes Schicksal fast vergessend, unter Tränen die Augen ab.

Am Ausgang der Talebene hatten die Sieger das Joch errichtet, zwei in die Erde eingerammte Lanzen, über die eine dritte quer gebunden war.

Zuerst wurden die beiden Konsuln, nur bekleidet mit der Tunika, hindurchgeschickt. Dann folgten die Offiziere in der Reihenfolge ihrer Dienstgrade und dann die Legionäre. Mit Schmährufen begleiteten die Krieger Samniums, die eng gedrängt den Platz säumten, das unwürdige Schauspiel.

Mit den Waffen auch den Mut verloren?

Wie von Sinnen verließen die Römer den engen Paß. Sie hatten das Gefühl, als seien sie der Hölle entronnen und erblickten jetzt erst das helle Tageslicht. Und doch – wie verhaßt, ja ärger als der Tod, war ihnen dieses Tageslicht, das ihnen ihren erbärmlichen Zug zeigte! War der regellose Haufe dieser waffenlosen, jammervollen Gestalten noch ein Heer zu nennen?

So zogen die einst so stolzen Legionäre dahin. Sie hätten vor Anbruch der Nacht noch Capua erreichen können, aber die Scham hielt sie ab, die Stadt der Bundesgenossen zu betreten. Ungewiß war ja auch, wie diese ein Römerheer in solchem Aufzuge aufnehmen würden.

Erbarmungswürdig war das Bild, wie die Römer ohne rechte Bekleidung, ohne Speise und Trank zu beiden Seiten der Heerstraße sich auf dem bloßen Erdboden niederließen.

Aber die Einwohner des reichen Capua zeigten Erbarmen und Mitleid vor dem Bild des Jammers, das sich ihnen bot. Sogleich sandte die Obrigkeit der Stadt den Konsuln Abzeichen ihres Standes, dazu Rutenbündel und Liktoren, um ihre Würde wieder kundzutun, und reichlich schickten sie den Soldaten Waffen und Pferde, Kleidung und Nahrung.

Da setzte sich der Zug wieder langsam in Marsch, und vor den Toren traten ihnen Senat und Volk von Capua entgegen, um sie als Gastfreunde willkommen zu heißen.

Doch so sehr sich auch Capuas Einwohner bemühten – alle Beweise der Güte und des Mitgefühls konnten die tief bedrückten Römer nicht von ihrer Niedergeschlagenheit befreien.

Vornehme Jünglinge der Stadt geleiteten das Römerheer tags darauf bis an die Grenze von Campania und berichteten nach ihrer Rückkehr den Stadtvätern, daß die tiefe Betrübnis nicht von den heimkehrenden Kriegern gewichen sei. „Der altrömische Herrensinn ist zu Grabe getragen worden“, sagten die Jünglinge. „Uns will scheinen, mit ihren Waffen haben die Römer sich auch den Mut rauben lassen. Es ist, als trügen sie auf ihrem Rücken noch das Joch, unter dem sie haben hindurchschreiten müssen. Die Samniter haben nicht nur einen herrlichen, sondern einen bleibenden Sieg errungen; zwar haben sie nicht – wie früher die Gallier – Rom erobert, aber sie haben, was weitaus mehr bedeutet, die römische Tapferkeit, den römischen Heldenmut gebrochen.“

Tiefe Bedrücktheit über das kommende Schicksal ihrer einst so starken Bundesgenossen lag über dem Senat von Capua, als ein solches Urteil ausgesprochen worden war. Doch da ergriff ein alter, angesehener Senator das

Wort: „Ihr urteilt falsch“, sagte er; „wenn die Römer so erbittert die Lippen verschließen, wenn sie den Blick zu Boden richten und sich keiner Tröstung zugänglich zeigen, so bedeutet das einen wortlosen Ingrimm, der nach Rache verlangt. Nein, ihr Volksgenossen, dieses verbissene Schweigen wird einst bei den Samnitern wildes Klagegeschrei zur Folge haben, und der Kaudinische Vertrag wird ihnen dereinst schmerzlicher sein als den Römern.“

Und wie nahm Rom die Nachricht von der schmählichen Niederlage auf? „Das ist das Römervolk, das nach einer Niederlage keine Ruhe zu finden weiß.“ So hatte der greise Herennius Pontius es gekennzeichnet. Sein Urteil erwies sich als sehr treffend, denn auch in dieser schlimmen Lage zeigte sich das Volk der Quiriten in seiner ganzen Größe. Mit mehr Anteilnahme vernahm man die Nachricht von dem demütigenden Vertrage als die von der Gefahr, in der sich das Heer befunden hatte.

Sogleich war eine Aushebung von neuen Truppen durchgeführt worden. Aber als dann die Botschaft von dem abgeschlossenen Vertrage eintraf, wurden die Hilfsvölker wieder entlassen. Tiefe Trauer lag über der Stadt. Alles geschäftige Leben kam zum Erliegen. Die Verkaufsbuden auf dem Forum wurden auf Geheiß der Obrigkeit geschlossen.

So groß war die Erbitterung, die das ganze Volk gefangenhielt, daß jedermann nicht nur den Feldherren, die an diesem Vertrag schuldig waren, zürnte, sondern auch den Legionären, und überall wurden Stimmen laut, man müsse die Tore verschlossen halten und ihnen für alle Zeit den Eintritt in die Stadt versagen. Doch als dann die Unglücklichen eintrafen, schlug der Zorn in Mitleid um. Nicht wie Krieger kehrten sie heim, sondern wie Kranke und Gefangene. Im Dunkel der Nacht betraten sie ihre Heimatstadt, und jeder suchte ungesehen sein Haus zu erreichen. Keiner konnte es in der Folgezeit über sich bringen, sich in der Öffentlichkeit sehen zu lassen.

Auch die beiden unglücklichen Konsuln hielten sich in ihren Häusern verborgen und betrieben als einzige Amtshandlung die Einsetzung von zwei neuen Konsuln. Die Wahl fiel auf die berühmtesten Feldherren jener Zeit, auf Quintus Publilius Philo und auf den tatkräftigen Lucius Papirius Cursor, der das hohe Amt zum zweiten Male verwaltete.

Der Vertrag wird gelöst

Die neugewählten Konsuln hatten die schwere Aufgabe, über den Kaudinischen Vertrag zu beraten. Ihre beiden unglücklichen Amtsvorgänger mußten sich sogleich vor dem Senat verantworten. Zuerst wurde der einst so stolze Spurius Postumius vor die Schranken gerufen.

Mit gesenktem Blicke, so wie er unter dem Joch hindurchgeschritten war, begann der einstige Konsul seine Rede. „Ich weiß, ihr Väter", führte er aus, „daß ich selber einen entscheidenden Teil der Schuld an dem unglücklichen Verlauf des Krieges wie auch an dem schimpflichen Vertrage habe. Ich habe deshalb nicht die Absicht, etwas anderes zu meiner Rechtfertigung zu sagen, als daß ich bestrebt war, euch die Legionen unserer konsularischen Heere zu erhalten. Und wenn ihr nun den Vorschlag hört, den ich euch mache, so könnt ihr ermessen, ob mich dabei etwa der Eigennutz getrieben hat, mein eigenes Leben zu erhalten. So hört, ihr Väter: Liefert mich mitsamt meinem Mitkonsul und denen, die für den demütigenden Vertrag verantwortlich sind, den Feinden aus! Wenn wir für die Bürgschaft, die wir den Samnitern gaben, mit unserm Leben büßen, so ist unser Römervolk damit von jeder Vertragspflicht frei, denn wir haben ihn ja ohne seine Zustimmung geschlossen. Handelt ihr so, dann können euch nicht Götter noch Menschen das Recht bestreiten, einen neuen Krieg gegen Samnium zu führen. Mögen die Götter es fügen, daß die neuen Konsuln mit unseren Legionen den Krieg so führen, wie das Römervolk vor unserm Konsulat alle Kriege geführt hat!"

Mit Bewunderung und Mitleid blickten alle auf den Mann, der sich hier so standhaft bereit zeigte, seine Schuld zu büßen.

Nicht ohne Bedenken erwogen Roms Stadtväter seinen Vorschlag. Waren sie durch die Auslieferung der verantwortlichen Führer aller Vertragsverpflichtung frei und ledig? Hatten die beiden Konsuln sich überhaupt schuldig gemacht, da sie dem Vaterlande doch die beiden konsularischen Heere erhalten hatten?

Doch dann gab Roms Senat seine Zustimmung, und entkleidet und gefesselt wurden die beiden Konsuln durch die Fetialen, die Bundespriester, den Samnitern ausgeliefert.

Dankbar pries das Volk den Entschluß der beiden Männer und stellte ihre Tat dem freiwilligen Tode des heldenhaften Decius Mus zur Seite. „Wenn sich unser Volk aus diesem lastenden Friedensschluß wieder frei erheben kann, so danken wir das dem Sühnopfer der beiden", so ging es durch die Reihen der römischen Bürger. Begeistert meldeten sie sich in Scharen zu den Waffen, damit neue Legionen aufgestellt werden könnten.

Was kümmerte es den römischen Senat, daß Gaius Pontius, der Samniter, sich auf die Auslieferung des Postumius nicht einlassen wollte? „Wenn ihr den Vertrag für nichtig erklären wollt", rief er dem Bundespriester zu, „so laßt eure Legionen wieder in die Kaudinischen Pässe einrücken! Alles, was sie in Händen hatten, bevor die Unterhandlungen begannen, will ich ihnen gewähren."

Voller Entrüstung ließ Pontius den beiden Konsuln die Fesseln lösen und schickte sie nach Rom zurück. Zu spät erkannte er, wie treffend der Ratschlag seines greisen Vaters gewesen war, den er mißachtet hatte.

Rache für Caudium

In aller Eile rückten nun die neu aufgestellten Heere gegen das Samniterland vor. Große Kriegserfolge errang der Konsul Publilius, der ein feindliches Heer vor der Stadt Caudium zum Kampfe stellte und vernichtend schlug.

Papirius Cursor, der das zweite konsularische Heer führte, wandte sich inzwischen gegen Luceria. Er wollte den sechshundert römischen Geiseln, die er in den Mauern dieser Stadt wußte, die Freiheit zurückgeben. Und dort dachte er auch auf das Heer des Gaius Pontius zu stoßen, der sich in der Nähe der Stadt in einem Feldlager verschanzt hielt.

Gewaltig war die Erbitterung, mit der die römischen Legionäre dann zum Angriff vorgingen. Nicht nur die alte römische Tapferkeit ließ sie beinahe

20 Rückkehr vom Wagenrennen

21 Reiterparade, in der Mitte Fußvolk

22 Blick von der Villa der Quintilier über die Campagne Romana mit Resten eines römischen Aquädukts

23 Ruinen der alten römischen Hafenstadt Ostia

Wunder vollbringen; ihre Kräfte wuchsen durch den Zorn über die demütigende Kränkung, die ihnen unvergeßlich war. „Hier ist kein Engpaß!“ schrien sie wild, während sie auf die Feinde einhieben. „Hier ist nicht Caudium, wo ihr arglose Feinde überlisten könnt! Hier gilt nicht hinterhältiger Betrug, sondern römische Tapferkeit!“

Streich auf Streich begleiteten diese erbitterten Worte und trafen jeden Gegner, ob er sich widersetzte oder ob er floh, ob er wehrlos oder bewaffnet, ob er Sklave oder Freier war. Kein lebendes Wesen wäre ihrer Kampfeswut entronnen, wenn nicht die Konsuln das Zeichen zum Rückzug gegeben und ihre Krieger durch Befehle und Drohungen aus dem Lager der Feinde hinausgeführt hätten.

Nur mit wenigen Kriegern war Pontius dem wilden Gemetzel entkommen; sie hatten sich in den Schutz der Stadtmauern gerettet. Doch bald machte sich in Luceria der Mangel bemerkbar, denn Papirius schnitt der Stadt jede Zufuhr ab.

So erschienen nach kurzer Zeit Unterhändler der Belagerten vor Papirius: „Bist du bereit, gegen Rückgabe eurer römischen Geiseln die Belagerung aufzuheben? Nur um ihretwillen bist du ja vor die Stadt gezogen.“

Papirius blickte die samnitischen Gesandten mit grimmigem Lächeln an: „Ihr hättet bei Pontius selber anfragen müssen, was sich Besiegte seiner Meinung nach gefallenlassen müssen. Wollt ihr aber lieber aus meinem Munde die Bedingungen vernehmen, so höret: Waffen und alles Gepäck sollt ihr in der Stadt zurücklassen, im Hemde vor das Stadttor treten und euch Mann für Mann unter das Joch beugen. Ich will euch nicht mit einer neuen Schmach belegen, sondern lediglich die uns angetane Schmach rächen.“

Unbeugsam blieb Papirius bei seiner Forderung. Siebentausend samnitische Krieger, an ihrer Spitze Gaius Pontius, der Sieger in den Kaudinischen Pässen, schritten unter dem Joch hindurch.

Groß war die Beute, die den Römern in die Hände fiel, und mit Freude nahmen sie die sechshundert Ritter auf, die Postumius den Samnitern als Geiseln hatte stellen müssen – aber größer als dieser Erfolg war das stolze Gefühl der Römer, die Schmach von Caudium getilgt zu haben.

Jubelnd standen Roms Bürger zu beiden Seiten der Feststraße, als der starke Papirius im Triumphzug in die Heimatstadt einzog. Die ganze Stadt feierte seinen herrlichen Sieg.

NEUER KRIEG MIT SAMNIUM

Mehr als vier Jahrzehnte lang währte nun schon der erbitterte, immer wieder aufflackernde Krieg mit den Samnitern. Das Bergvolk war den Römern zwar in der offenen Feldschlacht unterlegen, aber mit unbeugsamer Härte trat es immer wieder zum Kampf für seine Freiheit an. Auch die Marser und die Etrusker, die Apulier und die Umbrier griffen immer wieder in den Kampf ein, und mehr als einmal zeigte Gott Mars sein Doppelgesicht, bis Roms Feldherrnkunst und die Tapferkeit seiner Legionäre den Sieg in Händen hielten.

Aber wieder war der Frieden von nur kurzer Dauer. Denn vor dem römischen Senat erschienen Gesandte der befreundeten Lukaner, um über die Samniter Klage zu führen: „Weil wir uns im letzten Kriege nicht bereit erklärten, an ihrer Seite gegen euch zu kämpfen, sind sie in unser Gebiet eingefallen; sie verwüsten unser Land und bringen uns in größte Not."

Im Senat gab es nicht viel zu verhandeln. Sogleich wurden Bundespriester als Gesandte nach Samnium geschickt. „Gebietet ihnen", wies der Konsul sie an, „das Land der römischen Bundesgenossen zu räumen und ihr Heer aus Lukanien abzuziehen!"

Aber Roms Sendboten fanden nicht Gelegenheit, ihren Auftrag auszurichten, denn schon unterwegs kamen ihnen samnitische Abgeordnete entgegen und verwehrten ihnen den Zutritt in ihr Gebiet. Wider alles Gesandtenrecht erklärten sie in herrischem Ton: „Wagt es nicht, euch in Samnium in irgendeiner Versammlung sehen zu lassen, sonst werdet ihr nicht unverletzt davonkommen!"

Voller Empörung vernahmen Roms Stadtväter, daß ihren Gesandten solch demütigender Schimpf angetan worden war. Da gab es nur eins: Krieg gegen das hochfahrende Volk der Samniter, das nach so vielen Beweisen römischer Überlegenheit noch so trotzig aufzubegehren wagte. So entbrannte der dritte Samnitische Krieg, in dem sich die Samniten mit den Etruskern verbanden.

Rom rüstete sich machtvoll, um eine endgültige Entscheidung zu erzwingen. Konsuln wurden Fabius Maximus und Publius Decius Mus, der Sohn jenes tapferen Mannes, der seinem Volke in der Schlacht am Vesuv mit seinem Opfertode den Sieg geschenkt hatte. Bald sollte es sich erweisen, daß der neugewählte Konsul der würdige Sohn seines Vaters war.

Als die Etrusker von dem Ernst der römischen Vorbereitungen – mehr als fünfzigtausend Mann stellten die Bürger der Tiberstadt zum Kriege auf – vernahmen, wagten sie keinen Widerstand mehr und baten um Frieden. So wandte sich die ganze Wucht des Krieges gegen Samnium. Um die Feinde über ihre Stoßrichtung im unklaren zu lassen, führten die Konsuln die beiden Heere von zwei verschiedenen Seiten heran und ließen den Legionären alles offene Land zum Plündern frei.

Kundschafter brachten wichtige Botschaft. Die Samniter hatten nämlich gehofft, die List, die ihnen in den Pässen von Caudium so großen Erfolg gebracht hatte, wiederholen zu können, und hatten ihr Heer in einem versteckten Tale bereitgestellt, um die Römer zu überfallen. Als sie nun ihren Plan vereitelt sahen, mußten sie sich zum offenen Kampf entschließen.

Das Schlachtenglück wogte hin und her; Jahr um Jahr zog sich der verhängnisvolle Krieg hin.

Wieder, nun schon zum fünften Male, führten Quintus Fabius und Publius Decius Mus gemeinsam als Konsuln die römischen Truppen gegen die Feinde. Mächtig war deren Zahl angewachsen, denn wieder rückten die Etrusker mit großer Truppenmacht ins Feld, und nicht geringen Schrecken erweckte es in der Stadt des Romulus, als auch die Gallier sich auf die Seite der Feinde stellten; noch lastete auf der Stadt die Erinnerung an den Einfall der Horden des Brennus.

Himmlisches Vorzeichen

Als im Senat angesichts der Vielzahl der Feinde bange Sorge laut wurde, bewährte sich die wunderbare Eintracht, die – nicht geringer als der Ruhm ihrer Taten – die beiden Konsuln verband, denn Quintus Fabius erklärte freimütig: „Keinen anderen als ihn wünsche ich mir zum Mitkonsul. Steht mir Publius Decius Mus zur Seite, dann habe ich Truppen genug und niemals zuviel Feinde."

Bei Sentinum stießen die Römer auf die Gegner, die – Samniter und Gallier, Etrusker und Umbrier – den Apenninus überstiegen hatten. Die beiden Heere standen sich in Schlachtordnung gegenüber, da bot sich den Augen aller plötzlich ein seltsames Naturschauspiel: Von den Bergen herab lief eine Hirschkuh, verfolgt von einem Wolf, über die Ebene zwischen die beiden Schlachtreihen. Aufgeschreckt durch die Menge der Männer und die blitzenden Waffen, trennten sich die Tiere in ihrem wilden Laufe: Die Hirschkuh wandte sich den Galliern, der Wolf den Römern zu. Betroffen von diesem seltsamen Vorzeichen, öffneten die Römer dem Tiere ihre Schlachtreihe und ließen es entkommen. Die Gallier aber erhoben die Waffen, und einer ihrer Speere traf die Hirschkuh.

Wie war dieses Vorzeichen zu deuten? „Wo das heilige Wild der Diana getötet ist, dort wird Blut und Tod regieren. Unser aber wird der Sieg sein, da wir das heilige Tier des Mars, das uns an unsere Abkunft vom Gott des Krieges und an unsern Ahnherrn Romulus gemahnen sollte, unverletzt und unentweiht gelassen haben." So klang es durch die römischen Reihen, und jedermann war überzeugt, daß hier des Gottes Stimme gesprochen hatte.

Ein erbitterter Kampf entbrannte nun. „Schont eure Kräfte!" gebot der Konsul Fabius seinen Legionären, „und begnügt euch damit, die Feinde anrennen zu lassen! Die Samniter werden erlahmen, und mögen die starken Gallier jetzt auch wie tapfere Männer anstürmen, die Beschwerden und die Hitze werden sie bald so müde machen, daß sie sich am Ende wie Weiber gebärden."

Doch auf dem linken Flügel gerieten die kampfgewohnten Römer plötzlich in schwere Bedrängnis. Publius Decius Mus, der Feldherr, hatte hier seine Truppen tollkühn vorstoßen lassen. Da griffen die Gallier unter verwirrendem Lärm mit Kampfwagen an, daß seine Reiterei die Pferde nicht mehr zu zügeln wußte. In dem wilden Gewirr, das nun einsetzte, geriet die Phalanx der Römer ins Wanken.

Entschlossen trat der tapfere Decius den Zurückflutenden entgegen. „Warum weicht ihr denn?" schrie er. „Was glaubt ihr durch die Flucht zu gewinnen?" Aber seine Worte verhallten vergeblich.

Da erkannte der heldenhafte Mann seine Schicksalspflicht: „Publius Decius, mein Vater!" so rief er mit weithin schallender Stimme über das Schlachtfeld und hob die Hände zum Himmel: „Dich rufe ich an, der du unserm Volke einst durch deinen Opfertod einen herrlichen Sieg geschenkt hast: Auch mir sei es beschieden, die drohende Gefahr durch mein Sühneopfer zu bannen!" Wie einst sein Vater im Latinerkriege, ließ er sich vom Opferpriester mit feierlichen Bräuchen zum Tode weihen.

„Fluch über euch, ihr Feinde!" rief er dann. „Mit meinem Tod bringe ich eure Legionen den Göttern der Unterwelt dar." Damit spornte er sein Roß und sprengte mitten in die dichteste Schlachtreihe der Gallier hinein, Tod und Verderben um sich verbreitend.

Bald erlag der Tapfere der feindlichen Übermacht, aber sein Heldentod war nicht vergeblich, denn es war, als habe er die Feinde gelähmt. Oder waren es die Worte des Decius, der sie der Mutter Erde und den Geistern des Totenreiches überantwortet hatte? Ihre Waffen schienen ohne Kraft und ihre Pfeile ohne Wirkung, und wie willenlos erlagen sie dem neuen Angriff der zornentbrannten römischen Kämpfer.

Eine gewaltige Schlacht war gewonnen. Aber erst als die Samniter für ihren letzten Versuch den alten Gaius Pontius, den Sieger in den Engpässen von Caudium, wiederum zum Feldherrn machten, erkannten sie die Hoffnungslosigkeit ihres Kampfes. Pontius, der schon längst nicht mehr die Tatkraft seiner Jugend besaß, mußte eine schwere Niederlage hinnehmen. Auf dem Schlachtfeld fand der tapfere Samniter den Tod.

Der Konsul Marcus Curius Dentatus vollendete die Niederwerfung der Samniter. Vergeblich versuchten ihre Abgesandten, ihn durch Geschenke zu bestechen. In Marcus Curius lebte die Bescheidenheit und Unbestechlichkeit des Altrömers. Bei dem Eintreffen der Gesandten verzehrte er gerade sein eigenhändig bereitetes Rübengericht. „Lieber will ich solche Gegner besiegen, die Geld besitzen, als es selbst haben", erklärte er. Von dem eroberten Land nahm dieser rechtliche Mann, ein Muster altehrwürdiger Uneigennützigkeit, nur ein so kleines Stückchen für sich, wie es der geringste Bürger besaß. Das bebaute er mit seinen eigenen Händen und begnügte sich stets mit den bescheidenen Erträgen, die seine Erde ihm bot.

Lucius Papirius Cursor schließlich, der Sohn des strengen Papirius, der so oft im Kriege gegen Samnium gestanden hatte, vollendete das Werk seines Vaters, besiegte sie in der Entscheidungsschlacht bei Aquilonia und beendete den langwierigen Kampf der beiden Völker.

TARENTINISCHER HOCHMUT

Mit dem Besitz des latinischen wie des samnitischen Landes hatte Rom erneut die Grenzen seines Reiches erweitert und damit ganz Mittelitalien unter seine Herrschaft gebracht. Doch der Kriegsruhm, den die erbitterten Kämpfe den Römern eingetragen hatten, weckte einen neuen Krieg. Im Süden der Halbinsel nämlich, an einer schönen Meeresbucht, lag die reiche Stadt Tarentum; ihre Einwohner waren Griechen, die sich schon vor vielen Jahrhunderten von Süditaliens fruchtbarem Boden hatten anziehen lassen.

Aber Griechen waren die Tarentiner geblieben in Denken und Weltauffassung, und darum blickten sie voll Hochmut auf das Bauernvolk der Römer herab, die in ihren Augen Barbaren waren. Schon vor Jahren hatten Tarents Einwohner in ihrem Griechenstolz gezeigt, daß sie keinerlei Umgang mit ihnen wünschten, denn durch einen Vertrag hatten sie den Römern untersagt, mit ihren Schiffen in die Bucht von Tarent einzulaufen. Als nun einst ein römisches Geschwader, vom Sturme gezwungen, im Golf von Tarent Schutz suchte, offenbarte sich der Haß der griechischen Tarentiner gegen die Tiberstadt: Das Volk überfiel die wehrlosen Schiffe, raubte sie aus und versenkte sie in den Fluten des Golfes; der Führer der römischen Flotte büßte sein Leben ein, die Schiffsbesatzungen wurden in die Sklaverei verkauft.

Voller Empörung vernahmen Senat und Volk von Rom diese Untat.

„Rache an den übermütigen Griechen!" schrien in der Volksversammlung die aufgebrachten Quiriten, doch im Senat wahrten die Väter ruhige Besinnung. Spurius Postumius, bekannt wegen seiner maßvollen Besonnenheit, wurde als Gesandter nach Tarent geschickt, um Genugtuung zu verlangen. „Wir fordern unsere Landsleute zurück, die hier widerrechtlich als Sklaven festgehalten werden", erklärte er, „wir fordern Sühne für den Tod des Flottenführers, wir fordern – –"

Die Plebs der reichen Stadt hatte sich neugierig um die Gesandtschaft des Römervolkes gedrängt. Postumius mußte in seiner Rede innehalten, denn allzulaut war der Lärm des Volkes geworden: Die Tarentiner lachten den Römer aus, weil er ihre Sprache nicht mit griechischer Lautreinheit auszusprechen wußte. „So redet nur ein Barbar", erklang es immer wieder aus ihren Reihen.

„Da, nimm das als Antwort auf deine Forderungen!" rief plötzlich ein Frechling, der sich aus der Menge vorgedrängt hatte, und schleuderte einen Haufen Straßenschmutz auf die Toga des Postumius.

Der Sendbote Roms war tief betroffen über solche Verletzung des Gesandtenrechtes. „Seht her!" rief er den Senatoren zu und zeigte ihnen seine befleckte Kleidung, aber keiner von ihnen trat schützend für ihn ein. „Seht her!" rief Postumius von neuem und zeigte dem Volke, was der Elende ihm angetan hatte – aber als Antwort brauste ihm nur Hohngelächter entgegen.

Angewidert wandte der Römer sich ab. „Mit einem solchen zügellosen Volke gibt es kein Verhandeln", erklärte er nach seiner Rückkehr vor dem Senate; „hier können nur die Waffen sprechen."

Als Roms Legionäre sich der Griechenstadt bedrohlich näherten, entsank den Tarentinern plötzlich der Mut. Sie mußten einsehen, daß sie mit dem starken Römervolk nicht ungestraft ihren Spott treiben konnten, und riefen aus der griechischen Landschaft Epirus den König Pyrrhus zur Hilfe, der durch seine Kriegstaten weit und breit berühmt war.

KÖNIG PYRRHUS

Pyrrhus' kampfgeübtes Heer war aufs beste gegliedert, und seine Kriegselefanten waren furchterregend, er selber ein vortrefflicher Feldherr und voller Ehrgeiz. Als er dem Hilferuf der Tarentiner folgte, hatte er die Hoffnung, sich zum Herrn von ganz Italien und von Sizilien zu machen.

„Hätte ich solche Krieger – –“

Bei Heraclea, nicht weit von Tarent entfernt, prallten die beiden Heere zusammen. Noch nie hatten Roms Legionäre einem solchen Feind gegenübergestanden. Aber nicht anders erging es dem kriegserfahrenen Pyrrhus.

„Das sollen Barbaren sein, wie die Tarentiner mir gesagt haben!“ rief er überrascht und erschrocken, als er die Legionen der Tiberstadt wohlgeordnet heranrücken sah.

Siebenmal rannten die Römer gegen die feindliche Phalanx an, aber immer wieder zerbrach ihr Angriff an der wuchtigen Kraft der griechischen Speerkämpfer. Da warf Lavinius, der römische Feldherr, seine Reiter in die Schlacht, und wirklich schien es, als ob Pyrrhus' Schlachtreihe ins Wanken gerate.

Doch nun setzte der König seine schwerste Waffe ein. Auf seinen Befehl öffnete sich die Reihe der vordersten Kämpfer, und urplötzlich erdröhnte das Schlachtfeld: Unter schmetternden Trompetenstößen stürzten die gewaltigen Kriegselefanten, auserlesene Krieger auf ihren betürmten Rücken, gegen die römische Reiterei.

Ungeheuer wirkte dieser Überraschungsangriff. Die Pferde gebärdeten sich bei dem Anblick der Elefanten wie rasend, schleuderten in wildem Schrecken ihre Reiter ab und wandten sich zur Flucht – mitten in die Reihen der Legionäre hinein. Des Königs thessalische Reiter, in dieser Kampfart wohlgeübt, nutzten den Erfolg und stürzten sich auf die ungeordneten Haufen der Römer. Sie wehrten sich mit dem Mute der Verzweiflung, aber alles schien verloren. Da rettete ein tapferer Legionär das Heer vor völliger Niederlage. Todesmutig griff er einen der Elefanten an und verwundete ihn so schwer, daß das Tier sich in seinem Schmerz gegen die eigenen Reihen wandte und alles, was ihm im Wege stand, niedertrampelte.

Hinter dem Flusse Siris, der dort bei der Stadt Heraclea in den Tarentiner Golf einmündet, sammelte der römische Feldherr sein angeschlagenes Heer; mehr als siebentausend Kämpfer hatten die Römer auf dem Schlachtfeld gelassen. Aber König Pyrrhus war seines Sieges nicht froh. Betroffen stand er vor den gefallenen Feinden, die in langen Reihen dahingestreckt lagen, alle das Antlitz zum Feinde gewendet, alle die tödliche Wunde vorn auf der Brust. „Hätte ich solche Krieger", rief er voller Bewunderung, „so wäre die Welt mein!"

„Solange ein Feind auf italischem Boden steht – –"

Er erkannte gar wohl, daß es nicht geraten sei, mit diesem tapferen Gegner eine zweite Schlacht zu wagen, und sandte darum seinen Freund Cineas als Unterhändler nach Rom. Nach dieser schweren Niederlage, so meinte König Pyrrhus, würden die Römer wohl zum Frieden geneigt sein.

Wirklich verstand es der kluge, redegewandte Sendbote, einige der Senatoren für sein Angebot zu gewinnen, und auch aus den Reihen der Plebs wurden Stimmen laut, die sich für Beendigung des Krieges aussprachen.

Da offenbarte sich wieder alter, unbeugsamer Römertrotz: Denn im Senat erschien der einstige Konsul Appius Claudius. Er war blind und vom Alter geschwächt, so daß er sich in einer Sänfte vor die Versammlung tragen lassen mußte.

„Ist das Römerart?" rief er in das ehrfurchtsvolle Schweigen, das man seinen Verdiensten und seinem Alter zollte, hinein. „Bisher habe ich den Verlust meines Augenlichtes betrauert; jetzt habe ich den Wunsch, taub zu sein, um die unwürdigen Reden eurer Feigheit nicht mit anhören zu müssen. Sind Roms Krieger es gewohnt, vor einem landfremden Abenteurer zu zittern? Niemals darf es für uns Friedensverhandlungen geben, solange ein einziger griechischer Krieger auf italischem Boden steht!"

Diese Worte brachten den Senat zur Besinnung. Ohne Ergebnis mußte Cineas die Tiberstadt verlassen und zu seinem Herrn zurückkehren. „Als ich vor dem römischen Senate stand", so erklärte er Pyrrhus, „war es mir, als hätte ich eine Versammlung von Königen vor mir."

„Noch ein solcher Sieg – –"

Um die Gefangenen auszulösen, schickten die Römer den Gaius Fabricius als Gesandten zu Pyrrhus. Er hatte einst das Konsulamt innegehabt, aber er war schlicht und einfach geblieben und bearbeitete als unbegüterter Bürger sein kleines Landgut mit seinen eigenen Händen. Pyrrhus erkannte seine ritterliche Gesinnung und bot ihm als Zeichen der Hochachtung ein kostbares Gastgeschenk an.

„Ich brauche dein Gold nicht", erklärte der Römer mit stolzer Ablehnung. Da dachte der König ihn durch Gewalt zu schrecken. Heimlich ließ er den größten seiner Elefanten hinter das Zelt des Fabricius führen; auf ein Zeichen wurde dann plötzlich der Vorhang weggezogen, und mit fürchterlichem Gebrüll streckte das Tier seinen Rüssel über die Schulter des Römers. Doch auch jetzt ließ dieser sich nicht erschrecken. „So wenig mich gestern dein Gold reizen konnte, so wenig beunruhigt mich heute dein Elefant", sagte er verächtlich.

König Pyrrhus bewunderte diese unerschrockene Haltung. „Ich kann eure Gefangenen zwar nicht freilassen", erklärte er dem Fabricius, „aber ich erlaube ihnen, nach Rom zu ziehen, um das Fest der Saturnalien zu feiern. Meine Bedingung lautet, daß sie sich freiwillig wieder als Gefangene stellen." Heimlich hoffte er, die Römer würden daraufhin seine Friedensbedingungen annehmen. Mit neuer Verwunderung aber mußte Pyrrhus es erleben, daß sich alle Gefangenen, so wie es der römische Senat geboten hatte, nach Verlauf der Festtage wieder im Lager einstellten.

Im folgenden Jahre standen sich beide Heere zu neuem Kampf gegenüber. Wieder zeigten sich die Kriegselefanten von so unwiderstehlicher Wucht, daß der Sieg nicht zweifelhaft war; aber die Römer kämpften mit solch verbissener Wut, daß Pyrrhus den größten Teil seiner Soldaten einbüßte, und mit solchem Heldenmut, daß sie trotz der Niederlage nicht geringere Ehre davontrugen. Erschüttert stand Pyrrhus vor der Menge seiner gefallenen Epiroten: „Noch ein solcher Sieg", rief er, „und ich bin verloren!"

Ins dritte Jahr schon zog sich der Krieg hinein. Führer der römischen Legionäre war Fabricius, der erneut das Konsulat übernommen hatte.

Bevor die beiden feindlichen Heere zusammenstießen, erschien im Römerlager ein Mann, der den Konsul zu sprechen verlangte. Der Leibarzt des Königs Pyrrhus hatte ihn heimlich mit einem hinterhältigen Anerbieten geschickt: Gegen einen hohen Preis erbot er sich, den König zu vergiften.

Der edle Fabricius würdigte den Überbringer keiner Antwort, versiegelte den Brief und sandte ihn durch einen zuverlässigen Boten an König Pyrrhus.

Tief betroffen hielt dieser die Nachricht seines Feindes in Händen. „Eher würde wohl die Sonne ihre Bahn verlassen", rief er voller Bewunderung, „als der ritterliche Fabricius den Weg der Rechtlichkeit!" Den Arzt ließ er hinrichten, den Römern aber schickte er alle Gefangenen ohne Lösegeld zurück. Wieder bot er ihnen Frieden an, aber wieder erhielt er die Antwort: „Bevor nicht der letzte deiner Krieger unsern italischen Boden verlassen hat, ist an Friedensverhandlungen nicht zu denken. Nicht dir zu Gefallen habe ich dir den verbrecherischen Anschlag angezeigt, sondern damit dir klar werde, daß du weder deine Freunde noch deine Feinde richtig zu beurteilen weißt, und damit niemand in der Welt glaube, wir Römer hätten dich durch Gift beseitigt, nachdem wir dich in offener Feldschlacht nicht besiegen konnten."

Pyrrhus folgte einem Rufe der Stadt Syrakus, die ihn um Hilfe gegen die Karthager bat. Als er von diesem Feldzug auf Bitten der Tarentiner zurückkehrte, traten die Römer ihm kampfentschlossen entgegen. Ihr Feldherr war Manius Curius Dentatus, der Sieger über die Samniten, der wie Fabricius ein Mann voll echter Römertugenden war. Als es bei Beneventum zur Schlacht kam, vertraute König Pyrrhus wieder auf seine Elefanten. Aber die Römer hatten sich mit brennenden Pechkränzen versehen, schleuderten sie kühn auf die Tiere und brachten sie dadurch so in Wut, daß sie sich gegen ihre eigenen Herren wandten und, Tod und Verderben um sich verbreitend, alles in Verwirrung stürzten. Groß war der römische Sieg.

WEISUNG IN DIE ZUKUNFT

Beharrlicher Römertrotz wurde so von Erfolg gekrönt, denn Pyrrhus verließ nach seiner vernichtenden Niederlage den Boden Italiens. Der siegreiche Römer aber unterwarf nun in schneller Folge den ganzen Süden der Halbinsel und tat damit einen neuen Schritt auf dem Wege, der ihn zum Herrn über die Welt machen sollte, so wie ihm einst verheißen war:

Tu regere imperio populos, Romane, memento!
Du Römer, denk an deine Aufgabe,
die Völker durch deinen Befehl zu lenken!

Selbstbewußt und im Stolz auf seinen Herrschaftsanspruch hat Rom dabei zugleich die Mahnung befolgt, die solcher Ausspruch einschließt:

Parcere subiectis et debellare superbos!
Mit Schonung die zu behandeln, die sich unterworfen haben,
aber die Hochfahrenden in den Staub zu zwingen!

NACHWORT

Was den griechischen Sagen ihren unverlierbaren Reiz und ihren unerschöpflichen Wert verleiht, ist die einzigartige Kraft, mit der sie das Wesentliche menschlichen Lebens zu erfassen und unvergeßlich klar und sicher zu zeichnen wissen; unerschöpflich sind sie im wörtlichen Sinne, d. h. trotz aller einprägsamen Bildhaftigkeit nie ganz auszuschöpfen, denn ihre besondere Anziehungskraft besteht eben darin, daß sie in ihrer überschaubaren Einfachheit und anschaulichen Ganzheit den Zwölfjährigen nicht weniger ansprechen als den jungen Menschen oder den Gelehrten oder den hochbetagten Menschen voll abgeklärter Altersweisheit.

Und wie die griechischen Sagen einen tiefen Einblick in die Geisteswelt der Hellenen gewähren und ein Bildungsgut darstellen, das für unsere Kultur seit Jahrtausenden eine Quelle der Anregung und Befruchtung bedeutet und jedes Zeitalter zu neuer Auseinandersetzung mit ihren zeitlosen Menschheitsfragen zwingt, so offenbaren die römischen Sagen nicht weniger unverlierbares Geistesgut einer anderen Epoche, die ebenfalls zu den grundlegenden unserer abendländischen Kultur gehört: In ihnen spiegelt sich die Entwicklungsgeschichte der Roma Aeterna, des Ewigen Rom, das berufen war, die abendländische Welt entscheidend zu formen.

Der Unterschied zwischen Griechentum und Römertum offenbart sich auch in den Sagen: Während der griechische Sagenschatz dem Mythos sehr viel näher steht und von Göttern und gottentsprossenen Helden, von Menschen und von Menschlichem berichtet, führen die römischen Sagen an die geschichtliche Zeit heran und vielfach in sie hinein. Es werden sogar Jahreszahlen genannt, die – wenn auch auf sagenhafter Grundlage – gewisse Anhaltspunkte, besonders aus der Zeit der Republik, bieten könnten, als mit der Vertreibung des letzten fremdstämmigen Königs die Etruskerherrschaft in Kampanien zusammenbrach, aber man ist doch längst davon abgekommen, das Sagenwerk etwa als ein Hilfsbuch der Geschichte zu werten; sein Wert liegt auf ganz anderem Gebiet.

Schon viele große Kulturkritiker haben aufzuhellen versucht, worin die Gründe für die einmalige Größe Roms zu suchen sind, das ein Weltreich von den Säulen des Herkules im Westen bis zu den Ufern des Tigris im Osten, von den Bergen Schottlands bis in die Sahara vereinigte. Die Antwort liegt in der Wesensart des „vir vere Romanus", d. h. des durch die altrömischen Tugenden geprägten „echten Römers"; das sind die „Virtutes", die Grundwerte römischer Lebensordnung, wie sie sich schon in der Sage als vorbildliche Charaktereigenschaften des römischen Bauernvolkes und seiner Führergestalten abzeichnen. So wie die lateinische Sprache in ihrer logischen Klarheit und festgefügten Monumentalität ein Bild der römischen Tugenden darstellt, so bekundet sich in den Sagen wunderbar klar römische Art und Gesinnung: das unbeugsame Aushalten des frommen Aeneas, der nach dem Verlust der Vaterstadt der verheißenen neuen Heimat zustrebt, der kraftvolle Lebensdrang von Romulus und Remus, die „Pietas", die Ehrfurcht, gegenüber den Göttern wie auch die Treue zur Familie, wie sie der Friedensfürst Numa Pompilius prägt, die tapfere Opferbereitschaft von heldenhaften Männern wie Decius Publius Mus, Horatius Cocles oder gar Mucius Scaevola, der für sein Volk bekundet: „Et agere et pati fortia Romanum est", d. h. „Tapfer zu sein im Handeln wie im Erleiden ist Römerart", die „Libertas", der Freiheitssinn, mit dem die Plebs durch ihren entschlossenen Auszug zum Heiligen Berge dem Adelshochmut entgegentritt und mit dem Männer wie Brutus die Machtgier unbotmäßiger Tyrannen zu brechen wissen, die „Modestia" und die „Moderatio", die bescheidene, maßvolle Selbstbeherrschung, die Männer wie Cincinnatus, dieser echte Adelsbauer, bekunden, die „Gravitas" und die „Dignitas", der ausgeprägte Sinn für männliche Ehre und Würde, Härte und Selbstzucht, den die Todbereitschaft der Senatoren beim Einbruch der Gallier offenbart, das „Divide et impera", „Teile und herrsche", das der kluge Horatier in dem Entscheidungskampf richtungweisend für sein Volk anwendet – und über allem steht die „Res publica"; um den römischen Staat als Mittelpunkt kreist alles Denken und Handeln, und ihm hat jeder einzelne, wie es die schmachvolle Niederlage in den Engpässen von Caudium beispielhaft aufzeigt, alles Persönliche unterzuordnen: „Ea est gens Romana, quae victa quiescere nescit." „So ist das römische Volk: Nach einer Niederlage will es nichts von Ruhe wissen." Für römisches Denken gibt es kein „Vae victis!"

Aus solchen Eigenschaften erwächst das gewaltige Imperium Romanum, das sich vom Stadtstaat zum italischen Einheitsstaat entwickelt, als Weltstaat das gesamte westliche Europa romanisiert und mit seiner Rechts-, Staats- und Ordnungsgesinnung vorbildhaft und bestimmend für den Aufbau unserer abendländischen Kultur geworden ist.

Ganz unverkennbar ist bei dieser weltgeschichtlichen Aufgabe Roms der Anteil der Sage: Augustus, „dessen Reich am Gestade des Ozeans und dessen Ruhm erst an den Sternen endet", wie Jupiter in seiner Verheißung dem Aneas ankündigt, ist der rechtmäßige Erbe Iulius Caesars, und dieser wiederum nimmt einen entscheidenden Teil seines Erfolges und seines Anspruchs aus der Tatsache, daß er ein Nachkomme des Iulus, des Sohnes des Aeneas und Enkels der Venus, und damit göttlicher Abstammung sei.

Dieser Bogen, der sich von der mythologischen Gedankenwelt bis in die im vollen Licht der Geschichte stehende Zeit spannt, kennzeichnet das eigentümliche Wesen Roms, das es ihm zugleich ermöglicht hat, seine abendländische Aufgabe zu erfüllen: den Kulturleistungen des Orients und Griechenlands Dauer zu verleihen und ihnen – ebenso wie das Lateinische nicht etwa eine „tote" Sprache ist – Lebenskraft bis hinein in unsere Gegenwart zu sichern. –

So wie in die römischen Sagen spätere geschichtliche Bestandteile hereingenommen wurden, ohne daß sie dadurch selbst Geschichte werden, so begegnen uns ebenfalls in den Namen der Hügel, Plätze, Straßen und Bauwerke Roms, die wir in den Bildern unserer Ausgabe zeigen, Bezeichnungen, die auch die Sage verwendet, ohne daß diese viel später entstandenen Bauwerke mit den Anlagen in der Sage gleichzusetzen wären. So vermitteln die Fotos ein Bild römischer Kultur meist aus einer späteren Zeit, offenbaren aber die gleichen Kräfte römischen Wesens, die auch in den Sagen ihren Niederschlag gefunden haben, und ergänzen auf diese Weise deren Gehalt vom Künstlerischen her, das römische Architektur und Bildhauerei ausstrahlen.

SACHREGISTER

Ackergesetze:
siehe ager publicus.

Ager publicus:
Das Staatsland, erworben nach dem Grundsatz, daß alles eroberte Land Eigentum des siegenden Staates sei, wurde teilweise an römische Bürger verkauft oder unentgeltlich verteilt, auch zu religiösen Zwecken bestimmt. Der größte Teil blieb aber Staatsdomäne. Die Licinischen Ackergesetze bestimmten, daß niemand mehr als 500 Joch des a. p. in Besitz haben dürfe.

Augurn, auch Auguren:
siehe Auspizien.

Auspizien:
Durch ,,auspicia", eigentlich avi-spicia, d.h. ,,Vogelschau", erforschten die Augurn, die dazu bestellten Priester, den Willen der Götter durch Beobachtung des Fluges, des Fressens und des Geschreies von Vögeln innerhalb eines templum (siehe Tempel). Die Lehre kam von Babylonien nach Griechenland und von dort wohl durch die Etrusker nach Italien. Das Wort Auspizien hat heute die Bedeutung von ,,Aussichten für ein Vorhaben".

Bluttribunal:
Gerichtssitzung, bei der es um Leben und Tod ging.

Bücherrollen:
Im Altertum kannte man bekanntlich keine Bücher in unserer Form des ,,Umbruchs", sondern nur lange Rollen aus Pergament. Der Begriff lebt noch heute fort, wenn wir ,,s. o." = ,,siehe oben" schreiben, obwohl es eigentlich heißen müßte ,,siehe vorn".

Centurio:
Hauptmann.

Circus maximus:
große Volksbelustigungsstätte in Rom, nach der Sage von König Tarquinius erbaut.

Civitas:
der gesamte römische Stadtstaat, während bis zur Zeit des Servius Tullius nur Patrizier als Vollbürger gegolten, die Plebejer, die Neubürger, dagegen mindere Rechte besessen hatten. Civitas war zugleich das römische Bürgerrecht, das durch Geburt von römischen Eltern, durch Freilassung und durch Übersiedlung nach Rom und später durch Verleihung erworben wurde.

Cloaca maxima:
unterirdischer Abwasser-Hauptkanal in Rom, nach der Sage von König Tarquinius erbaut.

Conscripti:
die ,,Beigeordneten", d. h. die neuen Senatsmitglieder, mit denen Brutus nach der Vertreibung des Königshauses den durch Tarquinius' Willkür arg gelichteten Senat ergänzte.

Dezemvirn (lat. Decemviri):
Ausschuß von zehn Männern mit außerordentlicher Vollmacht, oft gewählt zur Erledigung besonderer Aufgaben. Besonders bekannt sind die decemviri legibus scribundis, eine Kommission von zehn Patriziern, die das Zwölftafelgesetz schuf.

Dies ater (schwarzer Tag):
Unglückstag der Niederlage an der Allia.

Diktator (lat. Dictator):
römischer Beamter mit unumschränkter Gewalt, der in Zeiten außerordentlicher Gefahr und staatlichen Notstandes für die Dauer von höchstens sechs Monaten eingesetzt wurde und für seine Handlungen nicht zur Rechenschaft gezogen werden konnte; die Wahl bzw. Ernennung geschah auf Veranlassung des Senats mit der berühmten Aufforderung an die Konsuln. Das war eine Art Ermächtigungsgesetz in kritischer Lage: Videant consules, ne quid res publica detrimenti capiat! ,,Die Konsuln mögen dafür sorgen, daß der Staat keinen Schaden nehme!"

Duumvirn (lat. duumviri oder duoviri):
vom König ernannte zwei Männer, die bei Kapitalverbrechen urteilten. Gegen ihre Entscheidung konnte Berufung beim Volk eingelegt werden, das in den Kuriatkomitien die Sache nochmal vornahm und entschied.

Fetialen (lat. Fetiales):
Kollegium von zwanzig römischen Priestern, die über die Aufrechterhaltung des Völkerrechts wachten und die Kriegserklärungen überbrachten.

Forum Romanum:
der römische Marktplatz, zwischen Kapitol, Palatin und Esquilin gelegen, war das Herz des alten Rom. Die einzigartige Pracht, mit der der Platz in der Kaiserzeit ausgeschmückt wurde, läßt sich heute nur noch ahnen.

Haruspex:
Opferschauer.

Hausgötter:
siehe Penaten.

Joch (lat. iugum):
Krummholz über dem Rücken der Lasttiere; Querholz in Form eines Π, aus drei Lanzen gebildet, unter dem besiegte Feinde zum Zeichen der Demütigung und als Symbol des Sklavenstandes hindurchgehen mußten.

Joch (lat. iugerum):
Flächenmaß, das soviel Land umfaßt, wie ein Joch (lat. iugum) Ochsen an einem Tage pflügen kann, etwa ein Viertel Hektar.

Kapitol (lat. Capitolium):
Burgberg von Rom auf dem mons Capitolinus, einem der sieben Hügel, trug die berühmten Tempel des Iupiter, der Iuno und der Minerva, der Sage nach von König Tarquinius erbaut, und war in Kriegsgefahr, so z. B. beim Einfall der Gallier, die letzte Zufluchtsstätte.

Klienten (lat. clientes):
Bürger minderen Rechts, die als Bauern oder Pächter, auch als nichtansässige Handwerker, einem patrizischen Grundherrn zum Dienst verpflichtet waren und durch ihn Rechtsschutz genossen. Später wurde daraus – besonders bei Politikern – ein auf Wohltaten beruhendes Pietätsverhältnis. Bei Wahlen gaben die Klienten ihrem Patron die Stimme. Heute bezeichnet damit der Rechtsanwalt die Ratsuchenden, die sich ihm anvertrauen.

Kohorte:
militärische Abteilung, der zehnte Teil einer Legion.

Komitien (lat. Comitia):
ordentliche Volksversammlung, die die Volksgewalt und die Hoheitsrechte ausübten.

Konsul (lat. consul):
Amtsbezeichnung der zwei höchsten römischen Beamten der Republik, ursprünglich aus dem Patrizierstande; von der Volksversammlung auf ein Jahr gewählt und auch mit der Führung der römischen Heere betraut (Konsul); später war jeweils einer der Konsuln Plebejer.

Kriegstribun (lat. tribunus militaris, tribunus militum):
militärischer Befehlshaber im Range eines Obersten.

Kurie (lat. curia):
Curiae sind ursprünglich Männergemeinschaften und bezeichnen die Vereinigungen mehrerer Geschlechter in Rom, die lange Zeit die staatliche Einheit der römischen Bürgerschaft darstellten. Die Mitglieder der Kurien hatten zur Vertretung ihrer Interessen besondere Versammlungen, die Kuriatskomitien.

kurulisch, siehe sella curulis:
Kurulische Beamten waren die höchsten Beamten in der römischen Ämterlaufbahn: Konsul und Praetor, Diktator und Magister equitum.

Legat (lat. legatus):
Gehilfe und Stellvertreter des Feldherrn, Führer einer Legion.

Legion (lat. legio = Auslese, Auswahl):
unter Romulus die vereinigte Kriegsmacht, bestehend aus 3000 Mann Fußvolk und 300 Reitern, von denen jeder der drei Tribus je ein Drittel beisteuerte. Diese Zahl war für die Folgezeit maßgebend, und die Legion blieb auch beim Anwachsen der Kriegsmacht die Grundeinteilung.

Lex agraria:
siehe ager publicus.

Licinische Gesetze (lat. leges Liciniae Sextiae):
die wichtigen Gesetze der Volkstribunen Gaius Licinius Stolo und Lucius Sextius Lateranus, die im Interesse der hart bedrückten Plebs die Schuldenlast milderten, eine soziale Bodenreform einführten und bestimmten, daß jeweils ein Konsul aus der Plebs zu wählen sei.

Liegebank:
Die aus Tyrus stammende Königin Dido benutzte bei den Mahlzeiten eine Art Chaiselongue. Während die Griechen der homerischen Zeit beim Essen saßen, bürgerte sich später vom Orient her in Griechenland und von da auch in Rom die Sitte ein, beim Essen auf einer „Kline" zu liegen (vgl. auch das moderne Wort Klinik). Der Grund ist nicht recht ersichtlich, weil es doch, wie jeder Kranke weiß, recht unbequem ist, in solcher Lage die Mahlzeiten einzunehmen. Auch Jesus lag bei Tische. Luthers Übersetzung und die Darstellung in Leonardos „Abendmahl" geben den Tatbestand also unrichtig wieder.

Liktoren (lat. lictores):
Das waren Diener aus dem Stande der Freigelassenen, die (als Büttel) den Konsuln und anderen höheren Beamten, auch den Vestalen, vorausgingen und ihnen Platz machten. Als Zeichen der Strafgewalt trugen sie die „fasces", die Rutenbündel, in die als Ausdruck der staatlichen Macht über Leben und Tod das Henkerbeil eingeschnürt war. Auf fasces geht der italienische Ausdruck „Faschisten" zurück.

Luperkalien:
das von Romulus und Remus eingesetzte Fest der Hirten zu Ehren des Gottes Faunus, der als „Wolfabwehrer" auch Lupercus hieß. Ihm wurden an diesem Feste Ziegen oder Böcke unter eigentümlichen Sühnegebräuchen geopfert.

Manliana imperia:
manlianische Befehle, d. h. Befehle, die unter exemplarisch harter Strafe standen.

Marsfeld (lat. Campus Martius):
Truppenübungsplatz des alten Rom, ursprünglich das ganze Gebiet nördlich des Kapitols bis zum Tiberknie.

Opfertier:
Bei den Schlachtopfern zog man zu den mit Heilkräutern umwundenen Altären, führte die bekränzten Opfertiere herbei, und nach den üblichen Gebeten weihte der Priester das Opfertier mit einem Guß von Quellwasser und Wein, Opferschrot und Weihrauch über den Kopf, kostete den Wein und gab ihn den Opfernden zu trinken.

Orakel:
heilige „Sprechstätte", an der eine Gottheit durch den Priester oder die Priesterin auf Fragen antwortete oder Weissagungen erteilte.

Paedagógus (Pädagoge):
eigentlich Knabenführer, d. h. Erzieher.

Patres:
die von Romulus ausgewählte Führungsschicht, später allgemeine Bezeichnung für Stadtväter.

Patrizier (lat. patricii):
die Nachkommen der „patres", Angehörige der ältesten – ursprünglich an Zahl geringen – römischen Adelsfamilien, die anfangs die gesamte politische Macht durch Zugehörigkeit zu Senat und Verwaltung des Konsulats besaßen. Seit der Einigung in den Ständekämpfen bildete sich aus dem Patrizierstande – zusammen mit den alten plebejischen Geschlechtern – ein neuer Beamtenadel, die Nobilität.

Phalanx:
geschlossene Kampflinie in mehreren Gliedern.

Plebs, die (lat. plebs):

Masse der römischen Bürger, die Plebejer, im Gegensatz zum Adel, bestand hauptsächlich aus Kleinbauern, Kaufleuten, Handwerkern und stellte das Hauptkontingent der Truppen im Heer. Die Plebejer, die anfangs nicht das volle Bürgerecht, vor allem nicht das passive Wahlrecht, besaßen, errangen in den Ständekämpfen schrittweise die politische und gesellschaftliche Gleichberechtigung.

Pontifex maximus:

Oberpriester mit der Aufsicht über Religion und Kultus.

Quaestor:

Gerichtsbeamter, Blutrichter.

Quiriten (lat. quirites):

Bezeichnung für die römischen Bürger nach der Verschmelzung mit den Sabinern, später Ehrentitel in der Volksversammlung.

Rachegöttinnen:

siehe Furien.

Rostra:

ursprünglich die am Vorderteil der Kriegsschiffe dicht unter dem Wasserspiegel befestigten, mit eisernen Spitzen versehenen Balken, die „Schiffsschnäbel", dazu bestimmt, die feindlichen Schiffe in den Grund zu bohren; später wurden als Siegestrophäen eingebrachte Rostren auf dem Forum aufgestellt und dienten als Rednertribünen.

Saturnalien, Fest der (lat. Saturnalia):

Fest zu Ehren des Saturn, das an das Goldene Zeitalter anknüpfte und an dem man sich (vergleichbar unserem Weihnachtsfest) gegenseitig beschenkte.

Sella curulis:

eigentlich sella currulis, ist ursprünglich ein „Wagenstuhl", in dem der König gefahren wurde, später der Thronsessel aus Elfenbein und Marmor. Die kurulischen Ämter bezeichneten in der republikanischen Zeit die Aufgabenbereiche der höchsten Staatsbeamten.

Senator:

Ratsherr, Mitglied des Senats, des „Rates der Alten", den Romulus als „Parlament" einsetzte; siehe Patres.

Servianische Verfassung:

Die Staatsreform des Servius Tullius umfaßte die Tribus- und die Zenturienverfassung.

Nach der Tribusverfassung, die Verwaltungszwecken diente, war das ganze römische Gebiet in Bezirke aufgeteilt und damit die gesamte Bevölkerung erfaßt. Es gab vier städtische (tribus urbanae) und sechsundzwanzig ländliche (tribus rusticae), und der Vorstand dieser geschlossenen Gemeinden hatte ein genaues Verzeichnis der Eingesessenen seines Bezirkes zu führen und danach die Truppenaushebung und die Einziehung der Steuern vorzunehmen. So hat also die Tribusverfassung das Verdienst, daß sie die bis dahin unorganisierte Masse der Plebs in einen bürgerlichen Gemeinverband einordnete, wenn sie ihr auch noch keine politischen Rechte und keinen Anteil an Regierung und Gesetzgebung gab.

Das war aber der Zweck der Zenturienverfassung. Servius Tullius war bestrebt, die Patrizier und Plebejer zu einem politischen Körper zu verschmelzen; das bedeutete, daß er die Vorrechte, die bisher durch die Geburt bestimmt waren, beseitigen wollte. So kam er also wie Solon in Griechenland zu dem timokratischen Prinzip des Zensus, d. h. der Schätzung nach dem Vermögen, und hier machte er keinen Unterschied zwischen patrizischem und plebejischem Grundbesitz (Timokratie = Herrschaft der Besitzenden).

An der Spitze der Zenturienversammlung standen die Ritter. Servius schuf die drei bestehenden Doppelzenturien und fügte zwölf weitere aus dem Kreise der Plebejer hinzu.

Neben den Rittern stand die erste Klasse der Bürger mit etwa 20 Morgen (etwa 5 Hektar) Grundbesitz. Die zweite Klasse umfaßte die Grundbesitzer mit einer Dreiviertelhufe = 3 ha und bestand aus 20 Zenturien.

Die dritte Klasse, zu der Besitzer einer halben Hufe gehörten, umfaßte ebenfalls zwanzig Zenturien, die in jüngere und ältere Männer eingeteilt waren.

Auch die vierte und fünfte Klasse waren nach dem Vermögen eingeteilt und umfaßten also die Grundbesitzer mit einer Viertel- und einer Achtelhufe.

Wer unterhalb dieser Vermögensgrenze lag, galt als proletarius (Proletarier) und war steuerfrei und auch frei vom Kriegsdienst.

Nach dem Besitz und damit nach den Vermögensverhältnissen richtete sich auch die Bewaffnung, denn zum Kriege hatten die Bürger ja selbst für ihre Ausrüstung zu sorgen.

Servius verfolgte mit seiner berühmten Zenturienverfassung also einen politischen, einen finanziellen und einen militärischen Zweck: Die bisher politisch rechtlosen Plebejer wollte er in das Staatsgefüge eingliedern, aber weil in der ersten Klasse mit ihren achtzig Zenturien fast ausschließlich Grundbesitzer, d. h. Patrizier, waren, so wies seine Verfassung trotz seiner Bestrebungen einen stark aristokratischen Zug auf.
Trotzdem ist die Servianische Verfassung mit ihrem fortschrittlichen Geist die Grundlage der modernen Demokratie und der Steuergesetzgebung.

Sibylle (lat. sibylla = Prophetin):

Die Sprüche der Sibylle von Erythrai bei Smyna sollen nach Cumae in Kampanien und von da nach Rom gekommen sein. Die cumanische Sibylle soll ihre Orakelbücher in Rom dem König Tarquinius Priscus verkauft haben.

Sieben Hügel (mons = Berg):

Palatinus, mons Capitolinus, mons Aventinus, mons Caelius, mons Esquilinus, collis (= Hügel) Viminalis, collis Quirinalis. Die Höhenunterschiede wurden schon durch die Bauten im Altertum ausgeglichen.

Spenden:

Zu den unblutigen Opfern gehörte das Trankopfer, die Spende (das griechische Wort „spendo" bedeutet ursprünglich „ausgießen"), wobei man der Gottheit durch Verschütten der ersten Tropfen des zu genießenden Getränkes Anteil gab und durch einen eigenen Trunk heiligte. Das Brandopfer dagegen wurde in der Absicht dargebracht, der Gottheit den Genuß der Speise unmittelbar zu bieten. Die Opferhandlung trug also wesentlich das Gepräge eines Mahles, das der Mensch mit den Göttern teilte.

Suovetaurilien (lat. souvetaurilia):

Opfer der drei für die menschliche Ernährung wichtigsten Tiere sus (Schwein), ovis (Schaf) und taurus (Stier).

Tempel:

Name für die Höhen, auf denen man den Vogelflug beobachtete. Er zeigt eine interessante Entwicklung der Wortbedeutung, denn solch ein „abgegrenzter" (von griechisch temno = schneiden) Beobachtungsraum hieß ursprünglich templum, woraus dann der geweihte, heilige Raum und später das Heiligtum, der Tempel, wurde.

Timokratie (griech. Herrschaft des Zensus):

eine Staatsverfassung wie z. B. die des Solon in Athen, bei der die politischen Rechte des Staatsbürgers, besonders das Wahlrecht, nach den Vermögensverhältnissen oder dem Einkommen abgestuft werden.

Toga (= Decke):

etwa viereckiges Tuch, das über der Tunika als Obergewand getragen wurde.

Toga praetexta:

das golddurchwirkte Gewand des Konsuls.

Tor:

Wenn die Sage dieses „tragen" (lat. portare) mit der Entstehung des Wortes Tor „porta" (= Pforte) in Verbindung bringt, so kann eine solche Deutung keinen Anspruch auf Richtigkeit erheben. „Porta" hängt mit deutsch „Furt" und „fahren" zusammen, während portare mit der Wortsippe urverwandt ist, zu der z. B. „Bahre" gehört.

Trankopfer:

siehe Spenden.

Triarier (lat. triarii):

altgediente Soldaten von bewährter Tapferkeit und Zuverlässigkeit, die nur in höchster Not eingesetzt wurden.

Tribun (lat. tribunus):

siehe Volkstribun.

Tribunal:

viereckige Erhöhung, auf der der richtende Magistratus seinen Platz hatte.

Tribus:

ursprünglich = Drittel, Stadtteil, verlor also seine ursprüngliche Bedeutung ähnlich wie das deutsche Wort Stadtviertel, das auch nicht mehr den vierten Teil darstellt.

Torques:

die gallische Halskette, die Titus Manlius im Zweikampf seinem gallischen Gegner abnahm.

Tunika (lat. tunica):

Hemd, das im Hause, aber auch auf der Straße getragen wurde. Als Obergewand galt die Toga. Hosen wurden nicht getragen; sie galten als barbarisch.

Unterwelt:

Reich der Schatten, der Abgeschiedenen.

Valerisch-horazische Gesetze (lat. leges Valeriae):

wichtige Gesetzesbestimmungen zugunsten des Plebejers, der u. a. gegen die Entscheidung der Konsuln an das Volk appellieren konnte.

Via Sacra:

die „Heilige Straße" auf dem Forum Romanum, im späteren Altertum Hauptgeschäftsstraße mit vornehmen Läden.

Virago:

Heldenjungfrau nach dem Vorbild von Cloelia.

Volkstribun:

revolutionäres Amt aus der Zeit der Ständekämpfe, geschaffen zum Schutz des Volkes; die V. waren unverletzlich und hatten das Recht und die Pflicht, jeden Plebejer vor Übergriffen der Patrizier zu bewahren. Ferner hatten sie das Veto-, d. h. das Einspruchsrecht gegen alle Handlungen der kurulischen Beamten, konnten Volksversammlungen einberufen und gültige Beschlüsse fassen lassen.

Wölfin des Mars:

die die Zwillingsknaben Romulus und Remus säugte.

Zenturie:

siehe Servianische Verfassung.

Zenturio (lat. Centurio):

Hauptmann, Hundertschaftsführer in der Legion.

Zwölftafelgesetz:

wichtige Etappe in der Geschichte des römischen Rechts, das anfangs nur ein seitens der Patrizier willkürlich gehandhabtes Gewohnheitsrecht war Es wurde im Ständekampf der Plebejer gegen die herrschende Klasse als erstes Schriftwerk römischen Geistes im Jahre 451 vor Christus auf zwölf Bronzetafeln aufgeschrieben und auf dem Forum öffentlich aufgestellt. Es blieb jahrhundertelang die Grundlage römischer Rechtsauffassung.

NAMENREGISTER

Acca Larentia, Frau des Oberhirten Faustulus, Pflegemutter der Zwillingsbrüder Romulus und Remus.

Acesta, Stadt in Sizilien, von Aeneas gegründet und benannt zu Ehren des Königs Acestes; sie erhielt später den Namen Segesta.

Acestes, König der Insel Sizilien – siehe Acesta.

Achates, Waffenträger des Aeneas

Achill (gr. Achilleus, Achilles), Sohn des Königs Peleus, daher der Peleide (Pelide) genannt, König der Myrmidonen. Achill war der tapferste Held im Troischen Kriege und ist dem Siegfried der deutschen Sage vergleichbar.

Aegis, siehe Minerva

Aeneas (gr. Aineias), Sohn der Venus (Aphrodite), troischer Held, floh aus der zerstörten Heimatstadt nach Italien und wurde dort der Ahnherr des römischen Volkes. Seine Fahrten und Kämpfe besingt Vergil in seiner „Aeneis".

Aeolus (gr. Aiolos), Gott der Winde.

Äthiopien (Aethiopia, gr. Aithiopia), einst das Gebiet des heutigen Abessinien und Nubien in Afrika. Als Äthiopier wurden im Altertum alle Menschen dunkler Hautfarbe bezeichnet.

Aetna (Ätna), feuerspeiender Berg auf der Insel Sicilia (Sizilien), in dem Vulcanus, der Gott der Schmiede, mit seinen Zyklopen hauste.

Agamemnon, Sohn des Königs Atreus, daher auch der Atreide (Atride) genannt, König von Mykene und Argos, Führer der Griechen vor Troia.

Agrippa, Menenius, von den Patriziern als Unterhändler zu den Plebejern auf den Heiligen Berg geschickt.

Albanien (albanisches Land), das Land südöstlich von Rom mit den Albanerbergen und dem Albanersee.

Alba Longa, die „weiße, lange" Stadt am Albanersee, von Ascanius gegründet als Mutterstadt Roms.

Alecto (Alekto), eine der Furien (Rachegöttinnen).

Allia, Nebenfluß des Tiber, wenige Meilen von Rom entfernt, erlebte den „dies ater", den „Schwarzen Tag" der römischen Geschichte, als das Römerheer von den Galliern unter Brennus vernichtend geschlagen wurde.

Amata, Gemahlin des Königs Latinus und Tante des Rutulerkönigs Turnus zu Ardea, des Hauptgegners des Aeneas.

Ambrosia und Nektar, Speise der himmlischen Götter – ambrosisch = göttlich.

Amor, siehe Cupido

Amulius, Bruder des Numitor (den er vom Throne stürzte), des Großvaters von Romulus und Remus.

Anchises, Vater des Troerhelden Aeneas, als dessen Mutter die Göttin Venus (gr. Aphrodite) galt.

Ancus Marcius, Enkel des Königs Numa, als Nachfolger des Tullus Hostilius der vierte römische König, ein friedlicher Herrscher.

Anio, Nebenfluß des Tiber.

Anna, Schwester der Königin Dido von Karthago.

Antander (gr. Antandros), Hafenstadt am Fuße des Idagebirges, von wo aus Aeneas seine Flucht antrat.

Antemnae, uralte sabinische Stadt im Norden Roms.

Antium, sehr alte Stadt in Latium auf einer weit ins Meer vorspringenden Felsspitze; in dieser Stadt des Volskerlandes fand der verbannte Coriolanus Aufnahme.

Apollo (Apollon, auch Phoibos A., lat. Phoebus A.), der Gott der Weisheit, des delphischen Orakels und der schönen Künste, auch gleichgesetzt mit dem Lichtgott Helios, der den Sonnenwagen lenkt; ihm ist das Orakel zu Delphi heilig. Er und seine Zwillingsschwester Artemis sind Kinder des Zeus und der Göttin Leto (lat. Latona).

Apulien (lat. Apulia) umfaßte den südöstlichen Teil der italienischen Halbinsel.

Aqua Ferentinae, Quell der latinischen Waldgottheit Ferentina, die wie Diana verehrt wurde, am Fuße des Albanergebirges.

Aquillius, zwei Neffen des Konsuls Collatinus, die zusammen mit den Söhnen des Brutus den Sturz der Republik betrieben.

Aquilonia, Stadt in Samnium, wo Papirius Cursor der Jüngere in einer entscheidenden Schlacht die Samniter endgültig besiegte und damit den langwierigen Völkerstreit beendete.

Arcadia (gr. Arkardia), Arkadien, Zentrallandschaft des griechischen Peloponnes; mit den Arkadern, die meist arme Hirten waren, vermischten sich die Pelasger, die sich später auf italischem Boden ansiedelten.

Ardea, reiche Stadt im Lande der Rutuler.

Argonauten, die Argofahrer, Helden der Argo: Iason und seine Begleiter (darunter Hercules, Orpheus, Theseus und Peleus), die nach Kolchis segelten, um das goldene Vlies nach Griechenland zurückzubringen.

Ariadne, Tochter des Königs Minos auf Kreta (Creta), die Theseus bei der Besiegung des Minotaurus durch die Aushändigung eines Wollknäuels unterstützte. Noch heute bezeichnet der „Ariadnefaden" ein Hilfsmittel, mit dem man sich aus einer schwierigen Lage befreien kann.

Arsia, Waldgelände, in dem Roms Legionäre gegen den verbannten Tarquinius und seine etruskischen Bundesgenossen um den Bestand der jungen Republik kämpften.

Ascanius, Sohn des Aeneas, hieß auch Ilus (Iulus), und gab dem julischen Geschlecht Namen und göttliche Abkunft.

Asia (Asien), für die Römer Kleinasien.

Athene, auch Athena; Pallas A. (Minerva), Lieblingstochter des Zeus, aus seinem Haupte entsprungen, Lehrerin von vielen schönen Künsten und Lenkerin der Völkerschicksale in Schlacht und Krieg; Göttin der Klugheit, Schutzgöttin der Stadt Athen der sie den Ölbaum schenkte.

Attius Tullius, Volsker, trieb den im Exil lebenden Coriolan zum Vorgehen gegen seine Vaterstadt Rom.

Aurora, Göttin der Morgenröte.

Aurunker (lat. Aurunci), Völkerschaft umbrischen Stammes.

Ausonia, der gemeinsame Name der italischen Stämme (Latiner, Aurunker, Sikaner, Volsker usw.) an der Westküste von Mittel- und Unteritalien.

Aventin, mons Aventinus, einer der sieben Hügel, auf denen das alte Rom lag.

Bacchus (gr. Bakchos, auch Dionysos, lat. Dionysus), Gott des Weines, Sohn des Zeus; seine Gattin war Ariadne.

Beneventum (Benevent), eine der ältesten pelasgischen Städte Italiens, bekannt durch den großen Sieg der Römer über König Pyrrhus.

Bithynien (lat. Bithynia), Landschaft in Kleinasien.

Brennus, Führer der Gallier, brachte den Römern an der Allia eine vernichtende Niederlage bei. Sein drohendes „vae victis!“ (Wehe den Besiegten!) ist sprichwörtlich geworden.

Brutus, Lucius Iunius, der „Dummkopf“, Neffe des Königs Tarquinius Superbus, dessen Söhne er nach Delphi begleitete, ist der älteste bekannte Angehörige des berühmten Patriziergeschlechtes der Iunier, befreite Rom von der Königsherrschaft und wurde der erste Konsul der jungen Republik. Er fiel im Kampf gegen Aruns, den Sohn des Tarquinius Superbus. – Es spricht für die römische Tradition, daß fast 500 Jahre später Caesars Freund Brutus sich für einen Nachkommen dieses Freiheitshelden hielt und sich dazu bestimmen ließ, Caesars Mörder zu werden, um Rom vor angeblich drohender neuer Tyrannei zu bewahren.

Brutus, Titus und Tiberius, Söhne des Lucius Iunius Brutus, Anhänger des verbannten Königs Tarquinius, wurden von ihrem Vater wegen Hochverrats zum Tode verurteilt.

Caelius (lat. mons Caelius), einer der sieben Hügel Roms, auf dem sich später die Plebs ansiedelte.

Caenina, alte sabinische Stadt in Latium.

Caesar, aus der Familie der Iulier, rühmte sich, ein Nachkomme des Iulus und damit göttlicher Abkunft zu sein. Der Eigenname wurde schon bei seinem Nachfolger Augustus vom Beinamen zum Begriff für den Herrscher und hat (deutsch = Kaiser, russisch = Zar) die Jahrtausende überdauert.

Calvinus, Titus Veturius, wurde mit seinem Mitkonsul Spurius Postumius von den Samnitern unter Pontius in den Kaudinischen Pässen eingeschlossen und zu einem schimpflichen Vertrag gezwungen.

Camilla, Königstochter aus dem Volskerland, jagd- und kampfliebende Dienerin der Göttin Diana, heldenhafte Bundesgenossin des Turnus.

Camillus, siehe Furius

Campania (deutsch: Kampanien, vgl. franz. Champagne), benannt nach (campus = Feld) den fruchtbaren Ebenen zwischen Gebirge und Meer. Im Zentrum befindet sich der wegen seiner Schönheit gefeierte Golf von Neapel, bereits vor 3000 Jahren im ganzen Mittelmeergebiet berühmt. Hier wurde Odysseus durch den Gesang der Sirenen betört, und für die alten Völker war dort auch das Elysium und der Eingang des Hades. Hier ereignete sich auch eine der größten Naturkatastrophen der Geschichte, der Ausbruch des Vesuvs, bei dem unter der Vulkanasche die Städte Pompeji und Herculaneum begraben wurden.

Capitolinus, Marcus Manlius, rettete das Kapitol vor dem Eindringen der Gallier, später unschuldig zum Tode verurteilt.

Capua, Hauptstadt der fruchtbaren, reichen Landschaft Campania (Kampanien).

Cassius, Spurius, aus einem der ältesten Patriziergeschlechter, trat als Konsul in den Ständekämpfen für die Ansprüche des Volkes ein, besonders in der Frage der Ackergesetze, und wurde deshalb wegen Hochverrats zum Tode verurteilt.

Castor (Kastor) und Pollux, siehe Dioskuren

Caudium, Stadt in Samnium unweit der Kaudinischen Pässe, wo die Römer zu der bekannten schimpflichen Niederlage gezwungen wurden.

Ceres (gr. Demeter), Göttin der Pflanzenwelt und besonders des Ackerbaus.

Charybdis, gefährliche Strudel; später hat die Sage die beiden Meeresungeheuer Scylla und Charybdis in die Meerenge von Messina verlegt.

Cincinnatus, Quinctius (d. h. Lockenkopf), Vorbild des alten Römers von sittlicher Strenge und vaterländischer Einfachheit, rettete als Diktator mehrfach den Staat und zog sich dann immer sogleich in seine bescheidene Ländlichkeit zurück.

Cineas (gr. Kineas), Minister des Königs Pyrrhus.

Claudii, ehemals sabinisches Geschlecht, das früh nach Rom einwanderte und unter die Patrizier aufgenommen wurde. Besonders bekannt sind:

Appius Claudius, der sich durch seinen starren Adelsstolz beim Volke so verhaßt machte, daß die Plebs zur Selbsthilfe griff und auf den Heiligen Berg auswanderte;

Appius Claudius der Jüngere, der die Wahl von Decemviri legibus scribundis, eines Zehnmännerausschusses für die Aufzeichnung von Gesetzen, vorschlug und selber als Decemvir seinen unbeugsamen Adelsstolz hervorkehrte; er scheute nicht vor Meuchelmord zurück und führte durch sein gewalttätiges Vorgehen gegen Virginia den Sturz der Decemviri herbei.

Appius Claudius Caecus, bekannt als Erbauer einer sehr fortschrittlichen Wasserleitung, die den Bürgern gutes Trinkwasser verschaffte, sowie als Erbauer der berühmten Via Appia, der Appischen Straße, die später bis Brundisium führte; im hohen Alter blind (= Caecus) geworden, behielt er seine altrömische Unbeugsamkeit und bewirkte im Krieg gegen König Pyrrhus die Abweisung der Gesandten.

Claudius, Marcus, willfähriger Klient des Appius Claudius des Jüngeren im Vorgehen gegen Virginia.

Cloelia, Römerin aus vornehmem Patriziergeschlecht, die dem Etruskerkönig Porsenna als Geisel gegeben wurde, in kühnem Wagemut den Feinden entfloh und von den Bürgern zu Porsenna zurückgeschickt wurde, der sie jedoch freiließ. Man errichtete ihr auf der Höhe der „Via Sacra" ein Standbild als „Virago", d. h. Heldenjungfrau.

Cluilius, Gaius, König von Alba Longa, Gegner des Tullus Hostilius.

Clusium, Stadt in Etrurien, in der Tarquinius in der Verbannung lebte.

Collatia, Wohnort des Tarquinius Collatinus und seiner Gemahlin Lucretia.

Collatinus, Tarquinius, Gatte der Lucretia, zusammen mit Brutus Roms erster Konsul nach dem Sturz des Königtums.

Comminius, Diktator im Kriege gegen die Volsker.

Concordia, Göttin der Eintracht.

Coriolanus (Coriolan), siehe Corioli und Marcius

Corioli, Waffenplatz und Stadt der Volsker in Latium, schon früh von Gaius Marcius, der dabei den Namen Coriolanus erhielt, zerstört.

Cornelius Cossus, Römerheld im Kriege gegen Veii.

Creta (Kreta), Insel im Mittelmeer, mit der ältesten Hochkultur Europas aus dem zweiten Jahrtausend vor Christus. Die wichtigsten Ausgrabungen machten die Engländer Arthur Evans (Knossos) und D. G. Hogarth (Höhle des Zeus).

Crëusa, erste Gattin des Aeneas und Mutter des Ascanius.

Crustumeria, sabinische Stadt nördlich von Rom, eine der ersten Eroberungen des jungen römischen Staates.

Cumae (gr. Kyme), eine der ältesten Siedlungen der Griechen auf italischem Boden, am heutigen Golf von Neapel, berühmt durch den Orakelkult der weissagenden Sibylle.

Cupido, auch Amor (gr. Eros), Gott der Liebe, als dessen Mutter Venus (gr. Aphrodite) und als dessen Vater der Kriegsgott Mars (gr. Ares) gelten; er ist dem „Lebensalter" nach der Jüngste der Götter, bewaffnet mit dem Bogen und dem mit Pfeilen gefüllten Köcher, und quält mit List und Schalkheit, auch oft mit grausamer Pein Götter und Menschen. Bei den Griechen galt er ursprünglich als eine der ältesten Gottheiten.

Cures, alte Hauptstadt des Sabinerlandes.

Curiatier, siehe Horatier

Curius, Dentatus Marcus, ein Vorbild altrömischer Einfachheit und Unbestechlichkeit. Er errang als Konsul einen entscheidenden Sieg über die Samniter, war später noch mehrmals Konsul und besiegte den König Pyrrhus von Epirus in der Schlacht bei Benevent.

Curtius, Marcus stürzte sich als freiwilliges Opfer in den Spalt, der sich auf dem Marktplatz in Rom geöffnet hatte.

Cyprus (gr. Kypros), das heutige Zypern (siehe Paphos).

Dardaner, Bezeichnung der Trojaner nach ihrem sagenhaften aus Italien eingewanderten Stammvater Dardanus (gr. Dardanos), der in Phrygien vom König Teukros Land zur Erbauung der Stadt Dardania erhielt, von wo aus seine Nachkommen unter Führung seines Enkel Tros die Stadt Troja gründeten.

Dardanus (gr. Dardanos), siehe Dardaner

Decius, Mus Publius, Vorbild altrömischer Vaterlandsliebe, der sich im Kriege gegen die Samniter opferte, um den schwankenden Sieg für die Römer zu gewinnen. Später starb sein Sohn Publius Decius Mus als Konsul den gleichen Opfertod im 3. Samnitischen Krieg.

Delphi (gr. Delphoi), berühmteste griechische Orakelstätte (apollinisches Orakel des pythischen Apollo).

Delus (gr. Delos), einst hochheilige griechische Insel und bedeutendste Stätte des Apollokults (delisch). Apollo wurde hier mit seiner Zwillingsschwester Artemis geboren.

Demaratus, griechischer Herkunft, Vater des Lucumo, des späteren Lucius Tarquinius Priscus.

Diana, entspricht der griechischen Artemis, der jungfräulichen Göttin der Jagd, ausgerüstet mit Bogen und Pfeil; Tochter des Zeus und der Leto (Latona).

Dido, Königin der Siedlungsstadt Karthago, entbrannte in Liebe zu Aeneas und gab sich den Tod, als sie sich vom ihm verlassen sah.

Diomedes, Achaierheld vor Troja, Schützling der Pallas Athene.

Dioskuren (gr. Dioskuroi, d. i. Söhne des Zeus), Castor und Pollux (gr. Kastor und Polydeukes), die Zwillingssöhne der Leda und des Zeus.

Dis, Herrscher der Unterwelt.

Drances, der greise Wortführer der latinischen Gesandtschaft bei Aeneas.

Egeria, Nymphe, die in der Grotte des heiligen Hains den König Numa Pompilius beriet.

Epirus (gr. Epeiros=Festland), die gebirgige westliche Landschaft Nordgriechenlands, von König Pyrrhus zu einem Gesamtstaat vereinigt; die Einwohner sind die Epiroten.

Etrurien, siehe Etrusker

Etrusker (lat. Etrusci) oder Tusker, wahrscheinlich kleinasiatischer Herkunft, lebten in städtischer Kultur, schufen unvergängliche Werke in Kunst und Architektur und Bronzegießerei und dehnten ihren Machtbereich später über Latium und Kampanien aus; von den Griechen in das Gebiet der heutigen Toscana zurückgedrängt und später von den Römern in langen Kämpfen endgültig besiegt und völlig romanisiert, nachdem diese ihre äußere Kultur (Häuser- und Tempelbau, Straßenbau und viele Formen der politischen und religiösen Einrichtungen) übernommen hatten. Noch Maecenas, der als „Mäzen" des Dichters Horaz zum Begriff geworden ist für alle großherzigen und freigebigen Beschützer und Gönner der Kunst, war stolz auf sein etruskisches Königsblut.

Euander, König der Pelasger im Tuskerland, arkadischer Herkunft, Urbild eines guten Menschen.

Europa, Tochter des phönizischen (phönikischen) Königs Agenor; Zeus, als Stier verwandelt, entführte sie auf seinem Rücken. Nach ihr hat unser Erdteil seinen Namen.

Fabia, Gemahlin des Volkstribunen Gaius Licinius Stolo.

Fabii (Fabier), berühmtes Adelsgeschlecht, besonders bekannt:

Caeso Fabius, römischer Konsul, wurde für seine Versuche einer Vermittlung zwischen Plebs und Patriziern von beiden Seiten mit Undank belohnt u. fand im freiwilligen Kampfe zusammen mit seiner gesamten Sippe, der Gens Fabia, den Opfertod.

Gaius Fabius Dorso, junger Krieger, der seine Tapferkeit im Kampfe gegen die Gallier bewies.

Marcus Fabius Ambustus, Konsul, befürwortete in den Ständekämpfen gesetzliche Vorteile für die Plebejer. Vater der Fabia und des Quintus Fabius Rullianus.

Quintus Fabius, Bruder von Marcus Fabius, fiel im Kampf gegen die Vejenter.

Quintus Fabius Rullianus, Sohn des Marcus F. Ambustus. Er lieferte als Magister equitum gegen den Willen des Lucius Papirius Cursor den Samnitern eine siegreiche Schlacht und entging durch die Fürbitte des Senats und des Volkes der Strafe des Diktators.

Fabricius, Gaius, angesehener Patrizier von unbestechlicher Gerechtigkeit, Gesandter und Feldherr im Kriege gegen Pyrrhus. Er unterwarf später einen großen Teil Süditaliens.

Falerii, etruskische Stadt, von Rom erst nach langen, erbitterten Kämpfen niedergeworfen.

Falisker (lat. Falisci), die Einwohner von Falerii.

Fama, Göttin des Gerüchts und der üblen Nachrede. Tochter der Gaia.

Faunus, altitalischer Naturgott, Enkel des Saturnus, Beschützer der Felder und der Saaten, Vater des Königs Latinus. Als Gott der Herden hatte er den Beinamen Lupercus, „der Wolfstöter“: ihm zu Ehren wurden die Luperkalien gefeiert.

Faustulus, Oberhirte des Königs Amulius, Pflegevater der Zwillingsbrüder Romulus und Remus.

Fidenae, latinische Gründung nördlich von Rom, später im Besitz der Etrusker, verbündet mit Veii.

Fides, Göttin der Treue.

Fortuna (gr. Tyche), Göttin des Zufalls, besonders des Glücks und Segens. Ihr Dienst wird zurückgeführt auf Servius Tullius, der ihr, als Sohn einer Sklavin auf den Thron gekommen, einen Tempel auf dem Kapitol und einen zweiten am Tiber, unterhalb der Stadt, errichtete. Der berühmte Fortunatempel am Rindermarkt in Rom, in dem sich griechische und altitalisch-römische Besonderheiten mischen, stammt aus dem ersten vorchristlichen Jahrhundert und verdankt seine gute Erhaltung dem Umstand, daß er in christlicher Zeit in eine Marienkirche umgewandelt wurde.

Furien (lat. Furiae, gr. Erinnyen, Eumeniden), die Göttinnen des zürnenden Fluchs und der rächenden Strafe, die in der Unterwelt wohnen, das Unrecht auf der Oberwelt bestrafen und die Schuldigen verfolgen.

Furius Camillus, Marcus, hervorragender Feldherr, legte schon im Krieg gegen die Aequer und Volsker den Grund zu seinem späteren Ruhm, war sechsmal Kriegstribun mit konsularischer Gewalt und führte als Diktator den Oberbefehl im Krieg gegen Veii, das er nach zehnjähriger Belagerung eroberte. Durch Intrigen in die Verbannung getrieben, wurde er nach der Niederlage an der Allia zum Diktator ernannt und besiegte die Gallier, verhinderte die Übersiedlung der Plebs nach Veii, war mehrmals Diktator und später vergeblich Gegner der licinischen Gesetze.

Furius Camillus, Spurius, der Sohn, sicherte dem Senat den Besitz des Konsulats und besiegte als Diktator bzw. als Konsul zweimal die Gallier.

Gabii, Stadt in Latium, eine der ältesten und mächtigsten Städte des Latinischen Bundes, von König Tarquinius Superbus eingenommen.

Gaetulien (lat. Gaetulia), das im nordwestlichen Libyen gelegene Land des Königs Iarbas, der um Königin Dido warb.

Gaia, Göttin der Erde (lat. Tellus), seit ältester Zeit als ehrwürdige Allmutter verehrt, die alles Leben aus ihrem Schoße gebiert und an ihrer Brust trägt und nährt. Mutter der Fama und der Giganten.

Gallier, in ihrer eigenen Sprache Kelten, lebten im Gebiet der Poebene und des heutigen Frankreichs und brachten unter ihrem Führer Brennus den Römern im Jahre 387 v. Chr. eine schwere Niederlage bei.

Giganten, Riesen der griechischen Sage, Söhne der Gaia, die gegen die olympischen Götter kämpften.

Gorgo (Mehrzahl = Gorgonen), Töchter des Phorkys und der Keto, drei weibliche Ungeheuer von scheußlichem Aussehen. Am bekanntesten war Medusa; siehe Minerva

Harpyien, geflügelte und unheilstiftende Windgeister in der Gestalt scheußlicher, gefräßiger Vögel.

Hausgötter, siehe Penaten

Hector (gr. Hektor), Sohn des Königs Priamos von Troia und seiner Gattin Hekabe, der herrlichste Held der Troer, der nach seinem Siege über Patroklos von Achilleus besiegt wurde.

Helena, Gemahlin des Königs Menelaos von Sparta, von dem troischen Königssohn Paris nach Troia entführt. Dieser Raub gab den Anlaß zum Trojanischen Krieg.

Heraclea (gr. Herakleia), tarentinische Siedlungsstadt in Lukanien am Golf von Tarent, wo die Römer von König Pyrrhus besiegt wurden.

Hercules (gr. Herakles, Herkules), erdgeborener Sohn des Zeus und der Alkmene, berühmt durch seine zwölf Arbeiten.

Herniker (lat. Hernici), Bergvolk sabinischer Abkunft, im Nordosten Roms.

Hesperiden, die vier Töchter bzw. Nichten des Riesen Atlas; sie pflegten den Wunderbaum mit den goldenen Äpfeln (Äpfel der Hesperiden).

Hesperien (Vesper = Abend), das nach Westen gelegene „Abendland" = Italien.

Horatia, Schwester der drei Horatier, verlobt mit einem der drei Curiatier.

Horatier, Drillingssöhne des Horatius, die im Albanerkrieg den Entscheidungskampf mit den Curiatiern, Drillingssöhnen des Albaners Curiatius, aufnahmen; der letzte Horatier, Publius Horatius, siegte.

Horatius, volksfreundlicher Senator in den Ständekämpfen.

Horatius Cocles, Publius, der „Einäugige", Römerheld im Abwehrkampf gegen den Etruskerkönig Porsenna, der König Lucius Tarquinius wieder in Rom einsetzen wollte.

Hostilius, Hostius, römischer Held, im Kampfe gegen die Sabiner gefallen.

Hypnos, Gott des Schlafes, der von Morpheus, dem Schöpfer der Träume, begleitet wird.

Ianiculus (= Janus-Berg), Berg auf dem rechten Tiberufer; gehört nicht zu den 7 Hügeln, doch früh mit Rom verbunden.

Ianus (Janus), altitalischer Gott der Türen und Tore, übertragen auch: Gottheit des Anfangs und des Endes, der mit zwei Gesichtern dargestellt wurde. Die Römer errichteten ihm einen berühmten Tempel, der in Friedenszeiten geschlossen wurde; noch 1000 Jahre später war er unverändert.

Iapyx, Arzt im Gefolge des Aeneas.

Iarbas, Sohn des Iupiter und einer Nymphe, König von Gaetulien, der die Königin Dido von Karthago zum Weibe gewinnen wollte.

Icilius, Lucius, Verlobter der von Appius Claudius in den Tod getriebenen Virginia.

Ida, 1. Berg in Kleinasien, auf dem Paris die Herden hütete; hier wurde auch das Holz für das troische Pferd geschlagen. 2. Berg auf der Insel Creta, wo Zeus aufgezogen wurde.

Idmon, Kampfgefährte des Turnus.

Ilioneus, einer der Gefährten des Aeneas.

Ilium (gr. Ilion), anderer Name für Troja.

Iris, Götterbotin, die auf dem Regenbogen zu den Menschen heruntersteigt.

Italus, der sagenhafte Stammvater Italiens.

Iulus (Iulius), späterer Name des Ascanius, gebildet nach Ilion, dem Namen seiner einstigen Heimat.

Iuno (Juno), altitalische Gottheit, die – wie Hera als Gattin des Zeus – die Göttermutter und Gemahlin Iupiters ist.

Iupiter, auch Iuppiter (Jupiter, gr. Zeus) altitalische Gottheit und höchster römischer Staatsgott, Iupiter Optimus Maximus, „der Beste und Größte", dessen eindrucksvollster Tempel später auf dem Kapitol stand.
Die Silbe „Iuv" stimmt sprachlich mit dem griechischen „Zeus" überein, „-piter" ist die abgeschwächte Form des Wortes pater = Vater. Als Iupiter Stator ist er der „Fluchthemmer"; als Iupiter Indiges, der eingeborene Landesgott, ging Romulus nach seiner Entrückung in ihm auf.

Iuturna, latinische Quellnymphe, die als Schwester des Turnus galt.

Kampanien, siehe Campania

Karthago (lat. Carthago), „neue Stadt", ist nach der Sage von Königin Dido gegründet, die aus Phönikien geflohen war. Daher werden die Einwohner auch Punier genannt.

Kreta, siehe Creta

Kronos, siehe Saturnus

Kyklopen (Zyklopen), 1. Riesensöhne des Uranos und der Gaia; ungeschlachte Riesen, später Gehilfen des Hephaistos (Vulcanus).
2. auch einäugige Riesen: Söhne des Poseidon auf der Insel des Polyphem.

Laocoon (gr. Laokoon), Priester Apollos und Poseidons in Troia; ein berühmtes Marmorstandbild aus dem ersten Jahrhundert v. Chr. überlieferte seinen und seiner Söhne Todeskampf. (Vergl. „Die schönsten Sagen des klassischen Altertums", Seite 208 und dort die Bildwiedergabe.)

Laren (lat. Lares), die als Götter verehrten Seelen der Verstorbenen, gehörten unmittelbar zur Wohnstätte und wurden als Schutzgottheiten des Hauses verehrt.

Latium, weite Ebene (die heutige Campania), in der Rom gegründet wurde.

Latiner, Bewohner der Landschaft Latium.

Latinus, König von Latium, Vater der Lavinia, Sohn des Faunus, Urenkel des Saturn.

Latona (gr. Leto), Mutter des Apollo und der Diana.

Laurentum, sehr alte Stadt Latiums, Residenz des Königs Latinus; sie lag in der Nähe von Ostia, wo Aeneas landete, in einer gesunden, mit Lorbeerwäldern geschmückten Gegend. Die Latiner wurden deshalb auch Laurenter genannt.

Lavinia, zweite Gattin des Aeneas, Tochter des Königs Latinus und Mutter des Silvius.

Lavinium, von Aeneas gegründete Stadt, die er nach seiner Gattin Lavinia benannte.

Lavinius, römischer Feldherr im Kampfe gegen König Pyrrhus.

Leda, Gemahlin des Spartanerkönigs Tyndareus (gr. Tyndareos), Mutter der Dioskuren Castor (Kastor) und Pollux (gr. Polydeukes) sowie der schönen Helena und der Klytemnestra. Zeus nahte sich ihr in Gestalt eines Schwanes.

Lentulus, Lucius, Legat im Heere des Spurius Postumius, das in den Kaudinischen Pässen eingeschlossen worden war.

Libyen (lat. Libya), Name für Nordafrika, in alter Zeit auch für ganz Afrika.

Licinius, Stolo Gaius, Volkstribun, brachte mit dem Volkstribunen Lucius Sextius Lateranus die nach ihm benannten licinischen Gesetze durch, die die Teilnahme der Plebejer am Konsulat und die Besitzrechte am „ager publicus" regelten. Diese

Gesetze bedeuteten das Ende der verhängnisvollen Ständekämpfe.

Lucania (Lukanien), unteritalische Landschaft zwischen Apulien und Kampanien.

Luceria, Stadt in Apulien, in den Samniterkriegen umkämpft und schließlich von den Römern erobert.

Lucius, Iunius Brutus, siehe Brutus

Lucretius, Spurius, Vater der Lucretia.

Lucretia (Lukretia), Gemahlin des Tarquinius Collatinus und Vorbild einer treuen Gattin; sie gab durch ihren Freitod den Anlaß zum Sturze des Königtums.

Lucumo, Sohn einer Etruskerin und des korinthischen Flüchtlings Demaratus, später Lucius Tarquinius, fünfter König von Rom, genannt Tarquinius Priscus, ,,der Alte".

Lupercus, siehe Faunus

Lykien (gr. Lykia), Landschaft in Kleinasien.

Maecius, Geminus, tuskulanischer (latinischer) Reiterführer im letzten Samniterkrieg, Gegner des jungen Titus Manlius.

Magister equitum, Gehilfe und Stellvertreter des Diktators, von dem er ernannt wurde, führte das Kommando über die Reiterei.

Manen (lat. Manes), die römischen Götter der Unterwelt, die bei Totenfeiern und bei Verwünschungen angerufen werden, später auch die zu Göttern erhobenen Seelen der Verstorbenen.

Manlii, angesehenes römisches Geschlecht, besonders bekannt:

Lucius Manlius, Diktator, Vater des Torquatus.

Marcus Manlius, Retter des Kapitols im Gallierkrieg, siehe Capitolinus.

Titus Manlius, der später nach seinem Siege über den Führer der Gallier den Ehrennamen Torquatus erhielt.

Titus Manlius, dessen Sohn, Reiteroberst im Latinerkrieg, der von dem eigenen Vater wegen Verstoßes gegen die Kriegszucht zum Tode verurteilt wurde.

Marcius, Gaius, junger stolzer Patrizier, der sich im Kampf gegen die Volsker auszeichnete, besonders bei der Einnahme von Corioli. Er erhielt deshalb den Ehrennamen Coriolanus. Später ausgewiesen, suchte er Zuflucht bei den Volskern.

Mars (gr. Ares), altitalischer Gott, kriegerisch und staatsschirmend, der als Vater des Romulus (und Remus) zum Vater des kriegerischen Römervolkes wurde; Specht und Wolf waren ihm heilig. Der erste Monat des (damaligen) Jahres, der März, war ihm geweiht.

Marser (lat. Marsi), alte Völkerschaft sabellischen Stammes in Mittelitalien auf einer Hochebene des Apenninus, Bundesgenossen der Samniter.

Maximus, Fabius, Konsul im 3. Samnitischen Krieg.

Medusa, auch Gorgo Medusa, eine der drei Gorgonen (siehe Gorgo), von Perseus getötet; er schenkte ihr abgeschlagenes Haupt, dessen Anblick den Betrachter versteinerte, der Göttin Athene (lat. Minerva), die es auf ihrem Brustpanzer trug (Medusenhaupt).

Mercurius (Merkur) ist – wie bei den Griechen der Gott Hermes – der Götterbote mit Flügelschuhen und Reisehut, zugleich auch der Gott des Handels und Verkehrs.

Mettius Curtius, Führer der Sabiner im Rachekrieg gegen Rom.

Mettius Fufetius, Diktator als Nachfolger des im Kriegslager verstorbenen Albanerkönigs Cluilius, Gegner der Römer unter Tullus Hostilius, veranlaßte den Zweikampf zwischen den Horatiern und Curiatiern.

Mezentius, König, steht dem Rutulerkönig Turnus im Kampfe gegen Aeneas bei und fällt durch die Hand des Ascanius.

Minerva, mit Iupiter und Iuno Schirmherrin der Stadt Rom und Schützerin aller Gewerbe und schönen Künste, Lenkerin der Völkergeschicke. Wie Pallas Athene, der sie entspricht, trug sie den Aegisschild (gr. Aigis) mit dem den Beschauer versteinernden Haupt der Gorgo Medusa.

Mucius, Gaius Scaevola, römischer Bürger mit altrömischer Opferbereitschaft, der durch sein mutiges Eintreten den König Porsenna veranlaßte, die Belagerung Roms aufzugeben, und wegen des Verlustes seiner Rechten den Beinamen Scaevola (d. h. Linkshand) erhielt.

Mucia Prata, Wiesengelände am Tiber, das dem Mucius Scaevola in Anerkennung seines heldischen Opfermutes übereignet wurde.

Mykene (Mykenai, Mycenae, Mykenä), Stadt und Burg in Argolis (Peloponnes), von Perseus gegründet; später herrschten hier Pelops und seine Nachkommen, die Pelopiden, unter denen Agamemnon, der Führer der Griechen gegen Troja, den Stadtstaat zur höchsten Blüte führte. – In Mykene wurden durch Heinrich Schliemann wichtige Ausgrabungen ausgeführt.

Neptun (lat. Neptunus, gr. Poseidon), römische Gottheit der Meere und Flüsse.

Numa Pompilius, sabinischer Herkunft, Nachfolger des Romulus, Friedensfürst, der durch Frömmigkeit und weise Regierung Roms Ansehen steigerte.

Numicus, auch Numicius, kleiner Küstenfluß zwischen Latium und dem Gebiet der Rutuler.

Numider (lat. Numidae), Volksstamm in Nordafrika.

Numitor, Bruder des Amulius, von dem er vom Throne gestürzt wurde, Vater der Rea Silvia, Großvater des Romulus und des Remus.

Nymphen, Töchter des Zeus, Naturgottheiten, die als Baumnymphen (gr. Dryaden), Bergnymphen (Oreaden), Quell- und Bachnymphen (Najaden, z. B. Eurydike) die Naturkräfte verkörperten.

Odysseus (lat. Ulixes), Sohn des Königs Laërtes von Ithaka, Gatte der Penelope und Vater des Telemach. Er war der ,,Listenreiche", der den Plan für den Bau des ,,trojanischen Pferdes" erfand. Über

seine berühmten Heimkehr-Abenteuer hat der Dichter Homer in der „Odysseia" (Odyssee) berichtet.

Olymp (gr. Olympos), Berg in Nordgriechenland, fast 3000 Meter hoch, berühmt als Himmelsthron der Götter, die nach ihm die „Olympischen" genannt wurden.

Orontes, Führer eines der Schiffe aus Aeneas' Flotte, auf dem lykische Bundesgenossen fuhren.

Ostia (os = der Mund, die Tür, der Zugang, auch die Mündung), Hafenstadt von Rom an der Mündung des Tiber, von König Ancius Marcius erbaut.

Padus, der heutige Po, in dessen Talebene einst die Gallier beheimatet waren.

Palatin (lat. Palatinus, auch Palatium), einer der sieben Hügel Roms, erste Besiedlungsstätte der künftigen Weltstadt.

Palinurus, Steuermann in der Flotte des Aeneas.

Pallanteum, Hauptstadt König Euanders im Tuskerland.

Pallas, arkadische Gottheit, nach Italien verpflanzt.

Pallas, Sohn des Arkaderkönigs Euander, benannt nach dem göttlichen Urvater aus der alten Heimat in Griechenland, fiel im Kampfe gegen Turnus.

Pallas Athene, Schutzgöttin Athens – siehe Athene

Paphos, an der Südwestküste von Cyprus (gr. Kypros, Zypern), war der Lieblingsaufenthalt der hier dem Meere entstiegenen Göttin Aphrodite, die in der römischen Götterlehre Venus ist.

Papirius, Cursor Lucius („der Läufer"), Diktator im Krieg gegen Samnium, bekannt durch seine beispielhafte Amtsstrenge gegen seinen Magister equitum. Nach der Schmach in den Engpässen von Caudium besiegte er die Samniter bei Luceria und in anderen Schlachten.
Sein Sohn Lucius Papirius Cursor beendete durch mehrere Siege den langwierigen Völkerstreit mit den Samnitern.

Papirius, Marcus, alter Senator, von den Galliern erschlagen.

Paris, Sohn des Königs Priamos von Troia.

Pelasger, Volk in Thessalien, später im Tuskerland (Etrurien).

Penaten (lat. Penates), Schutzgottheiten des Hauses, deren Bilder – ihre Zahl ist nicht bekannt – im großen Aufenthaltsraum der Familie, den penetralia, in einem Schrein in der Nähe des Herdes standen, auf dem die immerwährende Flamme brannte. Die Penaten hatten so Anteil am täglichen Geschick der Familie und erhielten bei allen wichtigen Ereignissen des Hauses ihre Opfergaben.

Phoebus Apollo, siehe Apollo

Phoenizien (Phönizien, Phoinikien), Land in Syrien mit den Städten Tyrus und Sidon; die Phoenizier (Phoiniker) waren ein Handels- und Seefahrervolk, das zwischen 1200 und 900 v. Chr. auf der Höhe seiner Macht stand.

Phrygien, Landschaft in Kleinasien, Heimatland von Arachne, Niobe, Philemon und Baukis.

Pilumnus, Ahnherr des Rutulerkönigs Turnus.

Pius Aeneas = der fromme Aeneas.

Pompo, Vater des Königs Numa Pompilius.

Pomponius, Tribun, Gegner des Lucius Manlius.

Pontinische Sümpfe (lat. Pomptinae paludes), ungesundes, aber sehr fruchtbares Sumpfgebiet in Latium.

Pontius, Gaius, Feldherr der Samniter, der das Römerheer in die Kaudinischen Pässe lockte und zur Ergebung zwang.

Pontius, Herennius, Vater des samnitischen Feldherrn Gaius Pontius, gab nach der Einschließung der Römer in den Kaudinischen Pässen einen militärisch richtigen Rat, der jedoch nicht befolgt wurde.

Porsenna, etruskischer König von Clusium, unterstützte den vertriebenen König Tarquinius gegen die junge Republik Rom, doch wurde er durch römischen Heldenmut bewogen, die Belagerung aufzugeben.

Postumius, Aulus, der erste Diktator der Römer, erkämpfte in der Schlacht am Regillus-See den Sieg über den Latinischen Bund.

Postumius, Spurius, erlitt als Konsul bei Caudium eine schimpfliche Niederlage und mußte einen entehrenden Vertrag eingehen. Auf eigenes Verlangen wurde er als Sühneopfer an die Samniter ausgeliefert, damit der Vertrag seine Gültigkeit verliere, doch wurde P. von den Samnitern zurückgewiesen.

Priamus (gr. Priamos), König von Troia, Vater von Hektor und Paris.

Procas, Albanerkönig, Nachkomme des Aeneas, Vater des Numitor und des Amulius.

Proculus, Iulius, Augenzeuge der himmlischen Entrückung des Romulus.

Publilius, Philo Quintus, Diktator im Sabinerkrieg.

Punier (lat. Poeni), Name für Phoenizier als Einwohner von Karthago.

Pygmalion, König von Tyrus, der durch rohe Freveltat seine Schwester Dido aus der Heimat trieb.

Pyrrhus, König von Epirus, der auf Bitten der Tarentiner die Römer bekriegte. Nach mehreren schwer errungenen Siegen – der Ausdruck „Pyrrhus-Sieg" ist noch heute sprichwörtlich – wurde er jedoch bei Beneventum entscheidend geschlagen und mußte Italien räumen.

Quinctius Pennius, Konsul im zweiten Gallierkrieg.

Quirinus, Name des in den Himmel entrückten Romulus als Schutzgott Roms.

Quiriten, der gemeinsame Name der vereinigten Römer und Latiner.

Rea Silvia, Tochter des Numitor und Mutter des Brüderpaares Romulus und Remus, die sie dem Kriegsgott Mars gebar. Als sie zur Strafe für ihr Vergehen in den Tiber gestürzt wurde, zog Tiberinus, der Gott des Stromes, sie zu sich in sein Reich und machte sie zu seiner Gemahlin.

Regillus-See (lat. Regillus lacus), in Latium, östlich von Rom, berühmt durch die Schlacht mit den

Latinern, in der die Dioskuren den kämpfenden Römern voranstürmten.

Remus, Zwillingsbruder des Romulus, wurde in unseligem Bruderzwist erschlagen.

Romulus, der als Sohn des Mars und der Rea Silvia zum Gründer Roms wurde und als kriegerischer König die schnell aufblühende Stadt regierte, Senat und Volksversammlung einführte; nach seiner Entrückung wurde er als Quirinus verehrt.

Rutuler (lat. Rutuli), Volksstamm mit der Hauptstadt Ardea in Latium.

Sabiner (lat. Sabini), Urbevölkerung Mittelitaliens; später trugen sie auch den Namen Sabeller.

Samniter (lat. Samnites), mit den Sabinern verwandtes Hirtenvolk im nördlichen Kampanien, Gegner Roms in drei langjährigen Kriegen, in denen sie schließlich unterworfen wurden.

Samnium, das Land der Samniter.

Samothrake, griechische Felsinsel in der nordöstlichen Ägäis, über die Dardanus von Italien her an die Mündung des Skamandros kam und Troia gründete.

Sarpedon, Sohn des Zeus und der Laodameia, Fürst der Lykier, nahm als tapferer Bundesgenosse der Troer am Kriege teil und fiel durch die Hand des Patroklos.

Saturnus, Saturn, altitalischer Gott der Fruchtbarkeit, des Wachstums und der Saaten; er entspricht der griechischen Gottheit Kronos; siehe Saturnalien

Sentinum, feste Stadt Umbriens, bekannt durch die große Niederlage der Samniter und die Todesweihe des jüngeren Publius Decius Mus.

Servilius, Publius, Mitkonsul des Appius Claudius.

Servius Tullius, der sechste König von Rom, galt als Sohn eines Sklaven, von König Tarquinius erzogen und später dessen Schwiegersohn. So wird der Vorname Servius mit dem lat. Wort servus=Sklave in Verbindung gebracht, aber tatsächlich ist die niedrige Herkunft nicht nur Schein, denn die Überlieferung weiß von dem Sproß eines niedrig gestellten Hauses zu berichten, der schicksalhaft zum Königtum berufen ist.

Sextius, Lateranus Lucius, Volkstribun, setzte gemeinsam mit Gaius Licinius Stolo die licinischen Gesetze durch.

Siccius, Dentatus Lucius, untadeliger römischer Krieger, der durch die Häscher des Appius Claudius den Tod fand.

Sicinius, Bellutus Gaius, Wortführer der Plebs in den Ständekämpfen, war der Führer beim Auszug auf den Heiligen Berg, der erste Volkstribun.

Sidon und Tyrus (Tyros), die beiden berühmtesten Städte Phoeniziens, woher Dido stammte.

Silvanus, Waldgott.

Silvia, Tochter eines latinischen Oberhirten.

Silvius, spätgeborener Sohn des Aeneas aus seiner Ehe mit Lavinia.

Siris, Fluß in Lukanien, in der Nähe von Heraclea, wo König Pyrrhus die Römer besiegte.

Sizilien (lat. Sicilia), Insel im Mittelmeer, von den Griechen besiedelt, die lange Zeit zum alten Großgriechenland gehörte.

Skamandros, Fluß bei Troia.

Sparta, Stadt in der fruchtbaren Landschaft Argolis, Sitz des Königs Menelaos.

Sychaeus, Gemahl der Dido, fand durch den Frevel ihres Bruders Pygmalion den Tod.

Syracusae (Syrakus), größte und reichste Stadt Siziliens, gegründet von Griechen.

Taenarum (gr. Tainaron), das Vorgebirge des Peloponnes in Lakonien, auf dem sich ein mit Asylrecht versehenes Heiligtum befand. Hier war der Eingang zur Unterwelt, und von hier aus hat Hercules den Hund Cerberus (Kerberos) hervorgeholt.

Tanaquil, Etruskerin, Gemahlin von Lucumo aus Tarquinii.

Tarentum (Tarent), Stadt an Unteritaliens Ostküste an dem nach ihr genannten Golf in höchst reizvoller und fruchtbarer Gegend, gegründet von Griechen, erlag nach dem Krieg gegen Pyrrhus den Römern. Die Einwohner heißen Tarentiner.

Tarpeia, Tochter des Spurius Tarpeius, verriet das von ihrem Vater befehligte Kapitol an die Sabiner.

Tarpeius, Spurius, Befehlshaber auf dem Kapitol im Krieg gegen die Sabiner.

Tarquinii, Stadt im Etruskerland.

Tarquinius, Aruns, Sohn des vertriebenen Königs Tarquinius Superbus.

Tarquinius Priscus (= der Alte), fünfter König von Rom; siehe Lucumo

Tarquinius, Sextus, Sohn des T. Superbus.

Tarquinius, Lucius Superbus, Sohn des Königs Tarquinius Priscus, siebenter und letzter König von Rom, wurde im Volksaufstand unter Brutus vertrieben.

Tatia, Gemahlin des Numa Pompilius, bevor er die Herrschaft als Nachfolger des Romulus übernahm; Tochter des Königs Titus Tatius.

Tatius, Titus, Sabinerkönig zur Zeit des Romulus.

Terminus, Gott des Grenzsteines und des Eigentums. Ihm zu Ehren wurden die Terminalien gefeiert.

Teucros, auch Teucer (gr. Teukros), Sohn des Fluß gottes Skamandros, der als Stammvater der Teukrer (Troianer) gilt; vgl. Dardanus

Thrakien (lat. Thracia), das Land östlich von Makedonien (Mazedonien) bis zum Schwarzen Meer, zwischen der Donau im Norden und dem Ägäischen Meer und Marmarameer im Süden.

Tiberinus, Flußgott des Tiber.

Titus und Tiberius, siehe Brutus

Tolumnius, König von Veii.

Troia (Troja), uralte Stadt im Nordwesten Kleinasiens an der Einfahrt in die Dardanellen, auch Ilium (gr. Ilion) genannt. – (Troer, Trojaner, troisch, trojanisch).

Der Trojanische Krieg ist geschichtlich und soll von 1194 bis 1184 v. Chr. stattgefunden haben. Hein-

rich Schliemann entdeckte das alte Troia und führte (mit Wilhelm Dörpfeld) von 1870–1890 seine weltberühmten Ausgrabungen durch, die neun verschiedene Bauschichten und den angeblichen „Schatz des Priamos" ans Tageslicht förderten. Lies Brustgi „Weltfahrt nach Troja"!

Tullia, Tochter des Königs Servius Tullius, nach der Ermordung ihres Gatten mit dessen Bruder, Lucius Tarquinius Superbus, „dem Stolzen", vermählt; beide waren Söhne des Königs Lucius Tarquinius.

Tullus Hostilius, der dritte römische König, kriegerisch wie Romulus, unterwarf die Albaner, verpflanzte sie nach Rom und zerstörte Alba Longa.

Turnus, Schwestersohn der Amata, der Gemahlin des Latinus, Rutulerkönig zu Ardea, Hauptgegner des Aeneas in Latium.

Turnus, Wortführer der Unzufriedenen gegen König Tarquinius Superbus, von diesem zum Tode verurteilt.

Tusker (lat. Tusci), anderer Name für Etrusker, die Bewohner der Landschaft Etrurien, die etwa der heutigen – vom Wortstamm Tusc abgeleiteten – Toscana entspricht.

Tusculum, feste Stadt Latiums auf einem hohen Bergrücken des Albanergebirges. In späterer Zeit hatten dort die reichen Römer, auch z. B. Cicero, prächtige Landhäuser.

Tyrus (gr. Tyros), Didos Heimatstadt in Phoenikien, aus der sie entfloh; sie wurde deshalb noch in Karthago die Tyrerin genannt.

Umbrien (lat. Umbria), italische Landschaft im Norden zwischen Etrurien und dem Sabinerland.

Valeria, Tochter des Konsuls Valerius, die mit Cloelia aus der Geiselhaft bei König Porsenna floh.

Valerius, Marcus, Militärtribun, mit dem Beinamen Corvus, weil er mit Hilfe eines Raben seinen gefährlichen gallischen Gegner besiegte; wurde mit 23 Jahren Konsul.

Valerius, Publius, ein Freund des einfachen Volkes, Nachfolger des Collatinus im Konsulat, deckte mit Hilfe eines Sklaven den Hochverrat der jungen Patrizier auf.

Valerius, volksfreundlicher Senator, der gemeinsam mit Horatius mit dem Volke verhandelte, als Appius Claudius geflohen war. Beide schufen die „valerisch-horazischen" Gesetze.

Veii (Veji), alte Etruskerstadt, gefährliche Nebenbuhlerin Roms; die Eroberung durch Camillus nach zehnjähriger Belagerung gab Rom den Weg frei für weitere Ausdehnung.

Venus (gr. Aphrodite), Tochter des Iupiter und Mutter des „göttlichen" Aeneas; Göttin der Liebe und der weiblichen Anmut. Ihr steter Begleiter ist Cupido (Amor, Eros).

Vergil, großer römischer Dichter, 70 bis 19 v. Chr., vereinigte in seiner klassischen „Aeneis" die Ursprungssagen von Rom.

Vesta, Göttin, in deren Tempel das ewige Feuer bewahrt wurde; Vestalin: Dienerin der Vesta.

Veturia, Mutter des Coriolanus, veranlaßte den Sohn zusammen mit dessen Frau Volumnia, von der Belagerung Roms zu lassen.

Veturius, Titus, gemeinsam mit Spurius Postumius Konsul und Feldherr im Krieg gegen die Samniter.

Via Salaria, große Heerstraße, von Rom aus nach Norden verlaufend.

Virginia, Tochter des Virginius, wurde von Appius Claudius in den Tod getrieben und gab den Anstoß zum Sturz der gewalttätigen Dezemvirn.

Virginius, Vater der Virginia.

Volsker (lat. Volsci), alte italische Völkerschaft an der Küste des Tyrrhenischen Meeres.

Volumnia, Gattin des Coriolanus.

Vulcanus, Vulkan (gr. Hephaistos), Gemahl der Venus, Gott des Feuers und der Schmiedekunst, der mit seinen Gehilfen, den Zyklopen, im feuerspeienden Ätna hauste.

Zephyrus (gr. Zephyros), der den Griechen gewöhnlich Sturm und Regen, den Westländern aber milde Witterung bringende Südwind.

Zeus (lat. Iupiter), Sohn des Kronos und der Rhea, stürzte Kronos und wurde oberster Gott der Griechen, Gemahl der Hera; seine Kinder sind Ares, Hephaistos, Apollon, Artemis, Aphrodite, Dionysos, Pallas Athene, Persephone sowie die neun Musen; wichtige Kultstätten waren in Olympia und Dodone. „Die Höhle des Zeus" wurde von dem Engländer D. G. Hogarth durchforscht.

BILDNACHWEIS

1 Bärtiger Zeuskopf vom Tempel der Mater Matuta in Satrilum um 500 v. Chr. (Rom, Museo di Villa Giulia); Foto Marburg

2 Iupiter von Otricoli (Rom, Museo Vaticano); Anderson, Rom

3 Apollo von Veii; bemalte Terracotta-Figur um 500 v. Chr. (Rom, Museo di Villa Giulia); Anderson, Rom

4 Iuno Ludovisi (Rom, Museo Nazionale Romano); Anderson, Rom

5 Die kapitolinische Wölfin; Bronze, erste Hälfte des 5. Jahrhunderts v. Chr. Die beiden Knaben Romulus und Remus wurden erst später hinzugefügt (Rom, Palazzo dei Conservatori); Anderson, Rom

6 Etruskische Totenstadt bei Cerveteri (7. und 6. Jahrhundert v. Chr.), Blick in eine der Gräberstraßen; Anderson, Rom

7 Rest der republikanischen Mauer auf dem Kapitol; Schroll, Wien

8 Das Kolosseum in Rom; Foto Marburg

9 Tempel des Antonius und der Faustina, Phokassäule und Castortempel; Foto Marburg

10 Tempel des Castor und Pollux auf dem Forum in Rom; Anderson, Rom

11 Saturntempel auf dem Forum in Rom; Anderson, Rom

12 Aufgang zum Palatin; Schroll, Wien

13 Knabenkopf, Bronze, Mitte des 3. Jahrhunderts v. Chr. (Florenz, Museo Archeologico); Anderson, Rom

14 Weiblicher Kopf mit Diadem vom Apollo-Tempel (Civita Castellana), 2. Hälfte des 4. Jahrhunderts v. Chr. (Rom, Museo di Villa Giulia); Foto Marburg

15 Relief mit Opferszene (lat. suovetaurilia): Opferung von Schwein, Schaf und Stier, der drei für die menschliche Ernährung wichtigsten Tiere; Foto Marburg

16 Fries vom Altar des Domitius Ahenobarbus am Tempel des Neptun auf dem Marsfeld in Rom, Opfer an Mars, um 110 v. Chr. (Paris, Louvre); Foto Marburg

17 Etruskischer Krieger; lebensgroße Kalksteinstatue aus der Gegend von Capistrano bei Aquila, 6. Jahrhundert v. Chr. (Rom, Museo di Villa Giulia); Anderson, Rom

18 Etruskischer Krieger, Bronze (Florenz, Museo Archeologico); Foto Marburg

19 Sarkophag, sog. „Kindersarkophag" mit Darstellungen aus dem Menschenleben: Stillende Mutter – Vater mit Kind auf dem Arm – spielendes Kind mit Eselswagen – Knabe und Lehrer (Paris, Louvre); Foto Marburg

20 Etruskische Urne mit Darstellung der Rückkehr vom Wagenrennen (Florenz, Museo Archeologico); Foto Marburg

21 Reiterparade, in der Mitte Fußvolk; Marmor-Relief am Sockel der Gedenksäule für den Kaiser Antonius Pius, nach 161 n. Chr. (Rom, Museo Vaticano); Anderson, Rom

22 Blick von der Villa der Quintilier über die Campagna Romana mit den Resten eines römischen Aquädukts; Anderson, Rom

23 Ruinen der alten römischen Hafenstadt Ostia; Anderson, Rom

Die Bilder 7 und 12 wurden mit freundlicher Genehmigung des Verlages Anton Schroll & Co, Wien-München, dem Werk: Curtius-Nawrath „Das antike Rom" entnommen.

INHALT

GALLIA
N
Rhein
Po (Padus)
ALPEN
APENNINUS
ITALIEN
ADRIATISCHES
CORSICA
Tiber
ROMA
Neapel
Vesuvius
SARDINI
TYRRHENISCHES
MEER
M I T T E L
SIZILIEN
Aetna
Karthago
GAETULIEN
A F R